Von Dan Brown sind die folgenden Bastei Lübbe Taschenbücher lieferbar:

14866 Illuminati
15055 Meteor

Über den Autor:

Dan Brown unterrichtete Englisch, bevor er sich ganz seiner Tätigkeit als Schriftsteller widmete. ILLUMINATI, der erste in Deutschland veröffentlichte Roman von Dan Brown, gelangte innerhalb kürzester Zeit auf Platz 2 der Bestsellerliste, und mit seinem in 45 Ländern erschienenen Buch SAKRILEG wurde er zu einem der erfolgreichsten Schriftsteller der letzten Jahrzehnte. Intensive Reisen und Recherchen belegen das große Interesse des Autors an der europäischen Geschichte. Dan Brown ist verheiratet und lebt mit seiner Frau, einer Kunsthistorikerin, in Neuengland.

DAN BROWN

SAKRILEG

THE DA VINCI CODE

Aus dem
Amerikanischen von
Piet van Poll

THRILLER

BASTEI
LÜBBE

BASTEI LÜBBE TASCHENBUCH
Band 15485

1. + 2. Auflage: Mai 2006

Vollständige, erweiterte Taschenbuchausgabe
der im Gustav Lübbe Verlag erschienenen Hardcoverausgabe

Bastei Lübbe und Gustav Lübbe Verlag
in der Verlagsgruppe Lübbe

Titel der amerikanischen Originalausgabe:
The Da Vinci Code
© 2003 by Dan Brown
© für die deutschsprachige Ausgabe 2006
by Verlagsgruppe Lübbe GmbH & Co KG,
Bergisch Gladbach
Umschlaggestaltung: Gisela Kullowatz
Titelbild: © Mechthild Op Gen Oorth
Satz: Bosbach Kommunikation & Design GmbH, Köln
Druck & Verarbeitung: GGP Media GmbH, Pößneck
Printed in Germany
ISBN-13: 978-3-404-15485-2 (ab 01.01.2007)
ISBN-10: 3-404-15485-1

Sie finden uns im internet unter
www.luebbe.de

Der Preis dieses Bandes versteht sich einschließlich
der gesetzlichen Mehrwertsteuer.

Für Blythe … wieder einmal
und mehr denn je.

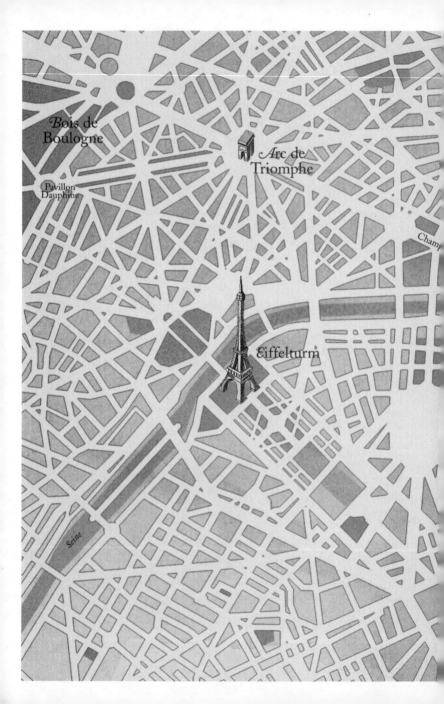

DANKSAGUNGEN

M einem Freund und Lektor Jason Kaufman, der sich für dieses Projekt so ins Zeug gelegt und von Anfang an begriffen hat, worum es in diesem Roman gehen soll, möchte ich zuerst und vor allem danken. Ebenso der unvergleichlichen Heide Lange, unermüdliche Vorkämpferin des vorliegenden Buches, *agent extraordinaire* und vertraute Freundin.

Es ist mir kaum möglich, den Mitarbeitern von Doubleday für ihre Großzügigkeit, ihr Vertrauen und ihre brillanten Ratschläge in angemessener Weise zu danken, besonders Bill Thomas und Steve Rubin, die von Anfang an von diesem Buch überzeugt gewesen sind. Ebenso danke ich dem harten Kern meiner frühzeitigen Unterstützergilde im Hause Doubleday, allen voran Michael Palgon, Suzanne Herz, Janelle Moburg, Jackie Everly und Adrienne Sparks, nicht zu vergessen die talentierte Verkaufsmannschaft von Doubleday und Michael Windsor, der den großartigen Umschlag gestaltet hat.

Für ihren Einsatz bei den Recherchen zu diesem Buch möchte ich danken: dem Museum des Louvre, dem französischen Ministerium für Kultur, dem Projekt Gutenberg, der Bibliothèque Nationale, der Gnostic Society Library, dem *departement* für Gemäldestudien und Dokumentation des Louvre, der Catholic World News, dem Observatorium in Greenwich, der London Record Society, der Muniment Collection an der Westminster Abbey, John Pike und der Federation of American Scientists sowie den fünf Mitgliedern von Opus Dei (drei aktive und zwei ehemalige), die mir die Geschichten ihrer positiven und negativen Erfahrungen erzählt haben.

Mein Dank geht auch an den Water Street Bookshop, der für mich viele Werke aufgetrieben hat, die für die Recherche erforderlich waren. Weiter gilt mein Dank meinem Vater Richard Brown, Mathematikdozent und Autor, für seine Hilfestellung beim Goldenen Schnitt und der Fibonacci-Folge, sowie Stan Planton, Sylvie Baudeloupe, Peter McGuigan, Francis McInerey, Margie Wachtel, Andre Vernet, Ken Kelleher von Anchorball Web Media, Carla Sottak, Karyn Popham, Esther Sung, Miriam Abramowitz, William Turnstall-Pedoc und Griffin Wooden Brown.

Als Verfasser eines Romans, der sich ausgiebig mit dem göttlich Weiblichen beschäftigt, würde ich mich einer Unterlassungssünde schuldig machen, ohne zum Schluss die beiden außergewöhnlichen Frauen zu erwähnen, die in meinem Leben eine bedeutende Rolle spielen – meine Mutter Connie Brown, Schriftstellerkollegin, Nährmutter, Musikerin und Vorbild – und meine Frau Blythe, Kunsthistorikerin und Malerin – ohne jeden Zweifel die begabteste Frau, der ich je begegnet bin, und stets die Erste, die meinen Text zu sehen bekommt.

FAKTEN UND TATSACHEN

Die *Prieuré de Sion*, der Orden der Bruderschaft von Sion, wurde im Jahr 1099 gegründet und ist eine Geheimgesellschaft, die bis heute existiert. Im Jahr 1975 wurden in der Pariser National-bibliothek Dokumente entdeckt, die unter der Bezeichnung *Dossiers Secrets* bekannt geworden sind und aus denen hervorgeht, dass eine Reihe berühmter Männer der *Prieuré* angehörten, darunter Sir Isaac Newton, Sandro Botticelli, Victor Hugo und Leonardo da Vinci.

Opus Dei ist eine Personalprälatur des Papstes, wodurch ihr der Rang eines Bistums ohne konkretes Territorium zukommt. Opus Dei gilt als ultrakonservative katholische Sekte. Die Organisation ist in jüngster Zeit durch Medienberichte über Gehirnwäsche, Zwangsausübung und die gesundheitsgefährdende Praxis der Selbst-kasteiung ins Zentrum kontroverser Diskussionen geraten. An der 243 Lexington Avenue in New York City hat Opus Dei unlängst eine siebenundvierzig Millionen Dollar teure US-amerikanische Zentrale eröffnet.

Sämtliche in diesem Roman erwähnten Werke der Kunst und Architektur und alle Dokumente sind wirklichkeits- bzw. wahr-heitsgetreu wiedergegeben.

PROLOG

Der Louvre, Paris
22.46 Uhr

In der *Grande Galerie* stürzte Jacques Saunière, der Museumsdirektor, zu einem der kostbaren alten Meister, einem Caravaggio, klammerte sich an den schweren Goldrahmen und hängte sich mit seinem ganzen Gewicht daran, bis das Gemälde sich von seiner Aufhängung löste. Die Leinwand beulte sich aus, als sie den rückwärts fallenden siebenundsechzigjährigen Gelehrten unter sich begrub.

Augenblicke später fuhr ganz in der Nähe mit dröhnendem Krachen das stählerne Sicherheits-Trenngitter herunter. Der Parkettboden bebte unter der Wucht des Aufpralls. Irgendwo in der Ferne schrillte eine Alarmglocke.

Saunière rang keuchend nach Atem. *Wenigstens bist du noch am Leben...* Er kroch unter der Leinwand hervor, ließ den Blick schweifen, suchte in der höhlenartigen Galerie nach einem Versteck...

»Bleiben Sie, wo Sie sind!« Die Stimme war eiskalt und erschreckend nahe.

Der Direktor hielt inne und drehte langsam den Kopf. Noch immer kauerte er auf allen vieren am Boden.

Keine fünf Meter entfernt spähte sein Angreifer durch die stählernen Gitterstäbe zu ihm hinein, ein Hüne mit gespenstisch blasser Haut, schütterem weißen Haar, rosa Augen und dunkelroten Pupillen. Er zog eine Pistole aus der Manteltasche. Der Albino richtete die Waffe durch die Gitterstäbe auf den Direktor. »Sie hätten nicht wegrennen dürfen«, sagte er. Sein Akzent war schwer einzuordnen. »Sagen Sie mir jetzt, wo es ist.«

»Ich … ich habe Ihnen doch schon gesagt, dass ich nicht weiß, wovon Sie reden!«, stieß der Direktor hervor, der hilflos auf dem Boden kniete, dem Fremden schutzlos ausgeliefert.

»Sie lügen!« Der Mann starrte Saunière an. Er stand völlig unbewegt da. In seinen Augen loderte ein gefährliches Feuer. »Sie und Ihre Bruderschaft besitzen etwas, das Ihnen nicht gehört.«

Dem Direktor brach der Schweiß aus. *Wie kann der Mann das wissen?*

»Heute Nacht werden die wahren Wächter wieder ihr Amt übernehmen. Sagen Sie mir, wo es versteckt ist, wenn Sie am Leben bleiben wollen.« Der Albino legte auf Saunière an. »Lohnt es sich, für dieses Geheimnis zu sterben?«

Saunière stockte der Atem.

Den Kopf schief gelegt, visierte der Mann über den Lauf seiner Waffe.

Saunière hob abwehrend die Hände. »Warten Sie …«, sagte er zögernd. »Ich werde Ihnen verraten, was Sie wissen wollen.« Die nächsten Sätze des Direktors waren bedächtig und wohl formuliert. Das Lügenkonstrukt, das er nun ausbreitete, hatte er immer wieder eingeübt – und jedes Mal gebetet, nie Gebrauch davon machen zu müssen.

Der Mann quittierte die Geschichte mit einem zufriedenen Lächeln. »Genau das haben die anderen mir auch erzählt.«

Saunière zuckte zusammen. *Die anderen?*

»Ich habe sie alle aufgespürt«, sagte der hünenhafte Fremde selbstgefällig. »Alle drei. Sie haben mir bestätigt, was Sie mir gerade erzählt haben.«

Unmöglich! Die wahre Identität des Museumsdirektors und seiner drei Seneschalle wurde nicht weniger streng geheim gehalten wie das uralte Geheimnis, das sie hüteten. In strikter Befolgung des verabredeten Protokolls hatten die Seneschalle vor ihrem gewaltsamen Tod die gleiche Lüge aufgetischt.

»Wenn Sie tot sind, werde ich als Einziger die Wahrheit kennen«, sagte der Albino und richtete die Pistole auf Saunières Kopf.

Die Wahrheit. Schlagartig begriff der Direktor, wie schrecklich verfahren die Situation wirklich war. *Wenn du stirbst, ist die Wahrheit für immer verloren.* Instinktiv versuchte er, sich in Sicherheit zu bringen.

Die Waffe dröhnte. Der Museumsdirektor spürte eine sengende Hitze in der Magengegend, als die Kugel ihn traf. Der Schmerz riss ihn von den Füßen. Er fiel vornüber. Langsam rollte er sich auf die Seite. Sein Blick suchte den Angreifer außerhalb der Gitters.

Der Mann legte auf Saunières Kopf an.

Saunière schloss die Augen. In seinem Hirn tobte ein Wirbelsturm aus Angst und Reue, Trauer und Bitterkeit.

Ein metallisches Klicken hallte durch die *Grande Galerie*, als das Magazin leer geschossen war. Saunière riss die Augen auf.

Der Hüne betrachtete die Waffe mit einem beinahe erheiterten Blick. Er wollte ein neues Magazin aus der Manteltasche ziehen, zögerte aber plötzlich. »Nein«, sagte er mit einem höhnischen Blick auf die Magengegend seines Opfers. »Ich glaube, ich bin hier fertig.«

Saunière sah an sich herunter. Eine Handbreit unter dem Brustbein hatte das Projektil ein Loch in seine blütenweiße Hemdbrust gestanzt, dessen Ränder sich rasch rot verfärbten. *Der Magen.* Grausamerweise hatte die Kugel das Herz verfehlt. Als Veteran des Algerienkriegs hatte Saunière oft genug den quälend langsamen Tod miterlebt, den eine solche Wunde verursacht. Von dem Moment an, wo die Magensäure in die Brusthöhle sickerte und den Körper allmählich von innen vergiftete, hatte er noch fünfzehn Minuten zu leben.

»Schmerz adelt«, sagte der hünenhafte Albino.

Dann war er verschwunden.

Jacques Saunière betrachtete das Stahlgitter. Er saß in der Falle. Es war unmöglich, das Gitter innerhalb der nächsten zwanzig Minuten zu öffnen. Bis jemand hereinkommen konnte, war er längst tot. Gleichwohl bedrängte ihn eine weitaus größere Angst als die vor dem eigenen Ende.

Du darfst nicht zulassen, dass das Geheimnis verloren geht!

Während er sich taumelnd aufrappelte, hielt er sich das Bild seiner ermordeten Mitbrüder vor Augen. Er dachte an die vielen Generationen, die ihnen vorangegangen waren … und an die ihnen anvertraute Sendung.

Eine lückenlose Kette des Wissens.

Trotz aller Vorkehrungen, trotz aller Vorsichtsmaßnahmen war Jacques Saunière unvermutet zum letzten Glied der Kette geworden, der letzte Wahrer eines der mächtigsten Geheimnisse, die es je gegeben hat.

Er schauderte. *Du musst dir etwas einfallen lassen.*

Es gab nur einen Menschen auf der Welt, an den er die Fackel weiterreichen konnte, während er hier in der *Grande Galerie* in der Falle saß. Saunière betrachtete die Wände seines prächtigen Gefängnisses. Die weltberühmten Gemälde schienen auf ihn herabzulächeln wie alte Freunde.

In einem immer dichteren Nebel aus Schmerz mobilisierte er die letzten Kräfte. Die schwierige Aufgabe, die vor ihm lag, würde jede Sekunde der wenigen Zeit beanspruchen, die ihm noch blieb.

1. KAPITEL

Robert Langdon erwachte nur langsam, als käme er aus tiefer Schwärze hinauf ans Licht.

Ein Telefon klingelte schrill. Im Dunkeln tastete Langdon nach dem Schalter der Nachttischlampe. Das Licht flammte auf. Blinzelnd ließ er den Blick durch das herrschaftliche Renaissance-Schlafzimmer mit den antiken Möbeln, dem mächtigen Mahagoni-Himmelbett und dem handgemalten Fresko an der Wand schweifen.

Wo bist du?

Am Bettpfosten hing ein Jacquard-Bademantel mit der Aufschrift *Hotel Ritz, Paris*.

Langsam lichtete sich der Nebel um Langdons Hirn.

Langdon hob den Hörer ab. »Hallo?«

»Monsieur Langdon?«, sagte eine männliche Stimme. »Ich habe Sie hoffentlich nicht geweckt?«

Langdon schaute benommen auf die Uhr neben dem Bett. Zweiunddreißig Minuten nach eins. Er hatte erst eine Stunde geschlafen und war todmüde.

»Hier ist die Rezeption. Ich bedaure die Störung, Monsieur, aber Sie haben Besuch. Der Herr sagt, es sei äußerst dringend.«

Langdon war immer noch nicht richtig wach. *Besuch?*

Sein Blick fiel auf ein zerknittertes Blatt Papier mit einer Programmankündigung auf dem Nachttisch.

DIE AMERIKANISCHE UNIVERSITÄT IN PARIS
lädt ein zu einem Vortragsabend mit
PROFESSOR ROBERT LANGDON
Dozent für religiöse Symbolologie
an der Harvard-Universität

Langdon stöhnte auf. Sein heutiger Diavortrag über heidnisches Symbolgut in den Steinmetzarbeiten der Kathedrale von Chartres war ein paar konservativen Geistern offenbar gegen den Strich gegangen. Vermutlich hatten sie ihn ausfindig gemacht und wollten ihm jetzt zeigen, was eine Harke ist.

»Tut mir Leid«, sagte Langdon, »ich bin todmüde ...«

»Gewiss, Monsieur«, sagte der Mann am Empfang, um dann in beschwörendem Flüsterton fortzufahren: »Aber bei Ihrem Besucher handelt es sich um eine wichtige Persönlichkeit!«

Langdon hatte es nicht anders erwartet. Seine Veröffentlichungen über christliche Ikonographie und die Symbole religiöser Kulte hatten ihm in kunstinteressierten Kreisen zu einer gewissen Prominenz verholfen, ganz zu schweigen von dem gewaltigen Aufsehen, das seine Verwicklung in einen Zwischenfall im Vatikan erregt hatte, der vor einiger Zeit durch sämtliche Medien gegangen war. Seither gaben sich Historiker und Kunstkenner, die allesamt von ihrer Wichtigkeit überzeugt waren, bei ihm die Klinke in die Hand.

»Seien Sie bitte so nett und lassen Sie sich von dem Herrn Name und Telefonnummer geben«, sagte Langdon, um ausgesuchte Höflichkeit bemüht. »Vor meiner Abreise aus Paris am Donnerstag melde ich mich bei ihm. Danke.« Er legte auf, bevor der Mann am Empfang Einwände erheben konnte.

Langdon hatte sich inzwischen aufgesetzt. Stirnrunzelnd betrachtete er die Broschüre *Für unsere verehrten Gäste* neben dem Bett. *Hotel Ritz – schlafen wie Gott in Frankreich in der Lichterstadt Paris*, lockte das Titelblatt. Langdons Blick schweifte zu dem hohen Ankleidespiegel an der gegenüberliegenden Wand. Er hatte Mühe, in dem müden, zerzausten Zeitgenossen, der ihm von dort entgegenstarrte, sich selbst zu erkennen.

Du solltest mal Urlaub machen, Robert.

Die Erlebnisse im letzten Jahr hatten ihm arg zugesetzt, doch den Beweis dafür nun im Spiegel zu sehen gefiel ihm gar nicht. Seine sonst so klaren blauen Augen sahen trüb und müde aus, und ein dunkler Stoppelbart umwölkte sein ausgeprägtes Kinn mit dem Grübchen. Die grauen Strähnen an den Schläfen waren auf einem unaufhaltsamen Vormarsch in sein dichtes, gewelltes schwarzes Haar. Nach Aussage seiner Kolleginnen unterstrich das Grau Langdons »akademische Erscheinung«, doch er wusste es besser.

Wenn die Redakteure vom Boston Magazine *dich jetzt sehen könnten.*

Sehr zu seiner Verlegenheit hatte ihn im vergangenen Monat das *Boston Magazine* zu einer der »zehn faszinierendsten Persönlichkeiten der Stadt« gekürt – eine zweifelhafte Auszeichnung, die Langdon zur notorischen Zielscheibe der Spötteleien seiner Kollegen in Harvard gemacht hatte. Heute Abend, anlässlich des Vortrags, hatte ihn sein Ehrentitel fast sechstausend Kilometer von zu Hause entfernt eingeholt.

»Meine Damen und Herren«, hatte die Gastgeberin vor voll besetztem Haus in der Amerikanischen Universität im Pariser Pavillon Dauphine erklärt, »den Gast unseres heutigen Abends brauche ich Ihnen wohl kaum besonders vorzustellen. Er ist Autor zahlreicher Bücher, darunter ›Die Symbolik der Geheimsekten‹, ›Die Kunst der Illuminati‹ sowie ›Ideogramme, eine untergegangene Sprache‹. Und wenn ich dem noch hinzufüge, dass er Autor des Buches über ›Die Bilderwelt der Religionen‹ ist, meine ich das im Wortsinn. Viele von Ihnen verwenden seine Werke als Lehrbücher im Unterricht, wie ich weiß.«

Die Studenten im Publikum nickten.

»Ich hatte eigentlich vor, Sie zur Einführung mit Mr Langdons beeindruckendem Lebenslauf vertraut zu machen, jedoch ...«, die Gastgeberin streifte Langdon, der bereits auf dem Podium Platz genommen hatte, mit einem amüsierten Blick, »jemand aus dem Publikum hat mir eine wesentlich faszinierendere Einführung zugänglich gemacht, wenn ich einmal so sagen darf.« Sie hielt ein Exemplar des *Boston Magazine* in die Höhe.

Langdon zuckte zusammen. *Wie, zum Teufel, ist sie an die Zeitung gekommen?*

Während die Gastgeberin begann, Auszüge des schwachsinnigen Artikels zum Besten zu geben, sank Langdon immer tiefer in den Stuhl. Schon nach kaum dreißig Sekunden grinste bereits das gesamte Auditorium, doch die Dame kannte keine Gnade.

»›... und Mr Langdons Weigerung, sich in der Öffentlichkeit über die Aufsehen erregende Rolle zu äußern, die er beim letzten vatikanischen Konklave gespielt hat, verschafft ihm durchaus einige zusätzliche Punkte auf unserer Beliebtheitsskala.‹«

Die Gastgeberin blickte erwartungsvoll ins Publikum. »Möchten Sie noch mehr hören?«

Heftiges Nicken. Laute Rufe. Beifall.

Warum dreht ihr keiner den Hals um?, fragte Langdon sich vergeblich, während die Gastgeberin sich wieder über den Artikel hermachte.

»›Auch wenn Professor Langdon im Gegensatz zu einigen unserer jüngeren Auszeichnungsträger nicht als übermäßig attraktiv bezeichnet werden kann, verfügt der Mittvierziger durchaus über ein gerüttelt Maß an Intellektuellen-Appeal. Sein samtener Bariton tut ein Übriges, seine gewinnende Ausstrahlung zu unterstreichen – eine Stimme, die von Professor Langdons Hörerinnen gern als *Schokolade fürs Gehör* apostrophiert wird ...‹«

Die Zuhörer brachen in Gelächter aus.

Langdon lächelte gequält. Er hatte geglaubt, sich auf sicherem Terrain zu befinden, wo er sich endlich wieder in seinem geliebten Jackett aus Harris Tweed und Rollkragenpullover zeigen konnte, doch der Artikelschreiber würde sogleich mit dem unsäglichen Satz vom »Harrison Ford in Harris Tweed« aufwarten. Es war Zeit, etwas zu unternehmen.

Langdon erhob sich schwungvoll. »Vielen Dank, Monique. Das *Boston Magazine* hat offenbar einen unglücklichen Hang zur Dichtkunst«, sagte er und komplimentierte die Dame vom Podium herunter. »Und wenn ich herausfinde, wer Ihnen diesen Artikel zugesteckt hat, werde ich den Übeltäter von unserer Botschaft zwangsrepatriieren lassen.«

Das Publikum reagierte mit lautstarker Heiterkeit.

»Meine Damen und Herren«, sagte er zum Auditorium, »wie Sie alle wissen, steht heute Abend mein Vortrag über die Macht der Symbole auf dem Programm...«

Das Klingeln von Langdons Zimmertelefon platzte erneut in die Stille. Seufzend hob er ab. »Ja?«

Es war wieder der Mann am Empfang. »Monsieur Langdon, ich muss mich abermals entschuldigen, aber ich muss Ihnen mitteilen, dass Ihr Besucher sich bereits auf dem Weg zu Ihrem Zimmer befindet. Ich hielt es für angebracht, Sie davon in Kenntnis zu setzen.«

Langdon war auf einen Schlag hellwach. »Sie haben den Herrn zu meinem Zimmer geschickt?«

»Ich bitte um Entschuldigung, Monsieur, aber der Herr ... meine Befugnisse reichen nicht so weit, dass ich ihn aufhalten könnte.«

»Um wen handelt es sich denn?«

Doch der Mann am Empfang hatte bereits aufgelegt.

Beinahe im gleichen Augenblick pochte eine Faust an Langdons Tür.

Langdon rutschte aus dem Bett. Seine Zehen versanken in der Tiefe des Bettvorlegers. Er warf den Hotelbademantel über und ging zur Tür. »Wer ist da?«

»Monsieur Langdon, ich muss mit Ihnen reden!« Der Mann sprach Englisch mit ausgeprägtem Akzent. Seine Stimme war laut, abgehackt und befehlsgewohnt. »Ich bin Leutnant Jérome Collet, *Direction Centrale Police Judiciaire.*«

Langdon schluckte. *Die Staatspolizei?* Das DCPJ entsprach in etwa dem amerikanischen FBI.

Langdon öffnete die Tür einen Spalt, ließ die Kette aber vorgelegt. Er sah ein schmales, ausgezehrtes Gesicht. Es gehörte einem ungewöhnlich hageren Mann in einer amtlich aussehenden blauen Uniform.

»Lassen Sie mich bitte eintreten!«

Langdon zögerte. Der Blick der fahlen Augen des Fremden verunsicherte ihn. »Worum geht es?«

»Mein Capitaine wünscht in einer Privatangelegenheit Ihren fachlichen Rat einzuholen.«

»Jetzt?«, wandte Langdon müde ein. »Es ist schon nach Mitternacht!«

»Bin ich recht informiert, dass Sie mit dem Direktor des Louvre heute Abend eine Verabredung hatten?«

Langdon fühlte sich plötzlich sehr unbehaglich. Er war nach dem Vortrag mit dem hoch geachteten Museumsdirektor Jacques Saunière auf einen Drink verabredet gewesen, doch Saunière war nicht erschienen. »Ja, das stimmt. Woher wissen Sie das?«

»Wir haben Ihren Namen in seinem Terminkalender gefunden.«

»Ist ihm etwas zugestoßen?«

Mit einem Unheil verkündenden Seufzer schob der Beamte einen Polaroid-Schnappschuss durch den Türspalt. Als Langdons Blick auf das Foto fiel, erstarrte er.

»Dieses Bild wurde vor knapp einer Stunde aufgenommen. Im Louvre.«

Langdon betrachtete das erschreckende, bizarre Foto. Sein anfänglicher Schock und der Ekel wichen einem jäh aufwallenden Zorn. »Wer ist zu so einer Scheußlichkeit fähig?«

»Wir haben gehofft, Sie könnten uns bei der Beantwortung dieser Frage helfen, zumal Sie sich mit Symbolen bestens auskennen und mit Saunière verabredet waren.«

Langdon konnte den Blick nicht von dem Foto wenden. Zu seinem Entsetzen gesellte sich panische Angst. Das Bild, das eine grauenvolle und äußerst merkwürdige Szenerie zeigte, erweckte in ihm das unbestimmte Gefühl eines Déjà-vu. Vor etwas mehr als einem Jahr hatte er schon einmal das Foto einer Leiche erhalten – samt einem ähnlichen Hilfsgesuch. Vierundzwanzig Stunden später hatte er sich in der Vatikanstadt befunden und war mit knapper Not dem Tod entronnen. Diesmal sah das Foto zwar anders aus, doch die Szenerie hatte etwas beunruhigend Vertrautes.

Der Beamte schaute auf die Uhr. »Mein Capitaine wartet auf uns, Monsieur.«

Langdon hörte kaum hin. Sein Blick war wie gebannt auf das Bild gerichtet.

»Dieses Symbol hier und die Haltung der Leiche, diese merkwürdige ...«

»Verrenkung?«, vollendete der Beamte den Satz.

Langdon nickte und hob den Blick. Er fröstelte. »Ich kann mir nicht vorstellen, wie jemand dazu kommt, einen Menschen in einer solchen Körperhaltung sterben zu lassen.«

Der Beamte schaute Langdon finster an. »Monsieur Langdon, Sie haben noch immer nicht begriffen. Was Sie hier sehen«, er zögerte und deutete auf das Foto, »ist das Werk von Monsieur Saunière selbst.«

2. KAPITEL

K napp zwei Kilometer entfernt humpelte der riesenhafte Albino mit Namen Silas durch die Eingangstür eines luxuriösen Sandsteingebäudes in der Rue La Bruyère. Die Stachel des Bußgürtels, den er um den Oberschenkel trug, bohrten sich in sein Fleisch, doch seine Seele jubelte vor freudiger Genugtuung, weil er dem HERRN dienen durfte.

Schmerz adelt.

Beim Eintreten ins Ordenshaus huschte der Blick seiner roten Augen durch den Eingangsbereich. Keiner da. Leise stieg Silas die Treppe hinauf, um keinen der Mitbewohner zu wecken. Seine Zimmertür war unverschlossen – Schlösser waren hier verpönt. Er betrat sein Zimmer und schob die Tür hinter sich wieder zu.

Der Raum war spartanisch eingerichtet: Parkettboden, eine schlichte Kommode aus Fichtenholz, in einer Ecke eine Segeltuchmatte als Liegestatt. Silas war diese Woche hier zu Gast, doch in New York hatte er lange Jahre mit Freuden in einer ähnlichen Unterkunft gehaust.

Der HERR hat dir Unterschlupf gewährt und deinem Leben einen Sinn gegeben.

Heute Nacht konnte Silas endlich damit beginnen, seine Schuld abzutragen. Er zog die Schubfächer der Kommode auf. In der untersten Schublade fand er das Handy, unter ein paar Kleidungsstücken versteckt, und wählte die Nummer.

»Ja?«, meldete sich eine männliche Stimme.

»Verchiter Lehrer, ich bin wieder zurück.«

»Reden Sie«, forderte die Stimme ihn auf – nicht ohne einen zufriedenen Unterton, dass Silas sich gemeldet hatte.

»Sie sind alle vier beseitigt. Die drei Seneschalle und der Großmeister.«

Eine kurze Pause entstand, als würde der Angerufene ein Stoßgebet zum Himmel schicken. »Dann gehe ich davon aus, dass Sie die Information bekommen haben.«

»Ja. Von allen die gleiche. Unabhängig voneinander.«

»Und Sie haben ihnen geglaubt?«

»Für einen Zufall war die Übereinstimmung viel zu groß.«

Der Angerufene stieß in hörbarer Erregung die Luft aus. »Ausgezeichnet! Ich hatte schon befürchtet, wir könnten an der Geheimhaltungstechnik der Bruderschaft scheitern.«

»Die Aussicht auf den eigenen Tod ist eine starke Motivation.«

»Dann sagen Sie mir, mein Schüler, was ich wissen möchte.«

Silas wusste, dass die Information, die er seinen Opfern entlockt hatte, wie ein Schock wirken würde. »Alle vier haben mir die Existenz des *clef de voûte* bestätigt, des legendären *Schlusssteins*.« Silas hörte, wie der Lehrer nach Luft schnappte. Er spürte förmlich seine Erregung.

»Der *Schlussstein*. Genau wie wir vermutet haben.«

Nach der Überlieferung hatte die Bruderschaft eine Art steinerne Landkarte geschaffen – einen *clef de voûte*, einen Stein mit dem eingravierten Wegweiser zum größten Geheimnis der Bruderschaft, ein Geheimnis von solcher Brisanz, dass die Bruderschaft überhaupt nur zu seinem Schutz existierte.

»Wenn wir uns in den Besitz dieses Steins gebracht haben«, sagte der Lehrer, »brauchen wir nur noch den letzten Schritt zu tun.«

»Wir sind dem näher, als Sie denken. Der Stein liegt hier in Paris.«

»In *Paris*?«

Silas berichtete dem Lehrer, was an diesem Abend geschehen war ... wie alle vier Opfer wenige Augenblicke vor ihrem Tod das

Geheimnis ausgeplaudert hatten, um ihr gottloses Leben zu retten. Alle hatten Silas genau das Gleiche erzählt: dass der Stein an einem bestimmten Ort in einer alten Pariser Kirche versteckt sei, der Église de Saint-Sulpice.

»Auch noch in einem Gotteshaus!«, empörte sich der Lehrer. »Sie treiben ihre Scherze mit uns.«

»Wie seit Jahrhunderten schon.«

Der Lehrer verfiel in Schweigen. Er schien den Triumph des Augenblicks bis zur Neige auskosten zu wollen. »Sie haben Gott einen großen Dienst erwiesen«, sagte er schließlich. »Wir haben Jahrhunderte auf diesen Augenblick gewartet. Sie müssen mir sofort den Stein herbeischaffen. Noch heute Nacht. Sie wissen, was auf dem Spiel steht.«

Das wusste Silas nur zu gut, doch was der Lehrer jetzt von ihm verlangte, war schlichtweg unmöglich. »Aber die Kirche ist wie eine Festung, zumal bei Nacht. Wie soll ich da hineinkommen?«

Mit der zuversichtlichen Stimme eines Mannes, der sich in einflussreichsten Kreisen bewegt, erklärte der Lehrer das weitere Vorgehen.

Als Silas das Handy ausschaltete, zitterte er vor gespannter Erwartung am ganzen Körper.

In einer Stunde. Er war dankbar, dass der Lehrer ihm noch Zeit für die Bußübung gelassen hatte, die vor dem Betreten eines Gotteshauses unerlässlich war. *Du musst deine Seele von den Sünden des heutigen Tages reinigen.* Heute hatte Silas für einen geheiligten Zweck gesündigt. Gegen die Feinde Gottes waren immer schon Gräueltaten verübt worden. Silas war die Vergebung gewiss.

Doch es gab keine Absolution ohne Buße.

Silas zog die Vorhänge vor. Er entkleidete sich und kniete in der Mitte des Zimmers nieder. Sein prüfender Blick schweifte zum Bußgürtel, der sich eng um seinen Oberschenkel schloss. Jeder Adept des *Wahren Weges* trug ihn – ein ledernes Band mit aufgenieteten Stacheln aus Metall, die sich zur ständigen Erinnerung an die Leiden Christi schmerzhaft ins Fleisch bohrten. Der Schmerz bewirkte zudem die wohltuende Abtötung fleischlicher Gelüste.

Silas hatte sich an diesem Tag schon länger als die vorgeschriebenen zwei Stunden mit dem Band kasteit, aber heute war kein gewöhnlicher Tag. Mit schmerzverzerrtem Gesicht zog er den Bußgürtel noch ein Loch enger, atmete tief aus und genoss den läuternden Schmerz.

»Schmerz adelt«, flüsterte er und wiederholte damit die heilige Formel von Pater Josemaría Escrivá, Lehrer aller Lehrer. Escrivá war 1975 gestorben, doch seine Weisheit lebte fort. Tausende gläubiger Diener auf der ganzen Welt flüsterten noch immer seine Worte, wenn sie zur heiligen Bußübung der Selbstkasteiung niederknieten.

Ein dicker Strick mit hineingeknüpften Knoten lag säuberlich aufgerollt neben Silas auf dem Boden. *Die Geißel.* Die Knoten starrten von eingetrocknetem Blut. Silas sehnte sich nach der reinigenden Wirkung der Pein. Nach einem kurzen Gebet ergriff er das Ende der Geißel, schloss die Augen und peitschte den Knotenstrick mit geübter Bewegung in frommer Selbstgeißelung über die Schulter auf seinen Rücken. In rhythmischer Monotonie hieb er auf sein Fleisch ein.

Castigo corpus meum.

Endlich spürte er das Blut fließen.

3. KAPITEL

D ie frische Luft des April pfiff durch das offene Seitenfenster in den Citroën ZX, der mit Robert Langdon auf dem Beifahrersitz in südlicher Richtung zuerst am Opernhaus vorbei und dann über den Place Vendôme raste, wobei Langdon versuchte, seine Gedanken zu ordnen. Eine kurze Dusche und eine schnelle Rasur hatten einen halbwegs vorzeigbaren Menschen aus ihm gemacht, aber wenig dazu beigetragen, seine ängstliche Unruhe zu dämpfen. Das grässliche Bild der Leiche des Museumsdirektors hatte sich in sein Gehirn eingebrannt.

Jacques Saunière ... tot!

Langdon empfand den Tod des Museumsdirektors als schweren Verlust. Saunière galt zwar als Einzelgänger, doch als anerkannter Gelehrter und Liebhaber der Kunst konnte er sich über mangelnde Ehrungen nicht beklagen. Seine Veröffentlichungen über die Geheimbotschaften in den Gemälden Poussins und Teniers' gehörten zu Langdons bevorzugtem Unterrichtsmaterial. Langdon hatte sich von dem abendlichen Treffen mit Saunière sehr viel versprochen. Als der Museumsdirektor nicht erschien, war seine Enttäuschung groß gewesen.

Wieder schoss ihm das Bild von Saunières Leiche durch den Kopf. *Das soll Saunières eigenes Werk gewesen sein?* Langdon blickte zum Fenster hinaus und zwang sich, nicht mehr an den grässlichen Anblick zu denken.

Draußen legte sich allmählich der Trubel der Stadt. Fliegende Händler schoben ihre Verkaufswagen nach Hause, Kellner schafften volle Müllsäcke an den Straßenrand, ein Liebespaar hielt sich eng umschlungen, um im Nachtwind, der nach Jasmin duftete, nicht zu frösteln. Der Citroën fuhr mit hoher Geschwindigkeit sicher durch das Gewühl, das sich vor dem schrillen Zweiklanghorn spaltete wie Butter unter einem heißen Messer.

»*Le Capitaine* hat mit Zufriedenheit festgestellt, dass Sie noch in Paris sind«, ergriff der Beamte zum ersten Mal seit der Abfahrt vom Hotel das Wort. »Ein glücklicher Zufall.«

Langdon war über diesen Zufall alles andere als glücklich; ohnehin hielt er nicht viel von Zufällen. Als ein Mann, der sein Leben der Erforschung verborgener Verbindungen von anscheinend völlig zusammenhangslosen Emblemen und Zeichen verschrieben hatte, betrachtete Langdon die Welt als ein Geflecht vielfältig vernetzter Ereignisse und Geschichten. *Die Verbindungen mögen unsichtbar sein*, pflegte er den Studenten in seinen Seminaren über Symbololologie an der Harvard-Universität zu predigen, *aber es gibt sie trotzdem. Man muss nur ein bisschen an der Oberfläche kratzen.*

»Ich nehme an, die Amerikanische Universität in Paris hat Ihnen gesagt, wo ich zu finden bin«, sagte Langdon.

Der Fahrer schüttelte den Kopf. »Nein. Interpol.«

Interpol?, dachte Langdon. *Ach ja, natürlich.* Er hatte ganz vergessen, dass das in europäischen Hotels übliche und anscheinend so belanglose Vorzeigen des Passes bei der Anmeldung mehr war als bloß eine lästige Formalität. In jeder beliebigen Nacht konnten die Beamten von Interpol genau sagen, wer wo in Europa nächtigte. Es hatte vermutlich nicht einmal fünf Sekunden gedauert, um Langdon im Ritz aufzuspüren.

Während der Citroën in südlicher Richtung durch die Stadt brauste, erschien rechts in der Ferne die himmelstürmende Silhouette des beleuchteten Eiffelturms. Langdon musste an Vittoria denken und das spielerische Versprechen auf ein Wiedersehen alle sechs Monate irgendwo auf der Welt an einem romantischen Ort – ein Versprechen, das sie sich damals vor einem Jahr gegeben hatten. Nach Langdons Einschätzung hatte der Eiffelturm gute Aussichten, in die nähere Auswahl zu kommen. Leider war seit dem letzten Kuss auf einem lärmenden römischen Flughafen über ein Jahr vergangen.

»Schon mal oben gewesen?«, sagte der Beamte mit einem Seitenblick auf Langdon.

Langdon fuhr aus seinen Gedanken hoch. »Wie bitte?«

Der Beamte zeigte durch die Windschutzscheibe auf den Eiffelturm. »Schon mal da oben gewesen?«

Langdon verdrehte die Augen. »Nein.«

»Er ist das Wahrzeichen Frankreichs. Einfach perfekt.«

Langdon nickte abwesend. Unter Symbolologen war es ein Treppenwitz, dass Frankreich – ein Land, das unter anderem für Machotum, Schürzenjägerei und kleinwüchsige Führerpersönlichkeiten wie Napoleon und Pippin den Kurzen bekannt war – kein passenderes nationales Wahrzeichen hätte wählen können als einen dreihundert Meter großen Phallus.

An der Kreuzung Rue de Rivoli schaltete die Ampel auf Rot, doch der Citroën verringerte das Tempo kein bisschen. Der Beamte jagte die Limousine mit Vollgas über die Kreuzung und in jenen Teil der Rue Castiglione hinein, der als Parkallee weiterführte und den nördlichen Eingang der berühmten Tuileriengärten bildete – für die Pariser das, was der Central Park für die New Yorker ist. Die Touristen bezogen die Bezeichnung *Jardin des Tuileries* fälschlicherweise meist auf die dort blühende Tulpenpracht, doch das Wort *Tuileries* leitete sich in Wirklichkeit von etwas viel Prosaischerem ab: An der Stelle des Parks hatte sich einst eine riesige schmutzige Lehmgrube befunden, aus der sich die Pariser Bauunternehmer den Ton für die Herstellung der für die Stadt so typischen roten Dachziegel holten – die *tuiles*.

Als der Beamte in den verlassenen Park fuhr, stellte er mit einem Griff unters Armaturenbrett das plärrende Martinshorn ab. Aufatmend genoss Langdon die plötzliche Stille. Der Strahl der Halogenscheinwerfer huschte über den kiesbedeckten Parkweg, auf dem die Reifen mit hypnotisierendem Zischen dahinrollten. Langdon hatte die Tuilerien bislang für geheiligten Boden gehalten – hatte nicht Claude Monet in diesen Gärten als Geburtshelfer des Impressionismus mit Form und Farbe experimentiert? Heute jedoch lag eine merkwürdige Aura von drohendem Unheil über diesem Ort.

Der Citroën bog nach links in die Hauptallee auf der Zentralachse der Parkanlage ein. Nachdem der Fahrer um einen großen Brunnen gekurvt war, steuerte er den Wagen nach Überquerung einer breiten, verlassenen Avenue auf einen weitläufigen rechteckigen Platz. Langdon erkannte den großen steinernen Torbogen, der das Ende der Tuilerien bildete.

Der Arc du Carousel.

Ungeachtet der orgiastischen Feierlichkeiten, die der Arc du Carousel einst gesehen hatte, wurde dieser Platz von Kunstkennern aus einem ganz besonderen Grund geschätzt: Von der Esplanade am Ende der Tuilerien hatte man einen Blick auf vier der großartigsten Museen der Welt, je eines in jeder Himmelsrichtung.

Zum rechten Seitenfenster hinaus sah Langdon im Süden jenseits der Seine am Quai Anatole France die dramatisch beleuchtete Fassade eines ehemaligen Bahnhofs, der heute das berühmte Musée d'Orsay beherbergte. Wenn er sich nach links wandte, konnte er die ultramoderne Dachpartie des Centre Pompidou erkennen, in dem das Museum für Moderne Kunst untergebracht war. Hinter ihm im Westen ragte der berühmte Obelisk des Ramses über die Wipfel der Bäume und bezeichnete den Standort des Musée de Jeu de Paume.

Und genau vor sich erblickte Langdon jetzt durch den Torbogen hindurch den klotzigen Renaissancepalast, der die Heimstätte der berühmtesten Gemäldegalerie der Welt geworden war.

Der Louvre.

Wieder einmal empfand Langdon das ihm inzwischen schon vertraute Staunen, während er versuchte, den gewaltigen Gebäudekomplex in seiner Gesamtheit zu erfassen. Auf der gegenüberliegenden Seite eines Platzes von atemberaubenden Ausmaßen ragte die imposante Fassade des Louvre wie ein Bollwerk in den Pariser Nachthimmel. Der Louvre mit seinem Grundriss eines gigantischen Hufeisens war das längste Gebäude Europas und erstreckte sich über eine größere Länge als drei aneinander gelegte Eiffeltürme. Nicht einmal die Tausende von Quadratmetern messenden Freiflächen zwischen den Museumsflügeln konnten die

Wucht der Fassade beeinträchtigen. Langdon hatte einmal einen Spaziergang um den Louvre unternommen. Es war ein Fußmarsch von knapp fünf Kilometern geworden.

Um sämtliche 65.300 Ausstellungsstücke des Louvre gebührend zu bewundern, brauchte der Besucher angeblich fünf Tage, doch die meisten Touristen wählten ein abgekürztes Verfahren, das Langdon als »Louvre Light« zu bezeichnen pflegte. Dabei wurden die drei berühmtesten Stücke des Museums im Schweinsgalopp abgeklappert: allen voran die *Mona Lisa*, ferner die *Venus von Milo* und die geflügelte *Nike von Samothrake*. Art Buchwald hatte sich einmal ironisch damit gebrüstet, alle drei Meisterwerke in fünf Minuten und sechsundfünfzig Sekunden »gemacht« zu haben.

Der Fahrer zog ein kleines Sprechfunkgerät heraus und rief zwei knappe Sätze auf Französisch hinein. »*Monsieur Langdon est arrivé. Deux minutes.*«

Als Antwort drang eine knisternde Folge von Krach- und Zischlauten aus dem Gerät.

Der Beamte steckte den Apparat wieder weg. »Der Capitaine erwartet Sie am Haupteingang«, ließ er Langdon wissen.

Unter Missachtung eines großen Verbotsschildes für Kraftfahrzeuge jeder Art gab der Fahrer Gas und jagte den Citroën über den Bordstein auf den großen Platz. Der Haupteingang des Louvre kam in Sicht. Von sieben aus dreieckigen Brunnenbecken aufsteigenden Leuchtfontänen umgeben, erhob er sich steil im Hintergrund.

La Pyramide.

Der neue Eingang des Pariser Louvre war inzwischen fast schon berühmter als das Museum selbst. Die umstrittene modernistische Glaspyramide des chinesischstämmigen amerikanischen Architekten Ieoh Ming Pei hatte den Zorn der Traditionalisten auf sich gezogen, die geltend machten, sie zerstöre die Würde der Renaissance-Hofanlage. Goethe hatte die Architektur als »gefrorene Musik« bezeichnet. Die Kritiker apostrophierten Peis Werk demgemäß als »kratzende Kreide auf einer Schiefertafel«. Fortschrittlich gesinnte Bewunderer von Peis knapp zweiundzwanzig Meter hoher transparenter Glaspyramide priesen das Bauwerk hingegen als eine überzeugende Synthese von altehrwürdiger Form und moderner Bautechnik, als symbolisches Verbindungsglied zwischen dem Alten und dem Neuen, als einen Garanten des gelungenen Übergangs des Louvre ins neue Millenium.

»Wie gefällt Ihnen unsere Pyramide?«, wollte der Beamte wissen.

Langdon zog die Stirn kraus. Die Franzosen schienen Freude daran zu haben, Amerikanern mit dieser Frage zu Leibe zu rücken. Es war natürlich eine Fangfrage. Gab man zu, dass einem die Pyramide gefiel, stempelte man sich zum geschmacklosen Amerikaner ab, lehnte man die Pyramide ab, hatte man etwas gegen die Franzosen.

»Mitterand hat Mut bewiesen«, meinte Langdon diplomatisch. Der verstorbene französische Staatspräsident, der den Auftrag zum Bau der Glaspyramide erteilt hatte, hatte angeblich unter einem »Pharaonenkomplex« gelitten. François Mitterand, der Paris im Alleingang mit ägyptischen Obelisken, Kunstwerken und Artefakten voll gestellt hatte, wurde wegen seiner an Besessenheit grenzenden Vorliebe für die ägyptische Kultur von den Franzosen noch immer »die Sphinx« genannt.

»Wie heißt Ihr Capitaine eigentlich?«, erkundigte sich Langdon, um das Thema zu wechseln.

»Bezu Fache«, gab der Fahrer Auskunft, während er auf die Eingangspyramide zusteuerte. »Wir nennen ihn *le Taureau*.«

Mit einem verwunderten Blick auf den Fahrer fragte sich Langdon, ob wohl jeder Franzose einen Spitznamen aus dem Tierreich hatte. »Sie nennen Ihren Vorgesetzten ›den Bullen‹?«

Der Mann hob die Brauen. »Ihr Französisch ist besser, als Sie zugeben, Monsieur Langdon.«

Mein Französisch ist das Letzte, dachte Langdon, *dafür kenne ich die Tierkreiszeichen umso besser.* Taurus war immer schon – und auf der ganzen Welt – das astrologische Zeichen für den Stier.

Der Beamte bremste ziemlich abrupt und deutete zwischen zwei Fontänen hindurch auf eine große Eingangstür in der Seite der Glaspyramide. »Da hinein, bitte. Viel Glück, Monsieur.«

»Sie kommen nicht mit?«

»Ich habe Befehl, Sie hier abzusetzen. Auf mich warten andere Aufgaben.«

Langdon stieg mit einem Seufzer aus dem Wagen. *Mir soll's recht sein.*

Der Beamte trat aufs Gas und jagte davon. Während Langdon den verschwindenden Rücklichtern nachblickte, wurde ihm klar, dass er *noch* die Chance hatte, zu verschwinden. Er brauchte lediglich quer über den Vorplatz zu gehen, einem Taxi zu winken und sich wieder zu seinem schönen Hotelbett fahren zu lassen. Eine leise innere Stimme warnte ihn, dass es womöglich keine allzu gute Idee war, hier zu bleiben.

Beim Gang durch die Wasserschleier der Fontänen bekam Langdon das ungute Gefühl, das imaginäre Niemandsland zu einer anderen Welt zu überschreiten. Das seltsam Traumhafte, Unwirkliche des bisherigen Abends drängte sich wieder in sein Bewusstsein. Vor zwanzig Minuten noch hatte er wohlig im Hotel in seinem Himmelbett geschlafen, und jetzt stand er vor einer von der »Sphinx« erbauten Pyramide und wartete auf einen Polizisten, den man den »Bullen« nannte.

Du bist in ein Gemälde von Salvador Dali geraten, ging es ihm durch den Kopf.

Langdon schritt auf den Haupteingang zu, eine gewaltige Drehtür. Im schwach beleuchteten Foyer dahinter war keine Menschenseele zu sehen.

Ob man hier anklopfen muss?

Langdon fragte sich, ob einer seiner geschätzten Harvardkollegen aus dem Fachbereich Ägyptologie jemals an einer Pyramide angeklopft hatte, in der Hoffnung, dass jemand herauskam. Als er die Hand hob, um gegen das Glas zu pochen, kam eine neandertalerartige Gestalt aus der Dunkelheit die geschwungene Treppe heraufgeeilt, ein untersetzter dunkelhaariger Mann, dessen dunkler Zweireiher sich über den breiten Schultern spannte. Das Handy am Ohr, näherte er sich auf stämmigen Beinen mit kraftvollem, autoritärem Schritt. Er beendete das Gespräch und winkte Langdon herein.

»Bezu Fache«, stellte er sich vor, als Langdon durch die Drehtür trat, »Capitaine der *Direction Centrale Police Judiciaire*.« Die Stimme passte zu dem Mann – ein tiefes, kehliges Grollen, das sich wie ein aufziehendes Unwetter anhörte.

Langdon hielt ihm grüßend die Hand entgegen. »Robert Langdon.«

Seine Hand verschwand in Faches Pranke wie in einer hydraulischen Presse.

»Ich habe das Foto gesehen«, sagte Langdon. »Ihr Mitarbeiter sagte mir, Jacques Saunière hätte *selbst*...«

»Mr Langdon«, fiel Fache ihm ins Wort und nagelte ihn mit dem Blick seiner ebenholzschwarzen Augen fest, »das Foto zeigt nur einen Bruchteil dessen, was Saunière vor seinem Tod mit sich selbst veranstaltet hat.«

4. KAPITEL

Capitaine Bezu Fache gefiel sich in der Haltung eines gereizten Stiers – breites Kreuz mit weit zurückgenommenen Schultern, das Kinn in Angriffshaltung auf die Brust gedrückt. Sein dunkles Haar war mit Brillantine an die Kopfhaut geklatscht, was seinen weit in die Stirn vorspringenden spitzen Haaransatz betonte, der wie der Rammsporn einer Galeere zwischen seine gewölbten Brauen stieß. Der stechende Blick seiner kohlschwarzen Augen schien den Boden vor seinen Füßen zu versengen und ließ die unerbittliche Tatkraft und Gedankenschärfe erahnen, die man Fache nachsagte und die vor nichts und niemandem Halt machte.

Langdon folgte dem Capitaine über die berühmte Marmortreppe ins Untergeschoss unter der Glaspyramide. Auf halber Höhe der Treppe standen zwei mit Maschinenpistolen bewaffnete Beamte Wache. Die Botschaft war eindeutig: Ohne Capitaine Faches Segen kam hier niemand hinein oder hinaus.

Beim Abstieg unter das Straßenniveau musste Langdon ein wachsendes Unbehagen niederkämpfen. Faches Verhalten war alles andere als einladend, und der Louvre hatte um diese Tages- oder besser Nachtzeit die verlockende Aura einer Gruft. Der Treppenabgang wurde von den Trittleuchten, die in die Stufen eingelassen waren, nur notdürftig erhellt. Langdon hörte das Echo seiner Schritte von den schrägen Scheiben widerhallen. Beim Blick nach oben konnte er feine, lichtdurchwirkte Wasserschleier an der transparenten Dachkonstruktion vorüberwehen sehen.

»Was halten Sie davon?«, wollte Fache wissen und wies mit dem Kinn nach oben.

Langdon seufzte. Für Spielchen war er zu müde. »Ich finde die Pyramide großartig.«

»Das Ding ist ein Pickel auf dem Antlitz von Paris«, stieß Fache mürrisch hervor.

Die erste Pleite. Langdon spürte, dass mit seinem Gastgeber nicht gut Kirschen essen war. Er fragte sich, ob der Capitaine wusste, dass man auf Präsident Mitterands ausdrückliche Anordnung die Pyramide aus genau 666 Glasdreiecken zusammengesetzt hatte. Diese ungewöhnliche Vorgabe war für Verschwörungstheoretiker ein gefundenes Fressen gewesen, hieß es doch, die 666 sei die Zahl des Satans.

Langdon hielt es allerdings für klüger, dieses Thema nicht aufs Tapet zu bringen.

Während sie tiefer in das Zwielicht eintauchten, wurden allmählich die gewaltigen Ausmaße des unterirdischen Foyers erkennbar. Der gut zweiundzwanzig Meter unter Straßenniveau angelegte neue Eingangsbereich des Louvre erstreckte sich wie eine endlose Grotte über mehr als 9300 Quadratmeter. Passend zum honigfarbenen Stein der Fassade hatte man Marmor in warmen Ockertönen als Baumaterial gewählt. Der bei Tage vom Sonnenlicht durchflutete unterirdische Raum wimmelte für gewöhnlich von Besuchern, doch heute Nacht war er düster und verlassen und besaß eher die Atmosphäre einer Krypta.

»Wo ist denn das museumsinterne Wachpersonal?«, wollte Langdon wissen.

»*En quarantaine*«, gab Fache knapp zur Antwort. Es klang, als hätte Langdon die Integrität von Faches Beamten in Frage gestellt. »Heute Abend hat sich jemand Zutritt verschafft, der hier offensichtlich nichts zu suchen hatte. Das Wachpersonal der Nachtschicht wird zurzeit im Sully-Flügel verhört. Für heute Nacht haben meine Beamten den Sicherheitsdienst übernommen.«

Langdon nickte und legte einen Schritt zu, um an Faches Seite zu bleiben.

»Wie gut haben Sie Jacques Saunière gekannt?«, wollte Fache wissen.

»Eigentlich gar nicht«, sagte Langdon. »Ich habe ihn nie persönlich kennen gelernt.«

Fache blickte ihn überrascht an. »Sie beide hätten sich heute Abend das erste Mal gesehen?«

»Ja. Wir hatten verabredet, uns nach meinem Vortrag beim Empfang der Amerikanischen Universität zu treffen, aber er ist nicht gekommen.«

Fache kritzelte etwas in sein Notizbuch. Beim Weitergehen erspähte Langdon den Umriss einer weniger bekannten Pyramide des Louvre – *La Pyramide Inversée* –, ein großes Oberlicht, das in einem angrenzenden Bereich des Zwischengeschosses in Gestalt einer auf der Spitze stehenden Pyramide wie ein Stalaktit von der Decke ragte. Fache führte Langdon eine kurze Treppe zum Eingang eines hoch gewölbten Durchgangs hinauf, über dem auf einem Schild DENON zu lesen stand. Der Denon-Flügel war die bekannteste der drei Hauptabteilungen des Louvre.

»Von wem kam der Vorschlag, sich heute Abend zu treffen?«, erkundigte Fache sich unvermutet. »Von Ihnen oder von Saunière?«

Was für eine merkwürdige Frage! »Von Monsieur Saunière«, sagte Langdon, während sie den Durchgang betraten. »Seine Sekretärin hat vor einigen Wochen per E-Mail Kontakt mit mir aufgenommen. Sie teilte mir mit, Direktor Saunière habe gehört, dass ich diesen Monat in Paris einen Vortrag hielte. Er würde anschließend gern etwas mit mir besprechen.«

»Und was?«

»Ich habe keine Ahnung. Vermutlich irgendetwas aus dem Bereich der Kunst. Wir haben ein paar gemeinsame Interessensgebiete.«

Fache sah Langdon skeptisch an. »Und Sie haben *keine* Ahnung, um was es bei Ihrem Treffen gehen sollte?«

Langdon wusste es wirklich nicht. Er war zwar gleich neugierig geworden, hatte es aber für unpassend gehalten, eingehend nachzufragen. Angesichts der Zurückgezogenheit des hochverehrten Jacques Saunière, die in der ganzen Zunft bekannt war, hatte Langdon allein schon die Tatsache, dass der Museumsdirektor ihn zu treffen wünschte, als schmeichelhaft empfunden.

»Haben Sie wenigstens eine Vermutung, Mr Langdon, was unser Mordopfer am Abend seines Todes mit Ihnen besprechen wollte? Es könnte sich als sehr hilfreich erweisen.«

Die Direktheit der Frage ließ Unbehagen in Langdon aufsteigen. »Ich weiß es wirklich nicht. Ich habe auch nicht nachgefragt. Ich empfand es als Ehre, von Monsieur Saunière angesprochen zu werden. In meinen Vorlesungen benutze ich seine Veröffentlichungen als Lehrmaterial für meine Studenten.«

Fache vertraute die Information seinem Notizbuch an.

Die beiden Männer hatten inzwischen die Hälfte der Eingangspassage des Denon-Flügels hinter sich gebracht. Langdon sah die beiden Rolltreppen am Ende des Ganges. Sie standen still.

»Sie hatten also gemeinsame Interessensgebiete?«, fragte Fache noch einmal nach.

»Ja. Ich habe den größten Teil des letzten Jahres damit verbracht, am Entwurf eines Buches zu arbeiten, das sich mit Monsieur Saunières Hauptinteressensgebiet befasst. Ich habe mir einiges davon versprochen, wenn ich ihm die Würmer aus der Nase ziehe.«

»Wie bitte?« Fache konnte mit dem Ausdruck offensichtlich nichts anfangen.

»Ich war neugierig, was Saunière zu dem Thema zu sagen hatte.«

»Verstehe. Und um welches Thema handelt es sich?«

Langdon zögerte. Er wusste nicht recht, wie er sich verständlich machen sollte. »Mein Manuskript befasst sich im Prinzip mit der Ikonographie der matriarchalischen Kulte – den Vorstellungen von einer Heiligkeit des Weiblichen und der damit verbundenen künstlerischen Symbolik.«

Fache strich sich mit seiner Pranke über das pomadige Haar. »Und Saunière war Experte auf diesem Gebiet?«

»*Der* Experte schlechthin.«

»Verstehe.«

Langdon spürte, dass Fache überhaupt nichts verstand. Auf dem Gebiet der bildhaften Darstellung von weiblichen Gottheiten galt Saunière als maßgebliche Kapazität. Saunière hatte nicht nur eine leidenschaftliche persönliche Vorliebe für Artefakte, die mit Fruchtbarkeitsriten, Muttergöttinnen, Hexen- und Weiblichkeitskulten zu tun hatten. In den zwanzig Jahren seiner Amtszeit als Direktor des Louvre hatte er dem Museum zur weltweit umfangreichsten Sammlung entsprechender Kunst- und Kultgegenstände verholfen: Doppeläxte aus dem ältesten Tempel der delphischen Priesterinnen, goldene Hermesstäbe, Hunderte von kleinen Ankhs, ägyptischen Schleifenkreuzen, die Engelsfigürchen ähneln, Sistrumrasseln, mit denen im alten Ägypten die bösen Geister vertrieben wurden, und eine erstaunliche Vielfalt von Plastiken, die die Isis darstellten, wie sie den Horus stillt.

»Es könnte doch sein, dass Saunière von Ihrem Manuskript gewusst und das Treffen vorgeschlagen hat, um Ihnen bei Ihrem Buch zu helfen«, mutmaßte Fache.

Langdon schüttelte den Kopf. »Zurzeit weiß niemand etwas von meinem Manuskript. Es ist bislang nur ein Entwurf. Einzig mein Lektor hat es schon gesehen.«

Fache verstummte.

Was den *Grund* betraf, weshalb noch niemand das Manuskript zu Gesicht bekommen hatte, schwieg Langdon sich aus. In seinem gut dreihundert Seiten umfassenden Entwurf – mit dem Arbeitstitel »Symbolik der untergegangenen Muttergottheit« – unterbreitete Langdon unkonventionelle Deutungen der herkömmlichen religiösen Symbolik, die mit Gewissheit kontroverse Diskussionen zur Folge hatten.

Am Fuß der Rolltreppe hielt Langdon inne. Fache war nicht mehr an seiner Seite. Als er sich umdrehte, sah er, dass der Capitaine an einem Personalaufzug stehen geblieben war.

»Wir nehmen den Lift«, sagte Fache. »Wie Sie bestimmt wissen, ist es zu Fuß noch ein ziemliches Stück bis zur Galerie.«

Langdon wusste zwar, dass der erste Stock mit dem Aufzug sehr viel einfacher zu erreichen war als über die langen Treppenfluchten, doch er blieb trotzdem regungslos stehen.

Fache hielt ungeduldig die Tür auf. »Stimmt etwas nicht?«

Während Langdon sich umdrehte, ließ er den Blick sehnsüchtig das weiträumige offene Treppenhaus hinaufschweifen. Er atmete tief aus. *Es ist alles in bester Ordnung*, redete er sich ein und ging zum Aufzug. Langdon litt an Klaustrophobie, seit er als Kind in einen alten Brunnenschacht gefallen war. Er hatte in der engen Brunnenröhre stundenlang Wasser treten müssen, bis man ihn endlich gefunden und mit knapper Not gerettet hatte. Seit damals hatte ihn eine panische Angst vor geschlossenen Räumen verfolgt: Aufzüge, U-Bahnen, Squashcourts. *Der Aufzug ist eine völlig unbedenkliche Vorrichtung*, sagte er sich nun, glaubte es aber nicht. *Das Ding ist ein winziger Blechkasten, der an einem dünnen Drahtseil in einem engen Schacht baumelt!* Langdon hielt die Luft an und trat in den Lift. Mit dem Schließen der Schiebetür kam der wohl bekannte Adrenalinstoß.

Zwei Etagen. Zehn Sekunden.

Der Lift fuhr an. »Sie und Monsieur Saunière …«, sagte Fache nachdenklich, »Sie haben sich noch nie miteinander unterhalten? Nie Briefwechsel gehabt?«

Schon wieder so eine seltsame Frage. Langdon schüttelte den Kopf. »Nein, nie.«

Fache legte den Kopf schief. Er schien sich einen Knoten ins imaginäre Taschentuch zu machen und betrachtete kommentarlos die spiegelnde Edelstahltür.

Langdon versuchte, sich auf irgendetwas anderes als die ihn umschließenden vier Wände zu konzentrieren. In der polierten Stahltür spiegelte sich der Krawattenclip des Polizisten – ein silbernes Kreuz mit einer Einlegearbeit aus dreizehn schwarzen Onyxsplittern. Langdon kannte das Symbol als *crux gemmata*, ein christliches Symbol für Jesus und die zwölf Apostel. Er war erstaunt. Eigentlich hatte er nicht damit gerechnet, dass ein französischer Capitaine seine religiöse Überzeugung so offen vor sich her trug. Aber das war nun mal Frankreich. Das Christentum war hier keine Religion, sondern ein Muttermal.

»Das ist eine *crux gemmata*«, sagte Fache unvermittelt.

Langdon blickte ertappt auf. In der glänzenden Tür sah er, wie Fache sein Spiegelbild musterte.

Der Aufzug hielt federnd, die Tür glitt auf.

Langdon atmete aus und trat hinaus auf den Gang. Er brauchte die Weite der Gemäldegalerien mit ihren berühmten hohen Decken. Doch die Welt, die er betrat, hatte mit seinen Erwartungen rein gar nichts zu tun. Überrascht blieb er stehen.

Fache streifte ihn mit einem Blick. »Ich kann wohl davon ausgehen, Mr Langdon, dass Sie den Louvre noch nie nach Öffnungsschluss gesehen haben?«

Davon können Sie getrost ausgehen, dachte Langdon und versuchte, sein inneres Gleichgewicht wiederzugewinnen. In den üblicherweise perfekt ausgeleuchteten Galerien des Louvre war es überraschend schummrig. Statt des gleichmäßig von oben herabfallenden weißen Lichts schien sich in gewissen Abständen ein gedämpfter roter Lichtschimmer von den Fußleisten aus nach oben und auf dem gekachelten Boden auszubreiten.

Eigentlich hättest du mit etwas Ähnlichem rechnen müssen, dachte Langdon beim Blick in den düsteren Korridor. In sämtlichen bedeutenden Bildergalerien hatte man inzwischen für die Nachtstunden eine rote Servicebeleuchtung installiert – an strategisch wichtigen Stellen tief angebrachte Lichtquellen, deren diffuses Licht dem Personal das in den Räumlichkeiten erforderliche Arbeitslicht lieferte, andererseits die Farben der Gemälde nicht ausbleiche. Am heutigen Abend besaß das Museum eine geradezu bedrohliche Atmosphäre. Aus allen Ecken krochen lange Schatten hervor, und die sonst so hohen Gewölbedecken wirkten wie eine drückende schwarze Leere.

»Hier entlang«, sagte Fache. Er wandte sich scharf nach rechts, um durch eine Reihe miteinander verbundener Galerien zu gehen. Langdon folgte ihm. Seine Augen gewöhnten sich nach und nach an das schummrige Licht.

Wie Fotos in einer gigantischen Entwicklerschale tauchten ringsum großformatige Ölporträts aus der Dunkelheit ... Langdon wurde das Gefühl nicht los, von den Augen der Porträtierten beim Gang durch die Räume verfolgt zu werden. Er roch die vertraute Museumsluft – eine trockene entionisierte Atmosphäre mit einem leichten Beigeschmack von Kohle. Sie strömte aus der Klimaanlage, die rund um die Uhr in Betrieb war und deren Kohlefilter das von den Besucherscharen ausgeatmete Kohlendioxid neutralisierten.

Die hoch an den Wänden montierten, gut sichtbaren Überwachungskameras lieferten den Besuchern eine eindeutige Botschaft: *Wir sehen dich! Wehe, du rührst etwas an!*

»Sind einige der Kameras echt?«, erkundigte sich Langdon.

»Natürlich nicht«, sagte Fache.

Langdon war keineswegs überrascht. Die Videoüberwachung eines Museums dieser Größe verbot sich schon aus Kostengründen und war außerdem wenig wirkungsvoll. Bei seiner nach Hektar zu bemessenden Ausstellungsfläche hätte der Louvre allein zur Beobachtung der Bildschirme mehrere hundert Mann Überwachungspersonal einsetzen müssen. Die Sicherheitssysteme der meisten großen Museen beruhten mittlerweile nicht mehr auf dem Prinzip des Aussperrens von Eindringlingen, sondern auf der *containment security*, dem Prinzip des Einsperrens der Täter. *Man kann Diebe nicht aus dem Gebäude aussperren, aber man kann sie im Gebäude einsperren.* Nach Öffnungsschluss wurde die Schließanlage aktiviert. Sobald ein Täter ein Ausstellungsobjekt von seinem angestammten Platz entfernte, schlossen sich sämtliche Zugänge zur betreffenden Galerie. Der Täter befand sich gewissermaßen schon hinter Gittern, bevor die Polizei anrückte.

Aus dem Marmorflur vor ihnen hallten ihnen Stimmen entgegen. Der Lärm schien aus einem geräumigen kurzen Flur zu kommen, der sich weiter vorn nach rechts öffnete. Helles Licht fiel in den Gang.

»Das Büro des Museumsdirektors«, erläuterte Fache.

Sie folgten dem Lichtschein. Langdon konnte durch den Flur

in Saunières luxuriös ausgestattetes Büro schauen – kostbares Holz und alte Meister, wohin das Auge blickte, sowie ein riesiger antiker Schreibtisch, auf dem ein sechzig Zentimeter großes Modell eines Ritters in voller Rüstung stand. Eine Hand voll Polizeibeamte wuselte telefonierend und Notizen machend umher. Einer saß an Saunières Schreibtisch und tippte etwas in ein Notebook. Das Büro des Museumsdirektors war für diese Nacht offensichtlich zum einstweiligen Hauptquartier des DCPJ umfunktioniert worden.

»Messieurs!«, rief Fache, und alles fuhr herum. »Ne nous derangez pas sous aucun prétexte. Entendu?«

Alles nickte.

Langdon hatte im Hotel oft genug das Schild mit dem NE PAS DERANGER außen an die Türklinke gehängt, um zu wissen, dass der Capitaine seine Zweisamkeit mit ihm unter keinen Umständen gestört wissen wollte.

Sie ließen die emsige kleine Beamtenschar hinter sich. Fache führte Langdon weiter den großen abgedunkelten Gang hinunter. Dreißig Meter vor ihnen öffnete sich der Zugang zur berühmtesten Abteilung des Louvre, der *Grande Galerie*, einer scheinbar endlos langen Flucht breiter Gänge, in denen die kostbarsten italienischen Meisterwerke untergebracht waren. Langdon hatte sich bereits ausgerechnet, dass dies der Ort sein musste, wo Saunières Leiche lag: Das Polaroidfoto hatte den berühmten Parkettboden der *Grande Galerie* unverkennbar wiedergegeben.

Beim Näherkommen bemerkte Langdon, dass der Zugang durch ein gewaltiges Stahlgitter versperrt war. Er fühlte sich an die Falltüren erinnert, mit denen mittelalterliche Burgen sich vor streunendem Raubgesindel geschützt hatten.

»Containment security«, sagte Fache.

Selbst im Zwielicht machte die Barrikade noch den Eindruck, einen Panzer aufhalten zu können. Am Gitter angekommen, spähte Langdon durch die Stäbe in das schwach beleuchtete höhlenartige Innere der *Grande Galerie*.

»Nach Ihnen, Mr Langdon«, sagte Fache.

Langdon schaute ihn verdutzt an. *Er will, dass du vorangehst – aber wohin?*

Fache deutete auf den Boden.

Langdons Blick folgte Faches Finger. In der Düsternis war ihm entgangen, dass das Gitter einen halben Meter weit angehoben war. Ein bedrohlicher Spalt tat sich darunter auf.

»Dieser Bereich ist für das Wachpersonal des Louvre immer noch gesperrt«, sagte Fache. »Mein Team von der *Police Technique et Scientifique* hat die Spurensicherung soeben abgeschlossen.« Er deutete wieder auf den Spalt. »Seien Sie bitte so nett, hier unten durchzukriechen.«

Langdon betrachtete den engen Durchschlupf zu seinen Füßen und dann das massive Stahlgitter darüber. *Das kann doch nicht Faches Ernst sein!* Die Barrikade wirkte wie eine Guillotine, die nur darauf wartete, jeden Eindringling zu zermalmen.

Fache sah auf die Uhr und sagte ein paar französische Worte. Dann ließ er sich auf alle viere nieder und quetschte seine massige Gestalt durch die Öffnung. Drüben angekommen, erhob er sich und blickte Langdon durch die Gitterstäbe auffordernd an.

Seufzend ging Langdon in die Hocke. Er stützte die Hände flach auf das polierte Parkett, legte sich auf den Bauch und robbte vorwärts. Der Kragen seines Tweedjacketts verfing sich in einer Halteklaue des Gitters, und er stieß mit dem Hinterkopf gegen den Stahlrahmen.

Was für ein Spaß, dachte er säuerlich, doch schließlich war er durch und erhob sich. In ihm keimte der Verdacht auf, dass es eine sehr lange Nacht werden würde.

5. KAPITEL

Murray Hill Place, das neue Ordenshauptquartier und Konferenzzentrum von Opus Dei, liegt an der 243 Lexington Avenue in New York. Der von May & Pinska entworfene Turm ist mit roten Ziegeln und Sandstein aus Indiana verkleidet, hat siebenundvierzig Millionen Dollar gekostet und bietet gut zwölftausend Quadratmeter Nutzfläche. Er hat mehr als hundertzwanzig Zimmer, sechs Speisesäle, Bibliotheken, Aufenthaltsräume, Konferenzräume und Büros. Auf dem ersten, siebten und fünfzehnten Stock befinden sich mit Stuck und Marmor ausgestattete Kapellen. Der sechzehnte Stock dient ausschließlich Wohnzwecken. Männer betreten das Gebäude durch den Haupteingang an der Lexington Avenue; der Eingang für Frauen befindet sich in einer Seitenstraße. Männer und Frauen sind im ganzen Gebäude »akustisch und optisch« voneinander getrennt.

In der Abgeschiedenheit seiner Penthauswohnung hatte Bischof Manuel Aringarosa die schwarze Soutane eines gewöhnlichen Priesters angelegt und eine kleine Reisetasche gepackt. Normalerweise hätte er die violette Leibbinde eines Bischofs getragen, doch an diesem Abend wollte er wie ein Normalsterblicher reisen. Es wäre ihm unwillkommen gewesen, auf seinen hohen Rang aufmerksam zu machen. Der vierzehnkarätige Bischofsring mit rosa Amethysten, den großen Brillanten und den fein geschmiedeten Symbolen Mitra und Krummstab fiel nur bei näherem Hinsehen auf. Mit einem stummen Gebet hatte er die Tasche ergriffen und war in die Lobby hinuntergefahren, wo sein Fahrer auf ihn gewartet hatte, um ihn zum Flughafen zu bringen.

Inzwischen saß Aringarosa in einem Linienflugzeug nach Rom und blickte auf den dunklen Atlantik hinunter. Die Sonne war untergegangen, doch Aringarosa wusste, dass sein eigener Stern im Steigen begriffen war. *Heute Nacht werden wir die Schlacht gewinnen*, dachte er. War es wirklich nur ein paar Monate her, dass er sich den Mächten, die sein Reich zerstören wollten, völlig schutzlos ausgeliefert gefühlt hatte?

Als Prälat der »Prälatur vom Heiligen Kreuz und Opus Dei«, wie die vollständige Bezeichnung lautet, hatte Bischof Aringarosa das vergangene Jahrzehnt seines Lebens damit verbracht, die Botschaft vom »Werk Gottes« zu verbreiten – die wörtliche Übersetzung des lateinischen Begriffs *Opus Dei*. Die im Jahre 1928 von dem spanischen Priester Josemaría Escrivá gegründete Kongregation setzte sich für die Rückkehr zu einem konservativen Katholizismus ein und verpflichtete ihre Mitglieder zu einem frommen und entsagungsvollen Leben im Dienste Gottes.

Die traditionsverbundene Weltanschauung von Opus Dei hatte ursprünglich in Spanien Fuß gefasst, bevor das Franco-Regime die Herrschaft übernahm, hatte sich aber nach der 1938 erfolgten Veröffentlichung von Escrivás Buch »Der Weg – 999 Meditationssätze zur Umsetzung von Gottes Willen in der eigenen Lebensführung« explosionsartig auf der ganzen Welt verbreitet. Inzwischen war »Der Weg« in zweiundvierzig Sprachen übersetzt und mehr als vier Millionen Mal verkauft worden. Opus Dei war zu einer weltweit operierenden Größe geworden. Seine Ordenshäuser, Lehrinstitute und sogar Universitäten fanden sich in fast jeder größeren Metropole der Welt. Opus Dei war die am schnellsten wachsende und finanziell am besten abgesicherte katholische Organisation der Welt. Leider hatte Aringarosa auch erfahren müssen, dass in einer Zeit des weit verbreiteten Zynismus, der Fernsehevangelisten und täglich neuer religiöser Kulte der enorm gewachsene Reichtum und Einfluss seiner Organisation den Argwohn geradezu magnetisch angezogen hatten.

»Man hört oft den Vorwurf, Opus Dei sei eine Sekte, die Gehirnwäsche praktiziert«, war eine häufige Einlassung von Journalisten. »Ein anderer Vorwurf lautet, dass Opus Dei eine ultrakonservative katholische Geheimgesellschaft ist. Was sind Sie denn nun wirklich?«

»Keines von beiden«, pflegte der Bischof geduldig zu antworten. »Wir sind eine Kongregation der katholischen Kirche – Katholiken, die es sich zur vornehmsten Aufgabe gemacht haben, in ihrem Alltag die katholische Lehre so streng wie möglich zu befolgen.«

»Schließt das ›Werk Gottes‹ notwendigerweise das Keuschheitsgelübde, die Entrichtung des Zehnten, Selbstgeißelung und das Tragen eines Bußgürtels zur Vergebung der Sünden ein?«

»Die Dinge, von denen Sie hier sprechen, treffen nur auf einen kleinen Teil unserer Mitglieder zu«, sagte Aringarosa. »Man kann sich bei uns auf ganz unterschiedlichen Ebenen engagieren. Tausende unserer Mitglieder sind verheiratet, haben Familie und verrichten das Werk Gottes in ihren Gemeinden. Andere entschließen sich zu einem asketischen Leben in einem unserer Ordenshäuser. Das sind persönliche Entscheidungen unserer Mitglieder, wobei aber jedes Mitglied von Opus Dei dem Ziel verpflichtet ist, durch den Dienst am Werk Gottes zur Verbesserung unserer Welt beizutragen – zweifellos ein löbliches Unterfangen.«

Vernunftargumente verfingen selten. Die Medien brauchten Skandalgeschichten, und auch bei Opus Dei gab es – wie in allen großen Organisationen – hin und wieder ein paar schwarze Schafe, die ihre ganze Herde in Verruf brachten.

Zwei Monate zuvor war an einer Universität im Mittleren Westen der USA eine Gruppe des Opus Dei aufgeflogen, die ihre Novizen heimlich mit der Droge Meskalin bearbeitet hatte, um ihnen den euphorischen Zustand als religiöse Erfahrung zu verkaufen. Woanders hatte ein Student seinen Bußgürtel länger als die empfohlenen zwei Stunden täglich getragen und sich eine Blutvergiftung zugezogen, die beinahe tödlich verlaufen wäre. Vor nicht allzu langer Zeit hatte in Boston ein desillusionierter junger

Investment-Banker seine gesamten Ersparnisse Opus Dei über-schrieben und anschließend Selbstmord zu begehen versucht.

Verirrte Schäflein, dachte Aringarosa verständnisvoll.

Das größte Ärgernis war natürlich der überall breit getretene Prozess gegen den FBI-Spion Robert Hansen gewesen, der nicht nur ein prominentes Mitglied von Opus Dei war, sondern zu allem Überfluss auch noch mit sexuell abweichendem Verhalten glänzte. Im Prozess war ans Licht gekommen, dass er in seinem Schlafzimmer Videokameras installiert hatte, mit denen seine Freunde ihn beim Geschlechtsverkehr mit seiner Frau beobachten konnten. »Nicht unbedingt die Feierabendbeschäftigung eines frommen Katholiken«, hatte der Richter bemerkt.

Leider hatten diese Ereignisse zur Entstehung einer neuen Gruppe mit dem Namen ODAN geführt, »Opus Dei Achtsam-keitsnetzwerk«, die es sich zur Aufgabe gemacht hatte, Opus Dei auf die Finger zu sehen. Die populäre Website der Gruppe verbrei-tete schaurige Geschichten ehemaliger Angehöriger des Opus Dei, die eindringlich vor dem Beitritt warnten. In den Medien sprach man inzwischen vom Opus Dei als der »Mafia Gottes« und von einem »Christuskult«.

Die Angst vor dem Unbekannten, dachte Aringarosa. Er fragte sich, ob diese Kritiker überhaupt eine Ahnung davon hatten, wie viele Lebensschicksale durch Opus Dei bereichert worden waren. Die Kongregation hatte die volle Unterstützung und den Segen des Vatikans. *Opus Dei ist eine Personalprälatur des Heiligen Vaters.*

Doch jüngst hatte Opus Dei sich plötzlich der Bedrohung durch eine Macht ausgesetzt gesehen, die viel stärker war als die Medien: Aringarosa befand sich unvermutet im Visier eines Geg-ners, vor dem es kein Verstecken gab. Vor fünf Monaten hatte jemand das Kaleidoskop der Macht geschüttelt. Aringarosa hatte sich von diesem Schlag noch immer nicht erholt.

Sie wissen nicht, auf was für einen Krieg sie sich eingelassen haben, flüsterte Aringarosa, während er aus dem Flugzeugfenster hinunter auf die Dunkelheit des Atlantiks blickte. Einen kurzen Moment schlug die Perspektive seiner Augen um, und sein Blick blieb an der Spiegelung in der Fensterscheibe haften: ein unattraktives Gesicht, dunkel, länglich, mit einer unübersehbaren krummen Nase, die ein Spanier platt geschlagen hatte, als Aringarosa noch ein junger Missionar gewesen war. Die Verunstaltung kümmerte ihn nicht mehr. Aringarosa lebte für eine jenseitige Welt, nicht für das Diesseits.

Beim Überfliegen der portugiesischen Küste begann das stumm geschaltete Handy in der Tasche seiner Soutane plötzlich zu vibrieren. Aringarosa war sich bewusst, dass die Benutzung von Handys während des Fluges untersagt war; er wusste aber auch, dass es der von ihm so dringend erwartete Anruf sein musste. Nur ein einziger Mensch kannte seine Nummer – der Mann, der ihm den Apparat mit der Post zugeschickt hatte.

Aufgeregt nahm er das Gespräch an. »Ja?«, sagte er leise.

»Silas hat den Stein lokalisiert«, sagte der Anrufer. »Er befindet sich in Paris, in der Kirche Saint-Sulpice.«

Bischof Aringarosa lächelte. »Dann sind wir also nahe dran.«

»Wir können uns den Stein sofort holen. Aber dazu brauchen wir Ihre Beziehungen.«

»Aber natürlich! Was soll ich tun?«

Als Aringarosa das Handy abschaltete, schlug ihm das Herz bis zum Hals. Er starrte wieder hinaus in den Abgrund der Nacht. Angesichts der von ihm losgetretenen Ereignisse kam er sich winzig vor.

Achthundert Kilometer entfernt stand der Albino mit Namen Silas über einer Waschschüssel und beobachtete die roten Schlieren im Wasser, während er sich das Blut vom Rücken tupfte. *Entsündige mich mit Ysop, dann werde ich rein*, betete er Psalm einundfünfzig. *Wasche mich, dann werde ich weißer als Schnee.*

Silas war von einer bislang nie gekannten freudigen Erregung erfüllt, die ihn zugleich erstaunte und faszinierte. In den vergangenen zehn Jahren war er *den Weg* gegangen, hatte seinen Sünden abgeschworen, sein Leben in den Griff bekommen, die Gewalttätigkeit seiner Vergangenheit ausgelöscht. Doch heute Nacht war alles wieder auf ihn eingestürmt. Der von ihm so nachdrücklich bekämpfte Hass war wieder aufgeflammt. Fassungslos hatte er erkennen müssen, wie schnell seine Vergangenheit wieder zutage getreten war – und mit ihr seine Fähigkeiten, die zwar ein wenig eingerostet, aber noch immer über jeden Zweifel erhaben waren.

Die Botschaft Jesu ist die Botschaft des Friedens … der Gewaltlosigkeit … der Liebe, hatte man Silas von der ersten Stunde an eingehämmert, und er hatte die Botschaft verinnerlicht. Und diese Botschaft drohten die Feinde Christi jetzt zu zerstören. *Wer die Botschaft Gottes mit Gewalt bedroht, dem wird Gewalt entgegenschlagen. Entschlossen und unausweichlich.*

Seit zwei Jahrtausenden hatten die Streiter Christi ihren Glauben gegen die Feinde verteidigt. Und heute Abend war an Silas der Aufruf zur Schlacht ergangen.

Silas' Wunden waren getrocknet. Er schlüpfte in seine knöchellange schlichte Kutte aus dunkelbraunem Wollstoff, die seine weiße Haut und sein weißes Haar besonders hervortreten ließ. Nachdem er sich mit dem Strick gegürtet und die Kapuze über den Kopf gezogen hatte, gönnte er seinen roten Augen einen bewundernden Blick auf sein Ebenbild im Spiegel.

Das Räderwerk ist in Gang gesetzt.

6. KAPITEL

obert Langdon stand auf der anderen Seite des Sperrgitters. Er starrte in die Fluchten der *Grande Galerie* wie in die gähnende Mündung eines langen, tiefen Canyons. Die Wände, die zu beiden Seiten neun Meter in die Höhe stiegen, verloren sich oben im Dunkeln. Das Streulicht der Servicebeleuchtung warf einen unnatürlichen Rotschimmer auf eine atemberaubende Sammlung von Stillleben, religiösen Szenen, Landschaften und Porträts geistlicher und weltlicher Fürsten, auf Gemälde Da Vincis, Tizians und Caravaggios, die an dünnen Drahtseilen an der Decke aufgehängt waren.

Die *Grande Galerie* beherbergte zwar die bedeutendsten Gemälde der italienischen Kunst, aber für viele Besucher war der berühmte Parkettfußboden dieses Flügels die eigentliche Attraktion. Das aus diagonal verlegten Eichendielen bestehende geometrische Muster des Bodens bewirkte eine verwirrende optische Täuschung, ein multidimensionales Netzwerk, das beim Besucher das Gefühl hervorrief, auf einer Oberfläche durch die Galerie zu gleiten, deren Form sich mit jedem Schritt änderte.

Langdons Blick folgte dem eingelegten Muster und blieb unvermutet an einem mit Absperrband markierten Gegenstand haften, der weiter links nur ein paar Meter entfernt auf dem Boden lag. Er schrak zusammen.

»Liegt da etwa … ein Caravaggio auf dem Boden?«, stieß er hervor.

Fache nickte, ohne hingesehen zu haben.

Nach Langdons Schätzung bewegte sich der Wert des Gemäldes, das dort wie ein achtlos weggeworfenes Plakat auf dem Parkett lag, irgendwo oberhalb von zwei Millionen Dollar. »Du lieber Himmel! Warum lässt man ein solches Gemälde wie eine alte Zeitung auf dem Boden liegen?«

Fache blickte Langdon düster an. »Mr Langdon, wir befinden uns hier am Tatort eines Verbrechens. Wir haben alles so belassen, wie wir es vorgefunden haben. Das Gemälde wurde von Saunière von der Wand gerissen. Auf diese Weise hat er das Alarmsystem ausgelöst.«

Langdon betrachtete das Gitter hinter sich und versuchte sich vorzustellen, was geschehen war.

»Saunière wurde in seinem Büro angegriffen. Er ist in die *Grande Galerie* geflüchtet und hat beim Herunterreißen des Gemäldes das Alarmsystem ausgelöst. Das Gitter im Zugang ist sofort heruntergefallen und hat den einzigen Weg versperrt, auf dem man in diese Galerie hinein- oder wieder hinausgelangen kann.«

Langdon war verwirrt. »Dann ist es Saunière also gelungen, seinen Mörder in der *Grande Galerie* einzuschließen?«

Fache schüttelte den Kopf. »Das Sperrgitter hat den Direktor von seinem Angreifer getrennt. Der Mörder stand draußen im Gang und hat Saunière durch das Gitter erschossen.« Fache deutete auf eine orangefarbige Markierung an einem der Gitterstäbe. »Die Spurensicherung hat dort die Schmauchspuren eines Pistolenschusses gefunden. Saunière war allein, als er hier drinnen starb.«

Langdon rief sich das Foto von Saunières Leiche vor Augen. *Die Verrenkungen hat er angeblich selbst vollführt.* Langdon spähte den gewaltigen Gang der Galerie hinunter. »Und wo ist die Leiche?«

Fache rückte die kreuzförmige Krawattennadel zurecht und schritt aus. »Die *Grande Galerie* ist sehr lang, wie Ihnen vermutlich bekannt sein dürfte.«

Wenn Langdon sich recht erinnerte, betrug die Länge um die vierhundertfünfzig Meter. Ähnlich gewaltig war die Breite. Zwei

D-Züge hätten hier bequem nebeneinander Platz gehabt. Auf der Mittellinie der Galerie hatte man in unregelmäßigen Abständen große Statuen oder riesige Porzellanvasen aufgestellt, die als geschmackvolle Raumteiler dafür sorgten, dass der Besucherstrom sich ordentlich auf der einen Seite hin- und auf der anderen zurückbewegte.

Den Blick fest nach vorn gerichtet, schritt Fache zielstrebig auf der rechten Seite den Gang hinunter. Langdon kam es beinahe pietätlos vor, an so vielen Meisterwerken vorbeizueilen, ohne auch nur einen flüchtigen Blick darauf zu werfen.

Egal. Bei dieser Beleuchtung hättest du ja doch nichts gesehen, dachte er.

Das gedämpfte Rotlicht beschwor bei Langdon Erinnerungen an seine letzte Erfahrung mit nichtinvasiver Beleuchtung im Geheimarchiv des Vatikans herauf – die zweite beunruhigende Parallele mit seinem lebensgefährlichen Erlebnis in Rom. Mit einem Mal war Vittoria wieder präsent, nachdem sie monatelang nicht einmal mehr in seinen Träumen aufgetaucht war. Langdon wollte kaum glauben, dass die Ereignisse in Rom erst vor einem Jahr stattgefunden hatten. Es kam ihm vor, als wäre das alles schon Jahrzehnte her. *Wie in einem anderen Leben.* Vittorias letztes Lebenszeichen hatte er im Dezember erhalten – eine Postkarte, auf der sie geschrieben hatte, sie sei auf dem Weg in die Javasee, um dort ihre Forschungsarbeit über Biofelder fortzusetzen. Sie wollte mittels Satellitentechnik die Wanderungen der Stachelrochen verfolgen. Auch wenn Langdon sich nie der Illusion hingegeben hatte, eine Frau wie Vittoria würde sich damit begnügen, sein Gelehrtendasein mit ihm zu teilen, hatte die Begegnung in Rom eine Sehnsucht von unerwarteter Intensität in ihm ausgelöst. Seine lebenslange Vorliebe für die Ungebundenheit des Junggesellendaseins war ins Wanken geraten und hatte einer plötzlichen Leere Platz gemacht, die sich im vergangenen Jahr noch vergrößert zu haben schien.

Sie waren jetzt schon eine ganze Weile unterwegs, doch von der Leiche war immer noch nichts zu sehen. »Jacques Saunière ist noch *so* weit gekommen?«, wunderte sich Langdon.

»Monsieur Saunière hat einen Magendurchschuss erlitten. Sein Tod ist sehr langsam eingetreten, vielleicht in einer Zeitspanne von fünfzehn bis zwanzig Minuten. Er war offensichtlich sehr gut bei Kräften.«

Langdon hielt erstaunt inne. »Die Sicherheitsleute haben sich eine geschlagene Viertelstunde Zeit gelassen, bis sie hier waren?«

»Nein, keineswegs. Das Wachpersonal des Louvre hat unverzüglich auf den Alarm reagiert, den Zugang zur *Grande Galerie* aber versperrt vorgefunden. Die Leute konnten zwar hören, dass sich irgendwo weit hinten etwas bewegte, aber nicht erkennen, um wen oder was es sich handelte. Sie haben durch das Gitter zu dem Mann hineingerufen, aber keine Antwort erhalten. In der Annahme, dass es sich um den Eindringling handeln müsse, haben sie uns routinemäßig informiert. Wir waren binnen fünfzehn Minuten vor Ort und haben das Sperrgitter so weit angehoben, dass man darunter durchkriechen konnte. Wir haben über ein Dutzend bewaffnete Beamte hineingeschickt, um den Eindringling in der Galerie zu stellen.«

»Und?«

»Sie haben niemanden gefunden.« Fache zeigte ein Stück weit voraus. »Abgesehen von ihm.«

Langdons Blick folgte Faches ausgestrecktem Finger. Anfangs dachte er, Fache hätte auf eine große Marmorstatue weiter unten in der Mitte der Galerie gezeigt. Nach ein paar Schritten jedoch erkannte er dreißig Meter weiter im dunkelroten, schummrigen Leuchten eine Insel aus weißem Licht, die ein einzelner, auf einem mobilen Ständer montierter Scheinwerfer auf den Boden warf. In der Mitte des Lichtkreises lag wie ein Insekt unter einem Mikroskop der nackte Leichnam des Museumsdirektors auf dem Parkettboden.

»Sie haben das Foto ja schon gesehen«, sagte Fache. »Seien Sie also nicht allzu überrascht.«

Langdon lief es eiskalt den Rücken hinunter, als er sich der Leiche näherte. Vor seinen Augen tat sich das merkwürdigste Bild auf, das er je gesehen hatte.

Jacques Saunières bleicher Leichnam lag in exakt der gleichen Haltung auf dem Parkett, die schon auf dem Foto zu erkennen gewesen war. Langdon blinzelte ins grelle Licht und rief sich in Erinnerung, dass Saunière die letzten Minuten seines Lebens damit verbracht hatte, seinen Körper in diese seltsame Haltung zu bringen.

Für einen Mann seines Alters sah Saunière erstaunlich fit aus, zumal seine gesamte Muskulatur sich dem Auge offen darbot. Er hatte sich bis auf den letzten Faden nackt ausgezogen, die Kleidungsstücke ordentlich zusammengelegt auf dem Boden gestapelt und sich in der Mitte des Raumes – sorgfältig nach der Längsachse der breiten Galerie ausgerichtet – auf den Rücken gelegt, Arme und Beine von sich gestreckt wie ein Kind, das im tiefen Schnee einen Schmetterling macht... oder wie ein Delinquent, der von einer unsichtbaren Kraft gevierteilt werden soll.

Unmittelbar unterhalb von Saunières Brustbein markierte eine blutverschmierte Stelle das Loch, wo die Kugel in seinen Körper eingedrungen war. Die Wunde hatte erstaunlich wenig geblutet und war mit einem kleinen Pfropf von schwarz gewordenem Blut gefüllt.

Auch Saunières linker Zeigefinger war blutverschmiert. Er hatte den Finger augenscheinlich in die Wunde getaucht und den blutigen Finger dann als Pinsel und seinen nackten Bauch als Leinwand benutzt, um für den befremdlichsten Anblick seines makabren, selbst gewählten Sterbelagers zu sorgen: Er hatte sich ein Symbol auf den nackten Leib gemalt, fünf gerade Linien, die zusammen einen fünfzackigen Stern ergaben.

Das Pentagramm.

Der um den Nabel herum gezeichnete blutige Stern verlieh dem Leichnam etwas unleugbar Gespenstisches. Das Foto war schon erschreckend genug; aber hier, am Tatort, in unmittelbarer Nähe der Leiche, überkam Langdon ein abgrundtiefes Unbehagen.

Es ist sein eigenes Werk.

»Nun, Mr Langdon?«, fragte Fache und musterte ihn mit seinen dunklen Augen.

»Das ist ein Pentagramm«, meinte Langdon ein wenig unverbindlich. In der Weitläufigkeit des Raums schien seine Stimme einen hohlen Klang anzunehmen. »Es ist eines der ältesten Symbole, die wir kennen, und wurde schon viertausend Jahre vor Christi verwendet.«

»Und was bedeutet es?«

Bei dieser Frage pflegte Langdon stets zu zögern. Erklären zu wollen, was ein Symbol »bedeutet« war so ähnlich, als wolle man jemand anders vermitteln, welche Empfindungen ein Musikstück auslöst. Es bedeutete immer wieder etwas anderes. In den Vereinigten Staaten beschworen weiße Kapuzen mit Augenlöchern die Vorstellung von Ku-Klux-Klan, Rassenhass und Lynchjustiz herauf, während das gleiche Symbol in Spanien mit Frömmigkeit und religiöser Inbrunst in Verbindung gebracht wurde.

»Symbole haben je nach dem Umfeld eine andere Bedeutung«, sagte Langdon. »Das Pentagramm ist in erster Linie ein heidnisches religiöses Symbol.«

»Teufelsanbetung«, sagte Fache und nickte.

»Keineswegs«, berichtigte Langdon und bedauerte sofort, sich nicht klarer ausgedrückt zu haben. »Das Pentagramm ist ein vorchristliches Symbol aus der Welt der Naturgottheiten. Unsere Vorväter verstanden die Welt als aus zwei Hälften zusammengesetzt, dem Männlichen und dem Weiblichen. Ihre Götter und Göttinnen waren bestrebt, das Gleichgewicht aufrechtzuerhalten, Yin und Yang. Wenn das Männliche und Weibliche ausgewogen waren, befand die Welt sich in Harmonie und Ausgewogenheit. Gerieten sie aus dem Lot, brach das Chaos aus.« Langdon wies auf Saunières Leib. »Dieses Pentagramm repräsentiert die weibliche Hälfte der Schöpfung. Religionswissenschaftler sprechen vom ›göttlich Weiblichen‹ oder der ›Urgöttin‹. Wenn jemand sich damit auskannte, dann Saunière.«

»Saunière hat sich das Symbol für das göttlich Weibliche auf den Bauch gemalt?«

Langdon musste zugeben, dass dies alles äußerst seltsam war. »Bei sehr eng gefasster Interpretation ist das Pentagramm das Symbol der Venus, der Göttin der weiblichen körperlichen Liebe und Schönheit.«

Fache betrachtete stirnrunzelnd den nackten Mann.

»Die frühen Religionen gründeten sich auf die Verehrung der göttlichen Ordnung in der Natur. Die Göttin Venus und der Planet waren ein und dasselbe. Die Göttin hatte ihren Platz am Nachthimmel und trug viele Namen: Venus, Stern des Ostens, Ischtar, Astarte, die alle mit dem Weiblichen, der Natur und der Urmutter Erde im Zusammenhang stehen.«

Fache schaute drein, als wäre ihm ein Zusammenhang mit Teufelsanbetung lieber gewesen.

Die erstaunlichste Eigenschaft des Pentagramms behielt Langdon jedoch für sich – den graphischen Ursprung seiner Verbindung mit der Venus. Als junger Astronomiestudent hatte Langdon zu seinem Erstaunen erfahren, dass der Planet Venus im Verlauf von acht Jahren ein perfektes Pentagramm an den Nachthimmel zeichnet. Die Alten waren über dieses Phänomen so erstaunt, dass sie die Venus und deren Pentagramm zum Symbol für Vollkommenheit, Schönheit und die zyklischen Eigenschaften der Fortpflanzung machten, was heute kaum noch jemand wusste. Noch weniger bekannt ist die Tatsache, dass der fünfzackige Stern beinahe zum Symbol der olympischen Spiele geworden wäre und erst im letzten Moment zugunsten der fünf ineinander verschlungenen Ringe aufgegeben wurde, die besser als die fünf Zacken den auf Harmonie und friedliches Miteinander ausgerichteten Geist der Spiele wiedergeben.

»Mr Langdon«, meldete Fache sich zu Wort, »das Pentagramm muss aber irgendeinen Bezug zum Teufel haben. In amerikanischen Horrorfilmen, zum Beispiel, wird ausgiebig Gebrauch davon gemacht. Gewiss nicht ohne Grund?«

Langdon runzelte die Stirn. *Vielen Dank, Hollywood.* Der fünfzackige Stern war inzwischen in der Tat zum unverzichtbaren Klischee sämtlicher Zelluloidmachwerke über satanische Serienmörder avanciert und zierte meist zusammen mit anderen angeblich dämonischen Symbolen die Wände satanischer Folterkeller. Langdon lief jedes Mal die Galle über, wenn er das Symbol unter Verfälschung seines wahren Ursprungs in diesem Kontext auftauchen sah.

»Ich kann Ihnen versichern«, sagte er, »dass trotz aller Bemü-hungen der Filmindustrie die Interpretation des Pentagramms als dämonisches Zeichen historisch unzutreffend ist. Der ursprüng-liche Bezug zum Weiblichen ist im Lauf der Jahrtausende ver-fälscht worden, auch durch Blutvergießen.«

»Ich fürchte, ich kann Ihnen nicht ganz folgen«, entgegnete Fache.

Langdon war nicht sicher, wie er sich ausdrücken sollte, und streifte Faches Kruzifix mit einem viel sagenden Blick. »Ich spreche von der Kirche, Monsieur Fache. Die römisch-katholische Kirche hat es in ihrer Anfangszeit geschafft, dem Pentagramm eine andere Bedeutung zu verleihen. Im Zuge der Bemühungen, die heidnischen Religionen auszurotten und die Massen zum Christentum zu be-kehren, hat die Kirche in einer Verleumdungskampagne den Sym-bolgehalt der heidnischen Gottheiten ins Negative gewendet ...«

»Fahren Sie fort.«

»In Zeiten des Umbruchs ist das nicht ungewöhnlich. Mächte, die sich neu konstituieren, pflegen vorhandene Symbole zu überneh-men und unschädlich zu machen, indem sie ihnen die ursprüngliche Bedeutung rauben und allmählich herabwürdigen. Die heidnischen Symbole haben den Kampf mit den christlichen Symbolen verloren. Der Dreizack des Neptun pervertierte zur Mistgabel des Teufels, der spitze Hut der weisen Frauen wurde zum Hexenhut gemacht und der fünfzackige Venusstern zum Pentagramm des Teufels.« Lang-don hielt inne. »Zu allem Unglück hat auch das Militär der Ver-einigten Staaten zur Perversion des Pentagramms beigetragen und es zu seinem kriegerischen Hoheitszeichen umfunktioniert. Man malt den fünfzackigen Stern auf sämtliches Kriegsgerät und heftet ihn auf die Schulterstücke der Generäle.« *So viel zur Göttin der Liebe und der Schönheit.*

»Interessant«, sagte Fache und deutete mit dem Kopf auf den nackten Leichnam, der mit ausgestreckten Gliedmaßen am Boden lag. »Und was fällt Ihnen zu dieser Körperhaltung ein?«

Langdon zuckte die Schultern. »Sie unterstreicht nur den Be-zug zum Pentagramm und der Göttlichkeit des Weiblichen.«

Faches Miene verdüsterte sich. »Wie darf ich das bitte verstehen?«

»Replikation. Die Wiederholung eines Symbols ist die einfachste Methode, seine Bedeutung zu verstärken. Jacques Saunière hat einen fünfzackigen Stern aus sich gemacht.« *Zwei Pentagramme sind besser als eins.*

Faches Blicke zeichneten die fünf Sternspitzen von Saunières Beinen, Armen und Kopf nach. Wieder strich er sich über das ölige Haar. »Eine interessante Interpretation.« Er hielt inne. »Und die *Nacktheit?*«, sagte er dann mit einer ungnädigen Betonung auf dem letzten Wort. Der Anblick eines gealterten männlichen Körpers schien ihm gegen den Strich zu gehen. »Warum hat er sich nackt ausgezogen?«

Verdammt gute Frage, dachte Langdon. Sie hatte ihm zu schaffen gemacht, seit er das Polaroidfoto gesehen hatte. Am wahrscheinlichsten kam ihm noch die Lesart vor, dass ein nackter Körper einen zusätzlichen Hinweis auf Venus lieferte – die Göttin der menschlichen Sexualität. Selbst heute noch zeigte sich in der Bezeichnung der Geschlechtskrankheiten als »venerische« Krankheiten die ursprüngliche Assoziation von Venus mit der geschlechtlichen Vereinigung von Mann und Frau. Doch Langdon zog es vor, nicht näher darauf einzugehen.

»Die Frage, warum Saunière sich dieses Symbol aufgemalt und weshalb er diese Haltung eingenommen hat, kann ich Ihnen nicht beantworten, Monsieur Fache, aber eines ist sicher: Für einen Mann wie Jacques Saunière war das Pentagramm das Zeichen der weiblichen Gottheit. Diese Beziehung ist unter Historikern und Symbolologen unumstritten.«

»In Ordnung. Und die Benutzung von Blut als Tinte?«

»Ganz einfach: Offenbar hatte Saunière nichts anderes zum Schreiben.«

»Ich bin eher der Meinung«, sagte Fache nach einem Augenblick des Schweigens, »dass er Blut benutzt hat, damit die Polizei zu bestimmten forensischen Methoden greift.«

»Jetzt müssen *Sie* mir weiterhelfen.«

»Sehen Sie sich seine linke Hand an.«

Langdons Blick glitt den blassen ausgestreckten Arm des Museumsdirektors entlang, konnte jedoch nichts entdecken. Neugierig geworden ging er um die Leiche herum und kauerte sich nieder. Zu seiner Überraschung bemerkte er, dass der Tote einen großen Filzschreiber umklammert hielt.

»Als wir Saunière auffanden, hatte er den Schreiber in der Hand«, sagte Fache. Er trat an einen seitwärts aufgestellten Klapptisch mit allerlei Gerätschaften, Kabeln und elektronischen Apparaten heran. »Wie ich Ihnen schon sagte, haben wir alles so gelassen, wie es war.« Er kramte auf dem Tisch herum. »Kennen Sie diese Filzschreiber?«

STYLO DE LUMIÈRE NOIRE.

Überrascht blickte Langdon auf.

Diese Schwarzlicht-Schreiber waren ursprünglich zur Verwendung in Museen, durch Restauratoren und Ermittlungsbehörden entwickelt worden, um Gegenstände mit unsichtbaren Markierungen zu versehen. Sie waren mit einer wetterfesten fluoreszierenden Flüssigkeit auf Alkoholbasis gefüllt, die erst unter ultraviolettem Licht sichtbar wurde. Heutzutage benutzten die Restauratoren der Museen diese Schreiber bei ihren Rundgängen, um auf dem Rahmen restaurierungsbedürftiger Gemälde eine entsprechende Markierung anzubringen.

Während Langdon sich erhob, ging Fache zum Scheinwerfer und schaltete ihn aus. Die Galerie versank in plötzlicher Dunkelheit.

Langdon konnte für kurze Zeit nichts mehr erkennen. Dann näherte sich Fache, in ein sattes Violett getaucht und mit einer Art Taschenlampe in der Hand.

»Wie Sie vielleicht wissen«, meinte er, wobei seine Augen violett fluoreszierten, »benutzt die Polizei auch UV-Licht, um einen Tatort auf Blutspuren und andere forensische Hinweise zu untersuchen. Sie können sich gewiss unsere Überraschung vorstellen, als wir …« Unvermittelt richtete er die Lampe auf den Toten.

Langdon sprang vor Schreck einen Schritt zurück. Das Herz

klopfte ihm bis zum Hals, als er das bizarre Bild in sich aufnahm, das vor seinen Augen auf dem Parkettboden erschien. In violett fluoreszierender Leuchtschrift erglühten die letzten Worte des Museumsdirektors neben seiner Leiche. Je länger Langdon auf den geisterhaft schimmernden Text starrte, umso mehr schien sich der Nebel zu verdichten, der schon den ganzen Abend um ihn wogte.

Erneut las er die Botschaft. »Was hat das zu bedeuten?«, fragte er dann und blickte Fache an.

Dessen Augen leuchteten lila. »Genau *das*, Monsieur, ist die Frage, auf die wir von Ihnen gern eine Antwort hätten.«

Leutnant Collet war inzwischen zum Louvre zurückgekehrt. Im nicht allzu weit entfernten Büro Saunières saß er über ein Aufnahmegerät gebeugt am riesigen Schreibtisch des Museumsdirektors. Er war guter Dinge. Nur das Modell des mittelalterlichen Ritters in seiner Rüstung, das an einen Roboter erinnerte und ihn von der Seite her anstarrte, störte ihn ein wenig. Collet setzte den AKG-Kopfhörer auf und pegelte den digitalen Recorder aus. Er war auf Aufnahme geschaltet. Das Mikrofon funktionierte einwandfrei, das Signal kam kristallklar.

Le moment de la vérité, sinnierte er. *Der Augenblick der Wahrheit.*

Lächelnd schloss Collet die Augen und lehnte sich zurück, um auch den Rest des aus der *Grande Galerie* übertragenen Gesprächs zu genießen, das er hier draußen aufnahm.

7. KAPITEL

I n der Kirche Saint-Sulpice gab es im Obergeschoss neben der Orgelempore eine spartanisch eingerichtete Zweizimmerklause mit Steinfußboden. Die bescheidene Unterkunft war seit mehr als zehn Jahren das Heim von Schwester Sandrine Bieil. Ihre offizielle Adresse war das nahe Kloster, falls jemand danach fragte, aber in der Kirche fand sie es ruhiger. Mit einer kleinen Bettstatt, einem Telefon und einer Kochplatte hatte sie es sich hier für ihre Begriffe recht gemütlich gemacht.

Als *conservatrice d'affaires* der Kirche war Schwester Sandrine für alle nichtreligiösen Aspekte des Kirchenbetriebs verantwortlich, etwa die Hausverwaltung, die Einstellung von Hilfs- und Reinigungskräften und Fremdenführern, das Verschließen des Gebäudes am Abend, die Bestellung von Messwein und Oblaten für die heilige Kommunion und vieles andere mehr.

Das Schrillen des Telefons ließ sie in ihrem kleinen Bett hochfahren. Schlaftrunken griff sie nach dem Hörer.

»*Soeur Sandrine, Église Saint-Sulpice.*«

»Hallo, Schwester«, sagte der französische Anrufer.

Schwester Sandrine setzte sich auf. *Wie viel Uhr ist es eigentlich?* Sie erkannte die Stimme ihres Vorgesetzten. In fünfzehn Jahren war es noch nie vorgekommen, dass er sie aus dem Schlaf geklingelt hatte. Der Abbé war ein frommer, tief religiöser Mann, der sich nach der Abendmesse stets sofort nach Hause und unverzüglich zu Bett begab.

»Es tut mir Leid, Schwester, wenn ich Sie aus dem Schlaf gerissen habe«, sagte der Abbé, dessen Stimme ebenfalls ziemlich schlaftrunken klang. »Ich muss Sie um einen Gefallen bitten. Ich habe soeben von einem einflussreichen amerikanischen Bischof einen Anruf erhalten. Sie kennen ihn vielleicht. Es handelt sich um Bischof Manuel Aringarosa.«

»Der Prälat des Opus Dei?« *Natürlich kenne ich ihn. Wer in der katholischen Kirche kennt ihn nicht?* Aringarosas konservative Organisation war in den letzten Jahren sehr mächtig geworden. Ihr Aufstieg zu Ehre und Ansehen hatte im Jahr 1982 gewaltigen Rückenwind erhalten, als Papst Johannes Paul II. dem Opus Dei unerwartet den Rang einer »Personalprälatur« verliehen hatte, womit sämtliche ins Kreuzfeuer der Kritik geratenen Praktiken des Ordens offiziell abgesegnet waren. Der Aufstieg des Opus Dei erfolgte eigentümlicherweise im gleichen Jahr, in dem die wohlhabende Organisation angeblich fast eine Milliarde Dollar auf das Vatikanische Institut für Religiöse Werke – besser unter dem Namen Vatikanbank bekannt – transferiert und damit in letzter Sekunde einen blamablen Bankrott des Instituts abgewendet hatte. Des Weiteren setzte der Papst in einem befremdlichen Schnellverfahren den Gründer von Opus Dei auf die Liste der Heiligsprechungen und verkürzte in diesem Fall die oft Jahrhunderte während Wartezeit auf lediglich zwanzig Jahre. Schwester Sandrine begegnete dem hohen Ansehen, das Opus Dei in Rom genoss, mit abgrundtiefem Misstrauen, aber man konnte ja schließlich nicht vom Heiligen Stuhl Rechenschaft verlangen.

»Bischof Aringarosa hat mich telefonisch um einen Gefallen gebeten«, erklärte der Abbé. Seine Stimme klang nervös. »Einer seiner Numerarier ist heute Abend in Paris ...«

Je länger Schwester Sandrine der merkwürdigen Bitte lauschte, desto suspekter kam ihr die Sache vor. »Entschuldigung, habe ich Sie richtig verstanden? Der Besuch dieses Numerariers kann nicht bis morgen warten?«

»Ich fürchte nein. Er hat immer schon davon geträumt, Saint-Sulpice zu sehen, aber sein Flugzeug geht morgen schon in aller Herrgottsfrühe.«

»Aber die Kirche ist doch am Tag viel interessanter. Der Sonneneinfall durch den Oculus, das schrittweise Vorrücken des Schattens auf dem Gnomon – das ist es doch, was diese Kirche so einmalig macht.«

»Ich bin ja vollkommen Ihrer Meinung, Schwester, aber Sie würden mir trotzdem einen großen persönlichen Gefallen tun, wenn Sie den geistlichen Herrn noch in dieser Nacht einlassen würden. Er könnte um … sagen wir, ein Uhr bei Ihnen sein. Also in zwanzig Minuten.«

»Gewiss, es ist mir ein Vergnügen«, schwindelte Schwester Sandrine und zog die Stirn kraus.

Der Abbé bedankte sich und legte auf.

Schwester Sandrine blieb noch einen Moment in ihrem warmen Bett. Nachdenklich schüttelte sie den Kopf und versuchte, die Spinnweben im Gehirn zu vertreiben. Ihr sechsundsechzigjähriger Körper wurde nicht mehr so schnell wach wie früher, auch wenn der Anruf alles andere als beruhigend gewesen war. Opus Dei hatte sie immer schon argwöhnisch gemacht. Neben dem altertümlichen Festhalten am Ritual der Selbstkasteiung und Selbstgeißelung beharrte Opus Dei zudem auf einem Frauenbild, das man bestenfalls mittelalterlich nennen konnte. Schwester Sandrine hatte mit ungläubigem Erstaunen gehört, dass die Numerarierinnen angehalten waren, ohne jedes Entgelt die Wohnräume der männlichen Numerarier zu putzen, während diese die Messe besuchten. Frauen mussten auf dem nackten Dielenboden schlafen, während den Männern wenigstens Strohmatten zugestanden wurden. Außerdem wurde Frauen ein größeres Maß an Selbstkasteiung abverlangt – alles als zusätzliche Bußübung für die von Eva über die Menschheit gebrachte Erbsünde. Es hatte den Anschein, dass die Frauen auf ewig dazu verurteilt waren, für Evas Biss in den Apfel der Erkenntnis die Zeche zu zahlen. Während sich die katholische Kirche, was die Rechte der Frauen betraf, allmählich in die richtige Richtung bewegte, drohte Opus Dei den soeben in Gang gekommenen Prozess wieder rückgängig zu machen. Doch wie auch immer, Schwester Sandrine hatte ihre Anweisungen.

Sie schwang das linke Bein aus dem Bett und stand auf. Während ihr die Kälte des Steinbodens durch die nackten Fußsohlen drang, bekam sie es plötzlich mit der Angst.

Weibliche Intuition?

Als fromme Frau hatte Schwester Sandrine gelernt, sich dem beruhigenden Zuspruch der tröstenden Stimmen ihrer Seele anzuvertrauen. Heute Nacht aber waren diese Stimmen so stumm wie die menschenleere Kirche, die sie nun öffnen sollte.

8. KAPITEL

Robert Langdon konnte den Blick nicht von dem violett leuchtenden Text lösen, den Saunière auf dem Parkettboden hinterlassen hatte. Eine rätselhaftere, verrücktere Abschiedsbotschaft als Jacques Saunières letzte Mitteilung konnte Langdon sich schwerlich vorstellen. Sie war in Englisch geschrieben und lautete:

13-3-2-21-1-1-8-5
O, Draconian devil!
Oh, lame saint!

Langdon hatte nicht den blassesten Schimmer, was diese Zeilen bedeuteten, konnte aber gut verstehen, dass Fache das Pentagramm instinktiv mit Teufelsanbetung in Verbindung gebracht hatte.

O, Draconian devil! Saunière hatte einen ausdrücklichen Verweis auf den Teufel hinterlassen, auf einen drakonischen gar. Nicht minder absonderlich war die Zahlenfolge.

»Das erinnert mich ein bisschen an einen Zahlencode«, meinte Langdon.

»Ja«, sagte Fache, »unsere Dechiffrierabteilung ist schon an der Arbeit. Wir glauben, dass diese Zahlen einen Hinweis auf den Mörder liefern könnten. Vielleicht ist es eine Telefonnummer oder sonst eine Erfassungsnummer. Aber vielleicht sind Sie ja in der Lage, diesen Zahlen eine symbolische Bedeutung abzugewinnen?«

Langdon betrachtete die Zahlenfolge erneut. Er ahnte, dass ihn dieses Unterfangen Stunden kosten würde. *Falls Saunière überhaupt an so etwas gedacht hat.* Die Zahlen kamen Langdon völlig will-kürlich vor. Er war an Symbolmuster gewöhnt, die einen inneren Zusammenhang erkennen ließen, aber hier... das Pentagramm, der Text, die Zahlenfolge... alles passte vorn und hinten nicht zusammen.

»Sie haben vorhin angedeutet, dass Saunières Bemühen ver-mutlich darauf abzielte, eine Botschaft über Weiblichkeitskulte und derartige Dinge zu übermitteln«, sagte Fache. »Wie passt das zu dem hier?«

Langdon wusste, dass es eine rhetorische Frage war. Diese bizar-ren Zeilen fügten sich eben gerade *nicht* in diesen Zusammenhang.

Oh, drakonischer Teufel? Oh, lahmer Heiliger?

»Die Zeilen scheinen irgendwie einen Vorwurf auszudrücken«, sagte Fache. »Meinen Sie nicht?«

Langdon versuchte sich Saunières letzte Minuten vorzustel-len – allein in der *Grande Galerie* eingeschlossen, mit dem Wissen, dass sein Tod unmittelbar bevorstand. »Ein Vorwurf an die Adresse des Mörders wäre vermutlich nicht unlogisch«, meinte er.

»Mein Beruf verlangt von mir, dem Mörder einen Namen zu geben. Mr Langdon, ich möchte Ihnen eine Frage stellen: Was kommt Ihnen an dieser Botschaft, ungeachtet der Zahlen, am merkwürdigsten vor?«

Am merkwürdigsten? Ein unter Qualen sterbender Mann hatte sich in der *Grande Galerie* verbarrikadiert, hatte sich ein Penta-gramm auf den Leib gemalt und eine mysteriöse Anschuldigung auf den Boden geschrieben. Was war hier *nicht* äußerst merkwürdig?

»Das Wort drakonisch«, sagte er aufs Geratewohl. Es war das Erste, das ihm in den Sinn kam. Doch Langdon kam die Bezug-nahme auf Drakon – den athenischen Gesetzgeber des siebten vorchristlichen Jahrhunderts – durch einen Sterbenden bei dessen letztem Atemzug ziemlich weit hergeholt vor. »›Drakonischer Teu-fel‹ ist für mich eine seltsame Wortwahl.«

»*Seltsam?*« Faches Tonfall bekam einen ungeduldigen Beiklang. »Ich glaube nicht, dass Saunières Wortwahl, ob seltsam oder nicht, unser vorrangiges Thema ist.«

Langdon wusste nicht recht, was für Fache das vorrangige Thema war, doch er hatte das Gefühl, Fache und der berüchtigte Grieche aus der Antike wären gut miteinander ausgekommen.

»Saunière war Franzose und hat in Paris gelebt«, sagte Fache beiläufig. »Dennoch hielt er es für angebracht, die Botschaft auf...«

»...Englisch zu schreiben«, vollendete Langdon den Satz, dem aufgegangen war, worauf der Capitaine hinauswollte.

Fache nickte. »*Précisement.* Haben Sie eine Erklärung?«

Langdon wusste, dass Saunière perfekt Englisch sprach, aber weshalb er seine letzten Worte ausgerechnet in Englisch verfasst hatte, war ihm unerfindlich. Er zuckte die Achseln.

Fache deutete noch einmal auf das Pentagramm auf Saunières Bauch. »Das soll also nichts mit Teufelsanbetung zu tun haben. Sind Sie da immer noch sicher?«

Langdon war sich über gar nichts mehr sicher. »Der Symbolgehalt und der Text scheinen nicht zusammenzupassen. Es tut mir Leid, dass ich Ihnen nicht weiterhelfen kann.«

Fache war ein paar Schritte zurückgetreten. »Vielleicht bringt das ein bisschen mehr Klarheit«, sagte er und stellte an der UV-Lampe einen breiten Strahl ein. »Was halten Sie davon?«

Zu Langdons Erstaunen glühte um die Leiche herum ein unvollkommen gezeichneter Kreis auf. Saunière hatte sich offenbar hingelegt und einen Kreis um sich selbst gezogen, indem er den Filzschreiber mit ausgestreckten Armen um sich herum geschwungen hatte wie einen Zirkel.

Schlagartig wurde Langdon die Bedeutung klar. »*Die Proportionsstudie nach Vitruv!*«, entfuhr es ihm. Saunière hatte eine lebensgroße Kopie von Leonardo da Vincis berühmtester Zeichnung geschaffen.

Da Vincis Proportionsstudie, die als die anatomisch genaueste Darstellung des Menschen aus jener Zeit gilt, war zu einer modernen Chiffre für den Begriff »Kultur« geworden und mittlerweile rund um den Globus auf Plakaten, Mouse-Pads und T-Shirts zu sehen. Die berühmte Zeichnung bestand aus einem Kreis, in den die Gestalt eines nackten Mannes mit weit von sich gestreckten Gliedmaßen eingezeichnet war.

Da Vinci. Langdon bebte vor Erregung. An der Klarheit von Saunières Absicht konnte kein Zweifel mehr bestehen. Im letzten Augenblick seines Lebens hatte er sich seiner Kleidung entledigt und mit seinem eigenen Körper eine Nachbildung von Leonardos »Proportionsstudie« geschaffen.

Der Kreis war das fehlende Element gewesen. Als weibliches Symbol des Beschützens hatte der um den nackten Mann gezogene Kreis der von da Vinci beabsichtigten Botschaft von der Harmonie des Männlichen und Weiblichen zum vollkommenen Ausdruck verholfen. Nun stellte sich allerdings die Frage, *warum* Saunière die berühmte Zeichnung Leonardos zum Vorbild genommen hatte.

»Mr Langdon«, sagte Fache, »jemand wie Sie muss wohl nicht daran erinnert werden, dass da Vinci eine Neigung zu den schwarzen Künsten besaß.«

Faches Kenntnisse über Leonardo waren für Langdon eine Überraschung. Sie lieferten die Erklärung für Faches Vermutungen hinsichtlich der Teufelsverehrung. Die Historiker, besonders christlicher Provenienz, hatten sich mit Leonardo da Vinci schon immer schwer getan. Dieses visionäre Genie war zugleich ein ausschweifender Homosexueller und Verehrer der göttlichen Ordnung der Natur gewesen, was ihn zum notorischen Sünder gegen den Gott der katholischen Kirche gemacht hatte. Zudem hatte der Künstler in seiner exzentrischen Eigenwilligkeit eine dämonische Aura verbreitet. Da Vinci hatte zum Studium der menschlichen Anatomie Leichen ausgegraben. Er hatte in einer schwer zu entziffernden Spiegelschrift ein geheimnisvolles Notizbuch geführt. Er glaubte sich im Besitz des alchemistischen Wissens, mit dem man Blei in Gold verwandeln und sogar durch die Herstellung eines Lebenselixiers Gott um den Tod betrügen konnte. Außerdem gehörten Kriegsmaschinen und Folterinstrumente von bis dahin nicht gekannter Grausamkeit zum Repertoire seiner vielfältigen Erfindungen.

Was die Menschen nicht begreifen, macht ihnen Angst, dachte Langdon.

Sogar da Vincis gewaltige Produktivität an atemberaubenden Gemälden mit religiösen Inhalten trug zur Verbreitung des
gegen ihn erhobenen Vorwurfs spiritueller Heuchelei bei. Er malte
Hunderte von lukrativen Auftragswerken für den Vatikan, schuf
die Gemälde jedoch nicht als frommen Ausdruck seines eigenen
Glaubens, sondern verstand sie als Mittel zur Finanzierung seines
aufwändigen Lebensstils. Zu seinem Pech war Leonardo da Vinci
überdies ein Querkopf, der oft Gefallen daran fand, unvermutet
die Hand zu beißen, die ihn fütterte. In viele seiner Gemälde mit
Darstellungen von Heiligen arbeitete er symbolische Bezüge ein,
die seinen eigenen Überzeugungen verpflichtet und alles andere
als christlich waren – und streckte damit unterschwellig der Kirche die Zunge heraus. In der National Gallery in London hatte
Langdon einmal einen Vortrag gehalten mit dem Titel »Das geheime Leben Leonardos – heidnische Symbolik in der christlichen
Kunst«.

»Ich verstehe Ihre Vorbehalte«, sagte Langdon nun zu Fache,
»aber da Vinci hat nie die schwarze Kunst praktiziert. Er war ein
ungewöhnlich spiritueller Mensch, auch wenn er sich im Dauer-
konflikt mit der katholischen Kirche befand, und ...« Langdon
hielt inne. Ihm schoss ein gewagter Gedanke durch den Kopf. Er
betrachtete die Botschaft auf dem Boden. *O, Draconian devil! Oh,
lame saint!*

»Und weiter?«, sagte Fache auffordernd.

Langdon wog seine Worte sorgfältig ab. »Mir ist soeben durch
den Kopf gegangen, dass Saunière eine Reihe der spirituellen
Überzeugungen da Vincis geteilt hat, darunter auch dessen Zorn
über die Unterdrückung der Vorstellung vom göttlich Weiblichen
durch die Kirche. Indem er da Vincis berühmte Zeichnung nach-
ahmte, wollte Saunière vielleicht nur die gemeinsame Besorgnis
über die Dämonisierung der Göttinnen im modernen kirchlichen
Religionsverständnis anklingen lassen.«

Faches Blick wurde hart. »Sie meinen, Saunière nennt die Kirche einen lahmen Heiligen und einen drakonischen Teufel?«

Langdon musste zugeben, dass der Gedanke weit hergeholt war;

dennoch schien das Pentagramm ihn auf gewisse Weise zu stützen.

»Ich möchte lediglich sagen, dass Monsieur Saunière sein Leben der Erforschung der Mutter- und Fruchtbarkeitsgöttinnen gewidmet hat, die von niemandem rücksichtsloser unterdrückt wurden als von der katholischen Kirche. Es ist nicht gänzlich von der Hand zu weisen, dass Saunière seinem Bedauern darüber in seiner ... Abschiedsbotschaft Ausdruck verleihen wollte.«

»Bedauern?«, meinte Fache. Sein Tonfall war ablehnend geworden. »Diese Botschaft sieht für mich viel mehr nach Zorn als nach Bedauern aus. Meinen Sie nicht auch?«

Langdon war allmählich am Ende seines Geduldsfadens angelangt. »*Capitaine*, Sie haben mich gefragt, wie ich Saunières Tun einschätze, und das habe ich Ihnen gesagt.«

Faches Miene wurde hart. »Sie wollen mir erzählen, dass wir hier eine Anklage gegen die katholische Kirche vor uns haben?« Er schüttelte den Kopf. »Mr Langdon, ich habe in meinem Berufsleben schon viele Tote gesehen. Wenn jemand ermordet wird, schreibt er als letzte Botschaft keine verquasten spirituellen Weisheiten nieder, die sowieso keiner versteht, das können Sie mir glauben. In dieser Situation denkt man nur an eines.« Fache spie das Wort hervor: »An *Rache*. Meiner Meinung nach wollte Saunière uns mitteilen, wer ihn umgebracht hat.«

Langdon schaute ihn betroffen an. »Aber das ergibt doch überhaupt keinen Sinn.«

»Nein?«

»Nein!«, gab Langdon scharf zurück. Er war die ganze Sache leid. »Sie haben mir doch gesagt, dass Saunière in seinem Büro von jemand angegriffen worden ist, den er offensichtlich bereitwillig eingelassen hatte.«

»Das stimmt.«

»Man darf also davon ausgehen, dass er seinen Mörder gekannt hat.«

Fache nickte. »Weiter.«

»Wenn Saunière wusste, wer sein Mörder war, was soll dann dieses Geschreibsel?« Langdon zeigte auf den Boden. »Ein Zahlencode? Ein lahmer Heiliger? Ein drakonischer Teufel? Was soll das? Das ist doch alles viel zu umständlich.«

Fache legte nachdenklich die Stirn in Falten, als wäre ihm diese Idee noch gar nicht gekommen. »Da ist was dran«, räumte er ein.

»Wenn Saunière vorhatte, seinen Mörder zu nennen, müsste man in Anbetracht der Umstände doch erwarten, dass er dessen *Namen* niedergeschrieben hätte«, sagte Langdon.

Zum ersten Mal in dieser Nacht glitt ein Lächeln über Faches Züge – ein selbstgefälliges Lächeln. »*Précisement*«, sagte er. »*Précisement.*«

Du bist Zeuge einer Meisterleistung, ging es Leutnant Collet durch den Kopf, während er Capitaine Faches Stimme im Kopfhörer verfolgte. Der *agent supérieur* wusste, dass der Capitaine durch Tricks wie diese an die Spitze der französischen Strafverfolgungsbehörden gelangt war.

Was Fache fertig bringt, schafft sonst keiner.

Die Kunst des *cajoler* – aufs Glatteis führen – war in der modernen Verbrechensbekämpfung ziemlich verloren gegangen. Es war eine Kunst, bei der man unter hohem psychischem Druck gleichzeitig ein außerordentliches Fingerspitzengefühl an den Tag legen musste. Nur wenige besaßen die Nerven, die man für dieses Vorgehen braucht, aber Fache schien geradezu dafür geboren. Seine Selbstbeherrschung und Geduld schienen menschliche Maßstäbe zu sprengen.

Bedingungslose Entschlossenheit schien Faches einzige Gefühlsregung zu sein. In dieser Nacht schien er der Verhaftung des Täters eine große persönliche Bedeutung beizumessen. Die Einweisung seiner Beamten in ihre Aufgaben in der Stunde zuvor war ungewöhnlich knapp und klar gewesen. *Ich weiß, wer Jacques Saunières Mörder ist*, hatte Fache verkündet. *Sie kennen Ihre Aufgaben. Und dass mir heute Nacht keiner einen Fehler macht!*

Und bis jetzt war alles tadellos gelaufen.

Collet wusste bislang noch nichts von dem Beweis, der Fache

zu der felsenfesten Überzeugung gebracht hatte, den Schuldigen gefunden zu haben, doch Collet würde sich hüten, den Instinkt des »Bullen« in Frage zu stellen. Manchmal schien Fache mit einer übernatürlichen Intuition gesegnet zu sein. *Er lässt sich von Gott was ins Ohr flüstern*, hatte ein Kollege es einmal nach einer besonders beeindruckenden Demonstration von Faches sechstem Sinn ausgedrückt. Falls es überhaupt einen Gott gab, stand Fache auf der Liste Seiner Günstlinge, musste Collet zugeben. Der Capitaine war ein eifriger Messgänger und beichtete regelmäßig; es war etwas ganz anderes als die feiertäglichen Pflichtübungen, die seine Amtskollegen der öffentlichen Meinung halber absolvierten. Als der Papst vor ein paar Jahren Paris besuchte, hatte Fache sämtliche Beziehungen spielen lassen, um die Ehre einer Audienz zu bekommen. In seinem Büro hing ein von seinen Beamten verstohlen als »päpstliche Bulle« bezeichnetes Foto dieser denkwürdigen Begegnung.

Collet betrachtete es als Ironie, dass eine der seltenen öffentlichen Stellungnahmen Faches in den letzten Jahren seine heftige Reaktion auf die ruchbar gewordenen Skandale im Hinblick auf Kindesmissbrauch in der katholischen Priesterschaft gewesen war. »Diese Priester sollten zweimal aufgeknüpft werden«, hatte Fache erklärt, »einmal für ihr Vergehen an den unschuldigen Kindern und dann noch einmal, weil sie die katholische Kirche in Verruf gebracht haben.«

Irgendwie hatte Collet das Gefühl gehabt, dass Letzteres für Fache das weitaus größere Ärgernis war.

Collet wandte sich seinem Notebook zu, das an ein GPS-Ortungssystem anschlossen war. Collet hatte einen detaillierten Lageplan des Denon-Flügels auf dem Bildschirm, den er sich aus der Datenbank des Louvre-Sicherheitsdienstes heruntergeladen hatte. Sein Blick glitt über die Fluchten der Gänge und Galerien, bis er gefunden hatte, was er suchte.

Tief im Herzen der *Grande Galerie* blinkte ein winziger roter Punkt.

La marque.

Fache hielt seinen Fang heute Nacht an sehr kurzer Leine, und das zu Recht. Robert Langdon hatte sich bisher als sehr gewiefter Kunde erwiesen.

9. KAPITEL

Bezu Fache hatte sein Handy ausgeschaltet, um bei seinem Gespräch mit Langdon nicht gestört zu werden. Doch er besaß ein teures Modell mit integriertem Sprechfunk, über den er nun entgegen seinen Anordnungen angerufen wurde.

»Capitaine?«, krächzte es aus dem Apparat wie aus einem Walkie-Talkie.

Fache kam die Galle hoch. Was konnte so wichtig sein, dass Collet die *surveillance cachée* unterbrach, und das auch noch in diesem entscheidenden Moment der Entwicklung?

Er bedachte Langdon mit einem entschuldigenden Blick. »Einen Moment bitte«, sagte er, zog das Handy aus der Gürteltasche und drückte den Sprechknopf.

»*Oui?*«

»*Capitaine, un agent du Departement de Cryptographie est arrivé.*«

Faches Ärger war wie weggeblasen. *Jemand von der Dechiffrierabteilung ist gekommen?* Das konnte trotz des miserablen Timings eine gute Nachricht sein. Fache hatte Bilder des Tatorts samt Saunières geheimnisvollem Text per E-Mail an diese Abteilung geschickt. Vielleicht konnte ihm dort jemand sagen, was das alles zu bedeuten hatte. Das Eintreffen eines Codeknackers ließ vermuten, dass es gelungen war, Saunières geheimnisvolle Mitteilung zu entziffern.

»Ich bin im Moment unabkömmlich«, funkte Fache zurück. Sein tadelnder Tonfall ließ keinen Zweifel daran, dass eine solche Störung nicht mehr vorkommen durfte. »Bitten Sie den Beamten, in der Einsatzleitung zu warten. Ich werde mich mit ihm unterhalten, sobald ich hier fertig bin.«

»Mit *ihr*«, berichtigte Collets Stimme. »Es ist Agentin Neveu.«

Faches Laune stürzte unaufhaltsam dem absoluten Nullpunkt entgegen. Sophie Neveu war eine der größten personellen Fehlentscheidungen seiner Behörde gewesen. Im Zuge der Bemühungen um die Erhöhung der Frauenquote im Polizeidienst hatte das Innenministerium die junge Pariser Kryptographin, die in England am Royal Holloway Institute studiert hatte, Fache vor zwei Jahren aufs Auge gedrückt. Nach Faches Überzeugung schwächten die andauernden Eingriffe des um *Political Correctness* buhlenden Ministeriums die Schlagkraft seiner Truppe. Nicht nur, dass Frauen körperlich den Anforderungen der Polizeiarbeit nicht gewachsen waren, allein schon ihre Gegenwart stellte für die mit den Ermittlungen befassten Männer eine gefährliche Ablenkung dar. Und wie Fache befürchtet hatte, erwies Sophie Neveu sich als Ablenkungsfaktor höchsten Grades.

Die Zweiunddreißigjährige besaß einen Eigensinn, der an Insubordination grenzte. Mit ihrem vehementen Eintreten für die neuen, in Großbritannien entwickelten Ansätze und Methoden ihres Fachgebiets brachte sie ihre altgedienten französischen Kollegen und Vorgesetzten immer wieder zur Verzweiflung. Aber am meisten Sorge bereitete Fache die altbekannte Tatsache, dass in einem Stall voller Männer in den besten Jahren bei Anwesenheit einer attraktiven jungen Frau die Arbeitsmoral unweigerlich in die Binsen ging.

»Capitaine, Agentin Neveu hat darauf bestanden, sofort mit Ihnen persönlich zu sprechen«, tönte es aus dem Gerät. »Ich habe versucht, sie aufzuhalten, aber sie ist bereits auf dem Weg in die *Grande Galerie*.«

Fache glaubte, sich verhört zu haben. »Habe ich nicht ausdrücklich gesagt ...«

Einen Moment lang befürchtete Langdon, Fache hätte einen Herzanfall erlitten. Fache verstummte abrupt; seine Kinnlade blieb mitten im Satz stehen, und die Augen traten ihm aus den Höhlen. Sein Blick saugte sich an irgendetwas fest, das hinter Langdons Rücken vorzugehen schien. Bevor der sich umdrehen und nachsehen konnte, was Fache die Fassung raubte, hörte er hinter sich eine klangvolle Frauenstimme.

»*Excusez-moi, messieurs.*«

Langdon wandte sich um. Er sah eine junge Dame mit langen geschmeidigen Schritten den Flur herunterkommen. Sie näherte sich ihm und Fache. Die Selbstsicherheit, mit der sie sich bewegte, hatte etwas Berückendes. Die attraktive, ungefähr dreißigjährige Frau war leger mit einem knielangen, cremefarbenen irischen Pullover und schwarzen Leggings bekleidet. Das schulterlange burgunderrote Haar, das keinen Friseur zu brauchen schien, umrahmte ein offenes, freundliches Gesicht. Ganz anders als die künstlichen Hochglanz-Blondinen an den Wänden der Studentenbuden von Harvard war diese Frau von einer gesunden, unaufdringlichen Schönheit und strahlte beträchtliches Selbstbewusstsein aus.

Zu Langdons Überraschung ging sie direkt auf ihn zu und streckte ihm höflich die Hand entgegen. »Monsieur Langdon, ich bin Sophie Neveu von der Dechiffrierabteilung des DCPJ.« Ein schwacher französischer Akzent durchwirkte ihre sonore Stimme. »Ich freue mich, Sie kennen zu lernen.«

Langdon ergriff ihre weiche, trockene Hand. Der unbestechliche Blick ihrer klaren grünen Augen hielt ihn für einen Moment gefangen.

Fache holte tief Luft, um ein Donnerwetter loszulassen, doch Sophie Neveu kam ihm zuvor.

»Capitaine, entschuldigen Sie bitte die Störung, aber ...«

»Sie hätten wirklich keinen ungeeigneteren Moment wählen können«, platzte er heraus.

»Ich habe versucht, mich telefonisch anzumelden«, erklärte Sophie in höflicher Rücksichtnahme auf Langdon auf Englisch, »aber Sie hatten Ihr Mobiltelefon abgeschaltet.«

»Dafür gibt es Gründe«, sagte er gereizt. »Ich führe hier ein Gespräch mit Mr Langdon, wie Ihnen nicht entgangen sein dürfte.«

»Ich habe den Code entziffert«, entgegnete Sophie ungerührt.

Langdon war wie elektrisiert. *Sie hat den Code geknackt?*

Fache wusste nicht, wie er reagieren sollte.

»Ich werde Ihnen das Ergebnis gleich erläutern«, fuhr Sophie fort, »aber zuvor muss ich eine dringende Nachricht an Mr Langdon weitergeben.«

Faches Miene wurde argwöhnisch. »Eine Nachricht für Mr Langdon?«

Sophie nickte und wandte sich wieder Langdon zu. »Sie müssen sofort Verbindung mit der amerikanischen Botschaft aufnehmen. Man hat dort eine Nachricht aus den Vereinigten Staaten für Sie.«

Langdons Erregung über den geknackten Code wich Besorgnis. *Eine Nachricht aus den Vereinigten Staaten?* Wer konnte versucht haben, ihn zu erreichen? Nur eine Hand voll Kollegen wussten, dass er in Paris war.

»Die amerikanische Botschaft?«, sagte Fache argwöhnisch. »Wie kann man dort überhaupt wissen, dass Mr Langdon sich zurzeit *hier* aufhält?«

Sophie zuckte die Achseln. »Anscheinend hat die Botschaft in Mr Langdons Hotel angerufen und erfahren, dass er von einem Beamten des DCPJ abgeholt wurde.«

»Und dann hat die Botschaft die Dechiffrierabteilung des DCPJ angerufen?«, sagte Fache ungläubig.

»Nein, natürlich nicht«, sagte Sophie. »Als ich unsere Vermittlung angerufen habe, um Verbindung mit Ihnen aufzunehmen, Capitaine, lag dort die Nachricht für Mr Langdon bereits vor. Man hat mich gebeten, ihn zu informieren, wenn ich mit Ihnen spreche.«

Fache hob ratlos die Brauen. Er wollte etwas sagen, doch Sophie hatte sich bereits Langdon zugewandt.

»Das hier«, sagte sie und zog einen Zettel aus der Tasche, »ist die Nummer des Informationsservice Ihrer Botschaft. Man hat um Ihren sofortigen Rückruf gebeten.« Sie drückte Langdon den Zettel in die Hand und blickte ihn vielsagend an. »Sie sollten jetzt gleich anrufen. Ich erkläre Capitaine Fache inzwischen den Code.«

Langdon sah auf den Zettel. Eine Pariser Telefonnummer und dahinter drei weitere Zahlen – vermutlich die Nummer der Nebenstelle – waren darauf notiert. »Vielen Dank«, sagte er beunruhigt. »Wo kann ich hier telefonieren?«

Sophie griff in die Tasche, um ihr Handy hervorzuziehen, doch Fache winkte unwirsch ab. Ohne Sophie aus den Augen zu lassen, zog er sein eigenes Mobiltelefon heraus und hielt es Langdon hin. »Benutzen Sie diesen Apparat, Mr Langdon. Er verfügt über eine abhörsichere Leitung«, sagte er kalt.

Langdon begriff nicht, weshalb Fache so gereizt auf die junge Frau reagierte. Ein wenig befremdet nahm er das Handy, das Fache ihm hinhielt. Fache bat Sophie ein paar Schritte zur Seite; dann redete er leise, jedoch unüberhörbar tadelnd auf sie ein.

Langdon fand den Capitaine immer unsympathischer. Er wandte sich ab, warf einen Blick auf den Zettel und tippte die Nummer ein.

Es klingelte.

Einmal... zweimal... dreimal...

Endlich kam die Verbindung zustande.

Langdon hatte damit gerechnet, dass die Vermittlung der Botschaft sich meldete, doch es war nur ein Anrufbeantworter. Seltsamerweise kannte er die Stimme. Sie gehörte Sophie Neveu.

»*Bonjour, vous êtes bien chez Sophie Neveu. Je suis absente pour le moment...*« [1]

Verwundert schaute Langdon zu Sophie hinüber. »Miss Neveu, es tut mir Leid. Ich glaube Sie haben mir...«

»Nein, nein, das ist schon die richtige Nummer«, fiel Sophie ihm ins Wort, als hätte sie mit Langdons Verwirrung gerechnet. »Die amerikanische Botschaft hat ein automatisches Mailboxsystem. Wenn Sie die Codenummer eingeben, werden Sie zu Ihrer Mailbox durchgestellt.«

Langdon sah sie ratlos an. »Aber...«

---

[1] »Guten Abend, Sie sind mit Sophie Neveu verbunden. Ich bin im Moment nicht da...«

»Es sind die drei Zahlen auf dem Zettel, den ich Ihnen gegeben habe.«

Langdon öffnete den Mund, um das Versehen klarzustellen, doch die unmissverständliche Botschaft, die Sophie ihm mit einem verschwörerischen Blick ihrer grünen Augen übermittelte, ließ ihn verstummen:

Keine langen Fragen. Machen Sie schon!

Verwirrt tippte Langdon die drei zusätzlichen Zahlen auf dem Zettel ein: 454.

Sophies Ansagetext wurde unterbrochen. »Sie haben *eine* Nachricht«, sagte eine französische Computerstimme. 454 war offenbar Sophie Neveus Fernabfragecode.

Wie kommst du dazu, den Anrufbeantworter dieser Frau abzufragen?

Langdon hörte, wie die Kassette zurückspulte; dann lief das Band an. Wieder vernahm Langdon Sophies Stimme.

»Mr Langdon«, flüsterte sie beschwörend. »Bitte lassen Sie sich beim Abhören meiner Nachricht auf keinen Fall etwas anmerken. Hören Sie einfach nur zu. Sie sind in Gefahr. Tun Sie genau, was ich Ihnen jetzt sage ...«

10. KAPITEL

Silas saß hinter dem Steuer des schwarzen Audi, den der Lehrer ihm besorgt hatte, und schaute hinaus auf das großartige Kirchengebäude von Saint-Sulpice. In den Strahlen der tief angebrachten Flutlichter ragten die beiden Türme wie zwei stämmige Wächter über dem langen Baukörper des Kirchenschiffs empor, aus dessen Seiten rechts und links schattige Reihen schlanker Strebebögen ragten wie die Rippen eine anmutigen Tieres.

Die Heiden missbrauchen ein Gotteshaus als Versteck für ihren Stein. Wieder einmal hatte die Bruderschaft einen Beweis für ihren legendären Ruf als Meister der Irreführung und des Betrugs geliefert. Silas freute sich, den Stein aufzufinden und dem Lehrer zu überreichen, damit endlich geborgen werden konnte, was die Bruderschaft den Rechtgläubigen schon so lange verweigerte.

Wie mächtig Opus Dei dann erst sein wird!

Silas parkte den Wagen am Rande des verlassenen Place Saint-Sulpice und atmete tief durch. Jetzt galt es, für die bevorstehende Aufgabe klaren Kopf zu behalten. Silas' breiter Rücken schmerzte noch von der Selbstgeißelung, die er sich zuvor abverlangt hatte – aber was war dieser Schmerz schon gegen das qualvolle Leben, das er geführt hatte, bevor Opus Dei zu seinem Retter geworden war?

Doch die Erinnerungen lasteten auf seinem Seelenfrieden.

Lass ab von deinem Hass, befahl sich Silas. *Vergib denen, die sich an dir versündigt haben.*

Er schaute zu den steinernen Türmen von Saint-Sulpice empor und versuchte, den vertrauten inneren Sog zu unterdrücken, jene

Kraft, die seine Gedanken so oft zurück in die Vergangenheit riss, bis er sich plötzlich wieder in jenem Gefängnis befand, das damals – er war fast noch ein Halbwüchsiger – seine Welt gewesen war. Die Erinnerungen an dieses Fegefeuer kochten in ihm hoch wie immer, fuhren wie ein Sturm durch all seine Sinne ... der Gestank des faulenden Kohls, der Geruch des Todes, des Urins und der menschlichen Ausscheidungen, das hoffnungslose Anschreien gegen den Wind der Pyrenäen und das leise Schluchzen vergessener Männer.

Andorra, dachte er. Er spürte, wie seine Muskeln sich verkrampften.

Unglaublicherweise war Silas in ebendiesem verlassenen Gebilde zwischen Spanien und Frankreich, wo er in seiner Zelle vor Kälte zitternd den Tod herbeigesehnt hatte, gerettet worden.

Damals hatte er es nicht begriffen.

Erst lange nach dem Sturm ward wieder Licht ...

Damals war sein Name nicht Silas gewesen. An den Namen, den seine Eltern ihm gegeben hatten, konnte er sich nicht mehr erinnern. Mit sieben Jahren war er von zu Hause ausgerissen. Sein Vater, ein Hafenarbeiter und Trunkenbold, hatte aus Wut, dass ihm ein Albino geboren worden war, immer wieder seine Frau verprügelt, der er die Schuld am eigentümlichen Äußeren des Kindes gab. Als der Junge sich einmal schützend vor seine Mutter warf, war auch er vom Vater schwer misshandelt worden.

Eines Abends, nachdem der Vater wieder einmal gewütet hatte, war Silas' Mutter nicht mehr aufgestanden, und in dem Jungen stieg ein Gefühl unsagbarer Schuld auf. Warum hatte er das zugelassen?

Es ist alles deine Schuld!

Als hätte ein Dämon von seinem Körper Besitz ergriffen, holte er das Schlachtermesser aus der Küche und schlich wie in Trance in die Schlafkammer, wo der Vater besinnungslos betrunken mit dem Gesicht zur Wand im Bett lag und schnarchte. Wortlos stieß Silas ihm das Messer in den Rücken. Aufbrüllend versuchte der Vater, sich umzudrehen, doch sein Sohn stieß immer wieder zu, bis es still in der Kammer wurde – totenstill.

Der Junge flüchtete aus dem Haus, doch er geriet von einer Hölle in die nächste. In den Straßen von Marseille erging es ihm kaum besser als zu Hause. Sein seltsames Äußeres machte ihn unter den anderen Straßenkindern zum Außenseiter. Sie wollten ihn nicht akzeptieren. So hauste er, ganz auf sich allein gestellt, in einem verfallenden Fabrikgebäude und lebte von gestohlenem Obst und rohem Fisch aus dem Hafen. Sein einziger Zeitvertreib waren zerfetzte Illustrierte, die er im Abfall gefunden hatte. Er brachte sich selbst das Lesen bei. Wie sein Vater wurde er sehr groß und kräftig. Als er zwölf Jahre alt war, machte sich ein Mädchen – ebenfalls eine Ausreißerin und fast doppelt so alt wie er – auf der Straße über ihn lustig und versuchte obendrein, ihm sein Essen wegzunehmen, ein Unterfangen, das sie beinahe mit dem Leben bezahlte. Als die Polizei den Jungen von seinem Opfer weggezerrt hatte, stellte man ihm ein Ultimatum: *Entweder du verschwindest auf der Stelle aus Marseille, oder du landest im Jugendgefängnis.*

Er zog die Küste hinunter nach Toulon. Aus den Blicken, mit denen man ihn auf der Straße musterte, wich das Mitleid und verwandelte sich in Angst. Aus dem Jungen war ein Furcht einflößender Hüne geworden. Er konnte die Passanten tuscheln hören. *Ein Gespenst,* flüsterten sie einander mit schreckgeweiteten Augen zu und starrten auf seine weiße, farblose Haut. *Ein Gespenst mit den Augen des Teufels.*

Er kam sich tatsächlich wie ein Gespenst vor ... durchsichtig ... unstet ... schwerelos ...

Die Menschen schienen mitten durch ihn hindurchzusehen.

Als Achtzehnjähriger versuchte er in einer Hafenstadt auf einem Frachter eine Kiste Pökelfleisch zu stehlen. Er wurde von zwei Besatzungsmitgliedern gestellt. Die beiden Matrosen, die auf ihn einprügelten, stanken nach Bier wie vor Jahren sein Vater. Die Erinnerung an die Angst und den Hass drängten einem Ungeheuer gleich aus dem schwarzen Abgrund des Vergessens hervor. Dem einen der beiden Matrosen brach der junge Mann mit bloßen Händen das Genick, und nur das Eintreffen der Polizei bewahrte den anderen vor einem ähnlichen Schicksal.

Zwei Monate später war Silas in Handschellen im Gefängnis in Andorra geendet.

Ein weißes Gespenst, verhöhnten ihn die anderen Gefangenen, als er nackt und frierend von der Polizei hereingeführt wurde. *Willst du nicht durch die Wand gehen und abhauen? Du bist doch ein Geist!*

Im Verlauf von zwölf Jahren verwitterten Silas' Körper und seine Seele, bis er davon überzeugt war, tatsächlich durchsichtig zu sein.

Du bist ein Gespenst.

Du bist schwerelos.

Yo soy un espectro … pálido como un fantasma … caminando este mundo a solas.[2]

Eines Nachts erwachte das Gespenst vom Geschrei der Mitgefangenen. Er wusste nicht, welche unsichtbare Gewalt den Boden durchrüttelte, auf dem er geschlafen hatte, und den Mörtel aus den Fugen seines Zellengemäuers rieseln ließ, doch kaum war er aufgesprungen, krachte ein gewaltiger Steinquader genau auf jene Stelle, an der er einen Sekundenbruchteil zuvor gelegen hatte. Als Silas aufschaute, um zu sehen, wo der Quader sich gelöst hatte, sah er in der noch immer schwankenden Wand ein Loch – und dahinter bot sich ihm ein Anblick, den er seit mehr als zehn Jahren nicht mehr gehabt hatte.

Der Mond.

Die Erde bebte immer noch, als das Gespenst durch einen engen Durchlass kroch und hinaus in eine unermessliche Weite taumelte. Über öde Berghänge stolperte er hinunter in den Wald. Er lief die ganze Nacht, immer bergab, halb ohnmächtig vor Hunger und Erschöpfung.

Im Morgengrauen gelangte er auf eine Lichtung. Eisenbahngleise schnitten eine Schneise durch den Wald. Wie in Trance folgte er den Schienen. Er stieß auf einen verlassenen Güterwaggon und kroch hinein, um sich im Schutz des Wagens auszuruhen.

---

[2] Ich bin ein Gespenst … fahl wie ein Geist … allein wanderst du durch diese Welt.

Silas erwachte in einem fahrenden Güterzug. *Wie lange fahren wir schon? Wie weit sind wir inzwischen gekommen?* Seine Eingeweide schmerzten. *Ist das der Tod …?*

Er schlief wieder ein. Diesmal erwachte er, als jemand kreischend auf ihn einschlug. Er wurde aus dem Waggon gestoßen. Aus unzähligen Wunden blutend, wankte Silas in eine kleine Siedlung. Vergeblich versuchte er, etwas Essbares aufzustöbern. Schließlich brach er am Straßenrand zusammen. Ohnmacht umfing ihn …

… bis es ganz langsam wieder hell wurde. Das Gespenst fragte sich, wie lange es schon tot war. Einen Tag? Drei? Es war ihm egal. Das Bett, in dem er lag, war weich wie eine Wolke, und die Luft roch anheimelnd nach brennenden Kerzen. Jesus stand über ihm und schaute auf ihn herab. *Hier bin ich*, sagte Jesus. *Der Stein ist beiseite gerollt, und du bist neugeboren.*

Und das Gespenst schlief und wurde wieder wach. Seine Gedanken verschwammen im Nebel. Er hatte nie an den Himmel geglaubt, nun aber stand Jesus neben ihm, wachte über ihn, gab auf ihn Acht. Speisen erschienen neben seinem Bett, und während das Gespenst alles verschlang, spürte es, wie seine Knochen sich wieder mit Fleisch überzogen. Erneut versank er in Schlaf. Als er erwachte, lächelte Jesus immer noch auf ihn herab. *Mein Sohn, du bist gerettet. Gesegnet sind jene, die mir Folge leisten auf meinem Weg.*

Und wieder schlief er ein.

Schmerzensschreie rissen ihn aus seinem Schlummer. Er sprang aus dem Bett, stolperte einen Gang hinunter in Richtung des Geschreis und gelangte in eine Küche. Ein großer Mann schlug auf einen kleineren ein. Ohne zu wissen warum, packte er den großen Kerl und schleuderte ihn mit solch brutaler Wucht gegen die Wand, dass der Mann humpelnd und schreiend die Flucht ergriff. Das Gespenst beugte sich über den anderen Mann, der zu Boden gegangen war. Er war ein junger Bursche in Priesterkleidung mit übel zugerichteter Nase. Das Gespenst hob den blutenden Priester auf und trug ihn zu einem Sofa.

»Ich danke dir, mein Freund«, sagte der Priester in gebrochenem Französisch. »Das Geld der Gottesdienstkollekte lockt immer wieder Diebe an. Du hast im Schlaf Französisch gesprochen. Sprichst du auch Spanisch?«

Das Gespenst schüttelte den Kopf.

»Wie heißt du?«, fragte der Priester.

Das Gespenst konnte sich nicht erinnern, welchen Namen seine Eltern ihm gegeben hatten. Er kannte nur die Spottnamen, mit denen die Wachen im Gefängnis ihn bedacht hatten.

Der Priester lächelte. »No hay problema. Ich heiße Manuel Aringarosa und bin Missionar aus Madrid. Man hat mich hergeschickt, damit ich für das Obra de Dio eine Kirche baue.«

»Wo bin ich?«, fragte das Gespenst. Seine Stimme klang hohl.

»In Orviedo in Nordspanien.«

»Wie bin ich hierher gekommen?«

»Jemand hat dich auf meine Türschwelle gelegt. Du warst sehr krank. Ich habe dir Nahrung und ein Bett gegeben. Du bist schon eine ganze Weile hier.«

Das Gespenst betrachtete eindringlich seinen jungen Pfleger. Seit Jahren war ihm niemand so freundlich begegnet. »Danke, Pater.«

Der Priester berührte seine blutige Lippe. »Ich habe dir zu danken, mein Freund.«

Als das Gespenst am nächsten Morgen erwachte, war seine Welt klarer und geordneter geworden. Er schaute hinauf zum Kruzifix an der Wand über seinem Bett. Es besaß etwas Tröstliches, auch wenn Jesus jetzt nicht mehr zu ihm sprach. Er setzte sich auf. Erstaunt bemerkte er einen Zeitungsausschnitt auf dem Tischchen neben seinem Bett. Der Artikel stammte aus einer französischen Zeitung und war eine Woche alt. Als er ihn gelesen hatte, bekam er es mit der Angst zu tun. Der Artikel handelte von einem Erdbeben im Gebirge, bei dem ein Gefängnis zerstört worden war. Viele gefährliche Gewaltverbrecher waren ausgebrochen.

Sein Herz raste. *Der Priester weiß, wer du bist …*

Er empfand etwas, das er schon lange nicht mehr verspürt

hatte: Schuldbewusstsein und Scham. Das Gefühl wurde begleitet von der Angst, wieder eingefangen zu werden. Er sprang aus dem Bett. *Wohin fliehen?*

»Die Apostelgeschichte des Lukas«, sagte eine Stimme an der Tür. Angstvoll fuhr das Gespenst herum.

Der junge Priester trat in die Kammer. Er lächelte. Seine Nase war umständlich verbunden. Er hielt dem Gespenst eine alte Bibel hin. »Ich habe eine französische Bibel für dich aufgetrieben. Das Kapitel habe ich dir angestrichen.«

Unsicher nahm das Gespenst das Buch entgegen und schlug das angestrichene Kapitel auf.

Apostelgeschichte, Kapitel 16.

Die Verse handelten von einem Gefangenen namens Silas. Er liegt nackt und schwer misshandelt im Gefängnis und singt trotzdem das Lob Gottes. Als das Gespenst den Vers las, hielt es erschrocken inne.

Plötzlich aber geschah ein großes Erdbeben, sodass die Grundmauern des Gefängnisses wankten. Und sogleich öffneten sich alle Türen …

Er blickte zu dem Priester auf.

Dieser lächelte ihn voller Wärme an. »Mein Freund, da du keinen anderen Namen hast, werde ich dich von nun an Silas nennen.«

Das Gespenst nickte. Es war wieder eine Person aus Fleisch und Blut.

Ich heiße Silas.

»Zeit fürs Frühstück«, sagte der Priester. »Du musst gut bei Kräften sein, wenn du mir helfen willst, meine Kirche zu bauen.«

Sechstausend Meter über dem Mittelmeer wurde Alitalia Flug 1618 von Turbulenzen durchgeschüttelt. Die Passagiere drückten sich nervös in die Sitze. Bischof Aringarosa nahm kaum Notiz davon. Seine Gedanken kreisten um die Zukunft von Opus Dei. Er hätte gern gewusst, wie die Sache in Paris vorankam und wünschte sich, Silas anrufen zu können. Aber das war ausgeschlossen. Die Anweisungen des Lehrers waren eindeutig.

»Es ist zu Ihrer eigenen Sicherheit«, hatte der Lehrer auf Englisch mit französischem Akzent erläutert. »Ich kenne mich mit den elektronischen Kommunikationsmedien gut genug aus, um zu wissen, wie leicht man abgehört werden kann, und das könnte für Sie zur Katastrophe werden.«

Aringarosa wusste, dass der Lehrer Recht hatte. Er schien ein ungewöhnlich umsichtiger Mensch zu sein. Ohne Aringarosa die eigene Identität preiszugeben, hatte er sich als ein Mann erwiesen, auf dessen Wort man etwas geben konnte. Hatte er sich nicht geheimste Informationen zu verschaffen gewusst? *Die Namen der vier führenden Köpfe der Bruderschaft!* Es war eine jener Bravourleistungen gewesen, die den Bischof davon überzeugt hatten, dass der Lehrer tatsächlich dazu fähig war, ihm die phantastische Trophäe zu präsentieren, die auszugraben er sich anheischig machte.

»Exzellenz«, hatte der Lehrer zu ihm gesagt, »ich habe sämtliche nötigen Vorkehrungen getroffen. Wenn mein Plan gelingen soll, müssen Sie dafür sorgen, dass Silas ein paar Tage lang ausschließlich mit mir in Verbindung tritt. Während dieser Zeit darf zwischen Ihnen und ihm keinerlei Verständigung stattfinden. Ich werde mich mit Silas über abhörsichere Kanäle in Verbindung setzen.«

»Werden Sie ihn mit Respekt behandeln?«

»Als Mann des rechten Glaubens verdient er mehr als das.«

»Ausgezeichnet. Ich versichere Ihnen, dass es zwischen Silas und mir keine Verbindung mehr geben wird, bis die ganze Sache vorbei ist.«

»Exzellenz, ich tue dies zum Schutz Ihrer Identität, zum Schutz von Silas' Identität und zum Schutz meiner Investitionen.«

»Ihrer Investitionen?«

»Wenn ein gewisser Übereifer, stets auf der Höhe der Ereignisse zu sein, Exzellenz ins Gefängnis bringen sollte, werden Sie nicht in der Lage sein, mir mein Honorar zu bezahlen.«

Der Bischof lächelte. »Trefflich bemerkt. Wir sitzen im gleichen Boot. Gott schütze Sie.«

Zwanzig Millionen Euro, dachte der Bischof, der nun wieder aus dem Fenster blickte. Diese Summe entsprach ungefähr dem gleichen Betrag in US-Dollar. *Eine Kleinigkeit für etwas, das so viel Macht verkörpert.*

Sein Vertrauen, dass der Lehrer und Silas erfolgreich sein würden, war aufs Neue bestärkt. Geld und Glauben waren starke Motive.

11. KAPITEL

Une *plaisanterie numérique?*« Bezu Fache war blau angelaufen. Ungläubig starrte er Sophie Neveu ins Gesicht. »Ein Zahlenspiel? Wollen Sie mir sagen, dass Saunières Code nach Ihrer professionellen Einschätzung nichts anderes ist als ein mathematisches Spielchen?«

Die Dreistigkeit dieser Frau war für Fache unfassbar. Nicht nur, dass sie soeben ohne jede Erlaubnis in sein verdecktes Verhör hineingeplatzt war – jetzt versuchte sie ihm auch noch weiszumachen, dass Saunière sich im letzten Augenblick seines Lebens ausgerechnet zu einem kleinen mathematischen Scherz bemüßigt gefühlt hatte.

»Dieser Code ist schlichtweg ein Witz«, erklärte sie in rasantem Französisch. »Jacques Saunière muss gewusst haben, dass wir ihn in null Komma nichts durchschauen.« Sie zog ein zusammengefaltetes Blatt Papier aus der Tasche und reichte es Fache. »Hier ist die Entschlüsselung.«

Fache warf einen Blick auf das Papier.

$$1\text{-}1\text{-}2\text{-}3\text{-}5\text{-}8\text{-}13\text{-}21$$

»Das ist alles?«, giftete Fache. »Sie haben nichts weiter getan, als die Zahlen der Größe nach zu ordnen?«

Sophie Neveu hatte tatsächlich die Stirn, zufrieden zu lächeln. »Genau!«

In Faches Stimme schlich sich ein bedrohlicher Unterton.

»Agentin Neveu, ich habe keinen blassen Schimmer, worauf Sie hinauswollen, aber ich möchte Ihnen dringend empfehlen, sich damit zu beeilen.« Er blickte ungeduldig zu Langdon hinüber, der ein Stück abseits stand, das Handy ans Ohr gedrückt, und immer noch die telefonische Nachricht der amerikanischen Botschaft abhörte – keine gute Nachricht, nach seinem aschfahlen Gesicht zu schließen.

»Capitaine, die Zahlenreihe in Ihrer Hand ist zufällig eine der berühmtesten mathematischen Reihen, die es gibt«, sagte Sophie ungerührt.

Fache vermochte nicht einmal zu erkennen, *wo* hier eine mathematische Reihe sein sollte – von einer berühmten ganz zu schweigen –, und Sophies unverschämter Tonfall gefiel ihm noch weniger.

»Es ist die Fibonacci-Folge«, erklärte sie, »bei der jedes Glied aus der Summe der beiden vorangehenden Glieder gebildet wird.«

Fache blickte auf das Blatt. Tatsächlich war jede Zahl die Summe der beiden vorangehenden, doch er begriff nicht, was das mit Saunières Tod zu tun haben sollte.

»Der Mathematiker Leonardo Fibonacci hat diese Zahlenfolge im dreizehnten Jahrhundert entdeckt. Man kann es wohl kaum als Zufall betrachten, dass *sämtliche* Zahlen, die Saunière auf den Boden geschrieben hat, zu Fibonaccis berühmter Folge gehören.«

Fache sah die junge Frau ein paar Sekunden an. »Schön. Da das angeblich kein Zufall sein kann, sind Sie sicher so freundlich, mir zu verraten, *warum* Saunière ausgerechnet diese Zahlen niedergeschrieben hat. Was wollte er damit sagen? Was soll es bedeuten?«

Sophie zuckte die Achseln. »Rein gar nichts. Das ist ja gerade der Witz. Es ist ein kryptographischer Scherz, wie etwa das Durcheinanderschütteln der Wörter eines berühmten Gedichts, um sie dann jemandem mit der Frage vorzulegen, ob er erkennen kann, um was es sich handelt.«

Fache trat mit drohendem Blick so dicht an Sophie heran, dass sein Gesicht nur ein paar Zentimeter von dem ihren entfernt war. »Agentin Neveu, in Ihrem eigenen Interesse darf ich davon ausgehen, dass Sie eine befriedigendere Erklärung haben als diesen Schwachsinn!«

Sophie hielt Faches Blick ungerührt stand. Ihre Züge wurden hart. »Capitaine, in Anbetracht dessen, was heute Nacht hier auf dem Spiel steht, hatte ich gehofft, Sie würden die Information zu schätzen wissen, dass Jacques Saunière sich einen Scherz mit Ihnen erlaubt haben könnte. Das ist offenbar nicht der Fall. Nun, dann werde ich dem Direktor unserer Dechiffrierabteilung mitteilen, dass Sie auf unsere Dienste keinen Wert mehr legen.«

Sophie machte auf dem Absatz kehrt und marschierte dahin zurück, woher sie gekommen war. Langsam verschwand sie in der dunklen *Grande Galerie*. Fassungslos schaute Fache ihr hinterher. *War diese Frau jetzt völlig durchgedreht?* Sophie Neveu hatte gerade das Musterbeispiel eines beruflichen Selbstmords geliefert.

Fache ging zum telefonierenden Langdon. Dieser hörte immer noch seine Nachricht ab, und seine Miene war noch besorgter geworden. *Die amerikanische Botschaft...* Es gab vieles, das Bezu Faches Missfallen erregte, aber kaum etwas konnte ihn so sehr auf die Palme bringen wie die US-Botschaft.

Fache und der amerikanische Botschafter lagen im Dauerclinch, was die Art und Weise der Durchsetzung gemeinsamer staatlicher Interessen betraf, wobei in der Regel die Strafverfolgung amerikanischer Besucher der französischen Hauptstadt den Zankapfel lieferte. Fast täglich verhaftete das DCPJ amerikanische Austauschstudenten wegen illegalen Drogenbesitzes, amerikanische Geschäftsleute wegen Nötigung Minderjähriger zur Prostitution und amerikanische Touristen wegen Ladendiebstahl oder Zerstörung öffentlichen Eigentums, doch die US-Botschaft war ermächtigt, im Ausland straffällig gewordene amerikanische Bürger an die heimische Justiz zu überstellen, wo sie stets mit einem blauen Auge davonkamen.

L'émasculation de la Police Judiciaire, nannte Fache den Vorgang. Die Polizei musste sich entmannen lassen. Die Zeitung *Paris Match* hatte unlängst eine Karikatur gebracht, in der Fache in Gestalt eines Polizeihunds einen amerikanischen Taugenichts zu beißen versuchte, es aber nicht konnte, da er an der amerikanischen Botschaft angekettet war.

Aber diesmal nicht!, schwor sich Fache. *Diesmal steht zu viel auf dem Spiel.*

Robert Langdon sah elend aus, als er das Handy abschaltete.

»Alles in Ordnung?«, erkundigte sich Fache.

Langdon schüttelte matt den Kopf.

Schlechte Nachrichten von zu Hause. Als Fache das Handy wieder in Empfang nahm, sah er die Schweißperlen auf Langdons Stirn.

»Ein … Unfall«, sagte Langdon stockend und blickte Fache eigenartig an. »Ein Freund …« Er zögerte. »Ich muss morgen in aller Frühe in die Staaten zurückfliegen.«

Für Fache bestand kein Zweifel, dass Langdons Bestürzung nicht gespielt war, aber da war noch etwas anderes. Eine aufkeimende Angst schien sich in Langdons Blick zu schleichen.

»Das tut mir Leid«, meinte Fache, der Langdon nicht aus den Augen ließ. »Möchten Sie sich setzen?« Er wies auf eine Ruhebank.

Langdon nickte geistesabwesend und machte ein paar Schritte in Richtung der Bank, hielt dann aber plötzlich inne. Er wirkte völlig durcheinander. »Ich glaube, ich muss zur Toilette.«

Fache grinste im Stillen, auch wenn er von der Verzögerung nicht begeistert war. »Die Toilette. Natürlich. Wir machen ein paar Minuten Pause.« Er wies den langen Gang hinunter in die Richtung, aus der sie gekommen waren. »Die Toiletten befinden sich ganz vorn, nicht weit von Saunières Büro.«

Zögernd deutete Langdon in die andere Richtung. »Gibt es nicht auch am anderen Ende der Galerie Toiletten? Sie dürften ein ganzes Stück näher sein.«

Langdon hatte Recht. Sie befanden sich im letzten Drittel der Galerie, die an beiden Enden Besuchertoiletten aufwies.

»Möchten Sie, dass ich Sie begleite?«, fragte Fache.

Langdon, der schon auf dem Weg war, schüttelte den Kopf.

»Danke«, rief er zurück, »aber ich möchte jetzt lieber ein paar Augenblicke allein sein.«

Fache war nicht sehr davon angetan, Langdon ganz allein das letzte Stück des Gangs hinuntergehen zu lassen, doch er beruhigte sich mit dem Gedanken, dass die *Grande Galerie* eine Sackgasse mit nur einem Zugang am vorderen Ende war – an eben jenem Gitter, unter dem sie hindurchgekrochen waren. Die französischen Brandschutzvorschriften verlangten für ein öffentliches Gebäude dieser Größe zwar mehrere Fluchtwege über Nottreppen, aber diese Fluchtwege hatten sich ebenfalls automatisch geschlossen, als Saunière das Sicherheitssystem ausgelöst hatte. Selbst wenn das System inzwischen entschärft und wieder hochgefahren und der Zugang zu den Fluchtwegen wieder freigegeben war, löste das Öffnen der Notausgangstüren einen Feueralarm aus. Außerdem wurden die Ausgänge der Fluchtwege von Faches Beamten bewacht. Langdon konnte unmöglich unbemerkt nach draußen verschwinden.

»Ich muss kurz in Saunières Büro zurück«, rief Fache Langdon hinterher. »Seien Sie so nett und kommen Sie anschließend dorthin. Wir müssen uns noch über ein paar Dinge unterhalten.«

Langdon winkte stumm sein Einverständnis und verschwand im rötlichen Zwielicht.

Fache ging in die andere Richtung. Das Gitter hing immer noch im Zugang. Fache schlüpfte darunter durch, marschierte den restlichen Gang hinunter und eilte in die Kommandozentrale in Saunières Büro.

»Wer hat Sophie Neveu ins Gebäude gelassen?«, brüllte er.

Collet meldete sich. »Sie hat den Wachposten draußen erzählt, sie hätte den Code geknackt.«

Fache sah sich um. »Wo ist sie?«

»Ist sie denn nicht mehr bei Ihnen?«

»Nein, sie ist vorhin gegangen.« Fache schaute hinaus auf den dunklen Gang. Sophie hatte offensichtlich beim Hinausgehen keine Lust gehabt, auf einen kleinen Schwatz zu den Kollegen hereinzuschauen.

Einen Moment lang wollte Fache über Funk die Wachposten im Eingangsbereich anweisen, Sophie anzuhalten und zu ihm hinauf ins Büro zu bringen, bevor sie aus dem Museum heraus war, doch er besann sich eines Besseren. Gekränkter Stolz war kein guter Ratgeber. Wozu unbedingt das letzte Wort haben wollen? Heute Nacht hatte er genug um die Ohren.

Dieses Weib nimmst du dir später zur Brust, sagte er sich und freute sich schon auf den Rausschmiss.

Während Fache die Gedanken an Sophie verdrängte, verharrte sein Blick auf dem Miniaturritter auf Saunières Schreibtisch. »Haben Sie ihn?«, fragte er Collet.

Mit einem knappen Nicken drehte Collet seinem Chef den Bildschirm des Notebooks zu. Auf dem Etagengrundriss war deutlich der rote Punkt zu sehen, der in einem Raum mit der Markierung *toilettes publiques* blinkte.

»Gut«, sagte Fache. Er zündete sich eine Zigarette an und schlenderte auf den Flur hinaus. »Ich muss telefonieren«, sagte er. »Sorgen Sie dafür, dass Langdon Ihnen nicht vom Klo abhaut.«

12. KAPITEL

Ein wenig benommen ging Langdon bis zum Ende der *Grande Galerie*. Sophie Neveus Ansage lief wie eine Endlosschleife in seinem Kopf. Am Ende des Flurs wiesen ihm Leuchtkästchen mit dem internationalen Toilettenpiktogramm den Weg durch ein Labyrinth von Stellwänden mit italienischen Gemälden, die zur Kaschierung der Toiletteneingänge aufgestellt worden waren. Langdon betrat die Herrentoilette und knipste das Licht an.

Der Raum war leer. Er stellte sich ans Waschbecken und spritzte sich kaltes Wasser ins Gesicht, um richtig wach zu werden. Das klinisch-kalte Licht der Leuchtstoffröhren spiegelte sich auf den nackten Kachelwänden. Es roch nach Reinigungsmitteln und Ammoniak. Als Langdon sich die Hände abtrocknete, quietschte die Eingangstür. Er fuhr herum.

Sophie Neveu glitt herein. In ihren grünen Augen nistete die Angst. »Gott sei Dank, dass Sie gekommen sind. Wir haben nicht viel Zeit.«

Verwirrt betrachtete Langdon die Dechiffrierspezialistin des DCPJ. Nur wenige Minuten zuvor war ihm beim Abhören ihrer Nachricht der Gedanke gekommen, Sophie könne nicht ganz bei Trost sein. Doch je länger er zugehört hatte, desto mehr verdichtete sich bei ihm das Gefühl, dass er sie ernst nehmen sollte. *Bitte lassen Sie sich beim Abhören meiner Nachricht auf keinen Fall etwas anmerken. Hören Sie einfach nur zu. Sie sind in Gefahr. Tun Sie genau, was ich Ihnen jetzt sage.* Voller Ungewissheit hatte Langdon beschlossen, sich Sophie Neveu und ihren Anweisungen anzuvertrauen.

Jetzt stand Sophie vor ihm, noch etwas atemlos vom Laufen. Im Licht der Leuchtstoffröhren stellte Langdon überrascht fest, dass ihre starke Ausstrahlung von weichen, weiblichen Zügen ausging. Lediglich ihr Blick war fest, unbeugsam und direkt. In ihren Augen zeigte sich jener reizvolle Gegensatz, der Langdon an die Vielschichtigkeit von Renoirs Porträtmalerei erinnerte – verschleiert, dennoch scharf, kühn, ohne die Aura des Geheimnisvollen zu verlieren.

»Mr Langdon, ich wollte Sie warnen«, begann Sophie, noch immer ein wenig kurzatmig. »Sie stehen unter *surveillance cachée* – Sie werden elektronisch überwacht.« Ihre Stimme hallte im gekachelten Raum wider und verlieh ihrem Englisch mit dem französischen Akzent einen seltsam hohlen Klang.

»Aber warum denn?«, wollte Langdon wissen. Er hatte es bereits von Sophies Bandansage erfahren, wollte es aber aus ihrem eigenen Munde hören.

»Weil Sie …«, Sophie trat zu ihm, »in diesem Mordfall Faches Hauptverdächtiger sind.«

Der Satz ging Langdon durch und durch, und dennoch hörte es sich einfach lächerlich an. Sophie Neveu zufolge war er heute Nacht nicht in seiner Eigenschaft als Spezialist für Symbole in den Louvre gerufen worden, sondern als Hauptverdächtiger! Angeblich befand er sich derzeit, ohne es zu ahnen, im Fadenkreuz der vom DCPJ so gerne angewandten Untersuchungsmethode der *surveillance cachée*. Bei diesem Täuschungsmanöver wurde der Verdächtige von der Polizei zum Tatort manövriert und dort mit Fragen bombardiert, in der Hoffnung, dass er nervös wurde, sich irgendwann verplapperte und selbst belastete.

»Greifen Sie mal in Ihre linke Jackentasche«, sagte Sophie. »Dort finden Sie den Beweis für die Überwachung.«

Langsam wurde es spannend. *In die linke Tasche greifen?* Es klang ein bisschen nach einem Taschenspielertrick.

»Greifen Sie ruhig hinein.«

Zögernd fühlte Langdon mit der Hand in die linke Außentasche seines Tweedjacketts. Nichts. *Was, zum Teufel, hätte auch drin sein sollen?* Er fragte sich allmählich, ob die gute Sophie nicht tatsächlich einen Knall hatte. Dann ertasteten seine Fingerkuppen etwas Unerwartetes. Klein. Hart. Zwischen den Fingerspitzen zog er den Gegenstand heraus und betrachtete ihn erstaunt. Es war ein kleiner flacher Knopf aus Metall von der Größe einer Uhrenbatterie. Aber es war keine Batterie. Langdon hatte so etwas noch nie gesehen.

»Was ist das?«

»Ein GPS-Minisender«, sagte Sophie. »Er überträgt seine Position permanent an den Satelliten des Globalen Positions Systems. Das DCPJ kann die Daten abfragen. Wir benutzen die Geräte, wenn wir jemand überwachen. Die Genauigkeit liegt weltweit bei etwa einem halben Meter. Man hat Sie an die elektronische Leine gelegt. Der Beamte, der Sie im Hotel abgeholt hat, hat Ihnen vermutlich den Sender in die Tasche geschmuggelt, bevor Sie aus dem Zimmer gegangen sind.«

Langdon rief sich die Situation im Hotel vor Augen ... die eilige Dusche, in die Kleider schlüpfen, der höfliche Beamte, den er schließlich eingelassen hatte und der ihm in die Jacke half, als sie aus dem Zimmer gingen.

Draußen ist es kühl, Mr Langdon, hatte er gesagt. *Der Frühling in Paris hält nicht immer, was Ihr Frank-Sinatra-Schlager verspricht.* Langdon hatte sich bedankt und in sein Tweedjackett helfen lassen ...

Sophie sah ihn aus olivgrünen Augen spitzbübisch an. »Ich habe den Minisender erst jetzt erwähnt, weil ich verhindern wollte, dass Sie vor Faches Augen in Ihrer Tasche herumfummeln. Er darf nicht wissen, dass Sie das Ding gefunden haben.«

Langdon wusste nicht, was er dazu sagen sollte.

»Er hat Ihnen den GPS-Sender untergejubelt, weil er dachte, Sie würden davonlaufen.« Sie hielt inne. »Eigentlich hat er es sogar *gehofft*. Es hätte seinen Verdacht bestätigt.«

»Weshalb sollte ich weglaufen?«, stieß Langdon zornig hervor. »Ich bin unschuldig.«

»Fache ist da ganz anderer Ansicht.«

Langdon stapfte aufgebracht zum Behälter für die gebrauchten Handtücher, um den Minisender loszuwerden.

»Nein!« Sophie packte ihn am Arm. »Der Sender muss in Ihrer Tasche bleiben. Wenn Sie ihn wegwerfen, bewegt das Signal sich nicht mehr. Dann weiß man sofort, dass Sie den Knopf gefunden haben. Fache hat Sie nur deshalb allein gehen lassen, weil er jederzeit feststellen kann, wo Sie sich befinden. Sobald er merkt, dass Sie ihm auf die Schliche gekommen sind ...« Sophie ließ den Satz unausgesprochen. Sie nahm Langdon den Minisender aus der Hand und steckte ihn wieder in seine Tasche zurück. »Der Knopf bleibt bei Ihnen. Vorerst zumindest.«

Langdon war völlig ratlos. »Wie kommt Fache eigentlich darauf, mich für Saunières Mörder zu halten?«

»Er hat dafür sogar einen ziemlich stichhaltigen Grund.« Sophie blickte ihn finster an. »Es gibt ein Indiz, das Sie nicht gesehen haben. Fache hat es Ihnen wohlweislich vorenthalten.«

Langdon blickte noch ratloser als zuvor.

»Erinnern Sie sich an die drei Zeilen, die Saunière auf den Boden geschrieben hat?«

Langdon nickte. Die Zahlen und Textzeilen hatten sich ihm ins Gedächtnis gebrannt.

»Was Sie gesehen haben, ist leider nicht die ganze Botschaft.« Sophie flüsterte plötzlich. »Es gab da noch eine *vierte* Zeile. Fache hat sie fotografieren lassen und weggewischt, bevor Sie gekommen sind.«

Langdon wusste, dass die Schrift wasserlöslicher Filzschreiber leicht entfernt werden konnte, aber wie kam Fache dazu, Beweismaterial zu beseitigen?

Sophie zog den zusammengefalteten Computerausdruck eines Fotos aus ihrer Pullovertasche und faltete das Blatt auseinander. »Fache hat heute Nacht unserer Dechiffrierabteilung per E-Mail Fotos vom Tatort geschickt, weil er hoffte, wir könnten Saunières Nachricht entschlüsseln. Hier ist ein Foto von der vollständigen Botschaft.« Sie reichte Langdon das Blatt.

Neugierig betrachtete er das Foto. Es war eine Nahaufnahme

der leuchtenden Schrift auf dem Parkettboden. Die letzte Zeile traf
Langdon wie ein Hieb in den Magen.

13-3-2-21-1-1-8-5
O, Draconian devil!
Oh, lame saint!
P. S. Robert Langdon suchen!

13. KAPITEL

L angdon betrachtete das Foto von Saunières Postskript. Er war fassungslos. *P. S. Robert Langdon suchen!* Er hatte das Gefühl, der Boden würde unter seinen Füßen nachgeben. *Saunière hat in seinem Postskript ausgerechnet mich benannt?* In seinen wildesten Träumen konnte Langdon sich nicht vorstellen, warum.

Robert Langdon suchen.

»Wozu hat Saunière das geschrieben?«, wunderte sich Langdon, der allmählich ärgerlich wurde. »Was sollte mir daran gelegen sein, Jacques Saunière umzubringen?«

»Was das Motiv angeht, tappt Fache noch im Dunkeln, aber er hat Ihr Gespräch vorhin aufnehmen lassen, weil er hofft, Sie könnten ihm eins liefern«, erklärte Sophie.

Langdon war sprachlos.

»Fache hat sich ein Minimikrofon angesteckt. Über einen Sender in seiner Tasche wurde alles in die Einsatzzentrale übertragen.«

»Das gibt's doch nicht«, sagte Langdon. »Ich habe ein Alibi, verdammt! Ich bin nach meinem Vortrag sofort in mein Hotel zurück. Sie können sich an der Rezeption erkundigen.«

»Das hat Fache bereits getan. In seinem Bericht steht, Sie hätten sich gegen 22.30 Uhr am Empfang den Schlüssel geben lassen. Unglücklicherweise liegt die Tatzeit eher bei 23 Uhr. Sie hätten das Hotel ohne weiteres unbemerkt wieder verlassen können.«

»Das ist doch Wahnsinn. Fache hat keinerlei Beweis!«

Sophie schaute ihn mit großen Augen an, als wollte sie sagen:

Von wegen, keinerlei Beweis! »Mr Langdon, Ihr Name steht neben der Leiche auf dem Boden, und im Terminkalender des Opfers sind Sie für ungefähr die Zeit eingetragen, als der Mord geschah.« Sie machte eine vielsagende Pause. »Fache hat mehr als genug Beweise, um Sie einzubuchten.«

Langdon wurde plötzlich klar, dass er einen Anwalt brauchte. »Ich war es nicht!«

»Mr Langdon, wir sind hier nicht in einer amerikanischen Fernsehserie.« Sophie seufzte. »In Frankreich schützt das Gesetz die Polizei und nicht den Verdächtigen. Leider muss man im vorliegenden Fall auch die Reaktion der Medien in Betracht ziehen. Jacques Saunière war eine sehr bekannte und beliebte Pariser Persönlichkeit. Morgen früh ist der Mord Thema Nummer eins in den Nachrichten. Fache kommt nicht darum herum, sofort eine Erklärung abzugeben. Er wird eine wesentlich bessere Figur machen, wenn er gleich einen Verdächtigen präsentieren kann. Ob Sie nun schuldig sind oder nicht, das DCPJ wird Sie jedenfalls hinter Schloss und Riegel schmoren lassen, bis es seine Ermittlungen abgeschlossen hat.«

Langdon kam sich vor wie ein Tier im Käfig. »Warum erzählen Sie mir das eigentlich?«

»Weil ich Sie für unschuldig halte, Mr Langdon.« Sophie senkte einen Moment den Blick. »Und weil es zum Teil auch meine Schuld ist, dass Sie in diese Lage geraten sind.«

»Wie bitte? Es ist Ihre Schuld, dass Saunière mich aufs Kreuz legen wollte?«

»Saunière hat Sie nicht aufs Kreuz legen wollen, Mr Langdon. Das Ganze ist ein Missverständnis. Die Botschaft war für mich bestimmt.«

Langdon brauchte ein paar Sekunden, um diese Worte zu verdauen. »Ich kann Ihnen nicht ganz folgen ...«

»Die Botschaft war gar nicht für die Polizei gedacht. Saunière hat sie für mich geschrieben. Ich glaube, er war gezwungen, alles in so großer Eile zu erledigen, dass er nicht darüber nachdenken konnte, wie es möglicherweise auf die Polizei wirkt.« Sie machte eine kurze Pause. »Der Zahlencode hat nichts zu bedeuten. Saunière hat ihn nur deshalb niedergeschrieben, damit die Dechiffrierabteilung in die Ermittlungen mit einbezogen wird. Auf diese Weise hat er dafür gesorgt, dass *ich* umgehend erfahre, was ihm zugestoßen ist.«

Langdon versuchte mühsam, die Übersicht zu behalten. Ob Sophie Neveu nicht alle Tassen im Schrank hatte oder doch, war im Augenblick nicht die Frage, doch Langdon begriff jetzt wenigstens, warum sie ihm zu helfen versuchte. *P. S. Robert Langdon suchen!* »Was bringt Sie auf die Idee, die Botschaft sei für Sie bestimmt gewesen?«

»Die Proportionsstudie nach Vitruv«, sagte sie. »Diese Zeichnung war schon immer mein Lieblingswerk von Leonardo da Vinci. Heute Nacht hat Saunière sie benutzt, um mich auf den Plan zu bringen.«

»Langsam. Soll das heißen, der Direktor des Louvre hätte Ihre Lieblingszeichnung gekannt?«

Sie nickte. »Tut mir Leid, das geht jetzt alles ein bisschen durcheinander. Jacques Saunière und ich …«

Ihre Stimme versagte. Robert Langdon spürte ihre plötzliche Traurigkeit, die Erinnerung an eine schmerzliche Vergangenheit, die dicht unter der Oberfläche schwärte. Zwischen Sophie und Jacques Saunière hatte offensichtlich ein besonderes Verhältnis bestanden … Er betrachtete eingehend die schöne junge Frau, die vor ihm stand. In Frankreich pflegten sich ältere Herren oft eine junge Geliebte zuzulegen, doch Langdon konnte sich Sophie Neveu irgendwie nicht in der Rolle einer Mätresse vorstellen.

»Wir hatten vor zehn Jahren ein Zerwürfnis«, sagte Sophie fast im Flüsterton. »Seitdem haben wir nicht mehr miteinander gesprochen. Als meine Abteilung heute Nacht die Nachricht bekam, dass man ihn ermordet hatte, und ich anschließend das Foto seiner Leiche und den Text zu sehen bekam, wurde mir klar, dass er mir eine Botschaft schicken wollte.«

»Wegen der Proportionsstudie nach Vitruv?«

»Das auch. Aber vor allem wegen der Buchstaben P.S.«

»Für Postskriptum.«

Sie schüttelte den Kopf. »Das sind meine Initialen.«

»Aber Sie heißen doch Sophie Neveu.«

Sie mied seinen Blick. »P.S. war mein Kosename, als wir noch zusammengelebt haben.« Sie errötete. »Es ist die Abkürzung von *Prinzessin Sophie*.«

Langdon wusste nicht, was er darauf sagen sollte.

»Es ist albern, ich weiß. Aber das ist schon viele Jahre her. Ich war damals ein kleines Mädchen.«

»Sie haben Saunière schon als kleines Mädchen gekannt?«

»Sehr gut sogar«, sagte sie. Ihre Augen wurden feucht. »Jacques Saunière war mein Großvater.«

14. KAPITEL

Wo ist Langdon?«, fauchte Fache, als er die Einsatzzentrale betrat, und blies den letzten Rauch seiner Zigarette durch die Nasenlöcher.

»Immer noch auf dem Klo, Monsieur.« Leutnant Collet hatte bereits mit dieser Frage gerechnet.

»Der Mann braucht ja eine Ewigkeit«, murrte Fache.

Er betrachtete über Collets Schulter hinweg den roten Punkt. Collet konnte die Rädchen in Faches Gehirn surren hören. Sein Chef kämpfte mit dem Verlangen, zu den Toilettenräumen zu gehen und nachzusehen. Im Idealfall wurden einer überwachten Person Zeit und Bewegungsfreiheit in Hülle und Fülle gewährt, um den Verdächtigen in trügerischer Sicherheit zu wiegen. Langdon musste aus eigenen Stücken zurückkommen. Aber trotzdem – er war jetzt schon zehn Minuten fort.

Zu lange.

»Könnte er was gemerkt haben?«, wollte Fache wissen.

Collet schüttelte den Kopf. »Wir sehen immer noch kleine Bewegungen innerhalb der Herrentoilette, also muss der Sender noch am Mann sein. Wenn er den Knopf gefunden hätte, hätte er ihn weggeworfen und abzuhauen versucht.«

Fache sah auf die Uhr. »Also gut.« Dennoch schien ihm irgendetwas zu schaffen zu machen.

Collet spürte, dass sein Capitaine unter einer untypischen Spannung stand. Fache, der gewöhnlich auch unter Stress souverän und kühl handelte, schien heute Nacht gefühlsmäßig stark engagiert zu sein – als würde es sich um eine persönliche Angelegenheit handeln.

Kaum verwunderlich, dachte Collet. *Fache braucht dringend einen Erfolg.* In jüngster Zeit waren Faches aggressive Ermittlungstaktiken, sein Kleinkrieg mit mächtigen ausländischen Botschaften und seine maßlosen Budgetüberschreitungen für die Beschaffung modernster Technologien ins Kreuzfeuer der Kritik von Seiten seines vorgesetzten Ministeriums und der Medien geraten. Wenn ihm heute Nacht eine auf Hochtechnologie gestützte spektakuläre Verhaftung eines Amerikaners gelang, dürften seinen Kritikern auf absehbare Zeit der Wind aus den Segeln genommen und Faches Job noch für die paar Jahre gesichert sein, bis er sich mit einer großzügig bemessenen Pension in den Ruhestand zurückziehen konnte.

Und die Pension wird er brauchen, dachte Collet. Faches Begeisterung für die neuen Technologien hatte ihm nicht nur beruflich geschadet, sondern auch privat. Es wurde gemunkelt, Fache hätte vor ein paar Jahren sein gesamtes Vermögen in den *Neuen Markt* investiert und alles bis auf das letzte Hemd verloren. *Und Fache ist ein Mann, der nur teure Hemden trägt.*

Aber heute Nacht war noch genug Zeit. Sophie Neveus ungelegener Auftritt war zwar störend gewesen, aber letztlich belanglos. Sie hatte sich inzwischen verzogen. Und Fache hatte immer noch einige Asse im Ärmel. Als Nächstes würde er Langdon damit konfrontieren, dass das Opfer seinen Namen auf den Boden geschrieben hatte: *P. S. Robert Langdon suchen.* Die Reaktion des Amerikaners auf dieses kleine Detail würde bestimmt sehr aufschlussreich werden.

»Capitaine«, rief ein Beamter von der anderen Seite des Raumes herüber, »ich glaube, Sie sollten dieses Gespräch annehmen.« Mit besorgter Miene hielt er einen Telefonhörer hoch.

»Wer ist dran?«, wollte Fache wissen.

»Der Chef unserer Dechiffrierabteilung.«

»Was ist denn los?«

»Es geht um Sophie Neveu. Da stimmt was nicht.«

15. KAPITEL

Die Zeit war gekommen.

Silas stieg aus dem schwarzen Audi. Er fühlte sich stark. Seine weite Kutte flatterte leicht in der nächtlichen Brise. *Der Sturm der Veränderung kündigt sich an.* Die vor ihm liegende Aufgabe war nicht mit Gewalt zu bewältigen. Sie verlangte vor allem Fingerspitzengefühl. Silas ließ die dreizehnschüssige Heckler & Koch USP 40, die der Lehrer ihm besorgt hatte, im Wagen.

Eine todbringende Waffe gehört nicht in ein Gotteshaus.

Der Platz vor der Kirche war zu dieser Stunde fast menschenleer; nur ein trauriges Häuflein minderjähriger Nutten, die ein paar Nachtschwärmer durch fleißiges Vorzeigen ihrer Auslagen anzumachen versuchten, war zu sehen. Das Aufblitzen ihrer weißen Haut weckte in Silas' Lenden eine nur allzu bekannte Sehnsucht. Instinktiv spannte er den Oberschenkel an. Die Dornen des Bußgürtels gruben sich noch tiefer in sein sündiges Fleisch. Die Anwandlung der Lust war augenblicklich vorüber.

Seit zehn Jahren hatte sich Silas jegliche sexuelle Betätigung versagt, sogar die der einsamen Sünde. *Der Weg* verlangte es so. Er hatte es auf sich genommen, für die Gefolgschaft bei Opus Dei sehr viel zu opfern, doch er hatte noch viel, viel mehr dafür zurückbekommen. Überdies waren ihm das Keuschheitsgelübde und der Verzicht auf persönlichen Besitz kaum wie ein Opfer erschienen. Angesichts des Elends, aus dem er hervorgegangen war, und der sexuellen Scheußlichkeiten, die er im Gefängnis über sich ergehen lassen musste, empfand er Keuschheit und Armut beinahe als willkommen.

Zum ersten Mal seit seiner Verhaftung und Deportation nach Andorra war Silas nach Frankreich zurückgekehrt. Er hatte das Gefühl, von seinem Heimatland auf die Probe gestellt zu werden, indem es seine gerettete Seele mit den Erinnerungen an die gewaltsame Vergangenheit konfrontierte. *Du wurdest wieder geboren*, ermahnte er sich. Die heutigen Morde waren im Dienste Gottes begangene, notwendige Taten gewesen. Sie stellten ein Opfer dar, das Silas bis ans Ende seiner Tage still im Herzen bewahren musste.

Dein Glaube bemisst sich nach dem Schmerz, den du zu erdulden bereit bist, hatte der Lehrer zu ihm gesagt. Schmerz war für Silas etwas Vertrautes. Er hatte darauf gebrannt, sich vor dem Lehrer beweisen zu dürfen, vor dem Mann, der ihm versichert hatte, dass sein Handeln von einer höheren Macht gutgeheißen werde.

»*Hago la obra de Dios*«[3], flüsterte Silas, während er auf das Kirchenportal zuschritt.

Im Schatten des gewaltigen Portalbogens hielt er inne und holte tief Luft. Erst in diesem Augenblick begriff er in vollem Umfang, was er jetzt tun würde.

Der Schlussstein. Er wird uns ans Ziel führen.

Er hob die gespenstisch weiße Faust und pochte dreimal an das Portal.

Kurz darauf wurde innen der Riegel des gewaltigen hölzernen Türflügels zurückgeschoben.

---

[3] Ich vollbringe das Werk Gottes.

16. KAPITEL

Sophie war gespannt, wie lange Fache brauchen würde, bis ihm auffiel, dass sie das Gebäude gar nicht verlassen hatte. Und angesichts der völligen Ratlosigkeit Langdons fragte sie sich, ob es klug gewesen war, ihn in die Herrentoilette zu bestellen.

Aber was hättest du sonst tun sollen?

Sie rief sich die nackte Leiche ihres Großvaters vor Augen, die mit ausgebreiteten Gliedmaßen auf dem Boden lag. Es hatte eine Zeit gegeben, da er Sophie unendlich viel bedeutet hatte, doch zu ihrem Erstaunen musste sie erkennen, dass sie in der heutigen Nacht kaum Trauer über seinen Tod empfand. Jacques Saunière war ihr fremd geworden. Sie war zweiundzwanzig Jahre alt gewesen, als ihre innige Beziehung in einer Märznacht in einem einzigen Augenblick in die Brüche gegangen war. *Das war vor zehn Jahren.* Als Sophie damals ein paar Tage früher als sonst von der Universität in England nach Hause gekommen war, hatte sie zufällig und unbeabsichtigt ihren Großvater bei etwas ertappt, das offensichtlich nicht für ihre Augen bestimmt war. Bis zum heutigen Tag kam ihr die Szene wie ein Trugbild vor.

Aber du hast es mit eigenen Augen gesehen.

Zu schockiert und peinlich berührt, um sich die gequälten Erklärungsversuche des Großvaters anzuhören, hatte Sophie sich damals sofort auf eigene Füße gestellt und sich mit ihrem ersparten Geld gemeinsam mit ein paar anderen eine kleine Wohnung genommen. Sie hatte sich geschworen, nie mit jemand über den Vorfall zu sprechen. Ihr Großvater hatte verzweifelt versucht, Kontakt zu ihr aufzunehmen, hatte Briefe und Postkarten geschickt, in denen er Sophie anflehte, sich mit ihm zu treffen, damit er ihr alles erklären könne. *Was gab es da zu erklären?* Sophie antwortete ihm nur ein einziges Mal – um sich ausdrücklich jeden Anruf und jeden Versuch zu verbitten, Verbindung zu ihr aufzunehmen. Sie befürchtete, seine Erklärungsversuche könnten noch peinlicher ausfallen, als der Vorfall ohnehin schon gewesen war.

Unfassbarerweise hatte Saunière seine Bemühungen um Sophie nie aufgegeben, was ihr zu einem Berg ungeöffneter Briefe verholfen hatte, der sich in zehn Jahren angesammelt hatte und in einer Schublade vor sich hin schlummerte. Zur Ehrenrettung ihres Großvaters musste sie allerdings zugeben, dass er ihrem Wunsch stets nachgekommen war und nie versucht hatte, sie anzurufen.

Bis heute Nachmittag.

»Sophie?« Die Stimme auf ihrem Anrufbeantworter hatte verblüffend ältlich geklungen. »Ich habe deinen Wunsch stets respektiert... und ich rufe dich nur schweren Herzens an, aber ich muss unbedingt mit dir sprechen. Es ist etwas Schreckliches geschehen.«

Sophie hatte in der Küche ihrer Pariser Wohnung gestanden. Nach all den Jahren war es ihr kalt über den Rücken gelaufen, denn seine sanfte Stimme hatte in ihr eine Flut von zärtlichen Kindheitserinnerungen ausgelöst.

»Sophie, bitte, hör mir zu!« Er sprach Englisch, wie er es immer getan hatte, als sie noch ein kleines Mädchen gewesen war. *Französisch wird in der Schule geübt. Zu Hause üben wir Englisch.* »Du kannst mir doch nicht ewig böse sein. Hast du denn die Briefe nicht gelesen, die ich dir in all den Jahren geschrieben habe? Kannst du mich denn immer noch nicht verstehen?« Er verstummte kurz. »Wir müssen unbedingt reden. Bitte, schlag deinem Großvater dieses eine Mal seine Bitte nicht ab. Ruf mich im Louvre an. Sofort, ich bitte dich! Ich glaube, wir schweben beide in großer Gefahr!«

Sophie hatte den Anrufbeantworter angestarrt. *Gefahr?* Wovon redete der alte Mann?

»Prinzessin…« In der Stimme des Großvaters lag irgendetwas, das Sophie nicht benennen konnte. »Ich weiß, ich habe dir einige Dinge vorenthalten, und ich weiß auch, dass es mich deine Liebe gekostet hat. Ich habe es um deiner Sicherheit willen tun müssen. Aber jetzt musst du die Wahrheit erfahren. Bitte, lass dich von mir in das Geheimnis deiner Familie einweihen.«

Sophie hörte plötzlich ihr eigenes Herz pochen. *Das Geheimnis meiner Familie?* Sophies Eltern waren ums Leben gekommen, als sie erst vier Jahre alt gewesen war. Ihr Wagen war von einer Brücke in einen reißenden Fluss gestürzt. Die Großmutter und Sophies jüngerer Bruder hatten sich ebenfalls in dem Unglücksfahrzeug befunden. Sophies ganze Familie war mit einem Schlag ausgelöscht worden. In einem Schuhkarton bewahrte sie noch Zeitungsausschnitte auf, die von dem Unglück berichteten.

Die Worte des Großvaters hatten eine unerwartete Woge der Sehnsucht in ihr aufwallen lassen. *Deine Familie!* In diesem flüchtigen Moment sah Sophie die Bilder des Traums, aus dem sie als Kind so oft aufgeschreckt war. *Deine Angehörigen leben! Sie sind auf dem Weg nach Hause!* Doch die Bilder verflüchtigten sich wie in einem Traum ins Ungewisse.

Sophie, deine Angehörigen sind tot. Sie kommen nie mehr nach Hause.

»Sophie…«, klang die Stimme des Großvaters aus dem Anrufbeantworter, »ich habe jahrelang gezögert, dich einzuweihen. Immer habe ich auf einen geeigneten Augenblick gewartet, aber jetzt läuft mir die Zeit davon. Ruf mich im Louvre an, bitte! Sofort, nachdem du diese Nachricht gehört hast. Ich werde die ganze Nacht dort sein und warten. Ich fürchte, wir beide schweben in großer Gefahr. Es gibt so vieles, das du noch nicht weißt, aber du *musst* es wissen!«

Damit hatte die Botschaft geendet.

In der nachfolgenden Stille hatte Sophie eine Minute zitternd dagestanden; so war es ihr jedenfalls vorgekommen. Je eingehender sie über die Nachricht ihres Großvaters nachdachte, desto mehr kristallisierte sich seine wahre Absicht für sie heraus.

Er will dich ködern.

Offenbar war sein Wunsch, sie zu sehen, zu einem verzweifelten Verlangen geworden, doch ihr Abscheu vor diesem Mann war noch größer geworden. Vielleicht war er unheilbar erkrankt, hatte Sophie überlegt und sich gefragt, an welchem Hebel er wohl ziehen müsse, um sie zu einem letzten Besuch zu bewegen. Falls es das war, hatte er sich einen wirksamen Hebel ausgesucht.

Deine Familie.

Jetzt stand Sophie im fahlen Licht der Herrentoilette des Louvre und hörte in ihrem Innern die telefonische Nachricht dieses Nachmittags noch einmal. *Sophie, wir schweben beide in großer Gefahr. Ruf mich sofort an!*

Sie hatte ihren Großvater nicht angerufen, hatte es nicht einmal in Erwägung gezogen. Inzwischen aber waren ihre Vorbehalte mächtig ins Wanken geraten. Ihr Großvater lag ermordet in dem Museum, das ihm alles bedeutet hatte. Und er hatte eine verschlüsselte Botschaft auf den Boden geschrieben.

Eine verschlüsselte Botschaft an *sie*. Davon war Sophie überzeugt.

Obgleich sie die Botschaft nicht verstand, sah sie in deren kryptischer Natur einen weiteren Beweis dafür, dass die Nachricht an sie gerichtet war. Sophies Leidenschaft für Geheimbotschaften und ihr Geschick, sie zu enträtseln, verdankte sie der Tatsache, dass sie mit Jacques Saunière aufgewachsen war, einem Liebhaber von Verschlüsselungen, Wortspielen und Rätseln. *Wie viele Sonntage haben wir mit der gemeinsamen Lösung der Kreuzworträtsel und der Kryptogramme in den Sonntagszeitungen verbracht...*

Mit zwölf Jahren hatte Sophie das Kreuzworträtsel in *Le Monde* selbstständig lösen können. Ihr Großvater steigerte nach und nach den Schwierigkeitsgrad, indem er ihr englische Kreuzworträtsel, Zahlenrätsel und Anagramme vorlegte. Sophie war regelrecht versessen auf sie. Später hatte sie ihre Leidenschaft zum Beruf gemacht und war Codeknackerin beim DCPJ geworden.

Die Fachfrau musste anerkennen, wie mühelos ihr Großvater es in dieser Nacht mit einem einfachen Code geschafft hatte, zwei einander völlig fremde Menschen zusammenzuführen – Sophie Neveu und Robert Langdon.

Die Frage war nur: *Wozu?*

An dem verwirrten Ausdruck in Langdons Augen konnte Sophie unschwer ablesen, dass auch der Amerikaner keinen blassen Schimmer hatte, warum ihr Großvater sie beide in ein Boot gesetzt hatte.

Sie unternahm einen neuerlichen Versuch. »Sie hatten mit meinem Großvater für heute Abend ein Treffen vereinbart. Worum sollte es dabei gehen?«

Langdon sah sie hilflos an. »Das Treffen wurde von seiner Sekretärin vorgeschlagen. Sie hat keine Gründe dafür genannt, und ich habe auch nicht danach gefragt. Ich nahm an, dass er von meinem geplanten Vortrag über heidnische Symbolik an französischen Kathedralen gehört hatte und dass er anschließend bei einem Drink mit mir darüber fachsimpeln wollte, weil er sich für dieses Thema interessierte.«

Sophie war nicht überzeugt. Das alles war ihr nicht stichhaltig genug. Ihr Großvater war der weltweit führende Experte für heidnische Symbolik. Zudem führte er ein außergewöhnlich zurückgezogenes Leben. Es wäre nicht seine Art gewesen, bei einem Drink mit einem amerikanischen Professor über dieses Thema zu diskutieren – es sei denn, er hatte einen triftigen Grund dafür.

Sophie holte tief Luft und versuchte es erneut. »Mein Großvater hat mich heute Nachmittag angerufen. Er sagte, er und ich befänden uns in großer Gefahr. Hilft Ihnen das irgendwie weiter?«

In Langdons blauen Augen erschien ein Ausdruck von Besorgnis. »Nein, aber wenn man bedenkt, was vor kurzem geschehen ist ...«

Sophie nickte. Angesichts der Ereignisse dieser Nacht wäre es töricht von ihr gewesen, sich keine Sorgen zu machen. Doch sie war mit ihrem Latein am Ende. Sie ging die paar Schritte zu dem länglichen Sicherheitsglasfenster am Ende des Toilettenvorraums und schaute durch das Glas mit den eingebetteten haarfeinen Alarmdrähten hinaus auf die Lichter der Stadt, denn die Räume befanden sich ungefähr fünfzehn Meter über dem Bodenniveau.

Mit einem Seufzer hob sie den Blick. Links, am anderen Ufer der Seine, stand angestrahlt der Eiffelturm; geradeaus befand sich der Arc de Triomphe und rechts, hoch über dem sanft ansteigenden Straßengewirr des Montmartre, ragte in glänzendem Weiß, wie ein kitschiges orientalisches Heiligtum, die Kuppel von Sacre-Coeur in den Himmel.

Die Straße über den Place du Carousel reichte hier, am westlichen Ende des Denon-Flügels, fast bis an die Außenmauer des Louvre heran. Dazwischen verlief lediglich ein schmaler Bürgersteig. Unten dieselte die übliche Kolonne nächtlicher Lieferwagen und Laster vor sich hin und wartete darauf, dass die Ampel wieder auf Grün sprang. Die Blinklichter schienen spöttisch zu Sophie heraufzuzwinkern.

»Ich weiß nicht, was ich sagen soll«, sagte Langdon schließlich, der hinter Sophie getreten war. »Ihr Großvater hat offensichtlich versucht, uns irgendetwas mitzuteilen. Tut mir Leid, dass ich Ihnen nicht weiterhelfen kann.«

Sophie wandte sich vom Fenster ab. Sie hatte das ehrliche Bedauern in Langdons tiefer Stimme gespürt. Obwohl er selbst bis zum Hals in Schwierigkeiten steckte, hätte er ihr offensichtlich gern geholfen. *Das ist der Lehrer in ihm*, dachte Sophie. Sie hatte die Akte gelesen, die das DCPJ bereits über den Tatverdächtigen erstellt hatte. Bei Langdon hatte man es mit einem Gelehrten zu tun, den es nicht ruhen ließ, wenn er etwas nicht verstand.

Das haben wir schon mal gemeinsam, überlegte Sophie.

Ihr Job als Dechiffriererin bestand im Herausfiltern von Bedeutungsinhalten aus scheinbar sinnlosem Datenmüll. Die Entwicklungen des heutigen Abends bekamen einen Sinn, sobald man davon ausging, dass Robert Langdon – ob er es nun wusste oder nicht – eine Information besaß, die sie unbedingt haben musste. *Prinzessin Sophie, Robert Langdon suchen!* Konnte die Botschaft ihres Großvaters deutlicher sein? Sophie brauchte mehr Zeit, um sich mit Langdon zu beschäftigen. Zeit zum Nachdenken. Zeit, dem Geheimnis gemeinsam auf die Spur zu kommen. Aber die Zeit war leider schon so gut wie abgelaufen.

Sophie schaute zu Langdon auf. Sie machte den einzigen Schachzug, der ihr in der Eile einfiel. »Bezu Fache wird Sie jeden Moment verhaften. Ich kann Sie aus dem Museum rausbekommen. Aber dann müssen wir uns beeilen.«

Langdon riss die Augen auf. »Sie wollen, dass ich flüchte?«

»Das ist das Klügste, was Sie tun können. Wenn Sie sich jetzt von Fache verhaften lassen, sitzen Sie wochenlang in U-Haft, während das DCPJ mit der amerikanischen Botschaft darum feilscht, wo Sie vor Gericht gestellt werden sollen. Aber wenn wir hier rauskommen und es bis zur amerikanischen Botschaft schaffen, wird Ihre Regierung sich um Ihre Rechte kümmern, und Sie und ich haben Zeit, den Nachweis zu erbringen, dass Sie mit dem Mord nichts zu tun haben.«

Weniger überzeugt als Langdon hätte kaum jemand dreinblicken können. »Vergessen Sie's. Fache hat vor jedem Ausgang bewaffnete Beamte postiert. Und selbst wenn wir hinauskämen, ohne erschossen zu werden, würde die Flucht den Verdacht gegen mich erhärten. Nein, Sie müssen Fache begreiflich machen, dass die Nachricht Ihres Großvaters für Sie bestimmt war und dass mein Name nicht dort hingeschrieben wurde, um mich zu beschuldigen, sondern aus einem ganz anderen Grund.«

»Das werde ich tun«, sagte Sophie ein wenig gehetzt, »aber erst, nachdem Sie sicher in der amerikanischen Botschaft sind. Sie ist nur anderthalb Kilometer von hier. Mein Auto steht direkt vor dem Museum. Begreifen Sie denn nicht? Fache ist wild entschlossen, Sie als Täter zu präsentieren. Der einzige Grund, warum er Sie noch nicht eingebuchtet hat, ist diese Überwachungsaktion, von der er sich erhofft, dass sie seine Argumente erhärtet.«

»Zum Beispiel, indem ich davonlaufe.«

Das Handy in Sophies Tasche begann plötzlich zu piepsen. *Fache.* Sie griff in die Pullovertasche und schaltete es ab.

»Mr Langdon, ich muss Ihnen jetzt noch eine letzte Frage stellen«, sagte sie hastig. *Und davon kann Ihre ganze Zukunft abhängen.* »Die Nachricht meines Großvaters ist kein ausreichender Beweis für Ihre Schuld. Dennoch hat Fache unserem Team mitgeteilt, er sei *sicher*, dass Sie sein Mann sind. Können Sie sich irgendeinen anderen Grund vorstellen, der Fache von Ihrer Schuld überzeugt haben könnte?«

Langdon blieb ein paar Sekunden stumm. »Absolut nicht«, sagte er dann.

Sophie seufzte. *Was bedeutet, dass Fache lügt.* Das Warum und Wieso entzog sich ihr, aber darum ging es im Moment auch nicht. Tatsache war, dass Fache wild entschlossen war, Langdon noch in dieser Nacht hinter Gitter zu bringen, koste es, was es wolle. Aber auch Sophie brauchte Langdon, was ihr nur eine logische Alternative ließ.

Du musst Langdon irgendwie in die US-Botschaft lotsen.

Sophie wandte sich wieder zum Fenster, schaute aufs Pflaster hinunter. Ein Sprung aus dieser Höhe würde Langdon mit Sicherheit Knochenbrüche einbringen – falls er Glück hatte.

Dessen ungeachtet traf Sophie ihre Entscheidung.

Robert Langdon musste aus dem Louvre fliehen, ob er wollte oder nicht.

17. KAPITEL

Was soll das heißen, sie meldet sich nicht?«, giftete Fache. »Sie haben doch ihre Handynummer gewählt, oder? Ich weiß, dass sie ihr Handy dabeihat.«

Collet versuchte seit einigen Minuten, Sophie zu erreichen. »Vielleicht ist der Akku leer. Oder sie hat das Gerät nicht an.«

Seit dem Telefonat mit dem Chef der Dechiffrierabteilung war Faches Miene düster geworden. Er war sofort zu Collet marschiert und hatte ihn angewiesen, Agentin Neveu an die Strippe zu holen, doch Collet war bisher nicht durchgekommen. Fache ging auf und ab wie ein Panther im Käfig.

»Warum hat der alte Codeknacker angerufen?«, erkundigte sich Collet.

»Um uns mitzuteilen, seine Leute hätten mit dem drakonischen Teufel und dem lahmen Heiligen nichts anfangen können.«

»Sonst nichts?«

»Doch. Sie hätten die Zahlenreihe als Fibonacci-Folge identifiziert, hielten sie aber für bedeutungslos.«

Collet schaute ihn verdutzt an. »Aber er hatte doch schon Neveu herübergeschickt, um uns das zu sagen.«

Fache schüttelte den Kopf. »Nein, hat er nicht.«

»Wie bitte?«

»Nach Aussage des Chefs der Dechiffrierabteilung hat er auf meine Anweisung hin sein gesamtes Team zusammengetrommelt, damit die Leute sich mit den von uns gemailten Bildern befassen.

Als Sophie Neveu eintraf, hat sie nur einen Blick auf die Fotos von Saunière und seiner Nachricht geworfen und ist ohne ein Wort sofort wieder aus dem Laden verschwunden. Ihr Chef meinte, er habe ihr dieses Verhalten durchgehen lassen, da ihre Bestürzung beim Anblick der Fotos verständlich sei.«

»Bestürzung? Hat die Dame denn noch nie das Foto einer Leiche gesehen?«

Fache ließ einen Moment verstreichen, bevor er antwortete. »Es war mir nicht bekannt – und wie es den Anschein hat, auch dem Vorgesetzten von Agentin Neveu nicht, bis ihn ein Mitarbeiter darauf aufmerksam gemacht hat: Sophie Neveu ist Jacques Saunières Enkelin.«

Collet war sprachlos.

»Der Abteilungsleiter sagte mir, sie hätte ihm gegenüber Saunière kein einziges Mal erwähnt – vermutlich, weil sie nicht wegen ihres berühmten Großvaters mit Samthandschuhen angefasst werden wollte.«

Kein Wunder, dass die Fotos ihr an die Nieren gegangen sind, dachte Collet. Er wollte sich nicht vorstellen, was es für eine junge Frau bedeutete, zur Entzifferung einer Nachricht herbeigerufen zu werden, die sich als letzte Botschaft eines ermordeten Familienangehörigen erwies. Gleichwohl gab ihr Verhalten Rätsel auf. »Aber sie hat doch offensichtlich die Zahlen sofort als Fibonacci-Folge erkannt. Schließlich ist sie ja hierher gekommen und hat es uns gesagt. Ich verstehe nicht, wieso sie ihr Büro verlassen hat, ohne jemand mitzuteilen, dass sie die Lösung kannte.«

Zur Erklärung der verwirrenden Entwicklung konnte Collet sich nur ein einziges Szenarium vorstellen: Der sterbende Saunière hatte einen Zahlencode auf den Boden geschrieben und gehofft, die Dechiffrierabteilung – und damit seine Enkelin – ins Spiel zu bringen. Und was den Rest der Nachricht anging: War auch *das* eine Mitteilung Saunières an seine Enkelin? Wenn ja, was hatte er ihr mitteilen wollen? Und wie passte Langdon ins Bild?

Bevor Collet sich in dieses Problem vertiefen konnte, zerriss das Schrillen einer Alarmglocke die Stille des verlassenen Museums. Der durchdringende Laut schien irgendwo aus der Tiefe der *Grande Galerie* zu kommen.

»*Alarme!*«, rief einer der Beamten, den Blick auf die Computereinspielung des Sicherheitszentrums des Louvre geheftet. »*Grande Galerie! Toilettes Messieurs!*«

Fache fuhr zu Collet herum. »Wo ist Langdon?«

»Immer noch in der Herrentoilette.« Collet deutete auf den roten Punkt, der hektisch auf dem Bildschirm seines Notebooks blinkte. »Er muss das Fenster eingeschlagen haben!«

Langdon würde nicht weit kommen. Nach den Brandvorschriften der Pariser Feuerwehr mussten die Fenster öffentlicher Gebäude, die höher als fünfzehn Meter waren, bei einem Feuer eingeschlagen werden können, doch die Flucht aus einem Fenster der zweiten Etage des Louvre war ohne Strickleiter oder andere Hilfsmittel reiner Selbstmord. Zudem gab es am westlichen Ende des Denon-Flügels weder Sträucher noch Gras, die einen Sturz hätten dämpfen können. Gleich unter dem Fenster der Herrentoilette verlief die zweispurige Fahrbahn der Avenue de Laumière.

»Mein Gott«, rief Collet, den Blick auf den Bildschirm gerichtet, »Langdon geht zum Fenstersims!«

Fache riss den Manurhin MR-93 Revolver aus dem Schulterholster und stürmte aus dem Büro.

Collet beobachtete auf dem Bildschirm, wie der blinkende Punkt den Fenstersims erreichte und dann etwas völlig Unerwartetes vollführte: Er bewegte sich außerhalb der Mauern des Gebäudes.

Was geht da vor?, rätselte er. *Klettert Langdon draußen auf einem Sims herum oder …*

»Großer Gott!« Der Punkt bewegte sich mit hoher Geschwindigkeit von der Mauer weg. Collet sprang auf. Das Signal schien einen Moment zu schlingern, um dann ungefähr fünf Meter vor dem Gebäude abrupt zum Stehen zu kommen.

Collet tippte hektisch auf der Tastatur, rief den Pariser Stadtplan auf, rekalibrierte das GPS und zoomte auf den Louvre. Jetzt konnte er die genaue Position des Minisenders erkennen.

Er lag bewegungslos auf der Avenue de Laumière.

Langdon war gesprungen.

18. KAPITEL

Während Fache noch die *Grande Galerie* hinunterstürmte, plärrte sein Funkgerät.

»Er ist gesprungen!«, rief Collet. »Ich bekomme das Signal nicht mehr aus der Toilette, sondern von draußen, von der Straße! Und es bewegt sich auch nicht mehr. Ich glaube, Langdon ist tot!«

Fache hörte es, lief aber trotzdem weiter. Die Gänge schienen kein Ende zu nehmen. Nachdem er an Saunières Leiche vorbeigerannt war, hielt er nach den Stellwänden am äußersten Ende des Denon-Flügels Ausschau. Das Alarmgeräusch wurde immer lauter.

»Warten Sie«, erklang Collets schrille Stimme wieder aus dem Gerät. »Er bewegt sich! Mein Gott, er lebt noch! Langdon bewegt sich!«

Fache rannte weiter. Mit jedem Schritt fluchte er lauter über die schier endlos langen Gänge.

»Jetzt bewegt er sich schneller!« Collet hing immer noch am Funkgerät. »Er rennt die Laumière hinunter ... warten Sie! Was ist das? So schnell kann niemand laufen!«

Fache war an den Stellwänden angekommen. Er schlängelte sich dazwischen durch, sah die Toilettentür und stürmte darauf zu. Über dem Lärm der Alarmglocke war das Walkie-Talkie kaum zu vernehmen.

»Ja, natürlich, er sitzt in einem Auto! Ich kann nicht ...«

Als Fache mit gezogener Waffe in die Toilette stürmte, ging

Collets Stimme im durchdringenden Schrillen der Alarmglocke unter. Faches Blick huschte durch den Raum.

Leer.

Dann sah er das eingeschlagene Fenster am Ende des Vorraums. Fache rannte hin und schaute über den Sims. Nirgends eine Spur von Langdon. Fache konnte sich auch nicht vorstellen, dass jemand einen solchen Sprung riskiert hätte. Langdon hätte nach dem Sturz schwer verletzt unten auf dem Boden liegen müssen.

Endlich verstummte der Alarm. Collets Stimme aus dem Sprechfunkgerät war wieder zu hören.

»… bewegt sich nach Süden und überquert die Seine auf dem Pont du Carousel …«

Fache schaute nach links. Auf der Brücke befand sich nur ein einziges Fahrzeug, ein riesiger Sattelschlepper mit offener Ladefläche, der sich in südlicher Richtung vom Louvre entfernte. Über die Pritsche war eine große Plane gespannt. Das Ganze erinnerte ein bisschen an eine riesige Hängematte … Fache zuckte zusammen, als er plötzlich die Möglichkeit erkannte, dass Langdon auf die Plane gesprungen sein könnte. Der Laster hatte vermutlich noch vor ein paar Augenblicken direkt unter dem Toilettenfenster an der roten Ampel gestanden.

Eine verdammt riskante Sache, schoss es Fache durch den Kopf. Langdon konnte unmöglich wissen, was der LKW unter der Plane auf der Ladefläche transportierte. Was, wenn es Stahlplatten gewesen wären? Oder Steine? Oder auch nur Müll? Ein Sprung aus fünfzehn Metern Höhe! Fache konnte nur den Kopf schütteln.

»Der Punkt ändert die Richtung«, meldete Collet. »Er biegt nach rechts ab in die Rue des Saints-Pères.«

Tatsächlich verlangsamte der Laster seine Fahrt, blinkte und bog rechts ab in die von Collet genannte Straße. *Du kommst trotzdem nicht davon, Langdon*, dachte Fache, als der LKW um die Ecke bog. Die um das Gebäude verteilten Beamten verließen auf Collets Alarm hin bereits ihre Posten und sprangen in die Funkstreifenwagen, um die Verfolgung des LKW aufzunehmen, während Collet laufend die Position des Flüchtigen durchgab wie bei einem Computerspiel.

Es ist vorbei. Fache wusste, dass seine Leute den LKW innerhalb von Minuten gestellt haben würden. Langdon kam nicht weit.

Fache steckte die Waffe weg und machte sich auf den Rückweg. Während er durch die *Grande Galerie* zurück eilte, rief er Collet über Funk. »Lassen Sie meinen Wagen vorfahren. Ich will bei der Verhaftung dabei sein.« Er fragte sich, ob Langdon den Sprung überhaupt überlebt hatte.

Nicht, dass es darauf noch angekommen wäre.

Langdon ist geflüchtet. Schuldig im Sinne der Anklage.

Keine fünf Meter von der Toilette entfernt standen Sophie und Langdon in der Dunkelheit der *Grande Galerie* und drückten sich an die Rückseite einer der Stellwände. Sie hatten sich gerade noch verstecken können, als Fache mit der Waffe in der Hand an ihnen vorbeigerannt und in der Toilette verschwunden war.

In den letzten neunzig Sekunden war alles sehr schnell gegangen.

Während Langdon noch zögerte, vor einem Verbrechen davonzulaufen, das er nicht begangen hatte, hatte Sophie zuerst das Fensterglas mit den Alarmdrähten inspiziert und dann die Entfernung zur Fahrbahn hinunter abgeschätzt.

»Wenn wir gut Maß nehmen, kriegen wir Sie hier raus«, hatte sie gesagt.

Maß nehmen? Unbehaglich war Langdon ihrem Blick gefolgt. Ein riesiger Sattelschlepper mit Pritschenauflieger näherte sich der roten Ampel unter dem Fenster. Die Ladefläche war mit einer großen Plane zugedeckt

»Wenn Sie glauben, Sophie, dass ich da runter…«

»Holen Sie den Minisender aus der Tasche.«

Neugierig geworden, fummelte Langdon den Metallknopf aus seinem Jackett heraus. Sophie nahm ihm den Sender ab, ging zum Waschbecken, drückte den Knopf mit dem Daumen tief in ein feuchtes Stück Seife und schmierte das Loch wieder zu.

Sie drückte Langdon die Seife in die Hand; dann zerrte sie unter dem Waschbecken den schweren zylindrischen Edelstahlbehälter für die gebrauchten Handtücher hervor. Bevor Langdon

Einspruch erheben konnte, hielt Sophie den Behälter wie einen Rammbock vor sich und stürmte auf das Fenster los. Der Boden des Behälters krachte mitten in die Scheibe. Glas splitterte und flog hinaus in die Dunkelheit.

Das ohrenbetäubende Schrillen einer Alarmglocke erklang direkt über ihren Köpfen.

»Geben Sie mir die Seife!«, rief Sophie, die den Lärm kaum zu übertönen vermochte. Langdon drückte ihr den Seifenquader in die Hand.

Sophie spähte zum wartenden Sattelschlepper hinunter, der keine vier Meter vom Gebäude entfernt vor der Ampel stand. Die Plane stellte ein angenehm großes ruhendes Ziel dar. Sophie holte tief Luft und warf das Seifenstück hinaus in die Nacht.

Als die Ampel auf Grün sprang und der LKW anfuhr, glitt das Stück Seife der Neigung folgend über die Plane und bis auf den Grund der Mulde in der Mitte der Ladefläche.

»Herzlichen Glückwunsch«, sagte Sophie und zerrte Langdon zur Tür. »Sie sind soeben aus dem Louvre geflohen!«

Sie hatten sich gerade noch hinter die Stellwände flüchten können, bevor ein von der Anstrengung des schnellen Laufens keuchender Fache auch schon auf der Bildfläche erschien.

Als der Feueralarm endlich verstummte, konnte Langdon die Martinshörner hören, die sich vom Louvre entfernten. *Ein Exodus der Polizei.* Fache war den Gang hinuntergestürmt und verschwunden. Die *Grande Galerie* war verlassen.

»Hier kommt nach fünfzig Metern ein Notausgang mit Treppenhaus«, sagte Sophie. »Die Wachposten haben sich verzogen. Lassen Sie uns verschwinden.«

Langdon beschloss, von nun an lieber den Mund zu halten.

Sophie Neveu war eindeutig cleverer als er.

s heißt, Saint-Sulpice sei das ungewöhnlichste Bauwerk von ganz Paris. Die Kirche, die über den Resten eines antiken Isis-Tempels errichtet worden war, entspricht in den Abmessungen ihres Grundrisses bis auf wenige Zentimeter der Kathedrale von Notre-Dame. Sie war Schauplatz der Taufen des Marquis de Sade und Baudelaires und der Hochzeit von Victor Hugo gewesen. Das der Kirche angeschlossene Priesterseminar kann auf eine gut dokumentierte Geschichte unorthodoxer Lehrmeinungen zurückblicken und war einst Versammlungsort zahlreicher Geheimgesellschaften.

In dieser Nacht war das geräumige Kirchenschiff still wie eine Gruft. Nur der schwache Duft nach Weihrauch, der von der Abendmesse noch in der Luft hing, ließ vermuten, dass es hier auch lebendiger zugehen konnte.

Silas spürte Schwester Sandrines Unbehagen, die ihn in die heilige Stätte führte. Es überraschte ihn nicht. Er war es gewöhnt, dass andere Menschen mit Furcht und Befremden auf sein Aussehen reagierten.

»Sie sind Amerikaner, nicht wahr?«, sagte die Nonne.

»Ich bin gebürtiger Franzose«, gab Silas zurück. »Meine Berufung hatte ich in Spanien. Jetzt studiere ich in den Vereinigten Staaten.«

Schwester Sandrine nickte. Sie war eine zierliche Frau mit ruhigen, freundlichen Augen. »Und Sie sind noch nie in Saint-Sulpice gewesen?«

»Das ist schon fast eine Sünde, das gebe ich zu.«

»Am Tage ist die Kirche viel schöner.«

»Da bin ich sicher. Umso dankbarer bin ich Ihnen, dass Sie mich heute Nacht eingelassen haben.«

»Der Abbé hat mich darum gebeten. Sie haben offenbar einflussreiche Freunde.«

Wenn du wüsstest, dachte Silas.

Silas folgte Schwester Sandrine den Mittelgang der Kirche entlang. Die Schlichtheit des Gotteshauses überraschte ihn. Ganz anders als Notre Dame mit ihren farbenfrohen Fresken, den vergoldeten Altären und den warmen Holztönen der Schnitzereien war Saint-Sulpice karg und kalt. Silas fühlte sich an die schlichten Kathedralen Spaniens erinnert. Die Kargheit ließ das Innere der Kirche noch gewaltiger erscheinen. Als Silas zu den Rippen des Gewölbes hinaufschaute, bekam er das Gefühl, unter dem Rumpf eines gewaltigen, kieloben schwimmenden Schiffes zu stehen.

Ein passendes Bild, dachte er. *Das Schiff der Bruderschaft wird bald ein für alle Mal kentern …*

Silas wurde ungeduldig. Er wollte sich ans Werk machen. Hoffentlich verschwand die Nonne bald. Sie war eine zarte Frau. Er hätte sie mühelos ausschalten können, doch er hatte gelobt, auf Gewalt zu verzichten, es sei denn, Gewaltanwendung war unumgänglich. *Sie hat den Schleier genommen. Außerdem kann sie nichts dafür, dass ihre Kirche von der Bruderschaft als Versteck für den Schlussstein missbraucht wird. Sie soll nicht der Sündenbock für die Vergehen anderer sein.*

»Es ist mir sehr unangenehm, Schwester, dass Sie meinetwegen aus dem Schlaf gerissen wurden.«

»Schon gut. Sie sind ja nur für kurze Zeit in Paris. Da sollten Sie sich Saint-Sulpice nicht entgehen lassen. Ist Ihr Interesse an dieser Kirche architektonischer oder eher historischer Natur?«

»Um ehrlich zu sein, ist es spiritueller Natur, Schwester.«

Sie lachte geschmeichelt. »Das dürfte sich von selbst verstehen. Ich habe mich einfach nur gefragt, womit ich meine Führung beginnen soll.«

Silas' Blick wurde vom Altar angezogen. »Es wird nicht nötig sein, dass Sie mich führen. Sie sind bereits mehr als freundlich zu mir gewesen. Jetzt finde ich mich selbst zurecht.«

»Es wäre mir aber ein Vergnügen. Außerdem bin ich nun schon einmal wach.«

Sie hatten die vorderste Bankreihe erreicht. Silas blieb stehen. Bis zum Altar waren es nur noch fünfzehn Meter. Er wandte sich mit seiner großen, wuchtigen Gestalt der kleinen Frau zu. Sie blickte in seine roten Albinoaugen. Silas spürte ihre Beklemmung. »Schwester, ich möchte nicht unhöflich erscheinen, aber ich pflege ein Gotteshaus nicht zu betreten, um wie ein Tourist darin herumzulaufen. Wäre es Ihnen sehr unangenehm, mich ein Weilchen ungestört beten zu lassen, bevor ich mich umschaue?«

Schwester Sandrine zögerte. »Natürlich nicht. Ich werde mich zurückziehen und hinten in der Kirche auf Sie warten.«

Silas blickte auf sie hinunter und legte ihr sanft, aber bestimmt die Hand auf die Schulter. »Es ist mir schon unangenehm genug, Schwester, dass Sie meinetwegen geweckt worden sind. Es wäre ungehörig, Sie zu bitten, noch länger aufzubleiben. Bitte, gehen Sie wieder zu Bett. Ich kann dieses wundervolle Gotteshaus auch alleine genießen. Und den Weg hinaus finde ich auch ohne Sie.«

Schwester Sandrine sah ihn unbehaglich an. »Und Sie fühlen sich nicht im Stich gelassen?«

»Nicht im Geringsten. Ein frommes Gebet ist ein einsames Vergnügen.«

»Wie Sie wünschen.«

Silas nahm die Hand von Sandrines Schulter. »Schlafen Sie wohl, Schwester. Der Friede des Herrn sei mit Ihnen.«

»Und mit Ihnen.« Sandrine ging zur Treppe der Empore. »Bitte achten Sie darauf, dass Sie beim Hinausgehen die Tür fest hinter sich zuziehen.«

»Ganz bestimmt.« Silas sah ihr nach, wie sie die Stufen hinauf verschwand. Er kniete sich in die erste Bank. Der Bußgürtel schnitt ihm schmerzhaft ins Fleisch.

»Mein Herr und Gott, ich widme dir dieses Werk, das ich heute beginne ...«

Hoch oben über dem Kirchenraum spähte Schwester Sandrine im Schatten der Orgelempore durch das Schnitzwerk der Balustrade zu dem Mönch hinunter, der tief unten kniete. Jähe Furcht hatte mit kalter Hand nach ihrer Seele gegriffen. War dieser mysteriöse Besucher der Feind, vor dem man sie gewarnt hatte? War mit der heutigen Nacht jener Augenblick gekommen, die Befehle auszuführen, die sie seit vielen Jahren hütete?

Sandrine beschloss, hier in der Dunkelheit zu warten und jede Bewegung des Besuchers im Auge zu behalten.

20. KAPITEL

Sophie Neveu und Robert Langdon traten aus der Finsternis hervor und schlichen die *Grande Galerie* hinunter zum Treppenhaus mit dem Notausgang.

Langdon hatte das Gefühl, im Finstern ein Puzzle zusammensetzen zu müssen. Die jüngste Entwicklung dieser mysteriösen Angelegenheit war mehr als beunruhigend.

Der Capitaine will dir einen Mord anhängen.

»Glauben Sie, Fache könnte die Nachricht selbst auf den Boden geschrieben haben?«, flüsterte er Sophie zu.

Sie drehte sich nicht einmal um. »Ach was.«

Langdon war da nicht so sicher. »Er scheint fest entschlossen zu sein, mich zum Mörder abzustempeln. Vielleicht hat er sich überlegt, dass die Beweise gegen mich wasserdicht erscheinen, wenn er meinen Namen auf den Boden schreibt.«

»Die Fibonacci-Folge? Das P.S.? Die Hinweise auf da Vinci und den Weiblichkeits-Symbolismus? Nein, das war nicht Fache. Das kann nur mein Großvater gewesen sein.«

Langdon musste zugeben, dass sie Recht hatte. Die Symbole passten zu gut zusammen – das Pentagramm, da Vincis Proportionsskizze nach Vitruv, der Bezug auf das göttlich Weibliche und sogar die Fibonacci-Folge. Eine kohärente Symbolstruktur, wie der Fachmann sagen würde. Eines fügte sich wunderbar ins andere.

»Und dann war da noch Großvaters Anruf bei mir«, sagte Sophie. »Sein Anruf heute Nachmittag. Er hat gesagt, er müsse mir unbedingt etwas anvertrauen. Ich bin sicher, die Nachricht auf dem Boden des Louvre war sein letzter Versuch, mir etwas sehr Wichtiges mitzuteilen – und er muss der Meinung gewesen sein, dass Sie mir bei der Lösung des Rätsels helfen können.«

Langdon runzelte die Stirn. *O, Draconian devil, oh, lame saint!* Er wünschte, er könnte die Botschaft verstehen – zu Sophies Beruhigung und zu seiner eigenen. Seit er die geheimnisvollen Worte gesehen hatte, war seine Lage prekärer geworden. Auch der vorgetäuschte Sprung aus dem Toilettenfenster dürfte ihm bei Fache keine Pluspunkte eingetragen haben. Langdon hatte seine Zweifel, dass der Capitaine es spaßig fand, einem Stück Seife nachzujagen, um es im Namen des Gesetzes zu verhaften.

»Wir sind gleich da«, sagte Sophie.

»Was meinen Sie – könnten die Zahlen in der Botschaft Ihres Großvaters den Schlüssel zum Verständnis der anderen Zeilen enthalten?«, fragte Langdon nachdenklich. Er hatte sich einst mit Handschriften Bacons beschäftigt, die epigrammatische Ziffern mit verschlüsselten Hinweisen zur Entzifferung anderer Textteile enthielten.

»Ich denke schon den ganzen Abend über diese Zahlen nach«, sagte Sophie. »Über ihre Summen, Quotienten und Produkte, aber ich kann mir keinen Reim darauf machen. Mathematisch gesehen ist die Anordnung rein zufällig. Kryptographischer Unsinn.«

»Dennoch gehört jede dieser Zahlen zur Fibonacci-Folge. Das kann doch kein Zufall sein.«

»Ist es auch nicht. Mit den Fibonacci-Zahlen hat mir mein Großvater einen Wink mit dem Zaunpfahl gegeben – wie mit der Benutzung des Englischen und seiner Körperhaltung analog meinem Lieblingskunstwerk von da Vinci. Nicht zu vergessen das Pentagramm, das er sich auf den Leib gemalt hat.«

»Das Pentagramm hat eine besondere Bedeutung für Sie?«

»Ja, sicher. Bis jetzt bin ich leider noch nicht dazu gekommen, es Ihnen zu erzählen, aber als ich ein kleines Mädchen war, hatte das Pentagramm für meinen Großvater und mich eine ganz eigene Bedeutung. Wir haben zum Spaß oft Tarot gespielt, und jedes Mal hat er mir als Schicksalskarte ein Blatt von den Pentagrammen zugespielt. Ich bin sicher, dass er gemogelt hat, aber das mit den Pentagrammen ist unser kleiner Privatscherz gewesen.«

Langdon wurde hellhörig. *Tarot?* In diesem mittelalterlichen italienischen Kartenspiel wimmelte es geradezu von versteckter häretischer Symbolik. Langdon hatte dem Tarot in seinem neuen Buch ein ganzes Kapitel gewidmet. Die zweiundzwanzig Karten des Spiels trugen Namen wie *die Päpstin, die Kaiserin, der Stern*. Das Tarotspiel war ursprünglich dazu benutzt worden, von der Kirche unterdrückte Glaubenssätze zu verbreiten. Seiner mystischen Qualitäten wegen stand Tarot bei Wahrsagern auch heute noch hoch im Kurs.

Im Tarot ist das Pentagramm die Schicksalskarte für die Göttin, dachte Langdon. Wenn Saunière seiner Enkelin ein bestimmtes Blatt zugemogelt hatte, war das Pentagramm in der Tat ein gelungener Scherz.

Sie erreichten den Notausgang. Vorsichtig zog Sophie an der Tür. Kein Alarm – nur die Türen, die *unten* ins Freie führten, waren gesichert. Langdon lief mit Sophie eine schmale Treppenflucht hinunter.

»Hat Ihr Großvater im Zusammenhang mit dem Pentagramm irgendetwas von Mutterkult oder von Vorbehalten der katholischen Kirche gesagt?«, wollte Langdon wissen.

Sophie schüttelte den Kopf. »Ich habe mich mehr für die mathematische Seite der Sache interessiert, die Fibonacci-Folge, die Zahl Phi, den goldenen Schnitt ...«

Langdon war perplex. »Ihr Großvater hat mit Ihnen über die Zahl Phi gesprochen?«

»Natürlich. Der goldene Schnitt.« Sie schaute schelmisch drein. »Er hat oft im Scherz gesagt, ich wäre bereits zur Hälfte göttlich ... wegen der drei Buchstaben mitten in meinem Namen, verstehen Sie.«

Langdon musste kurz nachdenken, bis es funkte: *So-phi-e*.

Während er weitereilte, ließ ihn der Gedanke an die Zahl Phi nicht los. Saunières Geflecht von Hinweisen war noch dichter, als er anfangs angenommen hatte.

Da Vinci … die Fibonacci-Folge … das Pentagramm.

So unwahrscheinlich es schien, es gab für alles einen gemeinsamen Nenner. Er spielte in der Kunstgeschichte eine so bedeutende Rolle, dass Langdon in seinen Vorlesungen oft mehrere Stunden auf dieses Thema verwendete.

Phi …

Langdon sah sich plötzlich wieder im Hörsaal in Harvard bei seiner Vorlesung über »Symbolik in der Kunst«. Er schrieb seine Lieblingszahl an die Tafel:

$$1,618$$

Langdon drehte sich um und ließ den Blick über seine Studenten schweifen. »Wer kann mir etwas zu dieser Zahl sagen?«

Ein langbeiniger Mathematikstudent höheren Semesters hob die Hand. »Das ist die Zahl Phi.« Er sprach es aus wie »Fie«.

»Sehr gut, Stettner«, lobte Langdon.

»Nicht zu verwechseln mit Pi«, ergänzte Stettner grinsend. »Wir Mathematiker sagen immer, Phi ist um ein H größer als Pi.«

Langdon musste lachen, doch außer ihm schien keiner den Witz verstanden zu haben.

Stettner machte ein enttäuschtes Gesicht.

»Die Zahl Phi – eins Komma sechs eins acht – spielt in der Kunst eine wichtige Rolle. Kann mir jemand sagen, was der Grund dafür ist?«

Stettner versuchte, noch ein paar Punkte zu machen. »Weil die Zahl so schön ist.«

Allgemeines Gelächter.

»Langsam«, sagte Langdon. »Stettner hat auch damit Recht. Phi gilt weithin als die harmonischste Zahl der gesamten Schöpfung.«

Das Gelächter erstarb, und Stettner strahlte.

Während Langdon einige Dias in den Projektor einlegte, erklärte er, dass die Zahl Phi aus der Fibonacci-Folge abgeleitet war. Diese Zahlenreihe war deshalb bemerkenswert, weil nicht nur jedes Glied die Summe der beiden vorangehenden Glieder darstellte, sondern auch der Quotient der jeweiligen Glieder erstaunlicherweise stets sehr eng um den Wert 1,618 streute – die Zahl Phi.

»Ungeachtet der anscheinend mystischen mathematischen Herkunft der Zahl Phi liegt ihre geradezu unglaubliche Bedeutung darin, dass sie in der Natur eine grundlegende Rolle spielt. Pflanzen, Tiere, sogar der Mensch weisen in ihren Proportionen Maßverhältnisse auf, die mit einer geradezu unheimlichen Konstanz den Wert Phi zu eins, also den Kehrwert von Phi aufweisen. Die Allgegenwärtigkeit von Phi in der Natur«, fuhr Langdon fort, während er das Licht löschte, »ist so signifikant, dass es kein Zufall sein kann. Die Alten haben deshalb geglaubt, mit der Zahl Phi habe der Schöpfer ein Ordnungsmuster in die Welt getragen. Sie nannten diese Verhältniszahl den ›goldenen Schnitt‹.«

»Kann man das wirklich so sagen?«, meldete sich eine junge Studentin in der ersten Reihe zu Wort. »Ich mache bald mein Examen in Biologie, aber der goldene Schnitt ist mir in der Natur noch nirgends untergekommen.«

»Nein?« Langdon lächelte. »Haben Sie je das Verhältnis der männlichen zu den weiblichen Tieren in der Population eines Bienenstocks untersucht?«

»Sicher. Die weiblichen Insekten sind immer in der Überzahl.«

»Richtig. Dann sollten Sie auch wissen, dass sich in jedem Bienenstock der Welt jedes Mal der gleiche Wert ergibt, wenn man die Zahl der weiblichen Exemplare durch die Zahl der männlichen dividiert, und zwar der Wert Phi.«

»Das kann nicht sein!«, stieß die junge Frau hervor.

»Das kann sehr wohl sein«, gab Langdon zurück und projizierte das Bild eines spiralförmigen Muschelgehäuses auf die Leinwand. »Kennen Sie das?«

»Das ist ein Nautilus«, sagte die Biologiestudentin. »Ein Kopffüßer, der zur Regulierung des Auftriebs Gas in sein Gehäuse pumpen kann.«

»So ist es. Und können Sie erraten, in welchem Verhältnis

die Durchmesser der einzelnen Spiralkammern seines Gehäuses zueinander stehen?«

Die Studentin betrachtete unsicher die Bogenschwünge des Kalkpanzers.

»Ganz richtig – Phi.« Langdon nickte. »Die Proportion des goldenen Schnitts. Eins Komma sechs eins acht zu eins.«

Die Studentin machte große Augen.

Langdon projizierte das nächste Bild auf die Leinwand, die Nahaufnahme einer reifen Sonnenblumendolde. »Sonnenblumenkerne wachsen in gegenläufigen Spiralen. Und nun raten Sie mal, in welchem Verhältnis die aufeinander folgenden Wachstumsspiralen zueinander stehen.«

»Phi?«, tönte es aus dem Auditorium.

»Volltreffer!« Langdon projizierte nun in rascher Folge ein Dia nach dem anderen: Tannenzapfen, Blattanordnungen an Pflanzenstängeln, Segmentierungen von Insektenleibern – und überall gab es die erstaunliche Übereinstimmung mit dem goldenen Schnitt.

»Das ist ja alles sehr interessant«, rief jemand im Auditorium, »aber was hat das mit Kunst zu tun?«

»Das will ich Ihnen sagen.« Langdon ließ ein anderes Dia erscheinen. Es zeigte ein blassgelbes Pergament mit Leonardo da Vincis berühmtestem männlichen Akt – der Proportionsstudie nach Vitruv, so benannt nach dem bedeutenden römischen Architekten Marcus Vitruvius, der in seiner Schrift *de architectura* den goldenen Schnitt gepriesen hatte.

»Niemand hat besser als Leonardo da Vinci die göttliche Struktur des menschlichen Körpers begriffen. Er hat sogar Leichen ausgegraben, um an den Körpern die Proportionen des Menschen zu studieren. Er hat als Erster gezeigt, dass der Körper des Menschen aus Elementen aufgebaut ist, deren Maßverhältnisse *immer* den Wert von Phi ergeben.«

Die Studenten blickten Langdon skeptisch an.

»Sie glauben mir nicht? Dann nehmen Sie das nächste Mal, wenn Sie sich unter die Dusche stellen, ein Zentimetermaß mit.«

Einige Zuhörer kicherten.

Langdon lächelte. »Nicht nur die Machos unter Ihnen. Nein, *alle*, Männlein und Weiblein. Messen Sie den Abstand von Ihrem Scheitel zum Fußboden und teilen Sie den Wert durch den Abstand vom Nabel zum Boden. Sie werden sich wundern, welche Zahl dabei herauskommt.«

»Phi?«, rief jemand.

»Gut geraten«, gab Langdon zurück. »Eins Komma sechs eins acht. Noch ein Beispiel gefällig? Nehmen Sie den Abstand von Ihrer Schulter zu den Fingerspitzen und teilen Sie ihn durch den Wert der Länge des Armes vom Ellbogen zu den Fingerspitzen: wieder Phi. Noch ein Beispiel gefällig? Hüfte zum Boden dividiert durch Knie zum Boden. Noch einmal Phi. Fingerglieder, Zehen, die Abschnitte des Rückgrats: Phi, Phi und Phi. Jede und jeder von Ihnen ist eine wandelnde Huldigung an den goldenen Schnitt.«

Sogar in dem abgedunkelten Raum war die allgemeine Verwunderung deutlich wahrzunehmen. Langdon spürte eine vertraute innere Wärme: Das war der Grund, weshalb er Lehrer geworden war. »Wie Sie sehen, hat das scheinbare Chaos der Erscheinungen der Welt eine tiefere Ordnung. Als die Alten auf die Zahl Phi gestoßen sind, glaubten sie, über den Baustein gestolpert zu sein, aus dem Gott die Welt zusammengesetzt hat, was sie in ihrer Verehrung der Natur bestärkte. Das kann man gut verstehen, nicht wahr? Gottes Hand ist in der Natur überall gegenwärtig. Bis zum heutigen Tag gibt es heidnische Kulte und Religionen, die Mutter Erde verehren. Viele Menschen feiern die Natur nicht anders als die vorchristlichen Heiden, und sie wissen es noch nicht einmal. Das Geheimnis der göttlichen Proportionen des goldenen Schnitts war der Schöpfung von Anfang an immanent. Der Mensch ist ein Spieler auf dem Spielfeld der Natur. In der Kunst versucht er, es dem Schöpfer gleichzutun. Sie können sich deshalb jetzt schon darauf einstellen, dass der goldene Schnitt uns im Laufe dieses Semesters noch oft begegnen wird.«

In der verbliebenen halben Stunde führte Langdon Dias mit Werken von Michelangelo, Albrecht Dürer, Leonardo da Vinci und vielen anderen alten Meistern vor, anhand deren er die bewusste und konsequente Anwendung des goldenen Schnitts auf die Komposition von Kunstwerken demonstrierte. Er zeigte das Prinzip des goldenen Schnitts in der Architektur der griechischen Tempel, der ägyptischen Pyramiden und sogar des Gebäudes der Vereinten Nationen in New York. Die Zahl Phi erschien in den kompositorischen Strukturen von Mozartsonaten, Beethovens Fünfter Symphonie und Werken Bartóks, Debussys und Schuberts. Sogar Stradivari berücksichtigte beim Bau seiner berühmten Violinen diese Zahl, um die optimale Lage der F-Löcher zu bestimmen.

Langdon trat wieder an die Tafel. »Zum Schluss möchte ich wieder auf die Symbole zurückkommen«, sagte er und zeichnete aus fünf einander überschneidenden Linien einen fünfzackigen Stern. »Das ist eines der gewichtigsten Symbole, mit dem Sie in diesem Semester Bekanntschaft machen werden. Es wird als Pentagramm bezeichnet – die Alten nannten es auch das Pentakel oder den Drudenfuß – und gilt in vielen Kulturen als Symbol des Göttlichen und des Magischen. Kann mir jemand verraten, warum?«

Stettner, der Mathematik-Diplomand, hob die Hand. »Weil die Linien sich auf eine Weise schneiden, dass die von ihnen gebildeten Abschnitte im Verhältnis des goldenen Schnitts zueinander stehen.«

Langdon nickte dem jungen Mann anerkennend zu. »Sehr gut. Jawohl, sämtliche Längenverhältnisse eines fünfzackigen Sterns entsprechen der Zahl Phi und machen dieses Symbol damit zum idealen Ausdruck der göttlichen Proportionen des goldenen Schnitts. Aus diesem Grund war der fünfzackige Stern stets das Symbol für die Schönheit und Vollkommenheit der Muttergottheit und die Heiligkeit des Weiblichen.«

Der weibliche Teil des Auditoriums strahlte.

»Noch eins, Leute. Wir haben Leonardo da Vinci heute nur kurz angesprochen, aber wir werden uns im Laufe dieses Semesters noch eingehender mit ihm beschäftigen. Seine Verehrung für die alten weiblichen Gottheiten ist bestens dokumentiert. Morgen werde ich Ihnen sein Fresko *Das letzte Abendmahl* vorführen, das eine der erstaunlichsten Huldigungen an das Weibliche darstellt, die wir kennen.«

»Im Ernst?«, fragte jemand. »Ich dachte immer, im Mittelpunkt von Leonardos *Letztem Abendmahl* steht Jesus.«

Langdon zwinkerte dem Fragesteller zu. »In diesem Gemälde sind Symbole an Stellen versteckt, auf die Sie im Traum nicht kommen würden...«

»Was ist mit Ihnen?«, flüsterte Sophie. »Wir sind gleich da. Los!«

Langdon schien aus weiter gedanklicher Ferne aufzutauchen. Von einer plötzlichen Eingebung erfasst, stand er wie gelähmt auf der Treppe.

Sophie schaute sich nach ihm um.

O, Draconian devil! Oh, lame saint!

Ist die Lösung so einfach?, fragte sich Langdon.

Doch es konnte gar nicht anders sein.

Während ihm die Zahl Phi und die Gemälde da Vincis durch den Kopf wirbelten, hatte Robert Langdon unvermutet mit einem Schlag Jacques Saunières Code entziffert.

»O, Draconian devil«, sagte er, »oh, lame saint... einfacher kann der Code gar nicht sein!«

Sophie hielt auf dem Treppenabsatz unter Langdon inne und schaute verwirrt zu ihm hinauf. *Ein Code?* Sie hatte die ganze Nacht schon über diese zwei Zeilen nachgedacht, aber nirgendwo einen Code erkennen können, schon gar nicht einen einfachen.

»Sie haben es doch selbst gesagt.« Langdons Stimme bebte vor Aufregung. »Die Zahlen der Fibonacci-Reihe ergeben nur in der richtigen Reihenfolge einen Sinn, sonst sind sie mathematischer Nonsens.«

Sophie begriff nicht, worauf er hinauswollte. *Die Fibonacci-Zahlen?* Sie war überzeugt, dass ihr einziger Sinn darin bestanden hatte, die Dechiffrierabteilung und damit sie selbst auf den Plan zu rufen. *Sie haben auch noch einen anderen Sinn?* Sie schob die Hand in die Tasche und zog das Blatt mit dem Ausdruck der Nachricht ihres Großvaters hervor.

13-3-2-21-1-1-8-5
O, Draconian devil!
Oh, lame saint!

Was war mit diesen Zahlen?

»Er hat die Fibonacci-Reihe durcheinander geschüttelt, damit wir uns etwas dabei denken«, sagte Langdon und nahm das Blatt in die Hand. »Sein Verfahren mit den Zahlen ist ein Hinweis darauf, wie man mit dem Rest der Botschaft umgehen soll. Die Zeilen als solche bedeuten gar nichts. Das sind lediglich ein paar Buchstaben ohne jede Ordnung.«

Sophie hatte sofort begriffen, worauf Langdon hinauswollte. Die Lösung schien geradezu lächerlich einfach zu sein. »Sie meinen, diese Botschaft ist … *une anagramme?*« Sie sah ihn skeptisch an. »Wie ein Rebus aus der Rätselzeitung?«

Langdon konnte Sophies Zweifel gut verstehen. Die wenigsten Leute wussten, dass Anagramme mehr waren als ein kurzweiliges Vergnügen für Zeitungsleser. Sie hatten eine reichhaltige Geschichte voller Bezüge zu heiligen Symbolen.

Die mystischen Lehren der Kabbala stützten sich in hohem Umfang auf Anagramme – die Neuordnung der Buchstaben hebräischer Texte, wodurch diesen Texten eine neue Bedeutung zukam. Während der gesamten Renaissancezeit waren die französischen Könige von der heiligen Macht der Anagramme so sehr überzeugt, dass sie an ihrem Hof königliche Anagrammatiker beschäftigten, die ihnen durch die anagrammatische Analyse wichtiger Dokumente zu klügeren Entscheidungen verhelfen sollten. Die alten Römer bezeichneten das Studium der Anagramme als *ars magna*, »große Kunst«.

Langdon sah Sophie in die Augen. »Was Ihr Großvater sagen wollte, hatten wir die ganze Zeit schon vor der Nase. Er hat uns Hinweise in Hülle und Fülle hinterlassen, damit wir es sehen.«

Ohne ein weiteres Wort zog er einen Kugelschreiber heraus und schrieb die Buchstaben der einzelnen Zeilen in einer anderen Anordnung auf.

O, Draconian devil!
Oh, lame saint!

war das lückenlose Anagramm von

Leonardo da Vinci!
The Mona Lisa!

21. KAPITEL

D ie Mona Lisa.

Einen Augenblick lang vergaß Sophie, dass sie soeben noch über die Nottreppen aus dem Louvre hatte fliehen wollen.

Ihr Schock wurde nur noch von ihrer Verlegenheit übertroffen, weil sie nicht von allein auf die Lösung gekommen war. Ihre berufsbedingte Fixierung auf komplizierte Zusammenhänge hatte sie ein schlichtes Wortspiel übersehen lassen, doch es hätte ihr nicht entgehen *dürfen*. Schließlich war sie mit Anagrammen bestens vertraut, vor allem mit solchen in englischer Sprache.

Als Sophie ein Kind gewesen war, hatte ihr Großvater gern Anagramme als Übungsfeld für die englische Rechtschreibung benutzt. Einmal hatte er das englische Wort »planets« für Planeten aufgeschrieben und Sophie mit der Behauptung neugierig gemacht, dass man aus den paar Buchstaben dieses Wortes zweiundneunzig andere englische Wörter verschiedener Länge zusammensetzen könne. Sophie hatte sich drei Tage lang mit einem englischen Wörterbuch hingesetzt und sämtliche zweiundneunzig Wörter ausgeknobelt.

»Ich kann nicht begreifen, wie Ihr Großvater in den wenigen Minuten vor seinem Tod noch in der Lage gewesen ist, sich ein so raffiniertes Anagramm auszudenken«, sagte Langdon mit einem Blick auf den Computerausdruck.

Sophie wusste es sehr wohl, und der Gedanke war ihr erst recht peinlich. *Dass du das nicht gesehen hast!* Sie erinnerte sich daran, dass ihr Großvater, der Kunstkenner und Liebhaber von

Wortspielen, sich als junger Mann zum Spaß Anagramme auf die Titel berühmter Kunstwerke ausgedacht hatte. Eines seiner Anagramme hatte ihn sogar in gewisse Schwierigkeiten gebracht. Beim Interview mit einer amerikanischen Kunstzeitschrift hatte er sein Missfallen an der modernen Kunstrichtung des Kubismus zum Ausdruck gebracht, indem er bemerkte, der Titel von Picassos Meisterwerk *Les Demoiselles d'Avignon* (Die Mädchen von Avignon) sei ein perfektes Anagramm von *vile meaningless doodles* (eitles nichtiges Gekritzel).

Die Picasso-Liebhaber waren alles andere als begeistert.

»Mein Großvater hat sich das Mona-Lisa-Anagramm vermutlich schon vor langer Zeit überlegt«, meinte Sophie mit einem Seitenblick auf Langdon. *Und heute Nacht war er gezwungen gewesen, es als improvisierten Code einzusetzen.* Die Stimme ihres Großvaters hatte mit einer Klarheit aus dem Jenseits zu ihr herübergerufen, die sie betroffen machte.

Leonardo da Vinci!

Die Mona Lisa!

Sophie hatte keine Ahnung, weshalb seine letzten Worte ein Verweis auf das berühmte Gemälde waren, aber sie konnte sich nur einen Grund vorstellen. Einen beunruhigenden Grund.

Es waren gar nicht seine letzten Worte.

Wollte er sie zum berühmtesten Gemälde der Welt schicken, der *Mona Lisa*? Hatte ihr Großvater dort eine Nachricht für sie hinterlassen? Es schien durchaus plausibel. Das Gemälde hing in der *Salle des États*, einem abgeschlossenen Ausstellungsraum, der nur von der *Grande Galerie* aus zugänglich war. Sophie fiel ein, dass man die Leiche ihres Großvaters nur zwanzig Meter vom Saaleingang entfernt aufgefunden hatte.

Vor seinem Tod hätte er ohne weiteres noch zur Mona Lisa gehen können.

Innerlich hin und her gerissen schaute Sophie das Nottreppenhaus hinauf. Sie wusste, dass sie Langdon unverzüglich aus dem Museum schaffen musste, doch eine innere Stimme forderte genau das Gegenteil. Wenn ihr Großvater ihr ein Geheimnis mitzuteilen hatte, konnte es kaum einen geeigneteren Ort dafür geben als Leonardo da Vincis *Mona Lisa*.

Ihr erster Besuch beim berühmtesten Gemälde der Welt kam Sophie in den Sinn. Sie war damals noch ein Kind gewesen...

»Nur noch ein kleines Stück«, hatte ihr Großvater geflüstert, als er Sophie an ihrer winzigen Hand nach Besuchsschluss durch das verlassene Museum geführt hatte.

Sie war damals sechs Jahre alt gewesen. Der Blick hinauf zur gewaltigen Decke und hinunter auf das verwirrende Muster des Fußbodens verlieh ihr das Gefühl, klein und unbedeutend zu sein. Das verlassene Museum machte ihr Angst, doch ihr Großvater sollte nichts davon merken. Sophie setzte ein entschlossenes Gesicht auf und ließ seine Hand los.

»Gleich da vorn ist der *Salle des États*«, hatte Großvater ihr gesagt. Die Vorfreude war ihm anzusehen, doch Sophie wollte lieber nach Hause. Sie kannte die *Mona Lisa* aus Büchern und konnte gar nicht verstehen, warum die Erwachsenen einen solchen Wirbel um das Gemälde machten. Ihr gefiel es nicht einmal.

»*C'est ennuyeux*«, murrte sie.

»Wenn es dich langweilt, musst du sagen: ›It's boring‹«, antwortete der Großvater. »Französisch in der Schule und Englisch zu Hause.«

»Der Louvre ist aber nicht zu Hause«, hatte sie widersprochen.

Der Großvater hatte ein wenig müde, aber geduldig gelächelt. »Da hast du Recht. Dann lass uns nur zum Spaß Englisch sprechen.«

Sophie hatte eine Schnute gezogen, war aber brav weitermarschiert. Als sie den *Salle des États* betraten, huschte ihr suchender Blick durch den Raum und blieb an der Stelle ruhen, wo unverkennbar der Ehrenplatz war – die Mitte der rechten Wand, an der hinter einer Schutzscheibe aus Plexiglas ein einsames Porträt hing. Der Großvater blieb an der Schwelle stehen und deutete auf das Gemälde.

»Geh zu ihr, Sophie«, sagte er. »Nicht viele Leute haben die Ehre einer Privataudienz.«

Sophie schluckte ihren Widerwillen hinunter und näherte sich tapfer dem Gemälde. Nach allem, was sie von der *Mona Lisa* gehört hatte, kam es ihr vor, als müsste sie einer Königin Guten Tag sagen. Vor der schützenden Plexiglasscheibe angekommen, hob sie erwartungsvoll den Blick und nahm alles in sich auf.

Sie wusste nicht genau, was sie eigentlich erwartet hatte, aber ganz bestimmt nicht, dass jegliches Gefühl ausblieb. Kein plötzliches Erstaunen, keine Verwunderung, keine tiefe Ehrfurcht. Das berühmte Gesicht sah aus wie in den Bildbänden. Eine Zeit lang, die Sophie wie eine Ewigkeit vorkam, hatte sie schweigend davor gestanden und darauf gewartet, dass etwas passierte.

»Was hältst du von ihr?«, hatte Großvater gefragt, der inzwischen hinter sie getreten war. »Ist sie nicht schön?«

»Sie ist zu klein.«

Saunière hatte gelächelt. »Auch du bist klein und trotzdem schön.«

Ich bin nicht schön! Sophie hasste ihre roten Haare und ihre Sommersprossen. Außerdem war sie größer als die meisten Jungen in ihrer Klasse. Sie betrachtete wieder die *Mona Lisa*. »Sie sieht noch schlechter aus als in den Büchern. Ihr Gesicht ist irgendwie nebelig …«

»Auf Englisch heißt das ›foggy‹«, half ihr der Großvater.

»›Foggy‹«, wiederholte sie, denn das Gespräch würde nicht weitergehen, bevor sie das neue Wort wiederholt hatte, um es sich einzuprägen.

»Man nennt diese Art zu malen *sfumato*«, erklärte er. »Das bedeutet ›foggy‹ auf Italienisch. Es ist sehr schwer, dieses weiche Halblicht zu malen. Leonardo da Vinci hat diese Technik besser beherrscht als jeder andere.«

Das Gemälde hatte Sophie dennoch nicht gefallen. »Sie sieht aus, als würde sie etwas wissen … wie wenn Kinder an der Schule ein Geheimnis haben.«

Der Großvater lachte. »Das ist einer der Gründe, weshalb sie so berühmt ist. Die Leute wüssten nur zu gern, worüber sie lächelt.«

»Weißt *du*, worüber sie lächelt?«

Der Großvater hatte ihr zugewinkert. »Vielleicht. Eines Tages werde ich dir alles erzählen.«

Sophie hatte mit dem Fuß aufgestampft. »Ich hab dir doch gesagt, dass ich Geheimnisse nicht mag!«

»Prinzessin, das Leben ist voll von Geheimnissen«, hatte der Großvater erwidert. »Du kannst nicht alle auf einmal erfahren.«

»Ich gehe wieder hinauf«, erklärte Sophie. Ihre Stimme hallte durchs Treppenhaus.

»Zur *Mona Lisa?*« Langdon machte ein erschrockenes Gesicht. »Jetzt?«

Sophie wog das Risiko ab. »Ich stehe ja nicht unter Mordverdacht. Ich lasse es darauf ankommen. Ich muss herausfinden, was Großvater mir mitzuteilen versucht hat.«

»Und was ist mit der amerikanischen Botschaft?«

Sophie bekam ein schlechtes Gewissen, Langdon jetzt im Stich lassen zu müssen, nachdem sie ihm zur Flucht vor dem Gesetz verholfen hatte, aber sie sah keine andere Möglichkeit. Sie deutete die Treppe hinunter auf eine Stahltür. »Gehen Sie durch diese Tür, und folgen Sie den beleuchteten Zeichen zum Ausgang. Mein Großvater hat mit mir immer diesen Weg nach draußen genommen. Die Zeichen führen zu einem Drehgitter. Es öffnet sich nach draußen.« Sie hielt Langdon ihren Autoschlüssel hin. »Mir gehört der rote Smart auf dem Angestelltenparkplatz. Er steht direkt vor der Schranke. Können Sie den Weg zur amerikanischen Botschaft alleine finden?«

Langdon schaute auf den Schlüssel in ihrer Hand und nickte.

»Hören Sie«, sagte Sophie. Ihre Stimme war weicher geworden. »Ich glaube, mein Großvater hat mir bei der *Mona Lisa* eine Nachricht hinterlassen – vielleicht einen Hinweis auf seinen Mörder oder weshalb ich in Gefahr schwebe.« *Oder was mit meinen Angehörigen passiert ist.* »Ich muss unbedingt hin und nachsehen.«

»Aber wenn er Ihnen mitteilen wollte, weshalb Sie in Gefahr sind, warum hat er es nicht einfach vor seinem Tod auf den Boden geschrieben? Wozu diese umständlichen Wortspielereien?«

»Ich glaube, Großvater wollte nicht, dass jemand anders als ich erfährt, was er mir mitzuteilen hatte – nicht einmal die Polizei.«

Saunière hatte eindeutig alles getan, was in seiner Macht stand, um seiner Enkelin eine vertrauliche Mitteilung zukommen zu lassen. Er hatte einen Code benutzt, ihre geheimen Initialen verwendet und sie angewiesen, Robert Langdon zu suchen – eine kluge Anweisung, denn der amerikanische Symbolspezialist hatte den Code entziffert.

»Es mag seltsam klingen«, sagte Sophie, »aber ich habe das Gefühl, mein Großvater möchte, dass ich zur *Mona Lisa* gehe, bevor jemand anders dort auftaucht.«

»Ich komme mit.«

»Nein, auf keinen Fall! Wir wissen nicht, wie lange in der *Grande Galerie* die Luft noch rein ist. *Sie* müssen hier raus.«

Langdon schien zu überlegen, ob die Befriedigung seiner akademischen Neugier das Risiko wert war, Fache erneut in die Hände zu fallen, oder ob er nicht besser seinem gesunden Menschenverstand folgen sollte.

»Gehen Sie jetzt.« Sophie lächelte ihn dankbar an. »Ich sehe Sie dann in der Botschaft, Mr Langdon.«

Langdon blickte sie widerstrebend an. »Also gut, wir treffen uns dort, aber unter einer Bedingung«, sagte er mit fester Stimme.

Sophie sah ihn erstaunt an. »Und die wäre?«

»Dass Sie mich nicht mehr *Mr Langdon* nennen.«

Sophie sah den Anflug eines schelmischen Lächelns auf seinem Gesicht, und auch ihre Züge hellten sich ein wenig auf. »Viel Glück, Robert.«

Am Fuß der Treppe stieg Langdon der unverkennbare Geruch von Leinöl und Gipsstaub in die Nase. Ein Leuchtpfeil mit der Aufschrift *Sortie/Exit* wies in einen langen Korridor.

Langdon machte sich auf den Weg.

Rechter Hand tat sich eine düstere Restaurationswerkstatt auf, aus der ihm eine Heerschar von Skulpturen in unterschiedlichen Stadien des Zerfalls entgegenstarrte. Zur Linken befand sich eine

Flucht von Ateliers, die den Unterrichtsräumen für die Kunststudenten von Harvard ähnelten; darin waren Staffeleien, Gemälde, Paletten, Werkzeug zum Rahmen der Bilder zu sehen – eine Art Fließband zur Herstellung von Kunst.

Beim Weitergehen fragte er sich, ob er nicht im nächsten Augenblick in seinem Bett in Cambridge aus dem Schlaf auffahren würde. Der ganze Abend erschien ihm wie ein wirrer Traum. *Du bist im Begriff, aus dem Louvre zu verschwinden ... du bist auf der Flucht.*

Saunières raffinierte anagrammatische Botschaft beschäftigte ihn immer noch. Er hätte gern gewusst, was Sophie bei der *Mona Lisa* finden würde ... falls sie etwas fand. Sie war nicht davon abzubringen gewesen, dass ihr Großvater sie zu einem letztmaligen Besuch des berühmten Gemäldes aufgefordert hatte. Vieles schien für die Richtigkeit ihrer Interpretation zu sprechen, doch Langdon grübelte über einen beunruhigenden Widerspruch nach.

P. S. Robert Langdon suchen.

Saunière hatte Sophie aufgefordert, Robert Langdon zu suchen, dessen Namen er auf den Boden geschrieben hatte. Aber warum? Nur, damit Langdon seiner Enkelin helfen konnte, das Anagramm aufzulösen?

War das nicht ein bisschen dürftig?

Außerdem hatte Saunière keinen Grund zu der Annahme, dass Langdon ein Spezialist für Anagramme sein könnte. *Wir sind einander nie begegnet.* Wichtiger noch, Sophie war es nachgerade peinlich gewesen, dass nicht *ihr* die Lösung des Anagramms gelungen war. Sie hatte auf Anhieb die Fibonacci-Folge erkannt und hätte das Anagramm über kurz oder lang auch ohne Langdons Hilfe geknackt.

Sophie sollte das Anagramm selbst entschlüsseln. Langdon war sich da ziemlich sicher – aber damit tat sich in Saunières Logik plötzlich eine erklärungsbedürftige Lücke auf.

Was hat er von dir gewollt?, fragte Langdon sich auf seinem Weg den Gang hinunter. *Warum ist es Saunières letzter Wunsch gewesen, dass seine Enkelin, die ihn ablehnt, mich sucht? Was glaubt Saunière, das du weißt?*

Langdon blieb abrupt stehen. Mit aufgerissenen Augen stieß er die Hand in die Tasche und riss den Computerausdruck heraus.

P. S. Robert Langdon suchen.

Sein Blick ruhte auf zwei Buchstaben.

P. S.

Mit einem Mal sah Langdon die Lösung. Alles, was Jacques Saunière heute Nacht getan hatte, ergab plötzlich Sinn.

Er fuhr herum und starrte in die Richtung, aus der er gekommen war.

War es schon zu spät?

Darauf kam es jetzt nicht mehr an.

Er rannte zum Treppenhaus zurück.

ilas kniete in der ersten Bank. Er tat so, als würde er beten, in Wirklichkeit aber machte er sich mit der Örtlichkeit vertraut. Wie die meisten Kirchen besaß Saint-Sulpice den Grundriss eines lateinischen Kreuzes. Dort, wo sich das lange Mittelschiff mit dem kürzeren Querschiff kreuzte, in der Vierung, stand der Hauptaltar unter der Zentralkuppel – im heiligen und geheimnisvollen Herzen der Kirche.

Aber heute Nacht ist es anders, dachte Silas. *Saint-Sulpice verbirgt sein Geheimnis an anderer Stelle.*

Er drehte den Kopf nach rechts und schaute ins südliche Seitenschiff. Auf dem freien Stück Fußboden hinter den Bankreihen sah er jenen Gegenstand, den seine Opfer ihm genannt hatten.

Da ist sie.

Eingebettet in die grauen Granitplatten des Steinbodens schimmerte ein schmaler Messingstreifen wie ein goldener schräger Schmiss quer über den Boden des Gotteshauses. Auf der goldenen Linie waren wie auf einem Maßstab in regelmäßigen Abständen Markierungen angebracht. Es war ein Gnomon, hatte Silas erfahren, eine astronomische Vorrichtung aus heidnischer Zeit, einer Sonnenuhr nicht unähnlich. Touristen, Historiker und Nichtchristen aus der ganzen Welt kamen nach Saint-Sulpice, um diese berühmte Linie zu betrachten.

Die Rosenlinie.

Langsam ließ Silas seinen Blick den Messingstreifen entlanggleiten, der von rechts kommend in einem willkürlich erscheinenden Winkel unter Missachtung jeglicher Symmetrie schräg vor ihm vorbei den Kirchenbau durchschnitt und sogar den Hauptaltar nicht verschonte. Die Linie erschien Silas wie ein Floretthieb, der quer über ein schönes Gesicht führte. Sie teilte die Kommunionbank, bevor sie über die gesamte Breite der Kirche bis in die Ecke des nördlichen Seitenschiffs weiterlief, wo sie an das Fundament eines höchst seltsamen Gegenstandes stieß.

Eines gewaltigen ägyptischen Obelisken.

An dieser Stelle knickte die glänzende Rosenlinie im Winkel von neunzig Grad scharf nach oben ab und führte den Obelisken hinauf, bis sie in knapp elf Meter Höhe an der Spitze des pyramidenförmigen Aufsatzes endete.

Die Rosenlinie, dachte Silas. *Die Bruderschaft hat den Stein an der Rosenlinie versteckt.*

Als Silas am früheren Abend dem Lehrer berichtet hatte, der Stein sei im Innern von Saint-Sulpice verborgen, hatte der Lehrer skeptisch reagiert. Als Silas jedoch hinzufügte, dass alle vier Angehörigen der Bruderschaft einen präzisen Ort genannt hatten, der durch einen quer durch Saint-Sulpice verlaufenden Messingstreifen definiert sei, hatte der Lehrer erleichtert aufgeatmet. »Ach, der Obelisk auf der Rosenlinie!«

Der Lehrer hatte Silas kurz über die berühmte architektonische Besonderheit von Saint-Sulpice instruiert – die Messingleiste, die in präziser Nord-Süd-Ausrichtung das Kirchengebäude durchschnitt. Es handelte sich um eine Art altertümlicher Sonnenuhr, eine Erinnerung an den heidnischen Tempel, der in Vorzeiten an genau der gleichen Stelle gestanden hatte. Das durch den Oculus in der Südwand einfallende Sonnenlicht wanderte von Tag zu Tag weiter den Stab entlang und markierte den Verlauf der Zeit zwischen den Sonnenwenden.

Diese Nord-Süd-Linie wurde Rosenlinie genannt. Seit Jahrhunderten diente das Symbol der Rose als Orientierungshilfe in der Kartographie. Die fast auf jeder Landkarte anzutreffende Kompassrose markierte die vier Himmelsrichtungen Nord, Ost, Süd und West. Auch Windrose genannt, bezeichnete sie durch Unterteilung in Halbe, Viertel, Achtel, Sechzehntel und Zweiunddreißigstel die zweiunddreißig Windrichtungen. Auf den Kreis eines Kompasses aufgetragen und diagonal miteinander verbunden, gleichen diese zweiunddreißig Punkte dem Bild einer voll erblühten Rose mit ihren zweiunddreißig Blütenblättern. Bis zum heutigen Tag ist die so genannte Kompassrose ein unverzichtbarer Bestandteil des wichtigsten Navigationsinstruments, wobei die Nordrichtung besonders markiert ist – durch einen Pfeil und häufig auch durch das Symbol der Lilie.

Auf der Erdkugel stellt die imaginäre Rosenlinie – auch Meridian oder Längengrad genannt – die kürzeste Verbindung zwischen dem Nord- und Südpol dar. Es gibt natürlich eine unendliche Zahl von Rosenlinien, da eine Verbindungslinie der beiden Pole durch jeden beliebigen Ort der Erdkugel gezogen werden kann. Für die frühen Seefahrer erhob sich daher die Frage, welche dieser Linien *die* Rosenlinie ist – der Nullmeridian, von dem aus alle anderen Meridiane oder Längengrade der Erde durchzunummerieren sind.

Heute verläuft dieser Nullmeridian durch die Sternwarte von Greenwich in England.

Aber so war es nicht immer.

Lange bevor man übereinkam, den Nullmeridian durch Greenwich zu legen, verlief diese imaginäre Nulllinie durch Paris – mitten durch die Kirche Saint-Sulpice, wo die in den Boden eingelassene Messingleiste zur Erinnerung an den ursprünglichen Nullmeridian bis zum heutigen Tage sichtbar ist, auch wenn Paris im Jahr 1888 die Ehre des Nullmeridians an Greenwich abgegeben hat.

»Dann stimmt die Legende also«, hatte der Lehrer zu Silas gesagt. »Es heißt nämlich, der Schlussstein der Bruderschaft liege ›unter dem Zeichen der Rose‹.«

Silas kniete immer noch in der Bank. Er sah sich lauschend in der Kirche um. War er allein? Einen Moment lang glaubte er, er hätte etwas auf der Orgelempore rascheln gehört. Er drehte sich um und spähte ein paar Sekunden hinauf. Nichts.

Du bist allein.

Er erhob sich. Vor dem Altar beugte er dreimal das Knie. Dann wandte er sich nach links und folgte der Messingleiste nordwärts zum Obelisken.

Im gleichen Augenblick fuhr Bischof Aringarosa aus dem Schlaf. Das Rumpeln des Fahrwerks seiner Maschine, die auf der Landebahn des Flughafens Leonardo da Vinci in Rom aufsetzte, hatte ihn geweckt,

Du bist tatsächlich eingedöst, dachte er und klopfte sich innerlich auf die Schulter, dass er kaltblütig genug war, in dieser Situation zu schlafen.

»*Benvenuto a Roma*«, tönte es aus dem Bordlautsprecher.

Aringarosa setzte sich auf, zog die schwarze Soutane zurecht und erlaubte sich ein Lächeln, was selten genug geschah. Das war eine Reise, die er gern unternommen hatte. *Du bist zu lange in der Defensive gewesen.* Heute Nacht jedoch hatte das Blatt sich gewendet. Noch vor fünf Monaten hatte Aringarosa um die Zukunft des Glaubens gebangt, nun aber hatte sich gleichsam durch eine göttliche Intervention die Lösung von selbst angeboten.

Eine göttliche Intervention.

Wenn in Paris heute Nacht alles gut ging, war Aringarosa bald im Besitz von etwas, das ihn zum mächtigsten Mann der Christenheit machte.

23. KAPITEL

Atemlos erreichte Sophie die großen hölzernen Türflügel des *Salle des États*, jenes Ausstellungsraums, der die *Mona Lisa* beherbergte. Bevor sie eintrat, schaute sie den Gang hinunter zu der ungefähr zwanzig Meter entfernten Stelle, an der die Leiche ihres Großvaters immer noch im Lichtkegel des mobilen Scheinwerfers lag.

Jäh und unvermutet machte sich ein machtvolles Gefühl der Reue in ihr breit, eine tiefe, von Schuldgefühlen durchsetzte Traurigkeit. Dieser Mann hatte sich in den vergangenen zehn Jahren sehr oft bemüht, die Kluft zu ihr zu überbrücken, doch Sophie war unerbittlich geblieben. Sie hatte seine Briefe und Päckchen ungeöffnet in einer Schublade verschwinden lassen und alle seine Versuch, sie zu sehen, abgeblockt. *Er hat dich belogen! Hat scheußliche Geheimnisse gehütet! Was hättest du denn tun sollen?*

Jetzt war er tot und sprach aus dem Jenseits zu ihr.

Die Mona Lisa.

Sophie ließ die hohen Türflügel aufschwingen. Einen Moment blieb sie auf der Schwelle stehen und verschaffte sich einen Überblick über die Weite des dahinter liegenden rechteckigen Saales. Auch er war in weiches rotes Licht getaucht. Der *Salle des États* war einer der wenigen Räume des Museums ohne Durchgang – eine Sackgasse und gleichzeitig der einzige Raum, der von der Mitte der *Grande Galerie* abzweigte. Gegenüber der Flügeltür, dem einzigen Zugang zu diesem Saal, hing ein viereinhalb Meter breites, alles beherrschendes Gemälde von Sandro Botticelli. Auf der riesigen achteckigen Polsterbank in der Mitte des Saals pflegten Tausende ermüdeter Besucher die willkommene Gelegenheit zu nutzen, bei der Betrachtung des berühmtesten Kunstwerks im Louvre ein wenig die Beine auszustrecken.

Sophie bemerkte, dass ihr etwas fehlte. *Ein UV-Strahler.* Sie schaute den Gang hinunter, wo ihr Großvater im Scheinwerferlicht lag, von allerlei elektronischen Gerätschaften umgeben. Wenn er irgendwo hier im *Salle des États* etwas aufgeschrieben hatte, dann bestimmt mit dem Spezial-Marker.

Sophie holte tief Luft und lief zu dem gut ausgeleuchteten Tatort. Sie brachte es nicht über sich, die Leiche ihres Großvaters anzusehen, und konzentrierte sich ausschließlich auf das Tischchen mit den Geräten zur Spurensicherung, wo sie einen UV-Strahler von der Größe eines dicken Füllfederhalters entdeckte. Mit dem Leucht-Pen in der Tasche eilte sie den Gang zurück zu den offen stehenden Türen des *Salle des États.*

Sie wollte gerade über die Schwelle treten, als sie eilige Schritte hörte, die rasch näher kamen. Eine geisterhafte Gestalt tauchte aus dem rötlichen Zwielicht auf. Sophie wich entsetzt zurück.

»Da sind Sie ja«, sagte Langdon flüsternd in die Stille und blieb vor ihr stehen.

Sophies Erleichterung währte nur kurz. »Robert, Sie müssen schleunigst von hier verschwinden! Wenn Fache …«

»Wo waren Sie denn?«

»Ich habe mir einen UV-Strahler besorgt«, flüsterte sie und hielt den Leucht-Pen hoch. »Wenn mein Großvater eine Botschaft für mich …«

»Sophie, hören Sie zu«, fiel Langdon ihr ins Wort. Der Blick seiner blauen Augen hielt sie fest, während er allmählich wieder zu Atem kam. »Die Buchstaben P.S. – sagen sie Ihnen irgendetwas?«

Aus Furcht, ihre Stimmen könnten den ganzen Gang hinunter zu hören sein, schob Sophie Robert in den *Salle des États* und schloss leise die riesige Flügeltür. »Ich habe Ihnen doch schon gesagt, dass das meine Initialen für ›Prinzessin Sophie‹ sind.«

»Ich weiß, aber haben Sie die Buchstaben schon mal woanders

gesehen? Hat Ihr Großvater sie jemals in einem anderen Zusammenhang benutzt, nicht nur als Initialen für Sie? Als Monogramm vielleicht oder zur Zeichnung von Briefen oder persönlichen Gegenständen?«

Sophie war verblüfft. *Woher konnte Robert das wissen?* Sophie hatte die Initialen P.S. in der Tat schon einmal gesehen, als eine Art Monogramm. Es war am Tag vor ihrem neunten Geburtstag gewesen. Damals hatte sie heimlich im Haus herumgestöbert und ihr Geburtstagsgeschenk gesucht. Schon damals konnte sie Geheimniskrämerei nicht ertragen. *Was hat Grand-père dieses Jahr für dich?* Sie hatte Schränke und Schubladen durchwühlt. *Hat er mir die Puppe gekauft, die ich so gern haben möchte? Wo kann er sie versteckt haben?*

Nachdem Sophie im ganzen Haus nichts gefunden hatte, nahm sie all ihren Mut zusammen und stahl sich in Großvaters Schlafzimmer. Das Zimmer war für sie absolut tabu, aber der Großvater lag unten auf der Couch und hielt ein Nickerchen.

Und du willst dich ja nur mal schnell umsehen!

Auf Zehenspitzen schlich sie über den knarrenden Dielenboden zu seinem Kleiderschrank und schaute nach, ob hinter den Kleidungsstücken irgendetwas in den Fächern lag. Nichts. Sie schaute unter sein Bett. Wieder nichts. Dann nahm sie sich den Schreibtisch vor, Fach für Fach. *Hier muss doch etwas für dich versteckt sein!* Bei der vorletzten Schublade hatte sie noch immer nichts entdeckt, das nach einer Puppe aussah. Enttäuscht zog sie die letzte Lade auf. Schwarze Kleidungsstücke lagen darin, die sie noch nie an ihrem Großvater gesehen hatte. Sie wollte die Schublade schon wieder zuschieben, als hinten im Fach etwas glänzte. Es sah ein bisschen wie eine Uhrkette aus, aber Großvater trug so etwas doch nicht. Ihr Herz tat einen Sprung, als ihr klar wurde, was es war.

Ein Halsband!

Vorsichtig zog sie die Kette heraus. Zu ihrer Überraschung hing ein glänzender goldener Schlüssel daran. Schwer und sorgfältig poliert. Fasziniert hielt sie ihn hoch. Einen Schlüssel wie diesen hatte sie noch nie gesehen. Meistens waren Schlüssel flach und hatten einen zackigen Bart, aber dieser hier hatte einen dreieckigen Schaft mit vielen kleinen Vertiefungen. Der Griff war ein großes goldenes Kreuz, aber kein normales Kreuz, sondern eines mit gleich langen Balken, wie ein Pluszeichen. In die Mitte des Kreuzes war ein merkwürdiges Symbol graviert – zwei ineinander verschlungene Buchstaben in einem Rankenmuster.

Sie zog die Stirn kraus, als sie die Buchstaben las. »P.S.«, flüsterte sie. *Was hat das zu bedeuten?*

»Sophie?«, erklang die Stimme ihres Großvaters von der Tür.

Erschrocken fuhr sie herum. Der Schlüssel rutschte ihr aus der Hand und fiel klimpernd zu Boden. Betroffen starrte Sophie darauf, um nicht dem Großvater in die Augen sehen zu müssen. »Ich … ich habe mein Geburtstagsgeschenk gesucht«, sagte sie kläglich und ließ schuldbewusst den Kopf hängen.

Der Großvater schien eine Ewigkeit wortlos in der Tür zu stehen. Endlich seufzte er bekümmert. »Heb den Schlüssel auf, Kind.«

Sophie tat wie geheißen.

Großvater trat ins Zimmer. »Sophie, du musst lernen, die Privatsphäre anderer Leute zu respektieren.« Er kniete sich vertrauensvoll zu ihr und nahm den Schlüssel an sich. »Das ist ein ganz besonderer Schlüssel. Du hättest ihn verlieren können …«

Der ruhige Tonfall ihres Großvaters machte Sophies schlechtes Gewissen nur noch quälender. »Es tut mir Leid, *Grand-père*, ich schäme mich so sehr.« Sie hielt inne. »Ich dachte, es wäre eine Halskette für mich zum Geburtstag.«

Der Großvater sah sie ein paar Sekunden an. »Sophie, ich sage es dir noch einmal, denn es ist sehr wichtig. Du musst dir mehr Respekt vor der Privatsphäre anderer Menschen angewöhnen.«

»Ja, *Grand-père*.«

»Wir werden uns ein andermal darüber unterhalten. Im Moment ist es wichtiger, dass du in unserem Garten das Unkraut jätest.«

Sophie lief hinaus, um ihren Gärtnerinnenpflichten nachzukommen.

Am nächsten Morgen bekam Sophie kein Geburtstagsgeschenk. Sie hatte auch keines erwartet, aber der Großvater hatte ihr den ganzen Tag lang nicht einmal gratuliert. Betrübt war sie an diesem Abend die Treppe hinaufgegangen, hatte ihr Schlafzimmer betreten ... und da, auf dem Kopfkissen lag etwas! Eine Karte mit einem Rätsel darauf. Sie hatte das Rätsel noch nicht gelöst, da lächelte sie schon. *Ich weiß, was das ist!* Der Großvater hatte so etwas in den vergangenen Weihnachtstagen schon einmal gemacht.

Das ist eine Schatzsuche.

Mit glühenden Wangen brütete Sophie über dem Rätsel, bis sie es gelöst hatte. Die Lösung verwies auf einen anderen Ort im Haus, wo die nächste Karte mit einem Rätsel auf sie wartete. Nachdem sie auch das gelöst hatte, ging es weiter zur nächsten Station. Sie eilte von einem Hinweis zum anderen durchs ganze Haus, bis sie zuletzt wieder in ihr eigenes Zimmer dirigiert wurde. Sie flitzte die Treppe hinauf, stürmte in ihr Zimmer und blieb wie angewurzelt stehen. Mitten im Zimmer stand ein chromblitzendes rotes Fahrrad mit einer Schleife am Lenker. Sophie hatte vor Entzücken lauthals gejubelt.

»Ich weiß, dass du dir eine Puppe gewünscht hast«, sagte der Großvater, der lächelnd in der Ecke stand, »aber ich glaube, das Fahrrad gefällt dir noch besser.«

Am nächsten Tag, als er ihr das Radfahren beibrachte, war er neben ihr her die Einfahrt hinuntergelaufen. Als Sophie auf den Rasen geriet und im dichten Gras das Gleichgewicht verlor, waren sie lachend übereinander auf die Wiese gekugelt.

»*Grand-père*«, sagte Sophie und umarmte ihn, »das mit dem Schlüssel tut mir Leid!«

»Ich weiß, meine Kleine, aber das ist schon vergeben. Ich kann dir einfach nicht böse sein. Großväter und Enkelinnen sind sich immer gut.«

Sophie wusste, dass es nicht angebracht war, aber sie konnte sich die Frage nicht verkneifen. »Großvater, ich habe einen so schönen Schlüssel noch nie gesehen. Was macht man denn damit auf?«

Der Großvater schwieg eine ganze Weile. Sophie merkte, dass er um die Antwort verlegen war. *Großpapa lügt nie.* »Das ist der Schlüssel für eine Kiste, in der ich geheime Sachen hüte«, sagte er schließlich.

»Ich kann geheime Sachen nicht leiden«, schmollte Sophie.

»Ich weiß, mein Schatz, aber diese geheimen Sachen sind sehr wichtig. Eines Tages werden sie dir genauso am Herzen liegen wie mir.«

»Ich hab die Buchstaben auf dem Schlüssel gesehen. Und eine Blume.«

»Ja, das ist meine Lieblingsblume. Auf Französisch heißt sie *fleur-de-lis.* Sie wächst bei uns im Garten. Es sind die Lilien.«

»Die kenne ich! Das sind auch meine Lieblingsblumen!«

»Dann lass uns ein Geschäft miteinander machen.« Der Großvater hob die Brauen, wie er es immer tat, wenn er sie herausfordern wollte. »Wenn du nie wieder über den Schlüssel sprichst, weder mit mir noch mit jemand anderem, werde ich dir den Schlüssel eines Tages schenken.«

Sophie konnte es kaum glauben. »Wirklich?«

»Versprochen. Wenn die Zeit gekommen ist, gehört der Schlüssel dir. Es steht ja dein Name drauf.«

Sophie runzelte die Stirn. »Nein, der steht da nicht. Da steht P.S. drauf, aber das sind nicht meine Anfangsbuchstaben.«

Der Großvater blickte sich um, als wolle er sich vergewissern, dass niemand lauschte. »Also gut«, flüsterte er dann, »wenn du darauf bestehst, Sophie – P.S. ist ein Geheimcode für deine Initialen.«

Sophie riss die Augen auf. »Ich habe geheime Initialen?«

»Natürlich. Enkeltöchter haben immer geheime Initialen, die nur ihre Großpapas kennen.«

»Und was heißt P.S.?«

Der Großvater kitzelte sie. »*Prinzessin Sophie.*«

»Ich bin aber keine Prinzessin«, kicherte sie.

Er zwinkerte ihr zu. »Für mich schon.«

Von diesem Tag an hatten sie beide den Schlüssel nie wieder erwähnt. Und sie war Prinzessin Sophie geworden.

Sophie stand stumm im *Salle des États*. Das Gefühl des Verlusts nagte in ihrem Innern.

»Die Initialen«, flüsterte Langdon mit einem merkwürdigen Blick. »Haben Sie die schon mal gesehen?«

Sophie hörte die Stimme ihres Großvaters flüsternd durch die Flure des Museums hallen. *Sprich nie wieder über diesen Schlüssel, weder mit mir noch mit jemand anderem.* Sophie wusste, dass es falsch gewesen war, ihrem Großvater nicht zu verzeihen. Durfte sie sein Vertrauen ein zweites Mal enttäuschen? *P. S. Robert Langdon suchen.* Ihr Großvater wollte doch, dass Langdon ihr half.

»Ja, ich habe die Initialen schon einmal gesehen«, sagte sie und nickte. »Ich war damals noch sehr klein.«

»Und wo?«

Sophie zögerte. »Auf … etwas, das meinem Großvater sehr viel bedeutet hat.«

Langdon sah ihr eindringlich in die Augen. »Sophie, das ist jetzt sehr wichtig. Waren die Initialen irgendwie mit einem Symbol verbunden? Einem Liliensymbol vielleicht?«

Sophie trat vor Erstaunen einen Schritt zurück. »Aber … wie können Sie das wissen?«

»Ich bin mir ziemlich sicher, dass Ihr Großvater einer Geheimgesellschaft angehörte. Einem sehr alten geheimen Orden.«

Sophie spürte einen Knoten im Magen. Seit zehn Jahren versuchte sie einen Zwischenfall aus dem Gedächtnis zu verbannen, der diese erschreckende Vermutung zur Gewissheit gemacht hatte. Damals war sie Zeugin von etwas Unvorstellbarem geworden. Etwas *Unverzeihlichem.*

»Die Lilie in Verbindung mit den Buchstaben P und S ist das offizielle Abzeichen dieser Bruderschaft. Ihr Wappen sozusagen«, sagte Langdon.

»Woher wissen Sie das?«, fragte Sophie und sandte ein Stoßgebet gen Himmel, Langdon möge ihr jetzt nicht erzählen, er selbst sei Mitglied dieser Bruderschaft.

»Ich habe Artikel über diese Organisation geschrieben«, sagte Langdon. Seine Stimme bebte vor Aufregung. »Die Erforschung der Symbole von Geheimgesellschaften ist eines meiner Fachgebiete. Sie nennen sich die *Prieuré de Sion* – die Bruderschaft von Sion. Sie haben ihren Sitz hier in Frankreich. Ihre Mitgliedschaft besteht aus einflussreichen Personen aus ganz Europa. Sie sind einer der ältesten bis heute existierenden Geheimbünde der Welt.«

Sophie hatte noch nie von dieser Vereinigung gehört.

Langdon sprach jetzt schneller. »Einige der bedeutendsten Persönlichkeiten der Geschichte haben diesem Geheimorden angehört, Männer wie Sandro Botticelli, Sir Isaac Newton, Victor Hugo – und Leonardo da Vinci«, setzte er mit dem Eifer des Gelehrten hinzu.

Sophie schaute ihn ungläubig an. »Da Vinci war Mitglied einer Geheimgesellschaft?«

»Leonardo da Vinci hatte von 1510 bis 1519 das Amt des Großmeisters der *Prieuré de Sion* inne. Daher mag auch die Begeisterung Ihres Großvaters für die Werke Leonardos herrühren. Die beiden Männer verknüpft ein geschichtlich gewachsenes, brüderliches Band. Das passt auch perfekt zu ihrer Begeisterung für die Darstellung göttlicher Weiblichkeit, das Heidentum, weibliche Gottheiten und zu ihrer Geringschätzung der katholischen Kirche. Die Geschichte der Verehrung des Weiblichen durch die *Prieuré de Sion* ist sehr gut dokumentiert.«

»Wollen Sie damit sagen, dass dieser Geheimbund heidnischen Fruchtbarkeitskulten huldigt?«

»*Dem* heidnischen Fruchtbarkeitskult. Aber, und das ist noch bedeutsamer, sie gelten als die Bewahrer eines uralten Geheimnisses, das ihnen unermessliche Macht verschafft hat.«

In Langdons Augen war unerschütterliche Überzeugung abzulesen. Sophie blieb eher skeptisch. *Ein heidnischer Geheimkult, und Leonardo da Vinci soll einst der Ordensgeneral gewesen sein?* Wenn sich das nicht absurd und abwegig anhörte! Doch sosehr sie sich auch dagegen sträubte, ihre Erinnerung schweifte zehn Jahre in die Vergangenheit zu jener Nacht, in der sie ungewollt ihren Großvater bei etwas ertappt hatte, das sie immer noch nicht akzeptieren konnte. *Wäre das vielleicht die Erklärung…?*

»Die Identität der heutigen Mitglieder der Bruderschaft unterliegt strengster Geheimhaltung«, sagte Langdon. »Aber das Liliensymbol, das Sie als Kind gesehen haben, ist der Beweis. Es kann sich *nur* auf die *Prieuré de Sion* beziehen.«

Sophie begriff, dass Langdon weit mehr über ihren Großvater wusste, als sie sich bisher vorgestellt hatte. Dieser Amerikaner hatte ihr offenkundig noch vieles mitzuteilen, aber ebenso offenkundig war dies weder die Zeit noch der Ort dafür. »Robert, ich kann nicht zulassen, dass Sie gefasst werden«, sagte Sophie eindringlich. »Sie müssen sofort verschwinden! Wir können uns später ausführlich unterhalten.«

Langdon hörte Sophie wie von ferne. Flucht kam für ihn nicht in Frage. Er war bereits woanders, an einem Ort, wo uralte Geheimnisse aus dem Reich der Schatten an die Oberfläche durchzubrechen suchten.

Wie in Zeitlupe wandte er den Kopf und betrachtete im rötlichen Zwielicht die *Mona Lisa*.

Die fleur-de-lis … die Blume der Lisa … die Mona Lisa.

Alles stand in einem Zusammenhang. Es war eine lautlose Symphonie, in der die tiefsten Geheimnisse der *Prieuré de Sion* und Leonardo da Vincis zusammen erklangen.

Ein paar Kilometer weiter blickte der Fahrer eines Sattelschleppers fassungslos in den Lauf einer vorgehaltenen Pistole. Dann hörte er den Capitaine der Staatspolizei einen gutturalen Schrei ausstoßen und sah ihn wutentbrannt ein Stück Seife in die trüben Fluten der Seine schleudern.

24. KAPITEL

ilas betrachtete den langen massiven Schaft des Obelisken in Saint-Sulpice. Seine Nerven waren aufs Äußerste gespannt. Noch einmal vergewisserte er sich, ob er tatsächlich allein war. Dann kniete er vor dem Sockel des Obelisken nieder – nicht aus Frömmigkeit, sondern weil es unumgänglich war.

Der Schlussstein ist unter der Rosenlinie versteckt.

Am Sockel des Obelisken in Saint-Sulpice.

Alle vier Brüder hatten es übereinstimmend gesagt.

Auf den Knien liegend ließ Silas die Hand über die Platten des Steinbodens gleiten. Nirgendwo fand sich eine Ritze oder eine Markierung, die auf eine herausnehmbare Platte hingedeutet hätte. Silas begann, an der Messingschiene entlang die Platten abzuklopfen. Ganz nahe am Obelisken klang es plötzlich merkwürdig hohl.

Ein Hohlraum unter den Bodenplatten!

Silas lächelte. Seine Opfer hatten ihn nicht belogen.

Er stand auf. Sein Blick suchte den geweihten Kirchenraum nach etwas ab, womit er der Steinplatte zu Leibe rücken konnte.

Hoch oben auf der Empore unterdrückte Schwester Sandrine einen entsetzten Aufschrei. Ihre schlimmsten Befürchtungen hatten sich bewahrheitet. Der mysteriöse Mönch vom Opus Dei hatte Saint-Sulpice zu einem ganz bestimmten Zweck aufgesucht.

Zu einem geheimen Zweck.

Du bist nicht die Einzige, die ein Geheimnis mit sich trägt, dachte sie.

Schwester Sandrine Bieil war nicht nur die Verweserin der Kirche. Sie war auch eine Wächterin. Und in dieser Nacht war das uralte Räderwerk in Gang gekommen. Das Eintreffen dieses Fremden am Fundament des Obelisken war ein Signal für die Bruderschaft.

Ein lautloses Alarmsignal.

25. KAPITEL

Die amerikanische Botschaft in Paris ist ein kompakter Gebäudekomplex an der Avenue Gabriel, die eine nördliche Parallele zum unteren Ende der Champs-Élysées bildet. Das weit über einen Hektar große Gelände gilt als amerikanisches Hoheitsgebiet, was bedeutet, dass jede Person im Augenblick des Betretens den Gesetzen und Schutzvorschriften der Vereinigten Staaten von Amerika unterliegt.

Die Dame von der Nachtschicht in der Telefonzentrale war ins *Time Magazine* vertieft, als das Telefon sie aus ihrer Lektüre klingelte.

»Botschaft der Vereinigten Staaten«, meldete sie sich.

»Guten Abend«, sagte eine Stimme. Der Arufer sprach Englisch mit französischem Akzent. »Darf ich Sie um einen Gefallen bitten?« Ungeachtet der höflichen Floskel hatte der Mann einen barschen offiziellen Tonfall angeschlagen. »Man hat mir gesagt, in Ihrem automatischen Mailboxsystem befände sich eine telefonische Nachricht für mich. Mein Name ist Langdon. Leider habe ich die drei Ziffern meines Zugriffscodes vergessen. Ich wäre Ihnen sehr verbunden, wenn Sie mir helfen könnten.«

Die Dame von der Vermittlung war irritiert. »Mein Herr, es tut mir Leid, aber Ihre Nachricht ist wohl offenbar schon ziemlich alt. Aus Sicherheitsgründen haben wir unser Mailboxsystem vor zwei Jahren abgeschafft. Außerdem bestand unser Zugriffscode aus fünf Ziffern. Wer hat Ihnen denn gesagt, dass bei uns eine Nachricht für Sie vorliegt?«

»Sie haben kein automatisches Mailboxsystem?«

»Nein. Wenn eine Nachricht für Sie vorliegt, dann handschriftlich in unserer Serviceabteilung. Wie war bitte Ihr Name?«

Doch der Anrufer hatte bereits eingehängt.

Bezu Fache ging unruhig am Seineufer auf und ab. Er war sicher, Langdon eine Nummer im Ortsnetz von Paris und dann einen dreistelligen Code wählen gesehen zu haben, worauf er eine Nachricht abgehört hatte. *Aber wenn Langdon nicht die Botschaft angerufen hat, wen dann?*

Fache betrachtete sein Handy. Die Antwort lag in seiner Hand! *Hatte Langdon nicht mit diesem Handy telefoniert?*

Auf dem Display rief er aus dem Speicher die zuletzt gewählten Nummern auf. Rasch hatte er die von Langdon gewählte Nummer identifiziert.

Ein Pariser Anschluss, gefolgt von einem Code aus den drei Ziffern 454.

Fache wählte die Nummer. Es klingelte ein paarmal. Schließlich meldete sich eine Frauenstimme. *Bonjour, vous êtes bien chez Sophie Neveu*, meldete sich ein Anrufbeantworter. *Je suis absente pour le moment, mais …*

Faches Blut kochte. *Klar, dass dieses Weibsstück im Moment nicht da ist!* Wütend hieb er die Zahlen 4 - 5 - 4 ins Tastenfeld.

26. KAPITEL

Ungeachtet ihres legendären Rufes maß Leonardos *Mona Lisa* lediglich siebenundsiebzig mal dreiundfünfzig Zentimeter – sogar die im Museumsshop erhältlichen Drucke waren größer. Hinter einer fünf Zentimeter dicken Schutzscheibe aus Plexiglas hing das auf Pappelholz gemalte Porträt an der Nordostwand des *Salle des États*. Es verdankte seine ätherische, eigenartig rauchige und weiche Atmosphäre Leonardo da Vincis meisterhaft gehandhabter *Sfumato*-Technik, bei der die Formen und Farben ineinander zu verschmelzen scheinen.

In der Zeit, in der sich die *Mona Lisa* – oder *La Joconde*, wie die Franzosen sagen – im Louvre befand, war das Gemälde zweimal gestohlen worden, das letzte Mal im Jahr 1911. Als sie damals aus dem *Salle impénétrable* des Louvre, dem als einbruchssicher geltenden *Salon Carré* verschwunden war, hatten die Pariser auf den Straßen geweint. In den Zeitungen waren Artikel und Leserbriefe erschienen, in denen die Verfasser die Diebe anflehten, das Gemälde zurückzugeben. Zwei Jahre darauf wurde es in einem Hotel in Florenz im doppelten Boden eines Koffers versteckt aufgefunden.

Langdon schritt an Sophies Seite durch den *Salle des États* zur *Mona Lisa*. Er hatte Sophie inzwischen klar gemacht, dass er nicht daran dachte, die Flucht zu ergreifen. Sie waren noch zwanzig Meter von dem Gemälde entfernt, als Sophie den UV-Strahler einschaltete. Bläuliches Licht fächerte halbmondförmig vor ihnen auf den Boden. Auf der Suche nach einer Leuchtschrift auf dem Parkett schwenkte Sophie den Kegel der Lichtquelle hin und her.

Langdon spürte die wachsende Erregung, die bei jeder Begegnung mit großen Kunstwerken in ihm aufstieg. Angestrengt versuchte er zu erkennen, was sich jenseits des bläulich-violetten Lichtkokons verbarg, der Sophies Hand entströmte. Wie eine dunkle Insel im öden Meer des Parketts wurde links die achteckige Ruhebank sichtbar.

Die dunkle Plexiglasscheibe an der Wand tauchte auf. Dahinter hing das berühmteste Gemälde der Welt.

Wie Langdon wusste, hatte der Rang der *Mona Lisa* als das bedeutendste Kunstwerk auf Erden nichts mit ihrem rätselhaften Lächeln zu tun und schon gar nichts mit den zahllosen Bezügen, die viele Kunsthistoriker und Verschwörungstheoretiker in das Gemälde hineininterpretiert hatten. Die *Mona Lisa* war einfach deshalb berühmt, weil Leonardo da Vinci stets behauptet hatte, sie sei sein bestes Werk. Er hatte das Gemälde auf allen seinen Reisen mit sich geführt. Nach dem Grund befragt, pflegte er zu antworten, er brächte es nicht fertig, sich von seiner gelungensten Darstellung weiblicher Schönheit zu trennen.

Dessen ungeachtet argwöhnten viele Kunsthistoriker, dass Leonardos Wertschätzung der *Mona Lisa* nichts mit ihrer künstlerischen Meisterschaft zu tun hatte. Genau genommen war das Gemälde ein überraschend schlichtes Porträt in *Sfumato*-Technik. Viele meinten, da Vincis Vorliebe für dieses Werk erkläre sich aus einer weitaus tieferen Dimension, nämlich einer geheimen Botschaft, die vom Maler in die Farbschichten hineingearbeitet worden sei. Die *Mona Lisa* war tatsächlich einer der am besten dokumentierten Scherze für Kenner. In fast allen kunstgeschichtlichen Wälzern konnte man sich bestens über die in diesem Werk angelegten Zweideutigkeiten und Anspielungen informieren, dennoch hielt das breite Publikum das Lächeln der *Mona Lisa* immer noch für ein ungelöstes Rätsel.

Von wegen Rätsel, dachte Langdon. Bei den nächsten Schritten sah er das Gemälde allmählich Gestalt annehmen. *Von einem Rätsel kann keine Rede sein.*

Unlängst hatte Langdon einen eher ungewöhnlichen Kreis von

Zuhörern in das Geheimnis der *Mona Lisa* eingeweiht – ein Dutzend Insassen der Stafvollzugsanstalt von Essex County. Langdons Seminar hinter Gefängnismauern war ein Teil des Fortbildungsprogramms der Harvard-Universität und eine Bildungsmaßnahme im Strafvollzug – einige Kollegen Langdons hatten sich zu der abschätzigen Bezeichnung *Kunst für Knackis* bemüßigt gefühlt.

Langdon hatte in der Anstaltsbibliothek am Overheadprojektor gestanden und seine Kursteilnehmer in das Geheimnis der *Mona Lisa* eingeweiht, lauter derbe, aber keineswegs auf den Kopf gefallene Burschen, die sich nach Langdons Empfinden in erstaunlichem Maße für die Sache interessierten.

»Wie Ihnen vielleicht aufgefallen ist«, hatte er gesagt, während er auf das an die Wand der Bibliothek projizierte Bild der *Mona Lisa* zutrat, »verläuft der Hintergrund hinter dem Gesicht nicht gerade.« Er deutete auf den auffallenden Vorsprung in der Horizontlinie. »Da Vinci hat den Horizont auf der linken Seite deutlich niedriger gemalt als auf der rechten.«

»Er hat's eben vermurkst«, sagte einer der Strafgefangenen.

Langdon musste lachen. »Nein, das dürfte einem Genie wie ihm kaum passiert sein. Er hat hier mit einem kleinen Trick gearbeitet. Indem er die Landschaft auf der linken Bildseite tiefer gesetzt hat, lässt er die dargestellte Person bei der Betrachtung von links deutlich größer erscheinen. Da Vinci hat sich hier einen kleinen Scherz für Kenner erlaubt. Das Männliche und das Weibliche haben traditionsgemäß bestimmte Seiten – links für weiblich und rechts für männlich. Als großer Verehrer des Weiblichen hat Leonardo die *Mona Lisa* so gemalt, dass sie von links majestätischer erscheint als von rechts.«

»Ich hab gehört, dass er schwul war«, sagte ein kleiner Kerl mit Spitzbart.

Langdon zuckte leicht zusammen. »Historiker drücken es weniger drastisch aus, aber da Vinci war homosexuell, das stimmt.«

»Hat er sich deshalb so mit Weiberkram abgegeben?«

»Leonardo da Vinci kam es vor allem auf das Gleichgewicht zwischen dem Männlichen und Weiblichen an. Er war überzeugt, dass die Seele des Menschen nur dann Erleuchtung finden kann, wenn sie sowohl männliche wie auch weibliche Anteile unfasst ...«

»Sie meinen so was wie 'ne Braut mit 'nem Ständer?«, rief jemand dazwischen.

Allgemeine Heiterkeit. Langdon erwog, einen kleinen Exkurs über die Ableitung des Wortes *Hermaphrodit* aus den Namen der griechischen Götter Hermes und Aphrodite anzubieten, hatte aber das Gefühl, dass dieses Auditorium wenig Sinn für den anthropologischen Ernst der Sache aufbringen würde.

»He, Mr Langdon«, sagte ein stämmiger Muskelprotz, »stimmt es eigentlich, dass die *Mona Lisa* ein Selbstporträt von da Vinci in Weiberklamotten ist? Ich habe mal so was gelesen.«

»Unmöglich ist es nicht«, meinte Langdon. »Da Vinci hat die Leute gern für dumm verkauft. Mit Hilfe von Computeranalysen hat man einige erstaunliche Übereinstimmungen der *Mona Lisa* mit da Vincis Selbstporträts nachweisen können. Was immer da Vinci im Schilde führte – seine *Mona Lisa* ist weder eindeutig männlich noch eindeutig weiblich. Sie hat Merkmale von beidem, etwas Androgynes, wie man es nennt.«

»Und wir sollen Ihnen glauben, dass Sie uns nicht bloß auf die vornehme Harvard-Tour weismachen wollen, dass die *Mona Lisa* beschissen ausgesehen hat?«

Jetzt musste Langdon lachen. »Vielleicht haben Sie Recht. Aber da Vinci hat einen unübersehbaren Hinweis darauf hinterlassen, dass sein Gemälde bewusst androgyn sein soll. Hat schon mal jemand etwas von dem ägyptischen Gott Amon gehört?«

»He, das ist ja wohl der Hammer«, rief der Muskelprotz. »Ist Amon nicht der Typ, der dafür sorgen soll, dass man einen hochkriegt?«

Langdon war für einen Moment sprachlos.

»Das weiß ich von dem Bild, das auf der Packung von den *Amon*-Parisern ist«, sagte der Bodybuilder und grinste. »Da ist 'n Typ mit 'nem Widderkopf drauf. Drunter steht, dass Amon der ägyptische Gott der männlichen Fruchtbarkeit ist.«

Langdon war zwar mit dem Produkt nicht vertraut, fand es

aber anerkennenswert, dass die Hersteller von Verhütungsmitteln mit den korrekten Hieroglyphen arbeiteten. »Da haben Sie sehr gut aufgepasst. Der Gott Amon wird in der Tat als Mann mit Widderkopf dargestellt. Und seine Promiskuität und seine Hörner klingen heute noch an, wenn man sagt, dass man jemandem ›die Hörner aufsetzt‹.«

»Geil!«

»Genau – geil«, sagte Langdon. »Und weiß jemand, wer das Gegenstück zu Amon war? Wer kennt die ägyptische *Göttin* der Fruchtbarkeit?«

Stille breitete sich aus.

»Das war die Göttin Isis«, erklärte Langdon und griff nach einem Schreiber. »Da hätten wir also den männlichen Gott AMON«, er schrieb den Namen an, »und als weibliches Gegenstück die Göttin ISIS. In der altägyptischen Bilderschrift heißt sie L'ISA.

Langdon trat zurück. Auf der Projektionsfläche stand:

AMON L'ISA

»Erinnert Sie das an irgendetwas?«

»O Scheiße«, rief jemand. »MONA LISA!«

Langdon nickte. »Nicht nur, dass das Gesicht der *Mona Lisa* androgyne Züge trägt, auch ihr Name ist ein Anagramm auf die göttliche Vereinigung des Männlichen mit dem Weiblichen. Und das, meine Freunde, ist da Vincis kleines Geheimnis und zugleich der Grund für das wissende Lächeln der *Mona Lisa*.«

»Mein Großvater war hier«, sagte Sophie plötzlich und ließ sich keine drei Meter vor der *Mona Lisa* auf die Knie nieder. Sorgfältig richtete sie ihren UV-Strahler auf eine bestimmte Stelle des Parkettbodens.

Anfangs sah Langdon gar nichts. Als er sich zu Sophie kniete, entdeckte er einen eingetrockneten, kleinen fluoreszierenden Tropfen irgendeiner Flüssigkeit. *Tinte?* Dann dämmerte ihm, wozu diese UV-Strahler benutzt wurden. *Blut!* Seine Sinne wurden hellwach. Sophie hatte Recht gehabt. Jacques Saunière hatte der *Mona Lisa* vor seinem Tod tatsächlich einen Besuch abgestattet.

»Er ist bestimmt nicht ohne Grund hierher gekommen«, flüsterte Sophie und stand auf. »Ich bin sicher, dass er mir eine Nachricht hinterlassen hat.« Rasch machte sie die paar noch verbliebenen Schritte bis zur *Mona Lisa* und leuchtete den Boden unmittelbar vor dem Gemälde ab.

»Hier ist aber nichts!«

Plötzlich sah Langdon auf dem Plexiglasschutz einen ganz schwachen violetten Schimmer. Er ergriff Sophies Handgelenk und führte es sanft nach oben, bis das Licht auf das Bild selbst fiel.

Beide erstarrten.

Auf dem Glas, quer über das Gesicht der *Mona Lisa* geschrieben, glühten violett sechs Wörter auf.

27. KAPITEL

Leutnant Collet saß fassungslos an Saunières Schreibtisch und presste sich den Telefonhörer ans Ohr. *Hast du richtig gehört? Fache hat ein Stück Seife verhaftet?* »Aber woher konnte Langdon etwas von dem Minisender wissen?«

»Von Sophie Neveu natürlich«, blaffte Fache. »Sie hat es ihm gesteckt.«

»Wie? Und warum?«

»Verdammt gute Fragen. Aber ich habe gerade die Aufzeichnung eines Gesprächs abgehört, die bestätigt, dass es tatsächlich Sophie Neveu gewesen ist.«

Collet war sprachlos. *Was ging nur in Neveus Kopf vor?* Fache hatte nun den Beweis, dass sie eine verdeckte Ermittlung des DCPJ torpediert hatte. Sophie würde nicht nur hochkant rausfliegen, sie würde auch noch im Gefängnis landen. »Aber, Capitaine ... wo steckt dieser Langdon *jetzt*?«

»Wurde irgendwo ein Feueralarm ausgelöst?«

»Nein, Chef.«

»Und es ist auch niemand aus dem Ausgang unter der *Grande Galerie* herausgekommen?«

»Nein, niemand. Wir haben dort einen Wachmann des Louvre postiert. Genau, wie Sie es verlangt haben.«

»In Ordnung, dann muss Langdon sich noch in der *Grande Galerie* befinden.«

»Er ist noch drin? Aber was will er denn da?«

»Ist der Wachmann des Louvre bewaffnet?«

»Ja, Chef. Der Mann gehört zum leitenden Wachpersonal.«

»Dann schicken Sie ihn rein«, ordnete Fache an. »Es wird noch ein paar Minuten dauern, bis unsere Leute sich wieder an sämtlichen Ausgängen postieren können, und ich will nicht riskieren, dass Langdon in der Zwischenzeit die Fliege macht.« Fache hielt inne. »Und sagen Sie dem Mann, dass Agentin Neveu sich möglicherweise bei Langdon im Gebäude befindet.«

»Ich dachte, sie wäre schon gegangen.«

»Haben Sie sie hinausgehen sehen?«

»Das nicht, Chef, aber...«

»Von unseren Posten, die um das Gebäude verteilt sind, hat sie auch keiner gesehen. Man hat sie lediglich *hineingehen* sehen.«

Collet wusste nicht, was er zu so viel Kaltblütigkeit sagen sollte. *Sie ist immer noch im Gebäude?*

»An die Gewehre!«, rief Fache. »Wenn ich zurückkomme, will ich diesen Langdon und Sophie Neveu mit erhobenen Händen auf mich warten sehen.«

Capitaine Fache ließ den Sattelschlepper seiner Wege fahren und rief seine Leute zusammen. Robert Langdon hatte sich als ein sehr scheues Wild erwiesen. Er war vermutlich nicht so leicht in die Enge zu treiben wie erwartet – zumal Agentin Neveu sich als seine Helfershelferin erwiesen hatte.

Fache beschloss, kein Risiko mehr einzugehen. Um alle Eventualitäten auszuschließen, beorderte er nur die Hälfte seiner Beamten zum Louvre zurück. Die andere Hälfte scheuchte er an den einzigen Ort in ganz Paris, wo Langdon Zuflucht finden konnte.

28. KAPITEL

L angdon betrachtete staunend die sechs Wörter, die auf der Plexiglasscheibe aufleuchteten. Der Text, der einen zackigen Schatten auf das rätselhafte Lächeln der *Mona Lisa* warf, schien im leeren Raum zu schweben.

»Die Bruderschaft ...«, flüsterte Langdon. »Hier haben wir den Beweis, dass Ihr Großvater dazugehörte.«

Sophie blickte Langdon fassungslos an. »Sie können diesen Text *verstehen*?«

»Ja, und er lässt an Deutlichkeit nichts zu wünschen übrig«, sagte Langdon. Seine Gedanken rasten. »Wir haben hier eine Proklamation des fundamentalsten Gedankenguts der *Prieuré de Sion* vor uns.«

Verwirrt betrachtete Sophie die auch diesmal in Englisch ge-schriebene Botschaft, die quer über dem Gesicht der *Mona Lisa* geisterhaft schimmerte.

So Dark The Con Of Man [4]

»Sophie«, sagte Langdon eindringlich, »Ihr Großvater beklagt hier ›das dunkle Kapitel des Betrugs an der Menschheit‹. Die *Prieuré de Sion* sorgt für die ununterbrochene Fortführung der ural-ten Traditionen der Verehrung des göttlich Weiblichen. Sie wirft der katholischen Kirche vor, die Welt betrogen zu haben, indem

---

[4] Etwa: Oh, ein dunkles Kapitel ist der Betrug an der Menschheit.

sie zugunsten des Männlichen verleumderische Unwahrheiten über das Weibliche verbreitet hat.«

Stumm betrachtete Sophie die Zeile.

»Die *Prieuré* ist überzeugt, dass Kaiser Konstantin und seine männlichen Nachfolger den Übergang der Welt vom heidnisch-matriarchalischen Mutterkult zum patriarchalischen Christentum mit einem Propagandafeldzug ohnegleichen durchgedrückt haben, der das göttlich Weibliche dämonisiert und die Göttinnen für immer aus der modernen Religionsausübung verdrängt hat.«

Sophie schaute immer noch skeptisch drein. »Mein Großvater hat mich hierher gelotst, damit ich diese Botschaft finde. Er muss sich dabei doch noch etwas anderes gedacht haben als *das*.«

Langdon verstand, was sie bewegte. *Sie glaubt, das ist wieder nur ein Code.* Er konnte nicht auf Anhieb sagen, ob in der Zeile noch eine weitere Bedeutung versteckt war. Er war immer noch mit der überwältigenden Klarheit von Saunières Botschaft als solcher beschäftigt.

Ein dunkles Kapitel ist der Betrug an der Menschheit, dachte er. *Und was für ein dunkles Kapitel!*

Niemand konnte bestreiten, dass die katholische Kirche in der Gegenwart viel Gutes tat, aber dessen ungeachtet wimmelte es in ihrer Geschichte von Betrug und Gewalttaten. Der blutige Kreuzzug zur »Bekehrung« der Anhänger der alten heidnischen, das Weibliche verehrenden Religionen währte drei Jahrhunderte, wobei die Kirche mit ebenso wirksamen wie grausamen Methoden vorgegangen war.

Die katholische Inquisition hatte ein Buch veröffentlicht, das man vielleicht als das blutrünstigste Druckwerk der Menschheitsgeschichte bezeichnen könnte. Die vom Volksmund »Hexenhammer« genannte lateinische Schrift *Malleus Maleficorum* beschwor vor der Welt die »Gefahr durch freidenkerische Frauen« herauf und leitete den Klerus an, wie diese gefährlichen Frauen ausfindig zu machen, durch Folter zum Geständnis zu bringen und anschließend unschädlich zu machen seien. Zu dem von der katholischen Kirche als »Hexen« bezeichneten Personenkreis gehörten die gelehrten Frauen, die Priesterinnen, Zigeunerinnen, Mystikerinnen, Naturliebhaberinnen, Kräutersammlerinnen und überhaupt alle Frauen, die sich »in verdächtiger Weise im Einklang mit der Natur befinden«. Auch Hebammen fielen den Schergen der Inquisition zum Opfer und wurden getötet, weil sie in gotteslästerlicher Weise durch den Einsatz von Kräutern die Pein der Gebärenden zu lindern wussten – war diese Pein doch, wie die Kirche behauptete, Gottes gerechte Strafe dafür, dass Eva vom Apfel der Erkenntnis gegessen und damit die Erbsünde über die Menschheit gebracht hatte. In den drei Jahrhunderten der Hexenjagd hatte die Kirche die erschütternde Zahl von *fünf Millionen* Frauen auf den Scheiterhaufen gebracht und grausam verbrannt.

Die Propaganda und das Morden haben ihre Wirkung getan – die heutige Welt lieferte den lebendigen Beweis dafür.

Frauen, die einst als die wesentliche Hälfte der Erleuchtung des Menschen verehrt und gefeiert wurden, waren aus den Heiligtümern der Welt verbannt. Es gab keine orthodoxen Rabbinerinnen, keine katholischen Priesterinnen, keine weiblichen islamischen Mullahs. Der einst geheiligte Akt des *hieros Gamos* – die natürliche sexuelle Vereinigung von Mann und Frau, wodurch beide der spirituellen Ganzheit teilhaftig wurden – wurde als schändliches, sündhaftes Tun verworfen. Während heilige Männer einst die Vereinigung mit Gott in der sexuellen Vereinigung mit den dafür ausersehenen Frauen vollzogen hatten, bekämpfte die heutige Geistlichkeit ihre sexuellen Bedürfnisse als Werk des Teufels, der heimtückisch mit seiner natürlichen Komplizin zusammenarbeitet ... *der Frau.*

Selbst die Assoziation des Weiblichen mit der linken Seite ging in die kirchliche Verleumdungskampagne ein. Nicht nur in Deutschland, auch in Frankreich und Italien hat das Wort »links« – *gauche* und *sinistra* – einen eindeutig negativen Beiklang, während das Gegenstück »rechts« von *Rechtschaffenheit*, Korrektheit und *Berechtigung* nur so strotzt. Bis zum heutigen Tag gilt radikales Denken als *linkes* Gedankengut. Übles ist *link* und *sinister*.

Die Tage der Göttinnen waren vorbei. Das Pendel hatte zur anderen Seite ausgeschlagen. Mutter Erde war zu einer Männerwelt gemacht worden. Die Götter der Zerstörung und des Krieges forderten ihren Tribut. Das männliche Ego hatte zwei Jahrtausende lang ohne den mäßigenden Einfluss seiner weiblichen Ergänzung über die Stränge schlagen können.

Die Bruderschaft von Sion, die *Prieuré*, vertrat die Überzeugung, dass diese Ausblendung des Weiblichen aus dem modernen Leben die Ursache dessen war, was die Hopi-Indianer Nordamerikas *koyanisquatsi* nannten – »aus dem Gleichgewicht geratenes Leben« –, eine instabile Situation, die gekennzeichnet ist durch Kriege, eine Überfülle frauenfeindlicher Gesellschaftssysteme und einer wachsenden Missachtung von Mutter Erde.

»Robert!«, flüsterte Sophie und riss Langdon in die Gegenwart zurück. »Da kommt jemand!«

Auf dem Gang waren Schritte zu hören.

»Da rüber!«, zischte Sophie und knipste ihren UV-Strahler aus. Sie schien sich vor Langdons Augen in Luft aufzulösen.

Für einen Moment kam Langdon sich blind wie ein Maulwurf vor. *Wo rüber?* Als er wieder etwas erkennen konnte, war Sophie bereits zur achteckigen Ruhebank in der Mitte des Saales gehuscht und hatte sich dahinter versteckt. Langdon wollte hinterher, doch eine dröhnende Stimme ließ ihn mitten in der Bewegung erstarren.

»*Arrêtez!*«, brüllte ein Mann an der Tür.

Der Wachbeamte des Louvre trat mit gezogener Pistole in den *Salle des États*. Die Waffe zielte mit tödlicher Genauigkeit auf Langdons Brust.

Langdon hob die Arme.

»*Couchez vous!*«, befahl der Beamte. »Hinlegen!«

Langdon legte sich mit dem Gesicht nach unten auf den Boden. Der Wächter eilte herbei und trat ihm die Arme und Beine auseinander, sodass er dalag wie ein aufgespießter Schmetterling.

»*Mauvaise idée, Monsieur Langdon*«, sagte der Wachmann und bohrte Langdon den Lauf der Pistole in den Rücken. »Eine schlechte Idee!«

Das Gesicht auf dem Parkettboden, die Arme und Beine weit von sich gestreckt, fand Langdon die Ironie seiner Lage wenig erheiternd.

Leonardos Proportionsstudie nach Vitruv, dachte er, *diesmal andersherum, mit dem Gesicht nach unten.*

29. KAPITEL

In der Kirche Saint-Sulpice schleppte Silas den schweren Votiv-Kerzenständer vom Altar zum Obelisken. Der eiserne Leuchterschaft gab einen hervorragenden Rammbock ab. Doch die graue Marmorplatte, unter der sich offenbar ein Hohlraum im Fußboden befand, würde sich kaum ohne gewaltigen Lärm zertrümmern lassen.

Eisen auf Marmor. Es würde wie Donnerschläge von den gewölbten Decken widerhallen.

Ob die Nonne es wohl hören würde? Sie lag bestimmt schon wieder in tiefem Schlaf. Aber es war ein Risiko, das Silas nicht in Kauf nehmen wollte. Er blickte sich suchend nach etwas um, das er um den eisernen Kerzendorn des Leuchters wickeln konnte, sah aber nur das Altartuch aus Leinen, das zu entweihen ihm widerstrebte. *Deine Kutte,* fuhr es ihm durch den Kopf. Da er sich allein in der Kirche aufhielt, knotete er den Gürtelstrick auf und streifte sich die Kutte vom Körper. Ein stechender Schmerz durchzuckte ihn, als er sich die Wollfasern des groben Stoffs aus dem frischen Schorf seiner Wunden auf dem Rücken riss.

Nackt bis auf die Unterhose wickelte er die Kutte um den eisernen Kerzendorn. Er zielte auf die Mitte der Bodenplatte und stieß zu. Es gab einen dumpfen Schlag, doch die Platte hielt. Wieder stieß er zu. Wieder ein dumpfer Schlag, aber diesmal begleitet von einem Knacken. Beim dritten Stoß brach die Bodenplatte entzwei. Einige Steinsplitter fielen klickernd in eine Höhlung im Fußboden.

Ein Versteck!

Rasch entfernte Silas die restlichen Trümmer aus der Öffnung, kniete nieder und spähte in den Hohlraum. Das Blut dröhnte ihm in den Ohren. Er streckte den fahlen Arm aus und griff in die Höhlung.

Zunächst ertastete er nichts als den glatt behauenen, nackten Stein des Bodens. Er reckte sich, bis er mit der Hand weit unter die Rosenlinie greifen konnte. *Da war etwas!* Eine lose flache Steinplatte. Silas zwängte die Finger um die Kanten der Platte und zog sie vorsichtig heraus. Als er aufstand und seinen Fund ins Licht hielt, sah er auf der roh behauenen Platte eine Inschrift. Einen Moment fühlte er sich wie ein moderner Moses.

Erstaunt betrachtete er die Inschrift. Er hatte erwartet, dass eine Landkarte oder eine komplizierte, möglicherweise verschlüsselte Folge von Anweisungen in den Stein gemeißelt waren, doch die Platte trug nur eine kurze Inschrift.

Hiob, 38:11

Ein Bibelvers? Erneut staunte Silas über die teuflische Raffinesse der Bruderschaft. Sie missbrauchte einen Bibelvers zur Angabe des geheimen Verstecks? In ihrem Spott auf die Gerechten war ihnen offenbar nichts heilig.

Buch Hiob, Kapitel achtunddreißig, Vers elf.

Silas kannte das Buch Hiob nicht auswendig, wusste aber, dass es von einem Mann erzählte, dem Gott zur Erprobung seines Glaubens schwere Prüfungen auferlegt hatte. *Das passt.* Silas konnte seine Erregung kaum noch zügeln.

Er schaute sich um. Sein Blick folgte der glänzenden Rosenlinie zum Hauptaltar. Er musste lächeln. Dort oben, auf einem vergoldeten Lesepult, lag eine gewaltige, in Leder gebundene Bibel.

Schwester Sandrine stand zitternd auf der Orgelempore. Vor wenigen Augenblicken noch hatte sie die Flucht ergreifen und ihre Befehle ausführen wollen, als der Mann unten im Kirchenraum plötzlich die Kutte ausgezogen hatte. Beim Anblick seiner alabasterweißen Haut war Sandrine ein fürchterlicher Schreck durch die Glieder gefahren. Der breite, bleiche Rücken war mit blutigen

Striemen übersät. Sogar aus dieser Entfernung konnte Sandrine erkennen, dass es frische Wunden waren.

Der Mann war brutal gegeißelt worden.

Den Bußgürtel um seinen Oberschenkel, unter dem Blut hervorsickerte, erblickte sie ebenfalls. *Was wäre das für ein Gott, der Wohlgefallen an solcher Selbstquälerei hätte?* Sandrine würde die Rituale des Opus Dei niemals gutheißen können.

Doch im Moment hatte sie ganz andere Sorgen. *Opus Dei ist auf der Suche nach dem Schlussstein!* Wie die Organisation an die Information gelangt sein konnte, entzog sich ihrer Vorstellung, und sie hatte auch keine Zeit, eingehender darüber nachzudenken.

Der blutige Mönch hatte inzwischen seine Kutte wieder angezogen und befand sich auf dem Weg zum Altar mit der Bibel, seinen Fund an sich gedrückt.

In atemloser Stille schlich Schwester Sandrine sich von der Empore und eilte über den Gang zu ihrem Zimmer, ging auf alle viere nieder, griff unter ihre hölzerne Bettstatt und zog den versiegelten Umschlag hervor, den sie dort vor Jahren versteckt hatte.

Sie riss ihn auf. Er enthielt vier Pariser Telefonnummern.

Zitternd wählte sie die erste Nummer.

Unten im Kirchenschiff legte Silas den flachen Stein auf den Altar und griff nach der ledergebundenen Bibel. Während er fieberhaft die Seiten des Alten Testaments umschlug, schwitzten seine riesigen weißen Hände. Schnell hatte er das Buch Hiob gefunden und suchte Kapitel achtunddreißig. Mit dem Finger fuhr er die Textspalte hinunter. Er wusste bereits, was ihn in Vers elf erwartete.

Er wird dich zum endgültigen Versteck leiten.

Ah! Da war die Stelle. Es waren nur acht Wörter. Silas las … und las die Textstelle voller Bestürzung gleich noch einmal.

Es muss irgendein entsetzlicher Fehler passiert sein!

Der Vers lautete:

BIS HIERHER SOLLST DU KOMMEN,
UND NICHT WEITER.

30. KAPITEL

Der Wachbeamte Claude Grouard stand vor der *Mona Lisa* über seinem bäuchlings auf dem Boden liegenden Gefangenen. Er kochte vor Wut. *Dieser Dreckskerl hat Jacques Saunière umgebracht!* Saunière war wie ein Vater zu Grouard und seiner Wachmannschaft gewesen.

Am liebsten hätte Grouard einfach abgedrückt und Robert Langdon eine Kugel in den Rücken gejagt. Als Chef des Wachdienstes gehörte Grouard zu den wenigen Wachbeamten, die eine Waffe trugen. Er sagte sich allerdings, dass es für Langdon ein geradezu gnädiges Schicksal gewesen wäre, erschossen zu werden, wenn man bedachte, was ihm noch bevorstand.

Grouard zerrte sein Sprechfunkgerät aus dem Gürtel, um Verstärkung herbeizurufen, doch aus dem Hörer drang nur ein Knistern und Rauschen. Grouard fluchte. Die in diesem Saal installierte zusätzliche Sicherheitselektronik setzte das Kommunikationssystem des Wachdienstes immer wieder außer Gefecht. *Du musst zur Tür.* Die Waffe auf Langdon gerichtet, setzte Grouard sich rückwärts in Bewegung. Nach dem dritten Schritt erspähte er etwas. Abrupt blieb er stehen.

Verflucht, was war das?

In der Mitte des Saales nahm eine seltsame, silhouettenhafte Erscheinung Gestalt an. War noch jemand hier? Im Zwielicht sah Grouard eine Frau, die sich rasch zum hinteren Bereich der linken Wand bewegte. Vor ihr huschte ein geisterhafter, violetter Lichtschein auf dem Fußboden hin und her.

»*Qui est là?*«, rief Grouard der Gestalt zu, während ihm zum zweiten Mal innerhalb von dreißig Sekunden das Adrenalin bis in die Haarspitzen schoss. Plötzlich wusste er nicht mehr, wohin er die Waffe richten und in welche Richtung er sich bewegen sollte.

»Spurensicherung«, antwortete die Frau gelassen und untersuchte weiter den Boden mit ihrem seltsamen Licht.

Spurensicherung? Grouard geriet ins Schwitzen. *Sind die Leute von der Spurensicherung nicht schon längst fort?*

Jetzt erkannte Grouard den UV-Strahler in der Hand der Frau, den die Ermittler benutzten, doch er konnte sich keinen Reim darauf machen, wozu jemand hier nach Spuren suchen sollte.

»Wie heißen Sie?«, rief Grouard. Sein Instinkt sagte ihm, dass hier etwas faul war. »*Répondez!*«

»*C'est moi*«, antwortete die Frau beruhigend. »Ich bin's, Sophie Neveu.«

Irgendwo in einer verborgenen Gehirnwindung regte sich bei Grouard die Erinnerung. *Sophie Neveu?* War das nicht der Name von Saunières Enkelin? Sie war als Kind oft hierher gekommen, aber das war schon Jahre her. Und selbst wenn diese Frau tatsächlich Sophie Neveu sein sollte, war das noch lange kein Grund, ihr zu trauen. Grouard hatte von dem Zerwürfnis zwischen Saunière und seiner Enkelin gehört.

»Sie kennen mich doch«, rief die Frau. »Übrigens, Robert Langdon hat meinen Großvater nicht umgebracht, glauben Sie mir.«

Wachmann Grouard war kein Dummkopf, der Sophie nur wegen ihrer hübschen Augen geglaubt hätte. *Ich muss Verstärkung rufen.* Doch wieder war aus dem Sprechfunkgerät nur Rauschen zu hören. Bis zum Eingang hinter Grouard waren es fast zwanzig Meter. Der Wachmann bewegte sich langsam darauf zu, die Waffe immer noch auf den Mann am Boden gerichtet. Im Rückwärtsgehen sah er, dass die Frau in der Mitte des Saales den UV-Strahler hob und ein großes Gemälde ableuchtete, das genau gegenüber der *Mona Lisa* an der anderen Längswand des Saales hing.

Grouard schnappte nach Luft, als er sah, um welches Bild es sich handelte.

Was treibt sie da, um Gottes willen?

Sophie Neveu spürte, wie ihr der kalte Schweiß auf die Stirn trat. Langdon lag noch immer auf dem Boden, alle viere von sich gestreckt. *Durchhalten, Robert! Gleich ist es geschafft!* Sophie wusste, dass der Wächter niemals so weit gehen würde, auf einen von ihnen zu schießen. Ruhig leuchtete sie die Umgebung eines bestimmten Meisterwerks sorgfältig ab – ebenfalls ein da Vinci. Doch ihr UV-Strahler förderte nichts Ungewöhnliches zu Tage, nichts auf dem Boden, nichts an der Wand und auch nichts auf dem Gemälde selbst.

Aber da muss etwas sein!

Sophie war ganz sicher, die Anweisung ihres Großvaters korrekt entziffert zu haben.

Was könnte er anderes gemeint haben?

Das Meisterwerk, das Sophie ableuchtete, war auf eine gut zwei Meter hohe Leinwand gemalt. In der bizarren Szenerie, die Leonardo da Vinci dargestellt hatte, saß die Jungfrau Maria mit dem Jesuskind, Johannes dem Täufer und dem Erzengel Uriel im Vordergrund einer wilden Felslandschaft. Als Sophie noch ein kleines Mädchen war, hatte der Großvater sie nach jedem Besuch der *Mona Lisa* zu diesem Gemälde auf der gegenüberliegenden Seite des Saales geführt.

Grand-père, ich kann nichts finden!

Sophie hörte hinter sich den Wächter erneut nach Verstärkung rufen.

Denk nach!

Sie rief sich die Botschaft vor Augen, die auf das Schutzglas der *Mona Lisa* geschrieben war. Das Bild, vor dem sie jetzt stand, hatte kein Schutzglas, und ihr Großvater hätte ein solch atemberaubendes Meisterwerk niemals durch eine Aufschrift verunstaltet. Sophie überlegte. *Jedenfalls nicht die Vorderseite.* Ihr Blick glitt nach oben zu den langen dünnen Stahlseilen, an denen das Gemälde von der Decke hing.

War das die Lösung? Sie packte den geschnitzten Rahmen und zog ihn zu sich heran. Während das große Gemälde an den langen Drähten nach vorne schwang, beulte die Leinwand sich leicht nach hinten ein. Sophie schlüpfte mit Kopf und Schultern hinter das Bild und leuchtete dessen Rückseite ab.

Ihre Ahnung hatte sie diesmal getäuscht. Die blasse Rückseite des Gemäldes war völlig leer. Nirgends eine Aufschrift, nur ein paar bräunliche Verfärbungen der Leinwand, die vermutlich vom Alter herrührten und …

Halt!

Sophies Blick blieb an etwas Glänzendem hängen, das aus der Unterkante des Rahmens hervorlugte, etwas Länglichem in der Fuge zwischen Rahmen und Leinwand. Eine glänzende goldene Kette.

Sophie zog daran. Zu ihrem maßlosen Erstaunen löste sich aus der Tiefe der Fuge ein vertrauter Gegenstand, ein goldener Schlüssel. Der breite Kopf besaß die Form eines Kreuzes und trug ein eingraviertes Wappen, das Sophie seit ihrem neunten Geburtstag nicht mehr gesehen hatte – eine Lilie mit den Buchstaben P.S. Sophie hörte den Geist ihres Großvaters in ihr Ohr flüstern: *Wenn die Zeit gekommen ist, gehört der Schlüssel dir.* Sophie wurde es eng ums Herz. Ihr Großvater hatte sein Versprechen noch im Tod gehalten. *Das ist der Schlüssel für eine Kiste, in der ich geheime Sachen hüte*, sagte seine Stimme.

Schlagartig wurde Sophie klar, dass die Wortspiele dieser Nacht einzig und allein darauf angelegt waren, dass sie diesen Schlüssel entdeckte, den ihr Großvater bei sich getragen haben musste, als er getötet worden war. Da er offenbar nicht wollte, dass der Schlüssel in die Hände der Polizei geriet, hatte er ihn hinter der *Felsgrottenmadonna* versteckt und sich ein raffiniertes Verwirrspiel ausgedacht, damit einzig und allein Sophie den Schlüssel finden konnte.

»*Au secours!*« Der Wachmann hatte wieder um Hilfe gerufen.

Sophie steckte den Schlüssel aus der Fuge hinter dem Gemälde zusammen mit dem UV-Strahler in die Tasche. Als sie hinter der Leinwand hervorlugte, sah sie, dass der Hilferuf des Wachmanns trotz seiner verzweifelten Bemühungen am Sprechfunkgerät immer noch ungehört geblieben war. Die Waffe auf Langdon gerichtet, bewegte er sich rückwärts auf den Eingang zu.

»Au secours! Ich brauche Hilfe!«, rief er wieder in sein Gerät. Immer noch Rauschen.

Sophie begriff. *Er bekommt keine Verbindung.* Sie erinnerte sich an die handybewehrten Touristen, die hier vergeblich zu den lieben Verwandten durchzukommen versuchten, um die Frage loszuwerden: »Rate mal, wo ich gerade stehe?« Die Sicherheitsverdrahtung in den Wänden machte den *Salle des États* für alles, was per Funk funktionierte, zum schwarzen Loch. Der Wächter war allerdings schon beunruhigend nahe am Ausgang. Sophie musste schnell handeln.

Vom Gemälde nur noch teilweise verdeckt, blickte sie nach oben. Zum zweiten Mal in dieser Nacht würde Leonardo da Vinci ihr Nothelfer sein.

Nur noch ein paar Meter, beruhigte sich Grouard, die Waffe auf Langdon gerichtet.

»Stehen bleiben, oder ich mache Ernst!«, hörte er plötzlich die Frau aus dem Saal herüberrufen.

Grouard schaute zu ihr hinüber und erstarrte. *»Mon dieu!«*

Im rötlichen Halbdunkel erkannte er, dass die Frau die *Felsgrottenmadonna* aus den Ösen der Aufhängung gehoben und vor sich auf den Boden gestellt hatte. Sie verschwand beinahe hinter dem hohen Kunstwerk. Grouard wollte sich schon wundern, weshalb das Abnehmen des Gemäldes den Alarm nicht ausgelöst hatte, aber dazu hätte die Alarmanlage ja zuerst wieder scharf gemacht werden müssen.

Was tut sie da, um Gottes willen …?

Das Blut stockte ihm in den Adern, als er begriff, was die Frau vorhatte.

Die Leinwand bekam in der Mitte eine Beule. Die feinen Züge der Jungfrau Maria, des Jesuskinds und Johannes des Täufers verzerrten sich.

»*Non!*«, schrie Grouard schreckensstarr, während das unschätz-
bare Gemälde Leonardos sich verformte. Die Frau stemmte tatsächlich das Knie von hinten gegen die Leinwand! »*NON!*«

Grouard schwenkte die Waffe und zielte auf die Frau, doch
im selben Moment wurde ihm das Lächerliche seiner Drohung
bewusst. Selbst wenn die Frau getroffen wurde, konnte sie dem
Gemälde noch unermessliche Schäden zufügen – wie auch die
Kugeln aus Grouards Pistole.

»Legen Sie sofort die Waffe und das Sprechfunkgerät weg«,
befahl die Frau ruhig und bestimmt. »Sonst drücke ich mit dem
Knie das Gemälde ein. Ich glaube, Sie wissen, was mein Großvater
davon gehalten hätte.«

Unter Grouard schien der Boden zu schwanken. »Bitte... tun
Sie es nicht«, stieß er hervor. »Das ist da Vincis *Felsgrottenmadonna*...« Er legte Pistole und Sprechfunkgerät auf den Boden und
hob resigniert die Hände über den Kopf.

»Gut«, sagte die Frau. »Tun Sie genau, was ich Ihnen sage.
Dann werden wir prächtig miteinander auskommen.«

Langdons Herz klopfte immer noch wild, als er wenige Augenblicke
später neben Sophie die Feuertreppe zum Erdgeschoss hinunter-
rannte. Seit sie den zitternden Wachbeamten auf dem Boden
liegend im *Salle des États* zurückgelassen hatten, hatten sie noch
kein Wort gewechselt. Langdons Hand krampfte sich um die Pistole
des Wachmanns. Die Waffe fühlte sich fremd, schwer und bedroh-
lich an. Er wollte sie so schnell wie möglich wieder loswerden.

Während Langdon die Stufen hinuntereilte, fragte er sich,
ob Sophie überhaupt wusste, welchen Wert das Gemälde besaß,
das sie beinahe zerstört hätte. Sie hatte in diesem nächtlichen
Abenteuer bislang einen bestürzend adäquaten Kunstgeschmack
bewiesen. Wie die *Mona Lisa* war auch der andere da Vinci, die
Felsgrottenmadonna, unter Kunstgeschichtlern als Fundgrube für
verborgene heidnische Symbolik bekannt.

»Sie haben sich da ein wertvolles Faustpfand ausgesucht«, rief
er Sophie im Laufen zu.

»*Die Felsgrottenmadonna?*«, gab sie zurück. »Die habe nicht ich mir ausgesucht, sondern mein Großvater. Er hat hinter dem Gemälde eine Kleinigkeit für mich deponiert.«

Langdon warf ihr einen erstaunten Blick zu. »Wie bitte?« Wie konnte Sophie wissen, hinter welchem Gemälde sie zu suchen hatte? Warum hinter der *Felsgrottenmadonna*?

»Die Botschaften meines Großvaters waren alle in Englisch verfasst. Und wie ich von ihm weiß, heißt dieses Gemälde auf Englisch *Madonna of the Rocks*. Seine letzte Botschaft lautete *So dark the con of man.*« Sophie warf Langdon einen triumphierenden Blick zu. »Seine beiden ersten Anagramme habe ich nicht begriffen, Robert, aber beim dritten hat's gefunkt!«

Sie ... sind alle tot!«, stammelte Schwester Sandrine am Telefon ihres Domizils in der Kirche Saint-Sulpice. Ein Anrufbeantworter hatte sich gemeldet. »Bitte, nehmen Sie ab, sie sind alle *tot*!«

Das Ergebnis der Anrufe bei den ersten drei Telefonnummern auf ihrer Liste war bestürzend gewesen – eine hysterische Witwe, ein Kriminalbeamter, der am Tatort eines Mordes Überstunden machte, und ein ernster Priester, der eine trauernde Familie zu trösten versuchte, hatten sich gemeldet: Alle drei Kontaktpersonen waren tot. Und jetzt, bei der vierten und letzten Nummer – die sie erst anrufen sollte, wenn die drei anderen Kontaktpersonen nicht zu erreichen waren –, meldete sich nur ein Anrufbeantworter. Der Ansagetext nannte keinen Teilnehmer und forderte lediglich dazu auf, eine Nachricht zu hinterlassen.

»Die Bodenplatte wurde aufgebrochen«, flüsterte Schwester Sandrine eindringlich in die Sprechmuschel, »und die drei anderen, die ich notfalls anrufen sollte, sind tot!«

Schwester Sandrine wusste nicht, wer die Männer waren, für die sie hier aufpasste. Die unter ihrem Bett verwahrten Telefonnummern anzurufen war ihr nur in einem einzigen Fall erlaubt.

Sollte diese Bodenplatte jemals aufgebrochen werden, hatte ein gesichtsloser Bote einmal zu ihr gesagt, *ist der Feind in die Führungsebene eingedrungen, und einer der Unseren war unter Todesandrohung zu einer verzweifelten Lüge gezwungen. Dann müssen Sie diese Nummern anrufen und die anderen warnen. Sorgen Sie dafür, dass Sie bei einer der Nummern durchkommen – unter allen Umständen!*

Es war ein geräuschloses und in seiner Einfachheit faszinierendes Warnsystem. Schwester Sandrine fand es von Anfang an bestechend. Sobald die Identität eines Bruders aufflog, würde er mit einer falschen Auskunft das System in Bewegung setzen, das die anderen warnte. Doch heute Nacht schien bei allen vieren die Tarnung aufgeflogen zu sein.

»Bitte, bitte, nehmen Sie ab...«, flüsterte Schwester Sandrine drängend und voller Angst.

»Legen Sie den Hörer auf«, sagte eine schroffe, tiefe Stimme an der Tür.

Schwester Sandrine fuhr herum. Im Türrahmen stand der riesige Mönch. Er hielt einen eisernen Leuchter in den Händen. Zitternd legte Sandrine den Hörer auf die Gabel des alten Apparats.

»Sie sind tot«, sagte der Mönch. »Alle vier. Sie haben versucht, mich zum Narren zu halten. Jetzt werden *Sie* mir sagen, wo der Schlussstein ist.«

»Ich weiß es nicht«, sagte Schwester Sandrine wahrheitsgemäß. »Das ist ein Geheimnis, über das andere wachen.« *Und die nun tot sind.*

Der Mann trat näher. Seine weißen Fäuste krampften sich um den Kerzenleuchter. »Als katholische Ordensschwester helfen Sie *denen?*«

»Jesus hat uns nur *eine* Frohe Botschaft überbracht«, sagte Schwester Sandrine trotzig. »Bei Opus Dei kann ich diese Frohe Botschaft nicht erkennen.«

In den Augen des Mönchs explodierte die Wut. Mit einem jähen Ausfallschritt nach vorn schwang er den Leuchter wie eine Keule.

Noch während sie zu Boden stürzte und Schwärze sie umfing, überkam Schwester Sandrine ein tiefes, überwältigendes Bedauern.

Alle vier sind tot.

Die kostbare Wahrheit ist für immer verloren.

32. KAPITEL

Das Heulen der Alarmsirenen im westlichen Ende des Denon-Flügels ließ die Tauben in den nahen Tuileriengärten
aufflattern. Langdon und Sophie rannten durch das Drehgitter zu
Sophies Auto hinaus in die Nacht von Paris. Beim Überqueren
des Innenhofs hörte Langdon das ferne Heulen von Polizeisirenen.

»Da steht es«, rief Sophie und zeigte auf einen roten stupsnä-
sigen Zweisitzer.

Das muss ein Witz sein. Das Vehikel war mit Abstand das
kleinste Auto, das Langdon je unter die Augen gekommen war.

»Das ist ein Smart. Das Drei-Liter-Auto«, stieß Sophie keuchend hervor.

Langdon war kaum eingestiegen, als Sophie das kleine Fahrzeug auch schon einen Bordstein hinauf auf einen Kiesstreifen
jagte. Langdon klammerte sich ans Armaturenbrett. Der Wagen
schoss quer über ein Trottoir und hüpfte dann den Bordstein hinunter auf den Kreisverkehr am Carousel du Louvre.

Einen Moment schien Sophie den kürzesten Weg nehmen zu
wollen: geradeaus mitten durch die Begrenzungshecke und quer
über die große runde Rasenfläche.

»Nein!«, rief Langdon, denn er wusste, dass die Hecke um das
Carousel du Louvre vor allem eine gefährliche Fallgrube in der
Mitte kaschieren sollte – *La Pyramide Inversée* –, ein Oberlicht
in Form einer umgekehrten Pyramide, das er zuvor schon vom
Eingangsbereich des Museums aus gesehen hatte. Der kleine
Smart wäre vollständig darin verschwunden. Zum Glück entschied

Sophie sich für den herkömmlichen Weg. Sie riss das Steuer nach rechts herum und folgte artig dem Kreisverkehr, bis sie ihn ein Stück weiter in nördlicher Richtung verlassen konnte. Dann gab sie Gas und jagte in Richtung Rue de Rivoli.

Das Zweiklanghorn der Polizei hinter ihnen wurde lauter. Langdon sah im Seitenspiegel das Blaulicht auftauchen. Der Motor des Smart heulte protestierend auf, als Sophie mit durchgetretenem Gaspedal Boden zu gewinnen suchte.

Fünfzig Meter vor ihnen sprang die Ampel an der Rue de Rivoli auf Rot. Fluchend hielt Sophie mit unvermindertem Tempo auf die Ampel zu. Langdon spürte, wie seine Nackenhaare sich sträubten.

An der Kreuzung ging Sophie kurz vom Gas und ließ die Lichthupe aufblitzen. Nach einem schnellen Blick nach links und rechts trat sie das Gaspedal wieder durch und jagte den Smart mit kreischenden Reifen über die leere Kreuzung nach links in die Rue de Rivoli. Mit hohem Tempo fuhr sie knapp fünfhundert Meter nach Westen, umfuhr zur Hälfte einen großen Kreisverkehr und jagte auf der anderen Seite hinaus auf die breite Prachtstraße der Champs-Élysées.

Langdon drehte sich im Sitz um und schaute aus dem Rückfenster in Richtung Louvre. Die Polizei war nicht mehr hinter ihnen. Die Blaulichter schienen wie eine flirrende Woge in der Gegenrichtung zum Museum zu schwappen.

Langdons Puls normalisierte sich allmählich. Er wandte sich wieder nach vorn. »Das war nicht übel.«

Sophie erwiderte nichts. Ihr Blick war nach vorn auf die lange Verkehrsachse der Champs-Élysées gerichtet, jene mehr als drei Kilometer lange Flucht von Edelboutiquen und erlesenen Geschäften, die oft als die »Fifth Avenue von Paris« bezeichnet wurde. Bis zur amerikanischen Botschaft waren es nur noch anderthalb Kilometer. Langdon entspannte sich in seinem Sitz.

So dark the con of man.

Sophies Scharfsinn hatte ihn beeindruckt.

Madonna of the Rocks, die Felsgrottenmadonna.

Sophie hatte gesagt, ihr Großvater habe hinter dem Gemälde etwas für sie hinterlassen. *Eine letzte Botschaft?* Langdon kam nicht umhin, die Brillanz von Saunières Wahl des Verstecks zu bewundern. Die *Felsgrottenmadonna* war ein weiteres passendes Glied in der Kette der nahtlos miteinander in Beziehung stehenden Symbole der heutigen Nacht. Mit jeder Wendung schien Saunière seine Bewunderung für die dunkle Seite Leonardo da Vincis stärker hervorzukehren.

Da Vinci hatte den Auftrag für dieses Bild von der Bruderschaft der Unbefleckten Empfängnis erhalten, die für das dreiflügelige Altarbild ihrer Kapelle in San Francesco in Mailand ein Mittelstück benötigte. Die Auftraggeber machten dem Meister die entsprechenden Maßangaben und gaben ihm das gewünschte Thema für das Gemälde vor: Die Jungfrau Maria mit dem Jesuskind, Johannes der Täufer als Knabe und der Erzengel Uriel, gemeinsam in einer Felsgrotte, in der sie Zuflucht gefunden haben. Leonardo da Vinci hielt sich zwar an die Vorgaben, doch als er das Gemälde ablieferte, reagierte die Bruderschaft mit Entsetzen. Er hatte das Bild mit einer Fülle unannehmbarer brisanter Details versehen.

Das Gemälde zeigte die sitzende Jungfrau Maria in einem blauen Gewand, den ausgestreckten rechten Arm um ein Kleinkind gelegt, vermutlich Jesus. Dem Kind gegenüber sitzt Uriel, ebenfalls mit einem Kleinkind, vermutlich Johannes der Täufer. Im Gegensatz zu den üblichen Szenerien, in denen Jesus den Johannes segnet, scheint hier seltsamerweise Johannes Jesus zu segnen – und Jesus lässt es geschehen. Noch weniger annehmbar war, dass Maria die Hand mit unverkennbar drohender Gebärde über den Kopf des kleinen Johannes hält, wobei ihre Finger wie Adlerklauen erscheinen, die einen unsichtbaren Kopf gepackt haben. Und schließlich das unverblümteste und Furcht erregendste Detail: Genau unter Marias gekrümmten Fingern macht der Erzengel Uriel mit dem ausgestreckten Zeigefinger eine tranchierende Geste, als wolle er dem von Marias klauenähnlicher Hand gepackten imaginären Kopf die Kehle durchschneiden.

Es erheiterte Langdons Studenten jedes Mal, wenn sie erfuhren, dass Leonardo seine Auftraggeber besänftigte, indem er ihnen schließlich eine zweite, »entschärfte« Version der *Felsgrottenmadonna* malte, auf der es ein wenig konventioneller zuging. Diese zweite Version hing heute in der Londoner Nationalgalerie. Langdon zog allerdings die erste, dramatischere Version im Louvre vor.

»Was war denn hinter dem Bild?«, erkundigte Langdon sich bei Sophie, die den Wagen die Champs-Élysées hinaufjagte.

»Ich werde es Ihnen zeigen, wenn wir sicher in der Botschaft angekommen sind«, sagte sie, ohne den Blick vom Verkehrsgeschehen zu nehmen.

»Es gibt etwas zu *zeigen*?«, fragte Langdon überrascht. »Er hat einen Gegenstand für Sie zurückgelassen?«

Sophie nickte knapp. »Mit eingravierter Lilie und den Initialen P. S.«

Langdon glaubte, sich verhört zu haben.

Wir werden es schaffen!, redete Sophie sich ein, als sie das Lenkrad des Smart scharf nach rechts einschlug, um am Luxushotel de Crillon vorbei in das von Alleen gesäumte Diplomatenviertel von Paris einzubiegen.

Trotz ihrer riskanten Fahrweise musste sie dauernd an den Schlüssel in ihrer Tasche denken. Sie erinnerte sich daran, wie sie ihn vor vielen Jahren zum ersten Mal gesehen hatte – den wie ein Pluszeichen geformten Goldgriff, den dreieckigen Schaft mit den winzigen Vertiefungen, das eingravierte Lilienemblem und die Buchstaben P. S.

In all den Jahren hatte sie kaum noch an den Schüssel gedacht, hatte bei ihrer Arbeit im nachrichtendienstlichen Bereich aber einiges über Sicherheitssysteme mitbekommen. Die merkwürdige Fertigungstechnik des Schlüssels stellte inzwischen kein Geheimnis mehr für sie dar: eine lasergefertigte Matrix, absolut fälschungssicher. Im Gegensatz zu den Zacken eines Bartschlüssels, der im Schloss winzige Zylinder betätigt, wies dieser Schlüssel ein komplexes Muster von Vertiefungen auf, die mittels Laserstrahl eingebrannt waren und von einem elektronischen Auge abgetastet wurden. Wenn die Elektronik registrierte, dass die hexagonalen Vertiefungen sich im richtigen Abstand voneinander und in der richtigen Anordnung zueinander befanden und richtig gedreht worden waren, wurde das Schloss freigegeben.

Sophie hatte keinen Schimmer, wozu Schlüssel dieser Art verwendet wurden, aber sie hatte das Gefühl, Robert könnte ihr auf die Sprünge helfen. Schließlich hatte er auch das eingravierte Emblem beschrieben, ohne es je gesehen zu haben. Der kreuzförmige Griff ließ darauf schließen, dass der Schlüssel irgendeiner christlichen Organisation gehörte, aber welche Kirche besaß schon einen Schlüssel mit Lasermatrix?

Außerdem war Sophies Großvater kein Christ.

Sophie war vor zehn Jahren unsanft darauf gestoßen worden. Ironischerweise hatte letzten Endes ein anderer, ganz normaler Schlüssel bewirkt, dass sie die wahre Natur ihres Großvaters entdeckt hatte.

Sie war an einem angenehm warmen Frühlingsnachmittag auf dem Flughafen Charles de Gaulle gelandet und mit einem Taxi nach Hause gefahren. *Grand-père wird überrascht sein, dass du schon da bist.* Sophie war ein paar Tage früher von der Uni in England in die Osterferien gereist und konnte es nun kaum erwarten, ihrem Großvater von den neuen Chiffriermethoden zu erzählen, die sie zurzeit studierte.

Als Sophie in der Pariser Wohnung eintraf, war ihr Großvater nicht da. Sie war enttäuscht, aber wie hätte er sie auch erwarten sollen? Vermutlich war er im Louvre und arbeitete. *Aber es war Samstagnachmittag.* Großvater arbeitete selten am Wochenende. Meist machte er dann …

Sophie rannte zur Garage. Der Wagen ihres Großvaters war fort, doch Saunière hasste den Stadtverkehr und benutzte den Wagen nur zu einem Zweck: um zu seinem Ferienschlösschen in der Normandie zu fahren. Nach Monaten in der drangvollen Enge Londons sehnte auch Sophie sich nach der Weite und dem Duft der Natur. Warum nicht sofort mit den Ferien beginnen? Es war ja noch früh am Abend.

Sophie beschloss, dem Großvater hinterherzufahren und ihn zu überraschen. Sie lieh sich den Wagen einer Freundin und fuhr nach Norden. Als sie kurz nach zehn durch die kurvenreiche verlassene Hügellandschaft bei Creully fuhr, stand hell der Mond am Himmel. Sophie bog in die lange Privatstraße zum Anwesen ihres Großvaters ein. Sie hatte schon die Hälfte der knapp zwei Kilometer langen Zufahrt hinter sich, als sie endlich das Haus durch die Baumwipfel sehen konnte – ein riesiges altes Gemäuer, das sich an die Flanke eines Hügels schmiegte.

Sophie, die eigentlich damit gerechnet hatte, dass ihr Großvater um diese Zeit schon schlafen gegangen war, bemerkte erfreut, dass im ganzen Haus noch das Licht brannte. Doch aus der Freude wurde Verwunderung, als sie die Einfahrt mit Luxuslimousinen zugeparkt fand – Mercedes, BMWs, Audis und ein Rolls Royce.

Nach kurzem Erstaunen musste Sopie lachen. *Grand-père, der berühmte Einsiedler!* Jacques Saunière schien bei weitem nicht so einsiedlerisch zu sein, wie er immer tat: Er feierte eine große Party, während Sophie im Ausland studierte. Den teuren Wagen nach zu schließen, mussten sich hier einige der einflussreichsten Persönlichkeiten von Paris ein Stelldichein gegeben haben.

Sophie war auf das überraschte Gesicht ihres Großvaters gespannt. Sie lief zur Eingangstür, doch sie war verschlossen. Sophie klopfte, doch niemand öffnete. Verwundert ging sie um das Gebäude herum und versuchte ihr Glück an der Hintertür. Auch hier war abgeschlossen. Nichts rührte sich.

Verwirrt verharrte sie einen Moment im Hof und lauschte. Nur der kühle normannische Frühlingswind war zu hören, der leise klagend durch das bewaldete Tal strich.

Keine Musik.

Keine Stimmen.

Kein Gelächter.

Nichts.

In der tiefen Stille des Waldes lief Sophie den halben Weg zurück zu einer Seite des Hauses, kletterte auf einen Holzstoß und spähte durch ein Fenster in den Salon. Der Anblick, der sich ihr bot, ergab keinen Sinn.

Das Erdgeschoss wirkte völlig verlassen.

Wo stecken denn die Leute?

»Ist jemand da?«, rief sie.

Mit pochendem Herzen lief Sophie in den Schuppen, wo Großvater einen Zweitschlüssel unter einer Kiste mit Brennholz versteckt hatte; mit diesem Schlüssel verschaffte sie sich Einlass. Als sie in die Eingangshalle trat, begann das rote Warnlämpchen auf dem Tastenfeld der Alarmanlage zu blinken – jetzt blieben noch zehn Sekunden, um den Zutrittscode einzugeben, sonst heulte die Alarmanlage los.

Großvater hat die Alarmanlage eingeschaltet? Bei einer Party?

Hastig tippte Sophie die dreistellige Zahlenfolge ein, die das System deaktivierte.

Im Innern fand sie das ganze Haus verlassen vor, auch die obere Etage. Als sie wieder nach unten kam und konsterniert im verlassenen Salon stand, hörte sie etwas.

Gedämpfte Stimmen.

Sie schienen von unten heraufzudringen.

Sophie legte das Ohr auf den Fußboden. Ja, die Stimmen kamen eindeutig von unten. Sie schienen zu singen oder zu ... *beten?* Sophie bekam es mit der Angst zu tun. Denn fast noch gespenstischer als der Gesang war die Tatsache, dass das Haus keinen Keller hatte ...

Jedenfalls, soweit sie wusste.

Sophie sah sich im Wohnzimmer um. Ihr Blick verharrte auf dem einzigen Gegenstand, der sich nicht an seinem gewohnten Platz befand – das Lieblingsstück ihres Großvaters, eine große Tapisserie von Aubusson. Der Wandteppich hing sonst immer vor der holzgetäfelten östlichen Wand neben dem Kamin, aber heute war er auf seiner Messingstange beiseite geschoben worden. Das Paneel dahinter war zu sehen.

Als Sophie darauf zuging, hatte sie den Eindruck, dass der Gesang noch lauter wurde. Zögernd legte sie das Ohr ans Paneel. Der monotone Singsang wurde deutlicher. Es war unverkennbar ein Chorgesang ... mit völlig fremdartigen Lauten.

Hinter der Wand musste ein Hohlraum sein.

Als Sophie die Finger langsam über den Rand des Paneels gleiten ließ, ertastete sie eine versteckt eingearbeitete Vertiefung. Mit pochendem Herzen zwängte sie die Fingerspitzen in den Schlitz und schob. *Eine Geheimtür!* Geräuschlos glitt die hölzerne Wand zur Seite. Stimmen hallten aus dem Dunkel zu ihr herauf.

Sophie schlüpfte durch die Öffnung und stand vor einer schmucklosen, grob gearbeiteten Wendeltreppe, die nach unten führte. Seit ihrer Kindheit hatte sie dieses Haus regelmäßig besucht und wusste nicht einmal, dass es diese Wendeltreppe überhaupt gab ...

Sie stieg hinunter. Kühle Luft wehte ihr entgegen, während sie auf die Stufen starrte, die gewunden in die Tiefe führten. Die letzte Stufe kam in Sicht. Sophie konnte ein kleines Stück des daran anstoßenden Kellerbodens erkennen: von orange flackerndem Feuerschein beleuchtete Steinplatten.

Mit angehaltenem Atem schlich sie ein paar Schritte voran und ging in die Hocke, um ein größeres Blickfeld zu haben. Sie brauchte ein paar Sekunden, um den Anblick zu verkraften, der sich ihr bot.

Sie blickte in eine Art Grotte, die roh aus dem anstehenden Granitgestein des Hügels herausgehauen zu sein schien. Mehrere Fackeln in eisernen Wandhaltern spendeten flackerndes, unstetes Licht. Ungefähr dreißig Personen bildeten in der Mitte des Raums einen Kreis im geisterhaften Lichtschein.

Das kann nicht sein, sagte sich Sophie. *Das ist ein böser Traum.*

Alle Anwesenden trugen Gesichtsmasken. Die Frauen waren in Gewänder aus durchsichtigem weißen Stoff gekleidet und trugen goldene Pantoffeln. Die Männer trugen schwarze Roben und schwarze Masken. Alles wirkte wie eine groteske Versammlung zu groß geratener Schachfiguren. Die Gestalten wiegten sich vor und zurück und intonierten einen Lobgesang auf irgendetwas, das offenbar zu ihren Füßen auf dem Boden vor sich ging, doch Sophie konnte es nicht sehen.

Der Singsang wurde schneller und lauter, schwoll an zum orgiastischen Donnerhall. Die ekstatische Gemeinschaft wogte vor, zurück, vor und fiel auf die Knie. In diesem Moment sah auch Sophie, was die anderen die ganze Zeit schon beobachtet hatten. Sie prallte vor Entsetzen zurück, doch im Bruchteil einer Sekunde hatte sich das scheußliche Bild für immer in ihr Gedächtnis eingebrannt. Mit einem Würgen in der Kehle fuhr sie herum und flüchtete die Wendeltreppe hinauf, wobei sie an den Wandvorsprüngen Halt suchte. Hinter sich stieß sie die Geheimtür zu, flüchtete aus dem scheinbar verlassenen Haus und fuhr nach Paris zurück, wobei sie hemmungslos weinte.

Noch in dieser Nacht hatte sie ihre Siebensachen gepackt und ihr Heim verlassen. Ihr ganzes bisheriges Leben war unter der Wucht des Schocks, der Enttäuschung und der Irreführung zerbrochen. Auf dem Esstisch hatte sie einen Zettel hinterlassen:

ICH BIN DORT GEWESEN. WAGE NICHT,
MICH ZU SUCHEN!

Neben den Zettel hatte sie den Zweitschlüssel aus dem Holzschuppen gelegt.

»Sophie!« Langdons Stimmme riss sie aus ihren Gedanken. »Stopp! *Stopp!*«

Sophie stieg hart auf die Bremse. Mit kreischenden Reifen kam der Smart zum Stehen.

Langdon deutete die Straße hinunter.

Das Blut stockte Sophie in den Adern. Ungefähr hundert Meter vor ihnen war die Kreuzung durch quer gestellte Polizeifahrzeuge versperrt. Der Zweck dieser Aktion war eindeutig: Sie hatten die Avenue Gabriel dichtgemacht.

»Meine Botschaft ist heute Nacht offenbar ein wenig schwer zugänglich«, meinte Langdon lakonisch.

Zwei Polizisten, die unten an der Kreuzung neben ihren Streifenwagen standen, schauten neugierig zu ihnen hinauf. Wahrscheinlich fragen sie sich, warum der Smart so abrupt gehalten hatte.

Okay, Sophie, jetzt wirst du schön fahrschulmäßig wenden.

Sie legte den Rückwärtsgang ein, stieß zurück, wieder vor, noch einmal zurück und fuhr gesittet in der anderen Richtung davon. Sie war noch nicht im zweiten Gang, als sie hinter sich Reifen quietschen und zwei Martinshörner plärren hörte.

Fluchend gab sie Vollgas.

33. KAPITEL

An Botschaften und Konsulaten vorbei jagte Sophie mit dem Smart durchs Diplomatenviertel. Schließlich gelangte sie auf eine Querstraße, von der sie nach rechts in die große Hauptachse der Champs-Élysées einbiegen konnte.

Langdon drückte sich in den Beifahrersitz. Er hielt sich so krampfhaft fest, dass die Knöchel weiß hervortraten, und wünschte sich sehnlichst, nicht geflüchtet zu sein.

Du bist ja nicht geflüchtet, beruhigte er sich. *Sophie hat dir die Entscheidung abgenommen. Sie hat den Minisender zum Toilettenfenster hinausgeworfen.*

Während die Entfernung von der amerikanischen Botschaft stetig wuchs und Sophie im spärlichen nächtlichen Verkehr im Zickzackkurs über die Champs-Élysées jagte, spürte Langdon seine Felle weiter davonschwimmen. Sophie hatte zwar die Polizei abgehängt, doch Langdon bezweifelte, dass ihr Glück von langer Dauer war.

Sophie lenkte mit einer Hand, während sie mit der anderen in ihrer Pullovertasche wühlte. Schließlich zog sie einen kleinen Gegenstand aus Metall heraus und hielt ihn Langdon hin. »Werfen Sie mal einen Blick darauf, Robert. Das hat mein Großvater mir hinter Leonardos *Felsgrottenmadonna* hinterlassen.«

Gespannt nahm Langdon den schweren kreuzförmigen Gegenstand in die Hand. Er betrachtete prüfend den prismenförmigen Schaft am Kreuz, der mit Hunderten winziger Sechsecke übersät war, die mit einem Präzisionswerkzeug in zufälliger Folge hineingeprägt worden zu sein schienen.

»Das ist ein lasergefertigter Schlüssel«, erläuterte Sophie. »Diese Sechsecke werden von einem elektronischen Auge abgetastet.«

Ein Schlüssel? Langdon hatte so etwas noch nie gesehen.

»Schauen Sie sich mal die andere Seite an«, sagte Sophie und wechselte mitten auf einer Kreuzung geschickt die Spur.

Als Langdon den Schlüssel herumdrehte, riss er vor Überraschung die Augen auf. Säuberlich in die Mitte der Kreuzbalken eingraviert, befand sich eine stilisierte Lilie mit den Initialen *P. S.*

»Sophie«, stieß er hervor, »das ist das Emblem, von dem ich Ihnen erzählt habe! Das offizielle Emblem der *Prieuré de Sion*.«

Sophie nickte. »Wie gesagt, ich habe den Schlüssel vor langer Zeit schon einmal gesehen. Mein Großvater hat damals von mir verlangt, nie wieder von diesem Schlüssel zu reden.«

Langdon konnte den Blick nicht von dem gravierten Schlüssel wenden. In seiner High-Tech-Funktionsweise und seinem uralten Symbolgehalt vermischten sich auf gespenstische Weise die Welten der Vorzeit und der Moderne.

»Mein Großvater sagte damals, der Schlüssel gehöre zu einer Kiste, in der er seine Geheimnisse hüte.«

Langdon versuchte vergeblich, sich vorzustellen, welche Geheimnisse Jacques Saunière hüten mochte. Was eine uralte Bruderschaft mit einem futuristischen Schlüssel im Sinn hatte, war ihm ein ebensolches Rätsel. Die *Prieuré* existierte einzig zu dem Zweck, ein Geheimnis zu hüten – ein Geheimnis, das seinem Hüter ungeheure Macht verlieh. *Könnte es sein, dass der Schlüssel etwas damit zu tun hat?* Was für eine atemberaubende Vorstellung.

»Wissen Sie, wozu dieser Schlüssel dient?«

Sophie schaute ihn an. »Ich dachte, das wüssten *Sie*.«

Langdon erwiderte nichts. Versonnen drehte er den kreuzförmigen Gegenstand in seinen Händen.

»Könnte der Schlüssel ein christliches Symbol sein?«, versuchte Sophie ihm auf die Sprünge zu helfen.

Langdon war sich keineswegs sicher. Der Griff des Schlüssels besaß nicht die traditionelle christliche Kreuzform mit dem langen und dem kurzen Balken, sondern wies vier gleich lange Balken auf – eine

Form, die anderthalb Jahrtausende älter war als das Christentum. Solche Kreuze besaßen nicht den christlichen Symbolgehalt der Kreuzigung wie das lateinische Kreuz mit dem langen unteren Balken, das die Römer als Folterinstrument erfunden hatten. Langdon wunderte sich immer, dass Christen, wenn sie ein Kreuz betrachteten, in den seltensten Fällen wussten, dass schon der Name dieses zentralen christlichen Symbols seine Gewaltsamkeit widerspiegelte. Das Wort »Kreuz« leitete sich vom lateinischen »cruciare« ab, was nichts anderes als »quälen« oder »foltern« bedeutete.

»Ich kann Ihnen lediglich sagen, Sophie, dass solche Kreuze mit gleich langen Balken *friedliche* Symbole sind. Allein schon wegen ihrer quadratischen Form wären sie für Kreuzigungszwecke … nun, unpraktisch. Die Ausgeglichenheit der senkrechten und waagerechten Komponenten bezeichnet das natürliche Einssein von männlich und weiblich, wodurch ihr Symbolgehalt bestens zur Weltanschauung der *Prieuré* passt.«

Sophie blickte ihn müde an. »Einen anderen Reim können Sie sich nicht darauf machen?«

Langdon zuckte die Schultern. »Absolut nicht.«

»Okay, wir müssen langsam von der Straße verschwinden«, sagte Sophie und schaute in den Rückspiegel. »Wir müssen irgendwo unterkriechen und uns in aller Ruhe überlegen, wofür dieser Schlüssel ist.«

Langdon dachte sehnsüchtig an sein Zimmer im Ritz, das aus nahe liegenden Gründen aber nicht in Frage kam. »Wie wär's mit meinen Gastgebern an der amerikanischen Universität von Paris?«

»Zu offensichtlich. Sie werden bestimmt schon von Fache überwacht.«

»Sie müssen doch irgendjemanden kennen, Sophie. Sie leben hier.«

»Fache wird sämtliche Nummern aus meinem Telefon- und E-Mail-Verzeichnis abklappern und meine Verbindungen kappen. Und in ein Hotel können wir auch nicht, weil man sich dort ausweisen muss.«

Langdon fragte sich zum wiederholten Mal, ob es nicht besser gewesen wäre, sich von Fache im Louvre verhaften zu lassen. »Lassen Sie mich die Botschaft anrufen. Ich werde die Situation darlegen und darum bitten, dass man jemanden schickt, der uns irgendwo abholt.«

»Uns abholen?« Sophie blickte ihn entgeistert an, als wäre er plötzlich übergeschnappt. »Ihre Botschaft hat außerhalb ihres eigenen Territoriums keinerlei Befugnisse, Robert. Wenn sie uns jemand schicken, um uns abzuholen, würden sie sich der Beihilfe zur Flucht vor der französischen Justiz schuldig machen. Das ist völlig ausgeschlossen. Wenn Sie in Ihre Botschaft hineinmarschieren und um vorübergehendes Asyl bitten, ist das eine Sache, aber was Sie sich da ausmalen, wäre Behinderung der französischen Strafverfolgungsbehörden.« Sie schüttelte den Kopf. »Wenn Sie Ihre Botschaft jetzt anrufen, wird man Ihnen raten, die Sache nicht noch schlimmer zu machen und sich unverzüglich der Polizei zu stellen. Man wird Ihnen bestenfalls versprechen, alle diplomatischen Hebel in Bewegung zu setzen, damit Sie einen fairen Prozess bekommen.« Sophie schaute die eleganten Läden an der Champs-Élysées entlang. »Wie viel Bargeld haben Sie dabei?«

Langdon sah in seine Brieftasche. »Ein paar Hundert Dollar und ein paar Euro. Warum?«

»Kreditkarten?«

»Ja.«

Sophie trat wieder aufs Gas. Unmittelbar vor ihnen erhob sich am Ende der Champs-Élysées der Arc de Triomphe, Napoleons fünfzig Meter hohe Reverenz an sein eigenes militärisches Genie, umgeben vom größten Kreisverkehr Frankreichs, einem Straßenmoloch mit neun Fahrspuren, dem sie sich nun näherten. Sophie blickte wieder in den Rückspiegel. »Vorerst haben wir die Polizei abgehängt«, sagte sie, »aber das kann sich schon in den nächsten Minuten ändern, wenn wir dieses Auto nicht loswerden.«

Dann klauen wir eben ein anderes, sagte sich Langdon. *Jetzt sind wir ohnehin Gesetzesbrecher.* »Was haben Sie vor?«

Sophie jagte den Smart durch den Kreisverkehr. »Lassen Sie mich nur machen.«

Langdon erwiderte nichts. Sophie »machen zu lassen«, hatte ihn heute Nacht nicht allzu weit gebracht. Er streifte den Ärmel ein wenig zurück und sah auf die Uhr – ein altes Sammlerstück, eine Mickymaus-Uhr, die er zu seinem zehnten Geburtstag von seinen Eltern geschenkt bekommen hatte. Auch wenn er mit dem albernen Zifferblatt öfters verwunderte Blicke auf sich zog, hatte er nie eine andere Uhr besessen. Zeichentrickfilme von Walt Disney waren seine erste Begegnung mit der Magie von Form und Farbe gewesen. Die Mickymaus lieferte ihm täglich den Anreiz, im Herzen jung zu bleiben. Im Moment allerdings befanden sich die Arme der ulkigen Filmmaus – zugleich die Zeiger der Uhr – in einer ungewöhnlichen Stellung, womit sie eine ziemlich ungewohnte Stunde anzeigten.

2.51 Uhr.

»Interessantes Stück«, sagte Sophie mit einem Seitenblick auf Langdons Handgelenk, während sie den Smart rechtsherum durch das weite Rund des Kreisverkehrs lenkte.

»Mit einer langen Geschichte«, meinte Langdon einsilbig und zog den Ärmel wieder herunter.

»Scheint mir auch so.« Sophie ließ ein Lächeln aufblitzen. Sie bog in nördlicher Richtung vom Kreisel ab, schaffte gerade noch zwei Ampeln und schwenkte an der dritten Kreuzung scharf rechts in den Boulevard Malesherbes. Sie waren nun aus dem Diplomatenviertel mit seinen gut ausgebauten dreispurigen Straßen heraus und fuhren durch ein ziemlich düsteres Industrieviertel. Als Sophie unvermutet nach rechts abbog, wusste Langdon auf einmal wieder, wo sie waren.

Am Bahnhof Saint-Lazare.

Vor ihnen erhob sich ein merkwürdiges Gebilde, das aussah wie eine Mischung aus Flugzeughangar und Gewächshaus. Europäische Bahnhöfe kannten keinen Feierabend. Selbst zu dieser Stunde stand ein halbes Dutzend Taxis mit im Leerlauf brummendem Dieselmotor vor dem Haupteingang. Fliegende Händler schoben ihre Verkaufswagen für belegte Brötchen und Mineralwasser durch die Gegend; abgerissene Halbwüchsige mit Rucksäcken kamen aus dem Bahnhof getrottet und rieben sich die Augen, als würden sie sich den Kopf zerbrechen, was das denn nun wieder für eine Stadt sei. Ein Stück weiter standen mehrere Polizisten am Bordstein und wiesen Japanern den Weg.

Obwohl es auf der anderen Straßenseite genügend offizielle Parkplätze gab, stellte Sophie sich hinter ein paar Taxis ins Halteverbot. Bevor Langdon fragen konnte, was sie vorhatte, war sie schon ausgestiegen und ging zu dem Taxi, das vor ihnen stand. Sie sprach den Fahrer durch die heruntergedrehte Seitenscheibe an.

Als auch Langdon ausstieg, sah er Sophie dem Fahrer ein dickes Bündel Banknoten aushändigen. Der Mann nickte. Zu Langdons Verwunderung gab er Gas und fuhr los – allein.

Langdon trat an Sophies Seite und sah dem Taxi nach. »Was sollte das denn?«, wollte er wissen.

Sophie war schon auf dem Weg zum Haupteingang des Bahnhofsgebäudes. »Kommen Sie. Wir besorgen uns zwei Fahrkarten für den nächsten Zug, der abfährt, egal wohin.«

Langdon eilte neben ihr her. Was als Spritztour zur amerikanischen Botschaft begonnen hatte, wuchs sich zu einer kopflosen Flucht aus Paris aus. Die Sache gefiel ihm immer weniger.

34. KAPITEL

Der Fahrer, der Bischof Aringarosa am Flughafen Leonardo da Vinci in Rom abholte, kam in einem kleinen, unauffälligen schwarzen Fiat vorgefahren.

Aringarosa erinnerte sich an die Tage, als Fahrgäste des Vatikans in riesigen Luxuslimousinen mit Diplomatenkennzeichen unter dem chromblitzenden Kühlergrill und einer Standarte mit dem Wappen des Heiligen Stuhls auf dem Kotflügel chauffiert worden waren. *Das waren noch Zeiten.* Heutzutage waren die Fahrzeuge des Vatikans erheblich schlichter geworden und auch nicht mehr als solche erkennbar. Im Vatikan hieß es, man wolle zum Wohle der Diözesen Kosten sparen, doch Aringarosa hatte den Verdacht, dass es sich um eine Sicherheitsmaßnahme handelte.

Die Welt war aus den Fugen geraten. In vielen Gegenden Europas wirkte es inzwischen wie ein rotes Tuch, wenn man sich öffentlich als jemand zu erkennen gab, dem christliche Werte am Herzen lagen.

Aringarosa raffte die Schöße der Soutane um sich, nahm auf dem Rücksitz Platz und stellte sich innerlich auf die lange Fahrt zum Castel Gandolfo ein – die gleiche Fahrt, die er schon fünf Monate zuvor gemacht hatte.

Die Reise nach Rom Ende letzten Jahres, er seufzte leise, *war die längste Reise deines Lebens.*

Vor fünf Monaten war er telefonisch nach Rom beordert worden – unverzüglich. Einen Grund hatte man nicht genannt. *Ihr Ticket liegt am Flughafen für Sie bereit.* Der Heilige Stuhl legte Wert darauf, einen Rest vom Schleier des Geheimnisvollen zu wahren, auch gegenüber seinem hohen Klerus.

Aringarosa hatte den Verdacht gehabt, bei dem mysteriösen Gestellungsbefehl gehe es um einen Fototermin mit dem Papst und anderen hohen kirchlichen Würdenträgern, damit der Vatikan den jüngsten Medienerfolg des Opus Dei – die Fertigstellung des Opus-Dei-Hauptquartiers in New York – für sich ausschlachten konnte. Die Zeitschrift *Architectural Digest* hatte das neue Gebäude als »brillantes Leuchtfeuer des Katholizismus, das sich sublim in die moderne Stadtlandschaft einfügt« gepriesen. Der Vatikan schien neuerdings eine Vorliebe für Dinge zu entwickeln, die sich mit dem Beiwort »modern« schmückten.

Aringarosa hatte keine andere Wahl gehabt, als der »Einladung« Folge zu leisten, wenn auch nicht mit wehenden Fahnen. Wie die Mehrheit des konservativen Klerus war Aringarosa von der derzeitigen Kurie keineswegs begeistert und hatte die Entwicklungen im ersten Jahr der Amtsführung des neuen Papstes mit größter Besorgnis verfolgt. Seine Heiligkeit, ein außergewöhnlich liberaler Mann, war durch eines der umstrittensten Konklave in der Geschichte des Vatikans in sein Amt gelangt. Anstatt sich nach seinem unerwarteten Aufstieg an die Spitze der Kurie in Bescheidenheit und Zurückhaltung zu üben, hatte der Heilige Vater stattdessen mit der vollen Wucht der immensen Machtfülle des höchsten Amtes der Christenheit auf den Tisch gehauen. Von einer befremdlichen Welle der Sympathie des Kardinalskollegiums getragen, hatte der Papst erklärt, er sehe seine Sendung darin, »die vatikanische Lehre zu verjüngen und den Katholizismus den Erfordernissen des dritten Jahrtausends zu öffnen«.

Nach Aringarosas Befürchtung hieß das im Klartext, dass dieser Mann in seiner Arroganz tatsächlich glaubte, er könne die Herzen jener, denen die Anforderungen des wahren Katholizismus in der modernen Welt zu unbequem geworden waren, durch eine Neufassung der Gesetze Gottes zurückgewinnen.

Aringarosa hatte sein ganzes, angesichts der gewaltigen Gefolgschaft und Finanzkraft des Opus Dei erhebliches politisches

Gewicht in die Waagschale geworfen, um dem Papst und seinen Beratern begreiflich zu machen, dass eine Aufweichung der Gesetze der Kirche nicht nur eine feige Verleugnung des Glaubens war, sondern obendrein politischer Selbstmord. Er hatte sie daran erinnert, dass die bereits erfolgte Lockerung des Kirchengesetzes – das Fiasko des Zweiten Vatikanischen Konzils – ein verheerendes Vermächtnis hinterlassen hatte. Der Kirchenbesuch war so dürftig geworden wie noch nie, das Spendenaufkommen magerer denn je, und es gab noch nicht einmal ausreichend Priesternachwuchs, um sämtliche vakanten Pfarrstellen zu besetzen.

Die Kirche muss den Menschen eine feste Hand und seelische Führung bieten, hatte er mit Nachdruck erklärt, *und keinen liebedienerischen Schmusekurs!*

An jenem Abend vor ein paar Monaten hatte Aringarosa sich gewundert, dass der Fiat nach Verlassen des Flughafengeländes nicht die Richtung zur Vatikanstadt einschlug, sondern nach Osten fuhr, wo es bald auf einer kurvenreichen Straße bergauf ging. »Wo fahren Sie hin?«, hatte Aringarosa den Mann am Steuer gefragt.

»In die Albaner Berge, Exzellenz. Die Zusammenkunft findet im Castel Gandolfo statt.«

In der Sommerresidenz des Papstes? Aringarosa hatte sie nie kennen gelernt und auch nie das Bedürfnis gehabt. Das Kastell aus dem sechzehnten Jahrhundert war nicht nur päpstliche Sommerresidenz, es beherbergte auch das päpstliche Observatorium *Specula Vaticana* – eine der modernsten Sternwarten Europas. Im Laufe der jüngeren Geschichte hatte der Vatikan auf naturwissenschaftlichem Gebiet immer öfter die Stimme erhoben, was Aringarosa stets missfallen hatte. Wozu Naturwissenschaft und Glauben miteinander versöhnen? Wie könnte ein gläubiger Naturwissenschaftler wertfreie Forschung betreiben? Außerdem brauchte der Glauben keine wissenschaftliche Rechtfertigung.

Da wären wir, hatte Aringarosa gedacht, als er damals Castel Gandolfo vor einem sternenübersäten Novembernachthimmel ins Blickfeld kommen sah. Von der Zufahrtsstraße aus betrachtet, ähnelte Gandolfo einem gewaltigen steinernen Ungeheuer, das im Begriff war, einen selbstmörderischen Sprung in den Abgrund zu tun. Die an den Rand eines Felssturzes gebaute Schlossanlage blickte über die Wiege der italienischen Zivilisation hinweg – über jenes Tal, in dem die Sippen der Horatier und Curatier lange vor Gründung der Stadt Rom ihre Fehden ausgefochten hatten.

Selbst als Silhouette war Castel Gandolfo ein unvergesslicher Anblick und bot ein eindrucksvolles Beispiel einer auf mehreren Ebenen angelegten Verteidigungsarchitektur, die die Stärke dieses Felsenbollwerks dramatisch zum Ausdruck brachte. Leider hatte der Vatikan die trutzige Wirkung des Baukomplexes durch die beiden auf das Dach gesetzten Aluminiumkuppeln der Sternwarte zunichte gemacht; sie verliehen diesem zuvor so würdevollen Gebäude das Aussehen eines Kriegers mit zwei Narrenkappen.

Als Aringarosa aus dem Wagen stieg, eilte ein junger Jesuit herbei, um ihn zu begrüßen. »Willkommen, Exzellenz. Ich bin Pater Mangano, Astronom am hiesigen Institut.«

Wie schön für dich. Aringarosa hatte ein mürrisches »Guten Abend« von sich gegeben und war seinem Führer in den Empfangsraum des Schlosses gefolgt – einen weitläufigen Saal, der mit einer disparaten Mischung aus Renaissancekunstwerken und astronomischen Fotos bestückt war. Als Aringarosa hinter dem Jesuitenpater das breite Marmortreppenhaus aus Travertin hinaufstieg, hatten ihm auf Schritt und Tritt Hinweisschilder auf Konferenzzentren, Vorlesungsräume und Informationsstellen für Touristen entgegengeleuchtet. Verwundert hatte er zur Kenntnis genommen, dass der Vatikan zwar konsequent jede Gelegenheit ausließ, den Menschen ein nachvollziehbares und verpflichtendes Leitbild zum spirituellen Wachstum zu liefern, offensichtlich jedoch Zeit und Muße genug hatte, astronomische Vorträge für Touristen halten zu lassen.

»Sagen Sie mal«, hatte Aringarosa sich an den jungen Geistlichen gewandt, »seit wann wedelt eigentlich der Schwanz mit dem Hund?«

Der Pater hatte ihn verständnislos angesehen. »Wie meinen, Exzellenz?«

Aringarosa hatte abgewunken und beschlossen, dieses spezielle Fass heute Abend nicht schon wieder aufzumachen. *Der ganze Vatikan ist verrückt geworden.* Wie konfliktscheue Eltern, die es bequemer fanden, den Launen ihres verzogenen Kindes nachzugeben, anstatt sich hinzustellen und dem Balg die Hammelbeine lang zu ziehen, wurde auch die Kirche von Mal zu Mal friedlicher und versuchte, sich einer haltlos gewordenen Kultur anzudienen, die über sämtliche Stränge schlug.

In der oberen Etage hatten die Männer einen breiten, luxuriös ausgestatteten Flur betreten, der zu einer gewaltigen eichenen Flügeltür mit einem Messingschild führte.

BIBLIOTECA ASTRONOMICA

Aringarosa hatte schon davon gehört. Die astronomische Bibliothek des Vatikans, die Gerüchten zufolge mehr als fünfundzwanzigtausend Bände umfasste, darunter einzigartige Werke von Kopernikus, Galilei, Kepler, Newton und Secchi, diente den Kuriengenerälen des Papstes als privater Versammlungsort für Besprechungen, die man in den Mauern des Vatikans lieber nicht abhielt.

Als Aringarosa zur Flügeltür gegangen war, hatte er in keiner Weise mit der erschreckenden Neuigkeit gerechnet, die ihn drinnen erwartete – und schon gar nicht mit der tödlichen Folge von Ereignissen, die hier ihren Anfang nehmen sollte. Erst als er eine Stunde später aus dem Konferenzraum getaumelt war, waren ihm die verheerenden Konsequenzen klar geworden. *In sechs Monaten!*, hatte er gedacht. *Der Herr sei uns gnädig.*

Als Aringarosa jetzt abermals in einem Fiat saß, ließ ihn allein schon der Gedanke an dieses erste Treffen die Fäuste ballen. Er zwang sich, tief durchzuatmen und sich zu entspannen.

Jetzt kommt alles wieder ins Lot, sagte er sich, während der Fiat sich die Berge hinaufquälte. Dennoch hätte es ihn beruhigt, wenn das Handy gepiept hätte. *Warum hat der Lehrer mich noch nicht angerufen? Silas müsste den Stein längst geborgen haben!*

Um seine Nerven zu beruhigen, meditierte der Bischof über den violetten Amethyst in seinem Ring. Er betastete das Mitra- und Krummstab-Symbol und die Facetten der Brillanten. Die Steine dieses Ringes waren ein Zeichen seiner Macht – doch im Vergleich zu der Macht, die ihm bald ein anderer Stein verleihen würde, waren sie nichts.

35. KAPITEL

Von innen sah der Gare Saint-Lazare wie jeder andere Bahnhof in Europa aus – eine riesige, offene Höhle, in der die üblichen Verdächtigen herumlungerten: Penner, die mit einem Pappschild um eine milde Gabe baten, Gruppen rucksackbehängter Schüler, die sich mit roten Augen von ihrem Walkman die Ohren volldröhnen ließen, und hier und da ein paar blau livrierte Gepäckträger, die rauchend beieinander standen.

Sophie schaute zu der riesigen Anzeigetafel mit den schwarzweißen Ziffern der Abfahrtzeiten hinauf. Die Umklapptäfelchen blätterten weiter zum aktuellen Stand. Langdon verfolgte das Geschehen. Auf der obersten Zeile stand nun:

LILLE – RAPIDE – 3.06

»Mir wäre lieber, es gäbe einen früheren Zug, aber der nach Lille tut's zur Not auch.«

Noch früher? Langdon sah auf die Uhr. 2.59 Uhr. Der Zug fuhr in sieben Minuten ab, und sie hatten noch nicht einmal Fahrkarten gekauft!

Sophie schob Langdon zum Schalter. »Nehmen Sie Ihre Kreditkarte und kaufen Sie uns zwei Fahrkarten«, sagte sie.

»Ich dachte, wenn ich die Kreditkarte benutze, kann man sofort feststellen, wo ...«

»Ja, eben.«

Langdon beschloss, nicht mehr schneller als Sophie Neveu denken zu wollen. Mit seiner Visa-Card bezahlte er zwei Fahrkarten nach Lille, die er Sophie reichte.

Sophie zog ihn zu den Bahnsteigen. Aus dem Lautsprecher erklang ein Gong, gefolgt von einer Ansage und der Aufforderung, in den Zug nach Lille zu steigen und die Türen zu schließen, der Zug fahre sofort ab. Sechzehn Gleise lagen vor ihnen. Rechts, an Gleis drei, setzte der Zug nach Lille sich zischend und fauchend in Bewegung, doch Sophie hatte Langdon bereits untergehakt und zog ihn in die entgegengesetzte Richtung. Sie liefen durch eine Nebenhalle, an einem rund um die Uhr geöffneten Imbiss vorbei, und eilten schließlich durch einen Seiteneingang an der Westseite des Bahnhofsgebäudes auf eine ruhige Straße hinaus.

Ein einsames Taxi stand mit laufendem Motor am Bordstein. Als der Fahrer Sophie aus dem Bahnhof kommen sah, ließ er kurz die Lichthupe aufblitzen. Sophie schwang sich auf die Rückbank, gefolgt von Langdon. Während das Taxi anfuhr, holte Sophie die soeben gekauften Bahntickets heraus und riss sie in Fetzen.

Langdon seufzte. *Siebzig Dollar für die Katz.*

Erst als das Taxi auf der Rue Clichy ruhig und gleichmäßig nach Norden fuhr, wurde Langdon bewusst, dass ihnen die Flucht tatsächlich gelungen war. Durch das rechte Seitenfenster sah er den Montmartre und die prächtige Kuppel von Sacré-Coeur. Das malerische Bild wurde nur kurz durch einige Blaulichter gestört, als Polizeifahrzeuge mit Sirenengeheul in die entgegengesetzte Richtung rasten.

Langdon und Sophie duckten sich in den Sitz, bis die Martinshörner verklungen waren.

Sophie hatte dem Fahrer gesagt, er solle immer nur geradeaus aus der Stadt fahren, ohne ein genaues Ziel zu nennen. Langdon konnte an ihrem Gesicht ablesen, dass sie über ihren nächsten Schachzug nachdachte. Er holte den Schlüssel mit dem Kreuzgriff hervor, lehnte die Schulter ans Fenster und betrachtete den Gegenstand aufs Neue, hielt ihn sich dicht vor die Augen und versuchte im Licht vorbeihuschender Straßenlaternen eine Markierung oder sonst etwas zu erkennen, das Aufschluss darüber geben konnte, von wem oder zu welchem Zweck dieser Schlüssel gefertigt worden war, doch er sah nichts außer dem Emblem der *Prieuré.*

»Es ergibt keinen Sinn«, sagte er schließlich.

»Was?«

»Dass Ihr Großvater sich so viel Mühe gegeben hat, nur um Ihnen einen Schlüssel zuzuspielen, mit dem Sie nichts anfangen können.«

»Da haben Sie Recht.«

»Sind Sie ganz sicher, dass er nichts auf die Rückseite des Gemäldes geschrieben hat?«

»Ich habe alles sorgfältig abgesucht. Außer diesem Schlüssel hinter dem Bild war da nichts. Ich habe mir den Schlüssel genommen, das Emblem mit dem P. S. erkannt und den Schlüssel in die Tasche gesteckt. Dann haben wir uns aus dem Staub gemacht.«

Langdon runzelte die Stirn. Er betrachtete den Schaft von unten. Wieder nichts. Blinzelnd hielt er den Griff dicht vor die Augen und untersuchte den Rand der Kreuzbalken. Auch da war nichts zu sehen. »Ich glaube, der Schlüssel wurde vor kurzem gereinigt...«

»Wie das?«

»Er riecht nach Spiritus.«

Sophie sah ihn an. »Was sagen Sie?«

»Er riecht, als hätte ihn jemand mit Alkohol abgerieben.« Langdon hielt den Schlüssel an die Nase und drehte ihn langsam. »Auf der Rückseite ist der Geruch stärker. Ja, das riecht wie ein Putzmittel auf Alkoholbasis. Man hat den Schlüssel damit abgerieben, oder...« Er hielt inne.

»Was ist?«

Er hielt den Schlüssel schräg gegen das Licht und betrachtete die glänzende Oberfläche des Goldkreuzes. Sie wirkte an manchen Stellen ein wenig stumpfer, als würde etwas daran haften.

»Haben Sie sich die Rückseite des Schlüssels genau angeschaut, bevor Sie ihn in die Tasche gesteckt haben?«

»Wie denn? Ich hatte es eilig!«

»Haben Sie noch den kleinen UV-Strahler?«

Sophie holte den Leucht-Pen aus der Tasche. Langdon nahm

ihn, knipste ihn an und ließ den Strahl auf die Rückseite des Schlüssels fallen.

Sofort leuchtete eine Schrift auf, rasch, aber leserlich hingekritzelt. »Somit ist klar, was da nach Alkohol gerochen hat«, meinte Langdon.

Sophie betrachtete fasziniert die violetten Buchstaben hinten auf dem Schlüssel:

24 Rue Haxo

Eine Adresse! Großvater hat dir eine Adresse aufgeschrieben!

»Wo ist das?«, wollte Langdon wissen.

Sophie hatte keine Ahnung. Sie beugte sich zum Fahrer vor. *»Connaissez-vous la Rue Haxo?«*

Der Taxifahrer dachte kurz nach und erklärte, die Straße liege in einem westlichen Vorort in der Nähe des Tennisstadions. Sophie bat ihn, dorthin zu fahren.

»Der kürzeste Weg ist der durch den Bois de Boulogne. In Ordnung?«, erkundigte sich der Fahrer.

Sophie hob die Brauen. Sie hätte sich einen weniger anstößigen Weg vorstellen können, aber jetzt war nicht die Zeit, empfindlich zu sein. »Nur zu.« *Unser Besucher aus Amerika wird den Schock schon überstehen.*

Sophie betrachtete wieder den Schlüssel. Was würden sie an dieser Adresse vorfinden? Eine Kirche? Eine Art Hauptquartier der *Prieuré de Sion?*

Die Bilder des Geheimrituals, dessen Zeugin sie vor zehn Jahren in der Kellergrotte geworden war, drängten sich wieder in ihr Gedächtnis. »Robert, ich muss Ihnen noch viel erzählen«, sagte sie seufzend und sah Langdon in die Augen, während das Taxi mit hohem Tempo nach Westen fuhr. »Aber berichten Sie mir bitte zuerst, was Sie über diese *Prieuré de Sion* wissen.«

36. KAPITEL

Capitaine Bezu Fache stand vor dem *Salle des États* und hörte sich wutschnaubend den Bericht des Museumswächters Grouard an, der sich von Sophie und Langdon hatte entwaffnen lassen. *Konnte der Kerl denn nicht einfach auf das verdammte Bild schießen?*

»Capitaine!« Leutnant Collet kam von der Kommandozentrale zu ihm gerannt. »Wir bekommen gerade die Meldung, dass man den Wagen von Agentin Neveu gefunden hat.«

»Ist sie bis in die Botschaft gekommen?«

»Nein. Der Wagen stand vor einem Bahnhof. Sie haben zwei Bahntickets gekauft. Der Zug ist schon weg.«

Fache scheuchte Grouard davon und zog Collet in eine Fensternische. »Wohin fuhr der Zug?«, fragte er mit leiser, drängender Stimme.

»Nach Lille.«

»Vielleicht ist es ein Täuschungsmanöver«, sagte Fache. »Gut, lassen Sie den Zug auf alle Fälle am nächsten Bahnhof anhalten und durchsuchen. Neveus Auto bleibt erst mal stehen, wo es ist. Ein paar Beamte in Zivil sollen aufpassen, ob die beiden zum Wagen zurückkehren. Lassen Sie die Straßen der Umgebung absuchen, falls die Flüchtigen ihr Glück zu Fuß versuchen. Fahren an dem Bahnhof auch Busse ab?«

»Nein, Chef. Um diese Stunde stehen dort nur Taxis.«

»Gut. Lassen Sie die Fahrer befragen, vielleicht hat einer was gesehen. Geben Sie der Taxizentrale eine Beschreibung durch. Ich setze mich mit Interpol in Verbindung.«

Collet blickte Fache überrascht an. »Sie schreiben die beiden zur Fahndung durch Interpol aus?«

Fache wusste, dass dieser Schuss auch nach hinten losgehen konnte, sah aber keine andere Möglichkeit.

Man muss das Netz so schnell wie möglich zuziehen. Und so straff es nur geht.

Die erste Stunde war jedes Mal entscheidend. In der ersten Stunde war das Verhalten flüchtiger Personen noch vorhersehbar. Flüchtige brauchten immer drei Dinge: *ein Fortbewegungsmittel, Geld und Unterschlupf.* Die heilige Dreifaltigkeit. Und Interpol konnte dem in Sekundenschnelle einen Riegel vorschieben, indem sie sämtlichen Pariser Bahnhöfen, Flughäfen, Reisebüros, Hotels und Banken per E-Mail oder Fax ein Fahndungsfoto schickte. Dann war alles dicht. Die Flüchtigen konnten nicht aus der Stadt, konnten nirgendwo unterkriechen und nirgendwo an Bargeld kommen, ohne erkannt zu werden. Üblicherweise gerieten die Gesuchten irgendwann in Panik und verrieten sich, indem sie einen Wagen stahlen oder einen Raub begingen oder aus Verzweiflung die Scheckkarte benutzten. Egal, welchen Fehler sie machten – die Behörden konnten im Handumdrehen ihren Aufenthaltsort ermitteln.

»Wir lassen doch nur Langdon ausschreiben, oder? Sophie Neveu wohl nicht. Sie gehört schließlich zu unserem eigenen Stall.«

»Natürlich wird auch sie zur Fahndung ausgeschrieben, verdammt!«, rief Fache. »Was haben wir davon, wenn nach Langdon gefahndet wird, und Neveu kann nach Belieben die Drecksarbeit für ihn machen? Ich werde mir die Personalakte der Dame vornehmen, samt Freunden, Verwandten und persönlichen Kontakten – jeden, den sie um Hilfe bitten könnte. Es wird sie eine ganze Menge mehr kosten als bloß ihren Job!«

»Soll ich weiter am Telefon bleiben?«

»Nein. Fahren Sie zu dem Bahnhof und koordinieren Sie die ganze Sache. Ich betraue Sie mit der Leitung des Einsatzes dort. Aber unternehmen Sie nichts ohne Rücksprache mit mir!«

»Jawohl, Chef!«, rief Collet und rannte hinaus.

Fache stand wie erstarrt in der Fensternische. Draußen vor dem Fenster leuchtete die Glaspyramide. Im Wellengekräusel der Wasserbecken verzerrte sich ihr Spiegelbild.

Sie sind dir durch die Lappen gegangen, aber noch ist nicht aller Tage Abend. Entspann dich.

Eine Codeknackerin und ein Hochschullehrer.

Nicht mal bis zum Morgengrauen würden sie durchhalten.

37. KAPITEL

Der mit kleinen, dichten Wäldchen durchsetzte Landschaftspark Bois de Boulogne wurde von den Parisern mit vielerlei Namen belegt, meist aber nannten sie ihn den »Garten der Lüste«. Das mochte übertrieben klingen, war es aber nicht. Jeder, der schon einmal Hieronymus Boschs gleichnamiges unheimliches Gemälde gesehen hatte, begriff sofort, was gemeint war. Der Park und das Gemälde waren gleichermaßen düster und unübersichtlich, ein Tummelplatz für Freaks und Fetischisten. Die gewundenen Sträßchen des Parks wurden nachts von Hunderten meist spärlich bekleideter käuflicher Körper gesäumt, die den Kunden Befriedigung auch der geheimsten und bizarrsten Wünsche versprachen.

Während Langdon seine Gedanken ordnete, um Sophie von der *Prieuré de Sion* zu erzählen, passierte das Taxi die bewaldete Randzone des Parks und bog dann nach Westen auf die kopfsteineingepflasterte Diagonalachse ein. Langdons Konzentration litt erheblich unter dem geisterhaften Anblick der nächtlichen Bewohner des Parks, die sich am Straßenrand feilboten und im Strahl der Scheinwerfer überall aus den Schatten auftauchten. Zwei barbusige, kaum der Pubertät entwachsene Mädchen warfen flammende Blicke ins Taxi. Ein Stück weiter ließ ein Schwarzer, der nur mit einem winzigen Stoffdreieck bekleidet war, die gut eingeölten Muskeln spielen. Neben ihm stand eine atemberaubende Blondine. Als sie ihren Minirock hob, offenbarte sich, dass sie weder blond noch eine Frau war.

Der Himmel steh mir bei! Langdon atmete tief durch und beschloss, den Blick lieber im Wageninnern zu belassen. Einen unpassenderen Hintergrund für das, was er nun berichten wollte, konnte es kaum geben.

»Legen Sie los«, drängte Sophie.

Langdon nickte. Er fragte sich, wo er am besten anfangen sollte. Die Geschichte der *Prieuré de Sion* umfasste mehr als ein Jahrtausend. Es war eine atemberaubende Chronik von düsteren Geheimnissen und brutaler Erpressung, bis hin zur grausamen Folter auf Geheiß eines zürnenden Papstes.

»Die Bruderschaft von Sion wurde im Jahr 1099 von einem französischen König von Jerusalem gegründet, Gottfried von Bouillon, der unmittelbar zuvor die Stadt eingenommen hatte.«

Sophie, deren Blick unverwandt auf Langdon ruhte, nickte.

»König Gottfried befand sich angeblich im Besitz eines machtvollen Geheimnisses, das seit den Tagen Christi in seiner Familie weitergereicht worden war. Aus Furcht, dieses Geheimnis könne mit seinem Tod untergehen, gründete er eine geheime Bruderschaft – die *Prieuré de Sion* –, die er mit der Aufgabe betraute, das Geheimnis wohl behütet von Generation zu Generation weiterzugeben. In den Jahren, als Gottfried König von Jerusalem war, kam der Bruderschaft ein Gerücht zu Ohren: Unter den Ruinen des Tempels des Herodes, der seinerseits auf den Ruinen des Tempels von König Salomon errichtet worden war, ruhte angeblich ein Schatz, der aus kostbaren Dokumenten bestand. Nach Ansicht der *Prieuré* untermauerten diese Dokumente Gottfried von Bouillons machtvolles Geheimnis. Sie waren von einer solchen Brisanz, dass die Kirche vor nichts zurückschrecken würde, um in ihren Besitz zu gelangen.«

Langdon hielt inne, und Sophie sah ihn abwartend an.

»Die *Prieuré* gelobte, diese Dokumente aus dem Schutt des Tempels zu bergen, wie lange es auch dauern mochte, und sie für alle Zeiten zu schützen, damit die Wahrheit niemals untergehen werde. Um an die Dokumente heranzukommen, bildete die Bruderschaft eine militärische Gruppierung, die aus neun Rittern bestand und den Namen ›Orden der armen Ritter Christi und vom

Tempel Salomonis‹ führte – besser bekannt unter dem Namen Tempelritter.«

Sophie sah ihn überrascht an. Die Templer waren ihr wohlvertraut.

Langdon hatte oft genug Vorlesungen über die Tempelritter gehalten. Er wusste um ihre Bekanntheit und ihren legendären, geheimnisumwitterten Ruf, doch für die Geschichtswissenschaft war die Geschichte des Templerordens ein schwieriges Kapitel, bei dem Tatsachen, Legenden und bewusste Fehlinformationen sich in einer Weise miteinander vermischten, dass das Herausfiltern der Wahrheit nahezu unmöglich war. Inzwischen vermied es Langdon in seinen Vorlesungen, die Templer überhaupt zu erwähnen, da sich jedes Mal unweigerlich eine letztendlich fruchtlose Diskussion über alle möglichen und unmöglichen Verschwörungstheorien entspann.

Schon setzte auch Sophie zu einem Einwand an. »Sie behaupten, der Templerorden sei von der *Prieuré de Sion* gegründet worden, um eine Sammlung von Geheimdokumenten zu bergen? Ich dachte, die Templer sollten die Pilger im Heiligen Land schützen.«

»Das ist eine weit verbreitete Ansicht, aber sie ist falsch. Der Schutz der Pilger diente lediglich als Tarnung des wirklichen Ziels der Templer. Ihre wahre Absicht war, im Heiligen Land die Dokumente aus der Tiefe der Ruinen des altjüdischen Tempels zu bergen.«

»Hat es denn geklappt?«

Langdon grinste. »Das weiß man eben nicht genau. Aber die Gelehrten sind sich insofern einig, dass die Templer tief in den Trümmern irgendetwas gefunden haben *müssen*... etwas, das sie so reich und mächtig werden ließ, dass es die Vorstellungskraft übersteigt.«

Langdon lieferte Sophie einen kurzen Abriss der Geschichte des Templerordens, soweit sie wissenschaftlich zu untermauern war: Während des Zweiten Kreuzzugs waren die Tempelritter bei König Balduin I. von Jerusalem vorstellig geworden und hatten ihn gebeten, in den königlichen Stallungen in den Ruinen des alten herodischen Tempels Unterkunft nehmen zu dürfen, da sie ein Obdach brauchten, um ihr Gelübde – den Schutz der Pilger im Heiligen Land – zu erfüllen. König Balduin gewährte ihnen die Bitte, worauf die Ritter in dem verwüsteten Tempel ihr armseliges Quartier aufschlugen.

Dieser merkwürdige Ort war keineswegs zufällig gewählt. Die Ritter waren überzeugt, dass die von der *Prieuré* gesuchten Dokumente tief unter den Trümmern begraben lagen... unter dem Allerheiligsten des alten Tempels... unter jener unantastbaren innersten Tempelkammer, in der für die Juden Gott selbst gewohnt hatte und die buchstäblich das Zentrum des jüdischen Glaubens gewesen war. Fast zehn Jahre lang hausten die Ritter in den Ruinen und gruben sich unbemerkt tiefer und tiefer, zum Teil sogar durch gewachsenen Fels.

Sophie sah Langdon an. »Und dann haben sie etwas gefunden?«

»Ganz sicher«, erwiderte Langdon. »Nach neun Jahren hielten die Ritter schließlich in Händen, was sie gesucht hatten. Sie bargen den Schatz aus dem Tempel und kehrten nach Europa zurück, wo ihr gewaltiger Einfluss sich praktisch über Nacht etablierte.

Niemand wusste genau, ob die Templer die römische Kirche erpresst hatten oder ob die Kirche ihrerseits versucht hatte, das Schweigen der Ritter zu erkaufen. Papst Innozenz II. jedenfalls erließ umgehend eine päpstliche Bulle, in der er den Templern uneingeschränkte Machtvollkommenheit und Eigengesetzlichkeit zugestand – etwas bis dahin Einmaliges. Damit waren die Templer ein in politischer und religiöser Hinsicht von weltlichen und geistlichen Herrschern unabhängiger Machtfaktor geworden.

Mit dem Freibrief der Kirche ausgestattet, erlebte der Templerorden einen ungeahnten Aufstieg, sowohl was die Zahl seiner Mitglieder anging, wie auch im Hinblick auf seine politische Macht. In mehr als einem Dutzend Ländern häufte der Orden riesigen Grundbesitz an und finanzierte zahlungsunfähig gewordene Königshäuser, was er sich wiederum reich verzinsen ließ. Im Zuge dieser Transaktionen erfand der Orden das moderne Finanzwesen und vergrößerte seinen Reichtum und Einfluss noch mehr.

Mit Beginn des vierzehnten Jahrhunderts war der Templerorden so mächtig geworden, dass Papst Klemens V. beschloss, diese Machtfülle einzuschränken. Nach Absprache mit dem französischen König Philipp IV. inszenierte er eine genial geplante Nacht- und-Nebel-Aktion, mit der er den Templerorden zerschlagen und seine Schätze, vor allem aber das für die Kirche so gefährliche Geheimnis in die Hand bekommen wollte. In einer Kommandooperation, die jedem modernen Geheimdienst zur Ehre gereicht hätte, ließ Papst Klemens den Streitkräften Philipps Geheimbefehle zugehen, die am Freitag, dem dreizehnten Oktober 1307, in einer genau abgestimmten Aktion in ganz Europa ausgeführt wurden.

Im Morgengrauen dieses Tages wurden die päpstlichen Geheimbefehle entsiegelt und ihr alarmierender Inhalt enthüllt. Papst Klemens V. behauptete in seinem Schreiben, Gott sei ihm in einer Vision erschienen und habe ihm offenbart, die Tempelritter seien abtrünnige Ketzer und der Teufelsanbetung schuldig. Sie entweihten das Kreuz, hieß es, und huldigten der Homosexualität, Sodomie und anderen blasphemischen Praktiken. Gott habe ihm, Klemens, aufgetragen, die Erde von diesem Übel zu befreien. Auf Gottes Geheiß solle er sämtliche Tempelritter dingfest machen und der Folter übergeben, bis sie ihre schändlichen Verbrechen gegen Gott gestanden hätten.

Die Aktion des Papstes lief mit der Präzision eines Uhrwerks ab. An jenem dreizehnten Oktober wurden zahllose Tempelritter gefangen genommen, grausam gefoltert und anschließend als Ketzer auf dem Scheiterhaufen verbrannt.

Die Tragödie klingt bis in unsere Zeit nach, denn noch heute gilt Freitag der Dreizehnte als Unglückstag.«

Sophie blickte Langdon verwirrt an. »Die Tempelritter wurden vernichtet? Ich dachte, es gäbe heute noch Templerbruderschaften.«

»Sie existieren noch, ja – unter einer Vielzahl von Namen. Die Tempelritter hatten mächtige Verbündete. Trotz der falschen Anschuldigungen und der Bemühungen von Papst Klemens, sie völlig zu vernichten, gelang es einigen von ihnen, zu entkommen.

Papst Klemens' eigentliches Ziel hatte darin bestanden, den Dokumentenfund der Tempelritter, ihre Quelle der Macht, in die Hand zu bekommen, doch der Schatz blieb verschwunden: Die Dokumente waren zuvor schon in die Obhut der geheimnisvollen Gründungsväter des Templerordens gegeben worden, die *Prieuré de Sion*, die sie dem Zugriff des Papstes zu entziehen wussten. Als sich der Vernichtungsschlag des Papstes abzeichnete, hatte die *Prieuré* die Dokumente aus dem Pariser Ordenshaus der Templer bei Nacht und Nebel heimlich nach La Rochelle geschafft und auf Schiffe des Ordens verladen.«

»Und wo sind die Dokumente geblieben?«

Langdon zuckte die Achseln. »Das weiß nur die *Prieuré de Sion*. Nach wie vor wird über diese Dokumente spekuliert. Sie sind bis zum heutigen Tag Gegenstand der Forschung und der Spekulationen. Man nimmt an, dass sie mehrere Male an andere Orte verbracht wurden. Derzeit vermutet man sie irgendwo in Großbritannien.

Seit tausend Jahren ranken sich Legenden um dieses Geheimnis. Die Gesamtheit der Dokumente, ihre Machtfülle und das darin enthaltene Geheimnis verdichten sich in einem einzigen Begriff – *Sangreal*, wie es in der ursprünglichen französischen Sprache heißt. Nur wenige Geheimnisse haben in solchem Maße das Interesse der Historiker geweckt. Hunderte von Büchern sind schon über dieses Rätsel geschrieben worden.«

»*Sangreal?*«, sagte Sophie erstaunt. »Hat das etwas mit dem französischen Wort *sang* oder dem spanischen *sangre* für ›Blut‹ zu tun?«

Langdon nickte. Beim *Sangreal* ging es in der Tat in erster Linie um Blut, doch in einer gänzlich anderen Bedeutung, als Sophie vermutlich annahm. »Die Zusammenhänge sind kompliziert, aber der Kern der Sache ist, dass die *Prieuré* Dokumente in Händen hat und hütet. Vermutlich wartet sie einen geeigneten historischen Moment ab, um die Wahrheit zu enthüllen.«

»Was für eine Wahrheit? Was für ein Geheimnis könnte so machtvoll sein?«

Langdon seufzte und schaute wieder hinaus in die Schattenwelt, in der sich der Unterleib von Paris räkelte.

»Sophie, das Wort *Sangreal* ist sehr alt. Es hat sich im Lauf der Zeit verändert, zu einer moderneren Bezeichnung.« Er hielt inne. »Wenn ich Ihnen diese moderne Bezeichnung verrate, werden Sie erkennen, dass sie Ihnen längst bekannt ist – wie überhaupt fast jeder schon einmal die Legende des *Sangreal* gehört hat.«

Sophie sah ihn skeptisch an. »Ich nicht.«

»O doch, Sie auch«, sagte Langdon und lächelte. »Oder kennen Sie nicht die Legende vom Heiligen Gral?«

38. KAPITEL

Sophie sah Langdon fassungslos an. »Der Heilige Gral?«
Langdon nickte. Er sah nicht aus wie jemand, der sich einen Spaß erlaubte. »Der Heilige Gral ist die wörtliche Übersetzung von *Sangreal*. Das Wort kommt vom französischen *Sangraal*, aus dem es sich entwickelt hat. Im Lauf der Zeit sind zwei Wörter daraus geworden, nämlich *San Greal*, wobei *San* bekanntlich ›heilig‹ heißt.«

Der Heilige Gral. Sophie ärgerte sich, dass sie nicht gleich die Wortverwandtschaft erkannt hatte. Trotzdem konnte sie in Langdons Erklärung wenig Sinn erkennen. »Ich dachte immer, der Heilige Gral sei ein Kelch, und nun behaupten Sie, der Gral ... *Sangreal* ... sei eine Sammlung von Dokumenten, in denen ein uraltes, düsteres Geheimnis verborgen ist.«

»Das stimmt, aber die *Sangreal*-Dokumente sind nur die eine Hälfte des Gralsschatzes. Sie sind zusammen mit dem Gral irgendwo vergraben ... und erst durch sie enthüllt sich seine wahre Bedeutung. Nur weil sich erst durch die Dokumente die eigentliche Natur des Grals zeigt, konnten die Tempelritter diese Machtfülle erlangen.«

Die eigentliche Natur des Grals? Sophie war völlig verwirrt. Sie hatte immer gedacht, der Heilige Gral sei der Kelch, aus dem Jesus beim Letzten Abendmahl getrunken hatte und in dem Joseph von Arimatäa später das Blut des Gekreuzigten aufgefangen hatte. »Der Heilige Gral ist der Abendmahlskelch Christi«, sagte sie. »Was könnte einfacher sein?«

»Sophie, der *Prieuré de Sion* zufolge ist der Heilige Gral überhaupt kein Kelch«, sagte Langdon leise und lehnte sich zu ihr herüber. »Die Bruderschaft behauptet, die Gralslegende vom Abendmahlskelch sei eine genial erdachte Allegorie. In der Gralslegende wird der Kelch als Methapher für etwas weitaus Machtvolleres benutzt – etwas, das nahtlos zu dem passt, was Ihr Großvater uns heute Nacht zu sagen versucht hat, einschließlich der mythologischen Bezüge zum göttlich Weiblichen.«

Sophie war immer noch nicht überzeugt, auch wenn sie an Langdons geduldigem Lächeln ablesen konnte, dass er ihre Verwirrung sehr gut verstand. Doch sein Blick war nach wie vor ernst.

»Aber wenn der Gral kein Kelch ist, was ist er dann?«

Langdon hatte die Frage erwartet, wusste aber nicht, wie er sie beantworten sollte. Wenn er die Antwort nicht in das entsprechende historische Umfeld einzubetten verstand, würde Sophie nichts damit anfangen können – genau wie sein Lektor, dem Langdon einige Monate zuvor den Entwurf seines Manuskripts gezeigt hatte.

»In diesem Manuskript behaupten Sie *was*?«, hatte der Lektor hervorgestoßen, nachdem ihm beinahe das Weinglas aus der Hand gefallen war. »Das kann doch nicht Ihr Ernst sein!«

»Immerhin so ernst, dass ich ein ganzes Jahr Recherche darauf verwendet habe.«

Der prominente New Yorker Lektor Jonas Faulkman zupfte nervös an seinem Spitzbart. Er hatte sich während seiner illustren Karriere so manche abstruse Idee anhören müssen, aber das war der Gipfel.

»Robert«, sagte er schließlich begütigend, »verstehen Sie mich bitte nicht falsch. Ich schätze Ihre Arbeit. Wir haben schon so manches Projekt miteinander durchgezogen, nicht wahr? Aber wenn ich mich dazu hergebe, einen solchen Unsinn an die Öffentlichkeit zu bringen, muss ich in den nächsten Monaten mit Sit-ins vor meiner Bürotür rechnen. Und Ihr guter Ruf ist dann auch dahin. Sie sind Harvard-Historiker, Robert, und kein Phantast. Es würde mich wundern, wenn Sie überhaupt etwas an glaubhaftem Beweismaterial zu bieten hätten.«

Langdon hatte mit stillem Lächeln eine vorbereitete Liste aus der Innentasche seines Tweedjacketts gezogen und sie Faulkman überreicht. Auf dem eng beschriebenen Blatt stand eine Bibliographie von mehr als fünfzig Titeln – alles Bücher renommierter Historiker, zeitgenössischer und längst verstorbener –, von denen viele in Gelehrtenkreisen Bestseller waren. Sämtliche Titel wiesen in die gleiche Richtung wie Langdons Buchprojekt. Als Faulkman nach der Lektüre der Liste wieder den Blick hob, sah er aus wie ein Mann, der soeben entdeckt hatte, dass die Erde doch eine Scheibe war. »Viele dieser Namen sind mir bestens bekannt ... alles *echte* Historiker von Rang«, sagte er staunend.

Langdon grinste. »Wie Sie sehen, Jonas, handelt es sich hier keineswegs nur um meine Privattheorie, sondern um uraltes Gedankengut, auf das ich mich lediglich gestützt habe. Es gibt bislang keine Arbeit, die sich unter symbolkundlichem Aspekt mit dem Heiligen Gral beschäftigt. Die ikonographische Beweislage, die ich sichern konnte und die meine Theorie erhärtet, ist erdrückend.«

Faulkman blickte wieder auf die Liste. »Mein Gott, Sie haben ja sogar ein Buch des britischen Historikers Sir Leigh Teabing von der Royal Society auf Ihrer Liste!«

»Teabing hat sich die meiste Zeit seines Lebens mit der Erforschung der Gralslegende beschäftigt. Ich hatte Gelegenheit, ihn kennen zu lernen. Einen großen Teil meiner Inspiration verdanke ich ihm. Er ist ein Mann, der wirklich an seine Sache glaubt, Jonas – wie übrigens alle anderen auf dieser Liste auch.«

»Und Sie behaupten, alle diese hochkarätigen Wissenschaftler glauben an den ...« Faulkman schluckte. Er brachte das Wort offenbar nicht über die Lippen.

»An den Gral.« Langdon nickte. »Der Heilige Gral ist vermutlich der meistgesuchte Schatz in der Geschichte der Menschheit. Er hat Legenden hervorgebracht, Kriege ausgelöst und zu lebenslangen Forschungen angespornt. Und der Grund für das alles soll ein schlichter Kelch sein? Wenn man das bejaht, müssten andere

Reliquien ein ähnliches oder sogar noch größeres Interesse hervorgerufen haben – die Dornenkrone zum Beispiel, das wahre Kreuz oder die Kreuzinschrift –, aber das ist nicht der Fall. Nichts in unserer Geschichte war so interessant wie der Heilige Gral – und jetzt wissen Sie auch, warum.«

Faulkman wiegte das Haupt. »Aber wieso weiß man so wenig darüber, wo es doch so viele Bücher zu diesem Thema gibt?«

»Diese Bücher kommen nicht gegen ein über viele Jahrhunderte aufgebautes Geschichtsbild an, besonders wenn dieses Bild durch *den* Bestseller aller Zeiten verbreitet wird.«

Faulkman lachte. »Jetzt sagen Sie mir bloß nicht, dass es bei *Harry Potter* in Wirklichkeit um den Heiligen Gral geht.«

»Ich dachte eigentlich mehr an die Bibel.«

»Hab ich mir fast schon gedacht.«

»*Laissez-le!*« Sophies Aufschrei gellte durch das Taxi. »Legen Sie das Mikro weg!«

Langdon schrak zusammen, als Sophie nach vorn schnellte und den Taxifahrer über die Lehne des Vordersitzes anschrie, als der Mann nach dem Funkmikrofon gegriffen hatte und sich melden wollte.

Sophie fuhr herum. Ihre Hand glitt in Langdons Jacketttasche. Bevor dieser begriffen hatte, was los war, hatte Sophie ihm die Pistole aus der Tasche gerissen und dem Taxifahrer die Mündung an den Hinterkopf gedrückt. Der Fahrer ließ das Mikro fallen und hob die nun freie Hand über den Kopf.

»Sophie!«, rief Langdon. »Was, zum Teufel …«

»Anhalten!«, schrie Sophie den Fahrer an.

Der Mann gehorchte. Er zitterte am ganzen Körper. Er fuhr rechts ran und brachte den Wagen zum Stehen. Der Motor lief im Leerlauf weiter.

Erst jetzt hörte Langdon die blecherne Stimme aus dem Lautsprecher des Taxifunks im Armaturenbrett. »… *qui s'appelle Agent Sophie Neveu* …«, statisches Rauschen und Krachen, »… *et un Américain, Robert Langdon* …«

Langdon erstarrte. *Das ging aber schnell.*

»Steigen Sie aus!«, fuhr Sophie den Fahrer an.

Der Mann stieg mit erhobenen Händen aus dem Wagen und trat ein paar Schritte zurück.

Sophie hatte das Fenster heruntergekurbelt und hielt die Waffe auf den Taxifahrer gerichtet. »Robert«, sagte sie ruhig. »Sie werden fahren. Setzen Sie sich ans Steuer.«

Langdon war nicht in der Stimmung, mit einer Frau zu diskutieren, die mit einer Pistole herumfuchtelte. Begleitet von den Flüchen und Verwünschungen des Fahrers, der immer noch die Hände in die Luft reckte, stieg er aus, lief vorn um das Taxi herum und schwang sich hinters Steuer.

»Ich nehme an, Robert«, ließ Sophie sich vom Rücksitz vernehmen, »Sie haben jetzt genug von unserem Märchenwald gesehen.«

Langdon nickte. *Mehr als genug.*

»Gut. Dann lassen Sie uns hier verschwinden.«

Langdon betrachtete die Hebel und Pedale. *Mist!* E fuhrwerkte mit Schalthebel und Kupplung. »Sophie, vielleicht sollten Sie lieber ...«

»Fahren Sie schon!«, rief Sophie.

Mehrere Prostituierte näherten sich neugierig dem Wagen. Eine zog ein Handy hervor und wählte eine Nummer. Langdon trat auf die Kupplung und drückte den Schalthebel dorthin, wo er den ersten Gang vermutete. Er gab Gas und ließ für seine Begriffe sehr vorsichtig die Kupplung kommen.

Mit kreischenden Reifen und schleuderndem Heck machte das Taxi einen Satz nach vorn. Die Dame mit dem Handy sprang mit einem Aufschrei zur Seite.

»Sachte!«, rief Sophie, während der Wagen holpernd auf die Fahrbahn schleuderte. »Was machen Sie denn?«

»Ich hab Sie gewarnt«, rief Langdon über den Lärm des krachenden Getriebes. »Ich fahre privat Automatik.«

39. KAPITEL

Das spartanische Zimmer in dem Sandsteingebäude an der Rue La Bruyère hatte schon viel Leid gesehen, doch Silas fragte sich, ob die Welt jemals einen größeren Schmerz gekannt hatte als den, der in der Seele seines bleichen Körpers wütete. *Du hast dich hereinlegen lassen. Jetzt ist alles verloren.*

Die Brüder hatten ihn hinters Licht geführt. Sie hatten lieber den Tod in Kauf genommen, als ihr Geheimnis zu verraten. Silas brachte nicht die Kraft auf, den Lehrer anzurufen. Nicht nur, dass er die einzigen vier Menschen getötet hatte, die das Geheimnis kannten, er hatte auch die Nonne in der Kirche Saint-Sulpice getötet. *Sie hat sich gegen Gott gestellt. Sie hat Opus Dei herabgesetzt!*

Es war eine Affekthandlung gewesen, aber sie machte alles noch komplizierter, als es ohnehin schon war. Bischof Aringarosa hatte das Telefonat geführt, das Silas den Zutritt zur Kirche verschafft hatte – und was würde der Abbé denken, wenn er entdeckte, dass die Nonne tot war? Silas hatte sie zwar wieder in ihr Bett gelegt, aber die Wunde an ihrem Kopf war unmöglich zu übersehen. Er hatte auch versucht, das Loch vor dem Obelisken mit den Trümmern der Bodenplatte wieder zu verschließen, aber auch diese Beschädigung war offensichtlich. Man würde sofort wissen, dass jemand da gewesen war.

Silas hatte vorgehabt, im Ordenshaus von Opus Dei unterzutauchen, sobald seine Aufgabe hier erledigt war. *Bischof Aringarosa wird dich beschützen.* Silas konnte sich keine freudvollere Existenz vorstellen als ein Leben hinter den schützenden Mauern des Opus-

Dei-Hauptquartiers in New York. Er würde nie wieder einen Fuß vor die Tür setzen. Innerhalb der Mauern dieser Zufluchtsstätte gab es alles, was er brauchte. *Niemand wird dich vermissen.* Aber ein prominenter Mann wie Bischof Aringarosa konnte leider nicht so einfach von der Bildfläche verschwinden.

Du hast den Bischof in Gefahr gebracht. Silas starrte mit leerem Blick auf den Boden. War es nicht besser für ihn, sich das Leben zu nehmen? Schließlich hatte Aringarosa ihn überhaupt erst zum Leben erweckt; damals, in dem kleinen Sprengel in Spanien. Er hatte ihn erzogen, hatte ihm ein Lebensziel gegeben …

»Mein Freund«, hatte Aringarosa zu ihm gesagt, »du bist als Albino auf die Welt gekommen. Die anderen können dich *deswegen* nicht beleidigen. Siehst du denn nicht, wie einzigartig es dich macht? Wusstest du denn nicht, dass auch Noah ein Albino war?«

»Der Noah mit der Arche?«, fragte Silas staunend.

Aringarosa hatte ihn angelächelt. »Genau der. Noah mit der Arche. Er war ein Albino. Er besaß die Haut eines Engels, so wie du. Vergiss das nie. Noah hat alles Leben auf der Erde gerettet. Auch du bist zu großen Taten ausersehen, Silas. Der Herr hat dich nicht ohne Grund befreit. Auch auf dich wartet eine Berufung. Der Herr braucht deine Hilfe, um Sein Werk zu vollbringen.«

Im Laufe der Zeit hatte Silas gelernt, sich in einem anderen Licht zu sehen.

Du bist weiß. Rein. Schön. Wie ein Engel.

Jetzt aber hörte er in seiner Kammer im Pariser Ordenshaus die enttäuschte Stimme seines Vaters aus der Vergangenheit flüstern.

Tu es un disastre. Un spectre. Du bist ein Unglück. Ein Gespenst.

Silas kniete auf dem hölzernen Boden nieder und betete um Vergebung. Dann streifte er die Kutte ab und griff zur Geißel.

40. KAPITEL

I n ständigem Kampf mit der Gangschaltung gelang es Langdon, das Taxi nach nur zweimaligem Abwürgen auf die andere Seite des Bois de Boulogne zu chauffieren. Die Lächerlichkeit der Situation wurde immer wieder vom nüchternen Durchruf der Taxizentrale zunichte gemacht, die Wagen 563 suchte.

Am Ende des Parks angekommen, stieg Langdon auf die Bremse. »Sophie, ich glaube, es ist besser, wenn Sie jetzt fahren.«

Sophie nahm erleichtert das Angebot an und schwang sich hinters Steuer. Kurz darauf jagte das Taxi auf der Allée de Longchamp nach Westen und ließ den Garten der Lüste hinter sich.

»Wo geht es zur Rue Haxo?«, wollte Langdon wissen, die Tachonadel fest im Blick, die unter Sophies Bleifuß der Hundertkilometermarke bedenklich nahe kam.

Sophies Blick wich nicht von der Straße. »Der Taxifahrer hat gesagt, sie stößt ans Tennisstadion Roland Garros. Ich kenne die Gegend.«

Langdon zog wieder einmal den Goldschlüssel aus der Tasche. Er lag schwer in seiner Hand. Dieser Schlüssel mochte gut und gern der Schlüssel zu seiner Freiheit sein.

Als Langdon Sophie zuvor von den Tempelrittern erzählt hatte, war ihm aufgegangen, dass dieser Schlüssel zusätzlich zum Emblem noch eine andere, weniger offenkundige Beziehung zu der *Prieuré de Sion* aufwies. Das Kreuz mit den gleich langen Balken war nicht nur ein Symbol für Ausgeglichenheit und Harmonie, sondern auch das Emblem der Tempelritter, das jeder kannte, der schon einmal die Darstellung eines Templers in weißem Umhang mit dem roten Kreuz dieses Ordens gesehen hatte. Die Balken des Templerkreuzes liefen an den Enden zwar in zwei Spitzen aus – das so genannte Tatzenkreuz –, aber es war ein Kreuz mit gleich langen Balken.

Wie das Kreuz auf diesem Schlüssel.

Während Langdon darüber nachdachte, was sie wohl in der Rue Haxo finden würden, schweiften seine Gedanken immer wieder ab. *Der Heilige Gral.* Der Gedanke war so absurd, dass Langdon beinahe laut aufgelacht hätte. Man ging davon aus, dass der Gral irgendwo in England verborgen war, in einem Geheimversteck in einer der vielen dortigen Templerkirchen, wo er angeblich seit dem Jahr 1500 schlummerte, wenn nicht länger.

Seit der Ära des Großmeisters da Vinci.

Die *Prieuré* war in den frühen Jahrhunderten mehrere Male gezwungen gewesen, die kostbaren Dokumente an einen anderen Ort zu verbringen, um ihre sichere Aufbewahrung zu gewährleisten. Die Historiker gingen inzwischen von sechs verschiedenen Aufbewahrungsorten des Gralsschatzes aus, seit er von Jerusalem nach Europa gebracht worden war. Zum letzten Mal war er im Jahr 1447 »gesichtet« worden. Eine ganze Reihe von Augenzeugen berichten von einer Feuersbrunst, der die Dokumente beinahe zum Opfer gefallen wären, hätte man sie nicht in letzter Minute in vier großen Truhen, die von je sechs Männern getragen werden mussten, in Sicherheit bringen können. Für die spätere Zeit gibt es keine Berichte von »Sichtungen« des Grals mehr – nur gelegentliche Gerüchte, dass er in England, dem Land von König Artus und den Rittern der Tafelrunde, sein Versteck gefunden habe.

Wo immer der Schatz sich jetzt befand – zwei Dinge standen fest:

Leonardo wusste, wo der Schatz sich zu seinen Lebzeiten befunden hat.

Das Versteck konnte bis zum heutigen Tage durchaus dasselbe geblieben sein.

Aus diesem Grund brüteten die Gralssucher bis heute über da Vincis Nachlass und hofften, in seinen Notizbüchern und Kunstwerken einen versteckten Hinweis auf den Ort zu entdecken, an dem der Gral schlummerte. Manche waren der Ansicht, der Berghintergrund der *Felsgrottenmadonna* entspreche der Topographie einiger von Höhlen durchzogener Hügelketten in Schottland. Andere hielten die auffällige Platzierung der Jünger auf dem Fresko vom *Letzten Abendmahl* für eine verschlüsselte Botschaft. Wieder andere behaupteten, Röntgenaufnahmen hätten gezeigt, dass die *Mona Lisa* ursprünglich eine Lapislazuli-Brosche mit einer Isisdarstellung getragen habe, die von da Vinci später übermalt worden sei. Langdon hatte für diese Behauptung nie einen Beweis gesehen und konnte sich auch keine Verbindung zwischen einer Isisbrosche und dem Heiligen Gral vorstellen, doch die Gralssucher diskutierten diese Frage im Internet noch immer bis zum Überdruss.

Was gibt es Schöneres als Verschwörungstheorien?

Und daran herrschte kein Mangel. Die jüngste nährte sich aus der vom italienischen Starrestaurator Maurizio Seracini gemachten Entdeckung, dass sich unter den Farbschichten von da Vincis berühmtem Gemälde *Anbetung der Könige* ein düsteres Geheimnis verbarg. Diese Entdeckung hatte in Fachkreisen wie eine Bombe eingeschlagen. Unter der Überschrift »The Leonardo Cover-Up« (Der vertuschte Leonardo) hatte die *New York Times* an prominenter Stelle einen Aufsehen erregenden Artikel darüber veröffentlicht.

Seracini hatte den unumstößlichen Nachweis erbracht, dass die grau-grüne Untermalung zwar von da Vinci stammte, die eigentliche Ausführung des Bildes jedoch nicht. Ein anonymer Maler hatte Jahre nach Leonardos Tod die Leinwandskizzen des Meisters zu Ende geführt – wie nach der Vorlage eines Malbuchs für Kinder. Weit beunruhigender allerdings war, was sich *unter* der Farbschicht des Schwindlers verbarg. Mit Infrarot-Reflextechnik und Röntgenstrahlen gemachte Aufnahmen ließen erkennen, dass der Betrüger bei der Ausführung der skizzierten Vorlage in verdächtiger Weise von Leonardos Vorgaben abgewichen war … als hätte er da Vincis wahre Absicht, die noch auf ihre Veröffentlichung wartet, unkenntlich machen wollen. Wie auch immer, die aufgeschreckte Leitung der Uffizien in Florenz hatte das Gemälde unverzüglich in ein Magazin schaffen lassen. An seiner Stelle erwartet den Besucher des Leonardo-Saales eine kleine Tafel mit der irreführenden Aufschrift:

DIESES WERK WIRD ZURZEIT
ZUR VORBEREITUNG DER RESTAURATION
EINER FACHLICHEN DIAGNOSE UNTERZOGEN

Leonardo da Vinci gab im bizarren Orkus der modernen Gralssuche nach wie vor die größten Rätsel auf. Seine Werke schienen hinauszuschreien, dass sich ein bis heute unentdecktes Geheimnis darin verbarg. Vielleicht ist es unter einer Schicht Farbe versteckt, vielleicht bietet es sich dem Auge offen dar, ist aber verschlüsselt – oder es gibt gar kein Geheimnis. Möglicherweise hat da Vinci diese Fülle faszinierender Hinweise lediglich als leeres Versprechen für die Neunmalklugen hinterlassen, damit die *Mona Lisa* weiß, worüber sie lächelt.

»Wäre es denn möglich«, sagte Sophie und riss Langdon aus seinen Gedanken, »dass der Schlüssel, den Großvater mir zugespielt hat, zum Versteck des Heiligen Grals führt?«

Langdons Lachen kam ihm selbst gequält vor. »Das kann ich mir nun wirklich nicht vorstellen. Außerdem befindet sich das Gralsversteck angeblich irgendwo in England und nicht in Frankreich.« Er gab Sophie einen kurzen Abriss der Zusammenhänge.

»Aber mir scheint, dass bei nüchterner Betrachtung alles auf den Gral hinausläuft«, beharrte sie. »Wir haben hier einen Schlüssel mit dem Emblem der *Prieuré de Sion*, der uns von einem ranghohen Mitglied der Bruderschaft zugespielt wurde, die ihrerseits, wie Sie mir soeben erklärt haben, die Hüterin des Grals ist.«

Langdon musste zugeben, dass einiges für Sophies Überlegungen sprach; dennoch sträubte sich in seinem Innern etwas dagegen. Es hieß zwar, die *Prieuré* hätte geschworen, den Gral eines Tages an einen letzten Ruheort in Frankreich zurückzubringen, doch es gab keinerlei Hinweis darauf, dass dies inzwischen geschehen wäre. Und selbst wenn – die Adresse 24 Rue Haxo neben dem Tennisstadion schien schwerlich ein würdevoller letzter Ruheort für den Gral zu sein. »Sophie«, sagte Langdon, »ich weiß wirklich nicht, wie ich diesen Schlüssel mit dem Gral in Verbindung bringen soll.«

»Weil der Gral sich angeblich in England befindet?«

»Nicht nur deshalb. Der Fundort des Grals ist eines der best-gehüteten Geheimnisse der Geschichte. Ein Mitglied der *Prieuré* muss sich über Jahrzehnte als vertrauenswürdig erweisen, um in die obersten Ränge derer aufgenommen zu werden, die dieses Geheimnis hüten, das durch ein kompliziertes System von aufeinander folgenden Stufen vor der Einweihung geschützt ist. In dieser relativ großen Organisation sind jeweils nur vier Mitglieder im Besitz des umfassenden Wissens: der Großmeister und seine drei Seneschalle. Nur sie kennen den Ort, wo der Gral verborgen ist. Die Wahrscheinlichkeit, dass Ihr Großvater zu diesen vier Personen zählte, ist sehr gering.«

Großvater hat aber zu ihnen gehört, dachte Sophie. In ihr Gedächtnis hatte sich ein Bild eingebrannt, das ihr eine über jeden Zweifel erhabene Bestätigung des hohen Ranges ihres Großvaters bot.

»Und selbst wenn er zur Führungsebene gehört hätte, wäre er zum Schweigen verurteilt gewesen. Nichts von seinem Wissen hätte vor jemandem außerhalb der Bruderschaft enthüllt werden dürfen. Es *kann* nicht sein, dass er Sie in die Geheimnisse des inneren Zirkels einweihen wollte.«

Du bist aber schon im inneren Zirkel gewesen, dachte Sophie, das Ritual im Felsenkeller vor dem inneren Auge. Sie fragte sich, ob jetzt nicht der Moment gekommen war, dass sie Langdon von ihrem Erlebnis in jener Nacht vor zehn Jahren im Château in der Normandie erzählen sollte. Doch allein schon der Gedanke ließ sie schaudern.

Polizeisirenen heulten in der Ferne. Sophie spürte ihre Müdigkeit, die sich wie ein schwerer Schleier auf sie herabsenkte.

»Da!«, rief Langdon aufgeregt, der ein Stück voraus den großen Baukomplex des Stadions Roland Garros erspäht hatte.

Sophie bog ein paarmal ab und erreichte das Stadion. Als sie nach ein paar Querstraßen in die Rue Haxo einbog, fuhr sie in Richtung der niedrigen Hausnummern. Das Viertel nahm einen zusehends industriellen Charakter an, Büro- und Fabrikgebäude säumten die Straße.

Wann kommt Nummer vierundzwanzig?, dachte Langdon. Er bemerkte, dass er insgeheim nach einem Kirchturm Ausschau hielt. *Mach dich nicht lächerlich. Das ist keine Gegend für eine vergessene alte Templerkirche!*

»Da ist es!«, rief Sophie und zeigte nach vorn.

Langdons Blick folgte ihrem ausgestreckten Finger zu dem Gebäude vor ihnen.

Was, zum Teufel …

Ein moderner gedrungener Kasten erhob sich wie eine Zitadelle vor ihm. Ein riesiges Neonkreuz mit gleich langen Balken leuchtete über der Fassade. Unter dem Kreuz stand:

ZÜRCHER DEPOSITENBANK

Langdon war froh, Sophie die Spekulation mit der Templerkirche vorenthalten zu haben. Symbolkundler litten nun mal unter der Berufskrankheit, auch da noch geheime Bedeutungen zu wittern, wo keine waren. In diesem konkreten Fall hatte Langdon nicht daran gedacht, dass die neutrale Schweiz im friedlichen Kreuz mit den gleich langen Balken das perfekte Symbol für ihre Nationalflagge gefunden hatte.

Sophie und Langdon hielten den Schlüssel zu einem Schweizer Bankschließfach in Händen.

Das Rätsel war endlich gelöst.

41. KAPITEL

Als Bischof Aringarosa vor Castel Gandolfo aus dem Fiat stieg, ließ die kalte Bergluft, die von unten über die hohen Felsklippen fuhr, ihn frösteln. *Du hättest dich wärmer anziehen sollen,* sagte er sich und unterdrückte sein Zittern. Schwach oder gar ängstlich zu erscheinen, konnte er heute Abend am allerwenigsten gebrauchen.

Bis auf eine leuchtende Fensterreihe war das Schloss dunkel. *Die Bibliothek,* dachte Aringarosa. *Sie sind wach und warten auf dich.* Zum Schutz gegen den kalten Wind zog er den Kopf ein und schritt schneller aus, ohne die Observatoriumskuppeln auch nur eines Blickes zu würdigen.

Am Portal erwartete ihn ein schläfrig wirkender Pater, derselbe, der ihn schon vor fünf Monaten empfangen hatte. Heute allerdings zeigte er sich wesentlich weniger freundlich als damals. »Exzellenz, wir haben uns schon Sorgen gemacht«, sagte er mit einem Blick auf die Uhr. Sein Ton war eher indigniert als besorgt.

»Ich muss mich entschuldigen. Die Fluggesellschaften werden immer unzuverlässiger, wissen Sie.«

Der Pater murmelte etwas Unverständliches. »Sie werden oben bereits erwartet. Ich begleite Sie hinauf.«

Die Bibliothek war ein riesiger rechteckiger Raum mit dunkler Wandtäfelung vom Boden bis zur Decke. Ringsum standen gewaltige, mit Büchern voll gestellte Regale. Der Fußboden bestand aus bernsteinfarbenen Marmorfliesen mit schwarzen Einlegearbeiten aus Basalt und erinnerte auf gefällige Weise daran, dass der Saal einst Teil eines Palasts gewesen war.

»Willkommen, lieber Mitbruder«, ertönte eine Stimme auf der anderen Seite des Saales.

Aringarosa versuchte, den Sprecher zu erkennen, doch man hatte die Beleuchtung stark abgedunkelt – im Unterschied zu der strahlenden Helligkeit bei seinem ersten Besuch. *Die Nacht des jähen Erwachens.* Heute Abend saßen seine Gegenüber im Halbdunkel, als würden sie mit einer gewissen Beschämung der Dinge harren, die da kamen.

Aringarosa trat gemessen ein, geradezu königlich. Er konnte umrisshaft drei Männer am langen Tisch auf der gegenüberliegenden Seite des Saales sitzen sehen. Den Mann in der Mitte erkannte er sofort an seiner Körperfülle – der Generalsekretär der Kurie, Herr über sämtliche Rechtsangelegenheiten des Vatikans. Die beiden anderen waren hochrangige italienische Kardinäle.

Aringarosa schritt durch die Bibliothek auf die drei Männer zu. »Liebe Brüder, ich bitte demütigst um Verzeihung, dass Sie sich meinetwegen zu dieser späten Stunde bemühen müssen. Wir leben leider in unterschiedlichen Zeitzonen. Sie sind gewiss sehr müde ...«

»Aber keineswegs!«, sagte der Generalsekretär und faltete die Hände über seinem ansehnlichen Bauch. »Wir sind Ihnen zu Dank verpflichtet, dass Sie den weiten Weg nicht gescheut haben. Das Mindeste, das wir Ihnen zum Empfang schulden, ist Aufmerksamkeit. Dürfen wir Ihnen Kaffee oder sonst eine Erfrischung anbieten?«

»Ich würde es vorziehen, gleich zum Geschäftlichen zu kommen. Ich möchte meinen nächsten Flug nicht verpassen. Dies hier ist schließlich kein geselliges Beisammensein.«

»Selbstverständlich«, sagte der Sekretär. »Sie sind schneller in Aktion getreten, als von uns erwartet.«

»Bin ich das?«

»Sie haben noch einen ganzen Monat Zeit.«

»Ihre Bedenken haben Sie mir bereits vor fünf Monaten dargelegt«, sagte Aringarosa. »Weshalb also sollte ich Zeit vergeuden?«

»Ja, weshalb? Wir sind sehr angetan davon, wie zügig Sie zu Werke gehen.«

Aringarosas Blick glitt über den Tisch zu einem stattlichen schwarzen Diplomatenköfferchen. »Ist es das, worum ich gebeten habe?«

»Gewiss.« Die Stimme des Sekretärs klang plötzlich besorgt. »Doch wir möchten Ihnen nicht verhehlen, lieber Mitbruder, dass Ihre Bitte uns Anlass zu gewisser Unruhe gibt. Sie erscheint uns ziemlich...«

»Gefährlich«, vollendete einer der Kardinäle den Satz. »Sind Sie sicher, dass wir Ihnen den Betrag nicht doch lieber auf ein Konto überweisen sollten? Die Summe ist exorbitant.«

Freiheit ist nun mal teuer. »Was meine Sicherheit angeht, hege ich keine Bedenken. Gott ist mit mir.«

Die drei Männer setzten skeptische Mienen auf.

»Entsprechen die Papiere meinen Vorgaben?«

Der Sekretär nickte. »Hoch notierte Inhaberobligationen der Vatikanbank, die auf der ganzen Welt in Bargeld umtauschbar sind.«

Aringarosa begab sich zum Ende des Tisches und öffnete das Köfferchen. Zwei dicke Packen Obligationen lagen darin, jede mit dem Wappen des Vatikans und der Aufschrift *PORTATORE* versehen. Wer diese Papiere bei einer Bank vorlegte, konnte sie überall und jederzeit gegen Bargeld einlösen.

Der Sekretär blickte nervös drein. »Ich muss jedoch sagen, lieber Mitbruder, dass uns allen wohler wäre, wenn Sie den Betrag in Bargeld annähmen.«

So viel Bargeld kann kein Mensch tragen, mein lieber Freund, dachte Aringarosa und klappte den Koffer zu. »Diese Papiere sind doch so gut wie Bargeld. Haben Sie das nicht eben selbst hervorgehoben?«

Die Kardinäle tauschten unbehagliche Blicke. »Durchaus«, ergriff schließlich einer das Wort, »aber man kann sie bis zur Vatikanbank zurückverfolgen.«

Aringarosa lächelte in sich hinein. Aus genau diesem Grund hatte der Lehrer vorgeschlagen, das Geld in Form von Inhaberobligationen zu transferieren, als Rückversicherung sozusagen. *Jetzt sitzen wir alle im gleichen Boot.* »Ist das denn nicht eine vollkommen legale Transaktion?«, wandte Aringarosa ein. »Opus Dei ist eine Personalprälatur des Papstes. Seine Heiligkeit kann Zuwendungen machen, wie es ihm beliebt. Wie könnte das gesetzeswidrig sein?«

»Das ist ja alles richtig, aber dennoch ...« Der Sekretär beugte sich vor. Der Stuhl ächzte unter seinem Gewicht. »Leider ist es gänzlich unserer Kontrolle entzogen, was Sie mit diesen Papieren zu tun beabsichtigen. Für den unwahrscheinlichen Fall, dass Ihre Absichten sich ein wenig abseits der Legalität bewegen sollten ...«

»Verehrte Mitbrüder, in Anbetracht dessen, was Sie von mir zu tun verlangen, dürfen Sie von mir keine Rechenschaft über die Verwendung des Geldes erwarten!«

Stille breitete sich aus.

Sie wissen, dass du Recht hast, dachte Aringarosa. »Irre ich mich, oder hätten Sie gern eine Unterschrift von mir?«

Alle drei sprangen auf. Eilig wurde ein Papier über den Tisch geschoben, als wäre man froh, den Besucher endlich loszuwerden.

Aringarosa betrachtete das Dokument. Es trug das päpstliche Wappen. »Dieses Papier ist doch identisch mit dem Entwurf, den Sie mir zugeschickt haben?«

»Selbstverständlich.«

Aringarosa unterzeichnete das Dokument, überrascht, wie gelassen er sich dabei fühlte, angesichts der unermesslichen Bedeutung. Die drei Männer am Tisch schienen erleichtert aufzuatmen.

»Lieber Mitbruder, wir danken Ihnen«, sagte der Sekretär. »Den Dienst, den Sie unserer Kirche erwiesen haben, wird man Ihnen nie vergessen.«

Aringarosa nahm das Köfferchen vom Tisch. Das Gewicht in seiner Hand vermittelte ihm ein erhebendes Vorgefühl der Macht. Die vier Männer sahen sich einen Augenblick lang an, als hätten sie sich noch etwas zu sagen, was aber offensichtlich nicht der Fall war. Aringarosa drehte sich um und ging zur Tür. Als er auf der Schwelle stand, rief ihn einer der Kardinäle an.

Aringarosa hielt noch einmal inne. »Ja?«

»Wohin führt Sie nun der Weg, Bruder?«

Aringarosa spürte, dass die Frage auf seine *spirituellen* Ziele anspielte, doch er hatte wenig Lust, sich zu dieser Stunde auf eine Moraldiskussion einzulassen.

»Nach Paris, verehrter Mitbruder«, sagte er und ging hinaus.

42. KAPITEL

Die Zürcher Depositenbank war eine Art Geldschrank, der rund um die Uhr zugänglich war. Das Institut bot das vollständige Repertoire moderner anonymer Finanzdienstleistungen in der Tradition der Schweizer Nummernkonten und unterhielt neben dem Zürcher Stammhaus Zweigstellen in Kuala Lumpur, New York und Paris. In jüngerer Zeit hatte das Haus im Rahmen der digitalisierten Dienstleistungen seinen Service um anonyme, datenbankgestützte Treuhändergeschäfte erweitert.

Das Hauptgeschäft aber war nach wie vor das älteste und schlichteste Angebotssegment, das Depot, ein anonym zugänglicher Schließfachservice. Hier konnte der Kunde vom Aktienpaket bis zum alten holländischen Meister seine Besitztümer in Verwahrung geben, ohne seinen Namen zu nennen. Ein System verschiedener High-Tech-Einrichtungen zur Wahrung völliger Anonymität ließ das Verwahrgut zu jeder gewünschten Stunde spurlos von der Bildfläche verschwinden.

Nachdem Sophie das Taxi zum Stehen gebracht hatte und Langdon die nüchterne, ja kühle Architektur des Gebäudes betrachtete, beschlich ihn das ungute Gefühl, in der Zürcher Depositenbank ein Unternehmen mit wenig Sinn für Humor vor sich zu haben. Das Gebäude war ein fensterloser rechteckiger Metallwürfel und schien nahtlos aus einem Stück matten Edelstahls geschmiedet zu sein. Der gewaltige Stahlbarren befand sich ein Stück von der Straße zurückgesetzt. Über der ehernen Fassade glühte rot ein knapp fünf Meter hohes, gleicharmiges Neonkreuz.

Die Schweiz hatte ihre anerkannt strenge Wahrung des Bankgeheimnisses zu einem der gewinnträchtigsten Exportartikel des Landes gemacht. Einrichtungen wie diese waren in der Welt der Kunst sehr umstritten, boten sie doch Kunstdieben auf Jahre hinaus ein ideales Versteck, in dem sie die Beute verschwinden lassen konnten, bis Gras über die Sache gewachsen war. Da der Inhalt der Schließfächer durch eine entsprechende Gesetzgebung zum Schutz der Persönlichkeitsrechte polizeilichen Nachforschungen nicht zugänglich und der Inhaber ähnlich wie bei einem Nummernkonto namentlich nicht bekannt war, konnten Kunstdiebe sich beruhigt zurücklehnen in der Gewissheit, dass ihre Beute sicher aufgehoben und die Fährte nicht bis zu ihnen zurückzuverfolgen war.

Sophie war vor dem imposanten Tor stehen geblieben. Es versperrte die Zufahrt zum Bankgebäude – eine betonierte Rampe, die ins Untergeschoss führte. Eine Videokamera hatte sie ins Visier genommen. Langdon hatte das beklemmende Gefühl, dass diese Kamera – ganz im Gegensatz zu denen im Louvre – sehr echt war.

Sophie ließ die Seitenscheibe herunter und nahm das elektronische Paneel auf der Fahrerseite in Augenschein. Ein LCD-Display blinkte ihr in sieben Sprachen die Bedienungsanweisung zu, ganz oben auf der Liste in Englisch:

INSERT KEY

Sophie holte den goldenen Schlüssel mit den Lasermarkierungen hervor und betrachtete erneut das Paneel. Unter dem Display befand sich eine dreieckige Öffnung.

»Irgendwie habe ich das Gefühl, dass der Schlüssel passen müsste«, sagte Langdon.

Sophie führte den dreieckigen Schlüsselschaft in die Öffnung ein, bis er ganz darin verschwunden war. Man brauchte den Schlüssel offensichtlich nicht zu drehen, denn das Tor schwang unverzüglich auf. Sophie nahm den Schlüssel wieder an sich, löste die Bremse und ließ den Wagen zu einem zweiten Tor mit einem zweiten Kontrollpaneel hinunterrollen. Das erste Tor schloss sich hinter ihnen. Sie waren wie ein Schiff in einer Schleuse gefangen.

Das Gefühl, nicht mehr vor- und zurückzukönnen, war für Langdon beklemmend und unangenehm. *Dann wollen wir nur hoffen, dass das zweite Tor auch so schön funktioniert …*

Auf dem zweiten Paneel war die gleiche Aufforderung zu lesen.

INSERT KEY

Auch hier führte Sophie den Schlüssel ein, worauf sich das zweite Tor unverzüglich öffnete und ihnen den Weg hinunter in die Eingeweide des Gebäudes freigab.

Sie gelangten in eine kleine, nur notdürftig beleuchtete Tiefgarage mit Platz für ungefähr ein Dutzend Fahrzeuge. Auf der gegenüberliegenden Seite erspähte Langdon den Haupteingang. Ein roter Teppich war auf dem Betonboden ausgerollt und komplimentierte den Besucher zu einer riesigen Tür, die aus einem einzigen Stück Gussstahl gefertigt zu sein schien.

So viel zu Botschaften, die zwei Lesarten erlauben, dachte Langdon: *Sei willkommen – aber bleib gefälligst draußen.*

Sophie lenkte das Taxi auf eine Parkfläche neben dem Eingang und stellte den Motor ab. »Die Pistole sollten Sie lieber hier lassen.«

Mit dem größten Vergnügen. Langdon ließ das Schießeisen eiligst unter dem Sitz verschwinden.

Sie stiegen aus und gingen auf dem roten Teppich die wenigen Schritte bis zur stählernen Türplatte, die keine Klinke besaß; doch daneben an der Wand befand sich ein weiteres dreieckiges Schlüsselloch, diesmal jedoch ohne Bedienungsanleitung.

»Damit hier keine Dummköpfe reinkommen«, meinte Langdon.

Sophie lachte nervös auf. »Dann mal los«, sagte sie und steckte den Schlüssel ins Loch. Summend schwang die Stahlplatte nach innen. Sie blickten einander an und traten ein. Mit einem satten Geräusch fiel hinter ihnen die Tür ins Schloss.

Das Foyer der Pariser Zweigstelle der Zürcher Depositenbank brauchte sich hinsichtlich des eindrucksvollen Dekors hinter keiner anderen Bank der Welt zu verstecken. Wo die meisten Banken sich mit poliertem Marmor und Granit begnügten, schwelgte dieses Institut in Rundum-Edelstahl mit dekorativen Applikationen aus verchromten Nieten.

Wer war denn hier der Innenarchitekt?, fragte sich Langdon. *Die lothringischen Stahlwerke?*

Sophies Blick wirkte nicht weniger eingeschüchtert, als sie sich im stählernen Empfangsbereich umsah.

Der silbergraue Stahl war allgegenwärtig – Boden, Wände, Decken, Türen, der Empfang, selbst das Gerippe der Sitzgruppe bestanden aus Stahl. Gleichwohl war die Wirkung eindrucksvoll und die Botschaft unmissverständlich: Das ist ein bombensicheres Gewölbe.

Hinter dem Empfang wartete ein groß gewachsener Mann. Als sie näher traten, blickte er auf und schaltete den kleinen Fernseher aus, dem seine Aufmerksamkeit gegolten hatte. Er begrüßte sie mit einem freundlichen Lächeln. Trotz seiner Muskelpakete und der sichtbar getragenen Waffe besaß seine Sprechweise den höflichen Wohlklang eines erstklassigen Schweizer Hotelportiers.

»Bonsoir, die Herrschaften, Grüezi miteinand«, sagte er. »What can I do for you?«

Die dreisprachige Begrüßungsfloskel war der neueste Trick der europäischen Fremdenverkehrsbranche: Der Gast konnte in der Sprache antworten, in der er sich am besten zu Hause fühlte.

Sophie jedoch antwortete nicht auf sprachlicher Ebene. Stattdessen legte sie dem Mann den goldenen Schlüssel vor.

Er besah sich den Schlüssel und wurde prompt noch eine Nuance korrekter. »Selbstverständlich, Mademoiselle. Der Fahrstuhl für die Herrschaften befindet sich am Ende des Entrees. Ich werde Bescheid geben, dass die Herrschaften sich auf dem Weg befinden.«

Sophie nickte und nahm den Schlüssel wieder an sich. »Welche Etage?«

Der Mann sah sie verständnislos an. »Excuséz, Mademoiselle, aber Ihr Schlüssel übermittelt dem Lift, wohin er die Herrschaften zu fahren hat.«

Sophie lächelte. »Ja, sicher.«

Der Mann an der Rezeption schaute den Neuankömmlingen hinterher, als diese zum Aufzug gingen, den Schlüssel ins dortige Schlüsselloch steckten, in den Aufzug stiegen und verschwanden. Die Aufzugtür hatte sich kaum geschlossen, als der Mann schon zum Telefon griff – allerdings nicht, um einem Mitarbeiter die bevorstehende Ankunft wichtiger Kundschaft anzukündigen; dazu bestand kein Anlass. Sobald ein Kunde den Schlüssel am Eingangstor einführte, wurde automatisch ein Kundenbetreuer alarmiert.

Der Wachmann rief den Nachtmanager der Bank an. Während er dem Freizeichen lauschte, schaltete er wieder seinen kleinen Fernseher an. Der Bericht, den er sich zuvor angeschaut hatte, war gerade zu Ende, aber er hatte nichts Bedeutsames verpasst. Noch einmal warf er einen Blick auf die beiden Fahndungsfotos auf dem Bildschirm.

Der Nachtmanager meldete sich. »*Oui?*«

»Hier unten ist die Kacke am Dampfen.«

»Wieso?«

»Die Polizei hat eine Fahndung nach zwei flüchtigen Personen laufen.«

»Ja, und?«

»Die beiden sind gerade in unsere Bank spaziert.«

Der Manager fluchte leise. »Ich werde sofort Monsieur Vernet verständigen!«

Der Wachmann legte auf und wählte umgehend eine zweite Nummer – die von Interpol.

Überrascht stellte Langdon fest, dass der Lift sich nicht nach oben, sondern nach unten in Bewegung setzte. Er hatte keine Ahnung, wie viele Stockwerke sie in der Pariser Zweigstelle der Zürcher Depositenbank in die Tiefe abgetaucht waren, als die Tür sich endlich öffnete, aber das war auch unerheblich. Nur raus aus dieser Aufzugskabine.

Demonstrativ um Diensteifer bemüht, stand bereits ein Kundenbetreuer vor ihnen und begrüßte sie. Es war ein älterer Herr in einem tadellos gebügelten Flanellanzug, der merkwürdig fehl am Platz wirkte – ein Bankier von altem Schrot und Korn in einer kühlen High-Tech-Welt.

»*Bonsoir*«, sagte er, »guten Abend. Wären Sie bitte so nett, mir zu folgen, *s'il vous plaît?*« Ohne auf eine Antwort zu warten, machte der Mann kehrt und schritt zügig einen schmalen stählernen Flur hinunter.

An mehreren Sälen mit blinkenden Großrechnern vorbei folgten ihm Langdon und Sophie durch eine Korridorflucht nach der anderen.

»*Voici*«, sagte der Kundenbetreuer schließlich. Er war an einer der vielen Stahltüren stehen geblieben und hatte sie geöffnet. »Treten Sie bitte ein.«

Langdon und Sophie gelangten in eine andere Welt. Der Raum wirkte wie ein feudales kleines Gesellschaftszimmer in einem Nobelhotel. Kein kaltes Stahlblech und keine Nieten mehr, sondern üppige Orientteppiche, dunkle Eichenmöbel und weiche Fauteuils. Auf dem breiten Tisch in der Mitte des Raums standen zwei Kristallbecher neben zwei frisch geöffneten Flaschen Perrier, in denen die Kohlesäurebläschen tanzten. Daneben dampfte eine Kanne mit frischem Kaffee.

Diese Schweizer, dachte Langdon. *Präzise wie die Uhrmacher, die sie nun mal sind.*

Der Mann setzte ein komplizenhaftes Lächeln auf. »Gnädige Frau, gehe ich recht in der Annahme, dass dies Ihr erster Besuch bei uns ist?«

Sophie zögerte kurz, bevor sie nickte.

»Verstehe. Es kommt durchaus vor, dass unter unserer Kundschaft Schlüssel vererbt werden. Bei ihrem ersten Besuch können die Begünstigten in diesem Fall natürlich nicht mit unserem Protokoll vertraut sein.« Der Kundenberater deutete auf den Tisch mit den Getränken. »Dieser Raum steht Ihnen zeitlich unbegrenzt zur Verfügung.«

»Sie sagten, dass ein Schlüssel auch vererbt werden kann?«, erkundigte sich Sophie.

»Durchaus. Mit den Schlüsseln verhält es sich wie mit den Nummernkonten, die manchmal ebenfalls von einer Generation auf die nächste Generation vererbt werden. Die kürzeste Mietzeit für unsere Goldschließfächer beispielsweise beträgt fünfzig Jahre, wobei die Gebühr selbstverständlich im Voraus zu entrichten ist. Das führt häufig zur Weitergabe der Fächer innerhalb der Familie.«

Langdon riss die Augen auf. »Fünfzig Jahre?«

»Mindestens, Monsieur«, bestätigte der Kundenbetreuer. »Es können natürlich auch wesentlich längere Fristen vereinbart werden. Wenn während dieser Zeit keine Bewegung stattfindet und nichts anderes vereinbart wurde, wird der Inhalt des Schließfachs nach Ablauf der Mietfrist automatisch der Vernichtung zugeführt. Wünschen Sie, dass ich Ihnen die Zugriffsprozedur auf Ihre Depotbox erläutere?«

Sophie nickte. »Ja, bitte.«

Der Kundenberater machte eine weit ausholende Geste, die den gesamten Salon umfasste. »Hier können Sie sich in aller Ruhe mit Ihrem Depot beschäftigen, sobald ich den Raum verlassen habe. Sie können sich gänzlich ungestört und solange Sie wollen mit der Überprüfung, Umschichtung oder Räumung Ihres Depots befassen, das sich in einem Behälter befindet, der … bitte sehr, gnädige Frau … hier drüben erscheint.« Er komplimentierte Sophie und Langdon zur gegenüberliegenden Wand, wo ein breites Transportband in elegantem Schwung in den Raum mündete. Die Apparatur erinnerte ein wenig an das Kofferkarussell auf einem Flughafen. »Sie führen Ihren Schlüssel in diese Öffnung ein.« Der Mann deutete auf eine große elektronische Betätigungskonsole mit dem vertrauten dreieckigen Loch vor dem Transportband. »Sobald der Computer Ihren Schlüssel anhand der Markierungen identifiziert hat, werden Sie aufgefordert, Ihre geheime Depotnummer einzugeben, worauf Ihre Depotbox aus unserem Tresorbunker vollautomatisch zu Ihrer Verfügung heraufgefahren wird. Wenn Sie fertig sind und den Behälter bitte wieder aufs Band gelegt haben, wiederholt sich der Vorgang in umgekehrter Reihenfolge. Durch die vollautomatisierten Abläufe ist absolute Anonymität garantiert, auch gegenüber den Mitarbeitern unseres Hauses. Falls die Herrschaften irgendetwas benötigen, drücken Sie bitte auf den Rufknopf auf dem Tisch in der Mitte des Raums.«

Sophie wollte gerade eine Frage stellen, als das Telefon klingelte. Der Kundenberater blickte sich indigniert um. »Entschuldigen Sie mich bitte.« Er ging zum Telefon, das neben den Getränken auf dem Tisch stand.

Er hob ab. »*Oui?*«

Seine Brauen wölbten sich, als er dem Anrufer zuhörte. »*Oui ... oui ... d'accord.*« Er legte auf und sah Sophie und Langdon unbehaglich lächelnd an. »Es tut mir Leid, ich muss Sie jetzt leider allein lassen«, sagte er und eilte zur Tür.

»Entschuldigen Sie«, rief Sophie ihm hinterher, »könnten Sie mir bitte noch etwas erklären, bevor Sie gehen? Sie haben da von einer geheimen Depotnummer gesprochen ...«

Der Mann hielt unter der Tür inne. Er war ein wenig blass geworden. »Ja, gewiss. Wie bei den meisten Schweizer Banken lauten unsere Depots auf eine Nummer, nicht auf einen Namen. Sie haben Ihren Schlüssel und Ihre persönliche geheime Depotnummer, die nur Ihnen allein bekannt ist. Ihr Schlüssel ist nur die eine Hälfte Ihrer Identifikation. Ihre persönliche Depotnummer ist die andere. Gesetzt den Fall, gnädige Frau, Sie würden den Schlüssel verlieren, könnte damit sonst jeder an Ihr Schließfach.«

Sophie zögerte. »Und wenn der Erblasser mir keine Depotnummer hinterlassen hat?«

Das Herz des Bankiers pochte noch heftiger. *Dann haben Sie hier nichts zu suchen.* Er lächelte Sophie beruhigend an. »Ich werde jemanden bitten, Ihnen zu helfen. Er wird in Kürze bei Ihnen sein.«

Der Kundenberater ging hinaus, schloss die Tür hinter sich und drehte außen den schweren Schlüssel um.

Sophie und Langdon waren gefangen.

Auf der anderen Seite der Stadt eilte Leutnant Collet durch den Gare du Nord, als sein Handy sich meldete.

Fache war am Apparat. »Interpol hat einen Tipp bekommen«, sagte er. »Vergessen Sie den Zug. Langdon und Neveu sind soeben in der Pariser Filiale der Zürcher Depositenbank aufgetaucht. Ich erwarte Sie und Ihre Männer umgehend vor Ort.«

»Haben Sie schon herausgefunden, was Saunière Robert Langdon und Agentin Neveu mitzuteilen hatte?«, fragte Collet neugierig.

»Nehmen Sie die beiden hopp, Collet«, sagte Fache, »dann werde ich sie persönlich danach fragen.«

Collet begriff, was die Stunde geschlagen hatte. »Rue Haxo, Nummer vierundzwanzig. Bin schon unterwegs, Chef.«

Er stellte das Handy ab und rief seine Männer zusammen.

43. KAPITEL

André Vernet, Pariser Filialdirektor der Zürcher Depositenbank, wohnte in einem Luxus-Penthaus über seiner Dienststätte. Obwohl sein Domizil keine Wünsche offen ließ, träumte er von einer Wohnung auf der Île Saint-Louis, wo die wahren *cognoscendi* seine Nachbarn wären, im Gegensatz zu hier, wo er es lediglich mit neureichen Geldsäcken zu tun hatte.

Wenn du dich zur Ruhe setzt, ging es Vernet durch den Kopf, und er lächelte verzückt, *wird dein Weinkeller mit altem Bordeaux bestückt, im Salon kommt ein Fragonard oder vielleicht ein Boucher an die Wand, und den Rest deiner Tage verbringst du mit der Jagd nach antiken Möbeln und seltenen Büchern im Quartier Latin…*

Als Vernet in dieser Nacht im makellosen Seidenanzug durch die unterirdischen Flure seines Bankinstituts eilte, war er erst sechseinhalb Minuten wach, doch er sah aus wie aus dem Ei gepellt. Im Laufen sprühte er sich ein Atemspray in den Mund und zupfte den Knoten seiner Krawatte zurecht. Er war es gewohnt, aus dem Schlaf gerissen zu werden, um sich der internationalen Kundschaft zu widmen, die aus den verschiedensten Zeitzonen der Welt angereist kam. Praktischerweise hatte Vernet die Schlafgewohnheiten der Massai-Krieger angenommen, eines afrikanischen Stammes, der dafür berühmt war, dass die Männer sich nach dem Erwachen aus tiefstem Schlaf binnen Sekunden in hellwacher Kampfbereitschaft befanden.

Kampfbereitschaft, dachte Vernet. Er fürchtete, dass dieses Wort zum Motto dieser Nacht werden könnte. Wenn ein Kunde mit einem goldenen Schlüssel auftauchte, musste man ihm stets ein gewisses Maß an erhöhter Aufmerksamkeit widmen, aber wenn dieser Kunde mit dem goldenen Schlüssel auch noch von der Polizei gesucht wurde, war äußerstes Fingerspitzengefühl angesagt. Die Bank hatte mit den Behörden schon genug Ärger über die Rechte zum Schutz der Privatsphäre ihrer Kunden. Und normalerweise saß die Polizei der Kundschaft nicht schon im Nacken.

Du hast fünf Minuten, dachte Vernet. *Diese Leute müssen aus deiner Bank verschwunden sein, bevor die Polizei eintrifft.*

Wenn er rasch und entschlossen handelte, konnte das drohende Unheil noch abgewendet werden. Der Polizei würde er sagen, die Gesuchten hätten tatsächlich bei seiner Bank vorgesprochen, aber da sie nicht zum Kundenkreis gehörten und auch nicht im Besitz der geheimen Depotnummer gewesen seien, habe man sie wieder weggeschickt. Wenn dieser dämliche Wachmann nur nicht Interpol verständigt hätte! Diskretion gehörte offensichtlich nicht zum Repertoire eines Wachmanns mit einem Stundenlohn von fünfzehn Euro.

An der Tür angekommen, atmete er tief durch und entspannte die Muskeln. Dann setzte er ein Vertreterlächeln auf, öffnete die Tür und wirbelte hinein wie ein Frühlingswind.

»Guten Abend«, sagte er und suchte den Blick seiner Kunden, »ich bin André Vernet. Wie kann ich Ihnen ...« Der Rest des Satzes blieb irgendwo unterhalb von Vernets Adamsapfel stecken. Die Frau, die vor ihm stand, kam für ihn so unerwartet wie ein Blitz aus heiterem Himmel.

»Was ist? Haben wir uns früher schon einmal gesehen?«, erkundigte sich Sophie. Für sie war der Bankier ein Fremder, aber der Mann starrte sie an, als stünde ein Gespenst vor ihm.

»Nein ...«, sagte Vernet stockend, »ich glaube nicht. Unsere Dienstleistungen erfolgen anonym.« Er atmete tief aus und zwang sich zu einem beherrschten Lächeln. »Mein Mitarbeiter hat mich informiert, dass Sie im Besitz eines goldenen Schlüssels sind, ohne die dazugehörige Depotnummer zu kennen. Darf ich fragen, wie Sie in den Besitz des Schlüssels gelangt sind?«

»Mein Großvater hat ihn mir gegeben«, sagte Sophie. Sie ließ den Mann, der immer unruhiger wurde, nicht aus den Augen.

»Tatsächlich? Ihr Großvater hat Ihnen diesen Schlüssel gegeben, ohne die Depotnummer zu nennen?«

»Ich fürchte, dazu hatte er keine Zeit«, sagte Sophie. »Man hat ihn heute Nacht ermordet.«

Der Bankdirektor taumelte vor Schreck zurück. Die Bestürzung war ihm an den Augen abzulesen. »Jacques Saunière ist tot?«, rief er aus. »Aber wie ...?«

Sophie erstarrte. »Sie haben meinen Großvater gekannt?«, fragte sie verwundert.

Vernet war nicht weniger erstaunt. Halt suchend lehnte er sich ans Tischende. »Jacques und ich waren eng befreundet. Wann ist der Mord geschehen?«

»Heute Nacht. Im Louvre.«

Vernet ließ sich in einen tiefen Lederfauteuil fallen. »Ich muss Ihnen jetzt eine sehr wichtige Frage stellen.« Er sah Langdon an und dann wieder Sophie. »Haben Sie etwas mit Saunières Tod zu tun?«

»Nein!«, rief Sophie empört. »Natürlich nicht!«

Vernet saß grübelnd da. »Interpol hat Ihre Fahndungsfotos herausgegeben«, sagte er finster. »Deshalb habe ich Sie erkannt. Sie werden beide wegen Mordes gesucht.«

Sophie zuckte zusammen. *Fache lässt Interpol nach uns fahnden?* Der Capitaine schien mehr Dampf zu machen, als Sophie angenommen hatte. Verbunden mit einem kurzen Abriss des Geschehens, erklärte sie Vernet, wer Robert Langdon war.

Vernet hörte atemlos zu. »Und Ihr Großvater hat Sie noch im Sterben mit seiner Botschaft aufgefordert, Mr Langdon zu suchen?«

»Ja, und auch diesen Schlüssel.« Mit dem Emblem der *Prieuré* nach unten legte sie den goldenen Schlüssel auf den Couchtisch vor Vernets Ledersessel.

Vernet warf einen Blick auf den Schlüssel, ohne ihn in die Hand zu nehmen. »Er hat Ihnen nur diesen Schlüssel hinterlassen? Nichts weiter? Keinen Zettel, keine Notiz?«

Sophie hatte sich im Louvre sehr beeilen müssen, war aber sicher, dass sie hinter dem Gemälde der *Felsgrottenmadonna* nichts übersehen hatte. »Nur diesen Schlüssel, sonst nichts.«

Vernet seufzte hilflos auf. »Ich muss Ihnen leider sagen, dass jeder Schlüssel elektronisch einer zehnstelligen Zahl zugeordnet wird, die Ihr Passwort darstellt. Ohne diese Nummer ist Ihr Schlüssel völlig wertlos.«

Eine zehnstellige Zahl. Sophie überschlug die Zahl der möglichen Zahlenfolgen. *Zehn Milliarden.* Selbst mit Hilfe der stärksten Parallelverarbeitungsrechner ihrer Dienststelle würde es Wochen dauern, bis der Code geknackt war. »In Anbetracht der Umstände, Monsieur, denke ich doch, dass Sie uns helfen können.«

»Zu meinem Bedauern muss ich leider verneinen. Bei uns definiert der Kunde persönlich seine Codenummer an einer gesicherten Datenstation, sodass die Nummer nur dem Kunden selbst und dem Computer bekannt ist. Nur auf diese Weise lässt sich Anonymität garantieren. Und die Sicherheit unserer Mitarbeiter.«

Sophie begriff. Bei großen Einkaufszentren verhielt es sich ähnlich. UNSER PERSONAL HAT KEINEN SCHLÜSSEL ZUM TRESOR. Vernets Bankhaus wollte es nicht darauf ankommen lassen, dass ein Schlüssel gestohlen und die zugehörige Depotnummer durch Geiselnahme eines Angestellten erpresst werden konnte.

Sophie und Langdon setzten sich Vernet gegenüber auf die Couch. Sophie betrachtete den Schlüssel; dann blickte sie zu Vernet auf. »Haben Sie vielleicht eine Vorstellung, was mein Großvater in Ihrer Bank aufbewahrt?«

»Nicht im Entferntesten. Das ist es ja gerade, was die Sicherheit eines Bankhauses wie dem unseren ausmacht.«

»Monsieur Vernet, unsere Zeit ist sehr knapp bemessen. Ich werde daher sehr direkt sein, wenn Sie erlauben.« Sophie griff nach dem goldenen Schlüssel. Während sie ihn drehte und das Emblem der *Prieuré de Sion* sichtbar wurde, beobachtete sie den Gesichtsausdruck Vernets. »Sagt Ihnen das Symbol auf dem Schlüssel etwas?«

Vernet betrachtete ohne erkennbare Reaktion das Liliensymbol. »Nein. Viele Kunden lassen ein Firmenlogo oder ihre Initialen in den Schlüssel gravieren.«

Sophie seufzte, schaute Vernet aber immer noch aufmerksam an. »Dieses Emblem ist das Wappen einer Geheimgesellschaft mit der Bezeichnung *Prieuré de Sion*.«

Wieder war bei Vernet keinerlei Reaktion festzustellen. »Davon ist mir nichts bekannt. Ich war mit Ihrem Großvater sehr gut befreundet, aber wir haben uns meist über geschäftliche Dinge unterhalten.« Er rückte nervös die Krawatte zurecht.

»Monsieur Vernet«, fuhr Sophie mit Nachdruck fort, »mein Großvater hat mich heute Abend angerufen, um mir mitzuteilen, dass er und ich in großer Gefahr schweben. Er müsse mir etwas geben. Er hat mir diesen Schlüssel für ein Schließfach Ihrer Bank zugespielt. Und jetzt ist er tot. Vielleicht können Sie dazu etwas sagen. Es könnte von größter Wichtigkeit für uns sein.«

Schweißperlen traten auf Vernets Stirn. »Mademoiselle, wir müssen dieses Gebäude schnellstens verlassen. Ich befürchte, die Polizei wird jeden Moment hier eintreffen. Mein Wachmann hat Interpol verständigt.«

Sophie hatte es schon befürchtet. Doch sie versuchte noch einen letzten Treffer zu landen. »Mein Großvater sagte, er müsse mich in die ›Wahrheit über meine Familie‹ einweihen. Können Sie etwas mit dieser Aussage anfangen?«

»Ihre Angehörigen sind bei einem Verkehrsunfall ums Leben gekommen, Mademoiselle, als Sie noch ein Kind waren. Es tut mir sehr Leid. Ich weiß, dass Ihr Großvater Sie sehr geliebt hat. Er hat mir gegenüber mehrere Male erwähnt, wie sehr es ihn schmerzte, dass Sie keinen Kontakt mehr hatten.«

Sophie wusste nicht, was sie darauf antworten sollte.

Langdon meldete sich zu Wort. »Hat der Inhalt des Depots etwas mit dem *Sangreal* zu tun?«

Vernet blickte ihn befremdet an. »Ich weiß leider nicht, wovon Sie reden…« Das Handy piepste in seiner Gürteltasche, und Vernet riss es heraus. »*Oui?*« Er lauschte einen Moment. Sein Ausdruck wandelte sich von Unwillen zu wachsender Besorgnis. »La police? Si rapidement?« Er stieß eine Verwünschung aus, die in eine Reihe knapper Anweisungen überging und mit der Ankündigung endete, er käme sofort hinauf zum Empfang.

»Die Polizei hat weitaus schneller reagiert als sonst«, sagte er zu Sophie und steckte das Handy weg. »Während wir uns hier unten unterhalten, geht sie oben bereits in Stellung.«

Sophie hatte keineswegs die Absicht, mit leeren Händen abzuziehen. »Sagen Sie den Beamten, wir seien schon wieder gegangen. Wenn das Gebäude durchsucht werden soll, verlangen Sie einen Durchsuchungsbefehl. Das dauert ein Weilchen.«

»Mademoiselle, hören Sie mir zu«, sagte Vernet. »Jacques war mein Freund, und mein Bankhaus kann keinen Presserummel gebrauchen. Aus diesen beiden Gründen kommt Ihre Verhaftung hier in diesem Hause für mich nicht in Frage. Geben Sie mir ein paar Minuten. Ich werde sehen, was sich machen lässt, damit Sie die Bank unentdeckt verlassen können. Mehr kann ich allerdings nicht für Sie tun.« Er stand auf und eilte zur Tür. »Bleiben Sie hier unten. Ich kümmere mich um die Sache und komme dann sofort wieder zu Ihnen.«

»Aber die Depotbox!«, rief Sophie. »Wir können doch nicht unverrichteter Dinge wieder abziehen!«

»Da sind mir leider die Hände gebunden«, sagte Vernet beim Hinausgehen. »Tut mir Leid.«

Sophie starrte ihm hinterher. Sie fragte sich, ob die Depotnummer vielleicht in einem der vielen ungeöffneten Briefe und Päckchen schlummerte, die ihr Großvater ihr über die Jahre geschickt hatte.

Plötzlich sprang Langdon auf. Sophie sah das Funkeln in seinen Augen.

»Was ist, Robert?«

»Ihr Großvater war ein Genie!«

»Wie meinen Sie das?«

»Eine zehnstellige Zahl ...«

Sophie verstand nicht.

»Die geheime Depotnummer«, sagte er mit dem Sophie bereits vertrauten schiefen Grinsen. »Ich bin ziemlich sicher, Ihr Großvater *hat* uns die Nummer hinterlassen.«

»Und wo?«

Langdon zog den Computerausdruck des Fotos vom Tatort aus der Tasche, legte ihn auf den Couchtisch und strich ihn glatt. Schon beim ersten Blick auf die erste Zeile von Saunières Mitteilung erkannte Sophie, dass Langdon ins Schwarze getroffen hatte.

13-3-2-21-1-1-8-5
O, Draconian devil!
Oh, lame saint!
P. S. Robert Langdon suchen

44. KAPITEL

Z ehn Stellen«, sagte Sophie und studierte die Zahlenfolge auf
dem Ausdruck. Ihr Herz schlug schneller.

13-3-2-21-1-1-8-5

*Großvater hat die Depotnummer einfach im Louvre auf den Boden
geschrieben!*

Als Sophie die Fibonacci-Folge auf dem Parkett gesehen hatte,
war sie anfangs zunächst davon ausgegangen, dass die Zahlen lediglich dazu dienen sollten, die Dechiffrierabteilung des DCPJ und
damit sie selbst auf den Plan zu rufen. Dann hatte sich gezeigt,
dass die Zahlen die Anweisung für die Entzifferung der anderen
Zeilen enthielten – *eine Sequenz mit gestörter Reihenfolge … ein nu-
merisches Anagramm.* Und nun stellte sich zu ihrer Verwunderung
heraus, dass die Zahlenfolge *noch* eine weitere und extrem wichtige
Bedeutung hatte. Die Zahlen lieferten so gut wie sicher den entscheidenden Schlüssel, um an die geheimnisvolle Schließfachbox
des Großvaters zu kommen.

»Er war ein Meister des Spiels mit doppeltem Boden«, sagte Sophie zu Langdon. »Wenn ein Code sich über den anderen schichten
ließ, war er begeistert. Eine Verschlüsselung der Verschlüsselung.«

Langdon war schon auf dem Weg zur elektronischen Konsole
neben dem Transportband. Sophie schnappte sich den Computerausdruck und eilte ihm nach.

Auf der Konsole befand sich ein Tastenfeld wie bei einem Geldautomaten. Das Firmenzeichen der Bank, das Schweizer Kreuz, erstrahlte auf dem Bildschirm. Neben dem Tastenfeld befand sich das dreieckige Schlüsselloch, in das Sophie unverzüglich den Schlüssel steckte.

Sofort wechselte die Anzeige auf dem Bildschirm.

IHRE DEPOTNUMMER:

– – – – – – – – – –

Auffordernd blinkte der Cursor.

Zehn Stellen. Sophie las die Zahlen vom Ausdruck ab, Langdon tippte sie ein.

IHRE DEPOTNUMMER:
1 3 3 2 2 1 1 1 8 5

Nach Eingabe der letzten Ziffer wechselte die Anzeige erneut. Eine mehrsprachige Anweisung erschien.

VORSICHT
*Vor Betätigen der Enter-Taste sollten Sie unbedingt die
von Ihnen eingegebene Depotnummer noch einmal
sorgfältig auf ihre Richtigkeit prüfen.
Wenn der Computer die richtige Nummer nicht erkennt,
wird der Vorgang zu Ihrer eigenen Sicherheit
endgültig abgebrochen.*

»K.O.-System«, sagte Sophie und runzelte die Stirn. »Sieht ganz danach aus, dass man uns nur einen Versuch gönnt.« Gewöhnliche Geldautomaten ließen dem Benutzer immerhin drei Versuche, bevor sie die Scheckkarte einzogen. Aber ein gewöhnlicher Geldautomat war das hier gewiss nicht.

Langdon verglich die Zahl noch einmal eingehend mit dem Computerausdruck. »Die Zahl ist in Ordnung«, meinte er dann und deutete auf die ENTER-Taste. »Dann mal los!«

Sophie hatte schon den Finger ausgestreckt, um die Taste zu drücken, als sie zögerte.

»Nun machen Sie schon«, drängte Langdon. »Vernet wird gleich wieder hier sein.«

»Nein.« Sie zog die Hand zurück. »Das ist nicht die richtige Nummer.«

»Natürlich ist es die richtige Nummer! Zehn Stellen – was wollen Sie noch?«

»Die Nummer ist zu beliebig.«

Zu beliebig? Langdon stutzte. Jede Bank forderte ihre Kunden auf, sich möglichst beliebige Pin-Nummern auszudenken, damit niemand sie erraten konnte. Und für die Kunden *dieser* Bank galt das erst recht.

Sophie löschte die gesamte Eingabe und blickte Langdon selbstsicher an. »Dass diese angeblich beliebige Depotnummer sich als Fibonacci-Folge ordnen lässt, ist alles andere als Zufall.«

Langdon musste gestehen, dass Sophie nicht ganz Unrecht hatte. Zuvor hatte sie aus der Zahlenfolge durch Umstellen die Fibonacci-Folge konstruiert. War das Zufall gewesen?

Sophie tippte schon wieder aufs Tastenfeld. Wie aus dem Gedächtnis gab sie eine neue Nummer ein. »Außerdem scheint es mir bei der Begeisterung meines Großvaters für symbolische Bedeutungen und Codes auf der Hand zu liegen, dass er sich eine Zahl ausgesucht hat, die für ihn etwas bedeutet und deshalb leicht einzuprägen ist.« Sie tippte weiter. »Eine Ziffernfolge, die beliebig *aussieht*, es aber nicht *ist*.«

Langdon betrachtete die Zahl auf dem Bildschirm.

IHRE DEPOTNUMMER:

1 1 2 3 5 8 1 3 2 1

Es dauerte einen kleinen Moment, dann hatte er begriffen. Sophie hatte Recht.

Die Fibonacci-Folge.

1-1-2-3-5-8-13-21

Wenn man die Fibonacci-Folge als zehnstellige Ziffer nieder-schrieb, war sie mit einem Mal nicht mehr als solche zu erkennen. *Leicht einzuprägen und dennoch scheinbar völlig beliebig.* Es war eine zehnstellige geheime Depotnummer, die Saunière niemals entfal-len konnte. Außerdem war jetzt klar, weshalb sich aus den Zahlen, die Saunière auf das Parkett des Louvre gekritzelt hatte, die be-rühmte Fibonacci-Folge herstellen ließ.

Sophie legte den Finger auf die ENTER-Taste und drückte.

Nichts geschah.

Jedenfalls nichts, das sie und Langdon unmittelbar hätten be-merken können.

Tief im geräumigen unterirdischen Tresor der Bank erwachte ein Transport-Roboter zum Leben. Der nach sämtlichen Richtungen beweglich an einer Laufkatze unter der Decke montierte Greifarm machte sich auf die Suche, wobei er die angegebenen Koordinaten berücksichtigte. Auf dem Betonboden unter dem Roboter waren Hunderte identischer Kunststoffbehälter wie auf einem giganti-schen Schachbrett angeordnet; sie sahen wie kleine Särge in einer Gruft aus.

Summend kam der Greifer über dem angegebenen Punkt zum Stehen und bewegte sich nach unten. Nachdem sein elektro-nisches Auge den Strichcode auf der Tresorbox überprüft hatte, hakte sich die Halteklaue in die massive Haltevorrichtung der Box und hob sie an. Die Laufkatze schaltete sich ein und fuhr den Greifer samt Box zum anderen Ende des Tresorbunkers, wo sie über dem Transportband innehielt.

Behutsam setzte der Greifer seine Last ab. Nachdem er wieder in Ruhestellung gegangen war, fuhr das Transportband surrend an.

Als Sophie und Langdon ein paar Etagen höher beobachteten, wie das Transportband sich in Bewegung setzte, atmeten sie er-leichtert auf. Sie kamen sich vor, als hätte man sie an die Gepäck-ausgabe eines Flughafens bestellt, um dort auf einen mysteriösen Koffer mit geheimnisvollem Inhalt zu warten.

Rechts von der Konsole trat das Ende des Transportbands durch einen schmalen Schlitz in den Raum. Die kleine Schiebetür darüber fuhr hoch und spie einen bulligen Behälter aus schwarzen Kunstoffschalen aus. Sophie hatte ihn sich bei weitem nicht so groß vorgestellt. Er ähnelte einem Lufttransportbehälter für größere Hunde, nur ohne Luftlöcher. Gespannt starrten Sophie und Langdon auf die rätselhafte Kiste, die mit einem sanften Ruck vor ihnen zum Stillstand kam.

Wie alles in dieser Bank wirkte auch dieser Kasten irgendwie fabrikmäßig – aufgenietete Metallbeschläge, obenauf ein großer Aufkleber mit einem Strichcode, zwei kräftige Schalengriffe. Für Sophie sah er wie ein Werkzeugkasten aus.

Sie griff unverzüglich nach den beiden Schlossbügeln und hakte sie auf. Gemeinsam mit Langdon klappte sie den schweren Deckel auf, trat einen Schritt vor und lugte in den Bauch der Plastikkiste.

Auf den ersten Blick wirkte der Behälter leer. Dann erspähte Sophie etwas auf dem Grund. Einen einzigen Gegenstand.

Es war ein glänzendes Holzkästchen mit ziselierten Scharnieren. Das kräftig gemaserte Holz schimmerte satt in einem tiefen Violett. *Rosenholz*, dachte Sophie, *Großvaters Lieblingsholz*. Auf dem Deckel prangte eine kunstvolle Einlegearbeit, eine Rose. Sophie und Langdon sahen einander erwartungsvoll an. Sophie beugte sich vor, griff nach dem Kästchen und hob es heraus.

Ist das schwer!

Sie trug ihre Beute vorsichtig zum Tisch und setzte sie ab. Langdon trat zu ihr. Sie betrachteten das Schatzkästchen, zu dessen Bergung Sophies Großvater sie offensichtlich hierher gelotst hatte.

Langdon bewunderte die Einlegearbeit im Deckel. Er hatte diese Art von Rosen schon oft gesehen. »Eine fünfblättrige Rose«, murmelte er. »Die *Prieuré* verwendet sie als Symbol für den Heiligen Gral.«

Sophie schaute ihn an. Langdon konnte ihr deutlich ansehen, was sie dachte; er selbst dachte es auch. Die Abmessungen des Kästchens, der gewichtige Inhalt und das Gralsymbol der *Prieuré* – alles deutete in dieselbe unglaubliche Richtung. *In dieser*

Schatulle befindet sich der Abendmahlskelch Christi. Andererseits war Langdon sich bewusst, wie absurd diese Erwartung war.

»Die Größe würde passen«, flüsterte Sophie. Sie zog das Kästchen zu sich heran, um es zu öffnen, doch etwas Unerwartetes geschah.

Aus der Schatulle drang leise ein merkwürdiges Gluckern.

Langdon war verblüfft. *Da drin ist etwas Flüssiges?*

Sophie war nicht minder verwirrt. »Haben Sie das gehört ...?« Vorsichtig löste sie die Verschlussklammer und hob den Deckel.

Der Gegenstand, der zum Vorschein kam, war mit nichts zu vergleichen, das Langdon je zuvor gesehen hatte.

Eines jedoch war auf den ersten Blick vollkommen klar.

Der Abendmahlskelch Christi war es nicht.

45. KAPITEL

Die Polizei hat eine Straßensperre errichtet«, rief André Vernet, als er hereinkam, und schloss die Tür hinter sich. »Es wird nicht so leicht sein, Sie aus der Bank herauszuschaffen.« Sein Blick fiel auf den schwarzen Kunststoffbehälter am Ende des Transportbands. Er blieb abrupt stehen. *Mein Gott, sie sind an Saunières Depot herangekommen!*

Sophie und Langdon beugten sich am Tisch über irgendetwas, das aussah wie ein zu groß geratenes Schmuckkästchen. Rasch klappte Sophie den Deckel wieder zu. »Ohne es zu wissen, hatten wir die Depotnummer doch«, sagte sie.

Vernet war sprachlos. Das änderte alles. Er löste den Blick vom Kästchen und überlegte seine nächsten Schritte. *Du musst die beiden aus der Bank herausschaffen!* Aber da die Straßensperre der Polizei bereits stand, gab es nur eine einzige Erfolg versprechende Möglichkeit. »Mademoiselle Neveu, möchten Sie Ihren Fund mitnehmen oder ihn lieber hier im Gewahrsam der Bank lassen? Ich werde versuchen, Sie aus dem Gebäude zu schaffen.«

Sophie schaute Langdon an, dann wieder Vernet. »Wir müssen das Kästchen mitnehmen.«

Vernet nickte. »Gut. Aber dann möchte ich Mr Langdon bitten, das Jackett darumzuwickeln, solange wir uns durchs Haus bewegen. Es wäre mir lieber, wenn niemand die Schatulle zu Gesicht bekommt.«

Langdon legte das Jackett ab. Vernet eilte indes zum Transportband, klappte den leeren Behälter zu und tippte auf ein paar

Tasten, worauf das Band wieder anlief und seine Last in den Tresorbunker zurücktrug. Dann zog er den goldenen Schlüssel ab und reichte ihn Sophie. Mit Sophie und Langdon im Schlepptau lief er zur Tür hinaus.

»Hier entlang. Bitte, beeilen Sie sich.« Durch endlose Gänge gelangten sie zur Laderampe in der Tiefgarage. Das Flackern von Blaulichtern drang schwach die Zufahrt herab ins Halbdunkel. Vernet runzelte die Stirn. *Die Polizei hat offenbar schon die Zufahrtsrampe gesperrt. Willst du diese Sache wirklich durchziehen?*

Vernet schwitzte. Er deutete auf einen der Geldtransporter der Bank. Die Angebotspalette der Zürcher Depositenbank umfasste auch *Transport sûr.*

Vernet zog die schwere gepanzerte Hecktür des Fahrzeugs auf. »Steigen Sie ein«, sagte er und wies auffordernd in das glänzende Stahlgehäuse des Laderaums. »Ich bin sofort wieder da.«

Während Sophie und Langdon einstiegen, eilte Vernet zum Büro des Chefs der Fahrbereitschaft. Mit seinem Passepartout verschaffte er sich Zutritt und schnappte sich die Schlüssel des Geldtransporters sowie eine Fahrerjacke samt Mütze. Er zog das elegante Anzugjackett aus, riss sich die Krawatte ab und schlüpfte in die Fahrerjacke. Dann überlegte er es sich noch einmal anders, zog die Jacke aus und schnallte sich zuerst ein Schulterholster um, bevor er die Jacke wieder darüberzog. Beim Hinausgehen riss er eine Fahrerpistole aus dem Waffenständer, schob ein Magazin hinein, steckte die Waffe ins Holster und knöpfte die Jacke darüber zu. Die Fahrermütze tief ins Gesicht gezogen, rannte er zum Geldtransporter. Sophie und Langdon standen in dem dunklen stählernen Kasten.

»Es ist Ihnen bestimmt lieber, wenn das Licht an ist«, sagte er und knipste die schwache Innenbeleuchtung in der Decke des Laderaums an. »Am besten, Sie setzen sich hin. Und bewahren Sie absolute Ruhe, wenn wir durch die Tore hinausfahren.«

Sophie und Langdon ließen sich gehorsam auf dem Stahlboden nieder. Langdon hielt die Schatulle ins Tweedjackett gewickelt auf dem Schoß. Vernet warf die Hecktür zu, schwang sich hinters Steuer und ließ den Motor an.

Sophie und Langdon waren eingesperrt.

Während der gepanzerte Lieferwagen zur Rampe rollte, sammelte sich am Stirnband von Vernets Fahrermütze der Schweiß. Vor ihm blinkten wesentlich mehr Blaulichter, als er anfangs gedacht hatte. Das erste Tor auf der Rampe schwang vor ihm auf, und Vernet fuhr durch. Er musste warten, bis es wieder geschlossen war, bevor er erneut anfahren und mit dem Fahrzeug den Sensor für das nächste Tor betätigen konnte. Es öffnete sich und gab den Weg frei hinauf zur Straße.

Wenn oben nicht der Streifenwagen gewesen wäre.

Vor der Bank standen vier weitere Polizeifahrzeuge.

Vernet wischte sich den Schweiß von der Stirn und hielt auf die Wagen zu.

Ein schlaksiger Polizeibeamter stieg aus und gab ihm Zeichen, anzuhalten.

Vernet stoppte. Er zog die Mütze noch tiefer in die Stirn und bemühte sich, so lässig-kumpelhaft zu wirken, wie seine kultivierte Erziehung es zuließ. Aufs Lenkrad gelehnt, kurbelte er die Scheibe herunter und schaute auf den Polizisten hinab, der ihn aus fahlen Augen misstrauisch anblickte.

»Was 'n los?«, fragte Vernet.

»Leutnant Collet, *Police Judiciaire*«, stellte der Beamte sich vor und zeigte auf den Frachtraum. »Was haben Sie geladen?«

»Fragen Sie mich was Leichteres«, sagte Vernet im beiläufigsten Tonfall, den er zustande brachte. »Bin nur der Fahrer.«

Collet ließ sich nicht aus der Ruhe bringen. »Wir fahnden nach zwei Verbrechern.«

Vernet lachte auf. »Da sind Sie hier richtig. Wenn Sie mich fragen, sind das alles Verbrecher. Für diese Typen muss unsereiner für 'nen verdammten Hungerlohn den Hals riskieren…«

Der Beamte hielt ihm ein Fahndungsfoto von Robert Langdon hin. »Ist dieser Mann heute in der Bank gewesen?«

Vernet zuckte die Achseln. »Keine Ahnung. Bin bloß Fahrer. Wo die stinkreiche Kundschaft rumläuft, darf unsereins nicht hin. Gehen Sie mal vorn rein und fragen die Jungs vom Empfang.«

»Die Geschäftsführung verlangt einen Durchsuchungsbefehl, sonst kommen wir nicht in die Bank rein.«

Vernet schaute den Polizisten angewidert an. »Diese Korinthenkacker.«

»Machen Sie den Laderaum auf.« Collet klopfte mit der flachen Hand an die Seitenwand.

Vernet schaute ihn groß an. »Wie bitte? Hinten aufmachen? Sie sind gut!« Er lachte bitter auf. »Wie kommen Sie auf die grandiose Idee, ich hätte für hinten einen Schlüssel? Glauben Sie etwa, die Chefs würden uns über den Weg trauen, bei den paar Kröten, die sie uns zahlen?«

Der Beamte legte skeptisch den Kopf schief. »Wollen Sie mir erzählen, Sie hätten keinen Schlüssel für Ihren eigenen Lieferwagen?«

Vernet schüttelte den Kopf. »Nicht für den Laderaum. Nur für die Fahrertür und die Zündung. Der Fahrer hat mit der Ladung nichts zu tun. Unsereins weiß nie, was die uns da hinten reinpacken. Die Wagen werden im Ladebereich von einer Aufsichtsperson verschlossen. Dann werden die Schlüssel mit dem PKW eigens zum Kunden gefahren. Der Transporter muss solange in der Bank warten. Erst wenn der Anruf gekommen ist, dass die Schlüssel beim Kunden sind, darf ich losfahren, keine Sekunde früher.«

»Wann wurde Ihr Fahrzeug verschlossen?«

»Muss vor Stunden gewesen sein. Ich hab eine lange Tour bis hinter Rennes. Nach St. Thurial, um genau zu sein.«

Der Beamte sah Vernet mit unbewegtem Blick an, als versuche er, ihm hinter die Stirn zu schauen.

Ein Schweißtropfen kullerte an Vernets Nase herunter. Er wischte ihn mit dem Jackenärmel fort. »Noch was?«, sagte er. »Meine Tour ist knapp geplant.«

»Tragen eigentlich alle Fahrer eine Rolex?«, sagte Collet und deutete auf Vernets Handgelenk.

Das Armband von Vernets Luxusuhr blitzte unter der Manschette seiner Fahrerjacke hervor. »Diese Zwiebel? Hat mir ein Taiwanese in St. Germain des Prés für fünfzig Euro angedreht. Für vierzig Mäuse können Sie das Ding haben.«

Der Beamte war immer noch unschlüssig. »In Ordnung«, sagte er schließlich und trat beiseite. »Gute Fahrt.«

Vernet wagte erst hundert Meter weiter aufzuatmen. Doch jetzt hatte er ein weiteres Problem. Seine Passagiere.

Wohin mit ihnen?

46. KAPITEL

Silas lag ausgestreckt auf der Segeltuchmatte in seinem Zimmer. Das Blut auf seinem gegeißelten Rücken gerann allmählich. Nach der zweiten Geißelung am heutigen Tag fühlte er sich benommen und schwach. Auch den Bußgürtel hatte er noch nicht abgelegt. Er spürte das warme Blut an der Innenseite des Oberschenkels, doch für die Beendigung der Marter war es noch zu früh.

Du hast vor der Kirche versagt.

Schlimmer noch, du hast vor Bischof Aringarosa versagt.

Die heutige Nacht hätte dem Bischof die Erlösung bringen sollen. Vor fünf Monaten war er entmutigt von einer Sitzung im vatikanischen Observatorium zurückgekehrt. Nach wochenlanger Niedergeschlagenheit hatte er sich schließlich Silas anvertraut.

»Aber das ist völlig unmöglich!«, hatte Silas fassungslos gerufen.

»Trotzdem ist es wahr«, hatte Aringarosa erwidert. »Unglaublich, aber wahr. In sechs Monaten schon.«

Die Worte des Bischofs hatten Silas in Furcht und Schrecken versetzt. Er betete um Erlösung. Selbst in jenen dunklen Tagen war sein Vertrauen in Gott und den *Weg* nie schwankend geworden. Und einen Monat später waren – o Wunder! – die dunklen Wolken des Unheils aufgerissen und hatten den Lichtstrahl der Hoffnung hindurchscheinen lassen.

Eine *göttliche Intervention* hatte Aringarosa gesagt. Zum ersten Mal seit Wochen hatte er wieder Hoffnung geschöpft. »Silas«, hatte er geflüstert, »Gott hat uns eine Möglichkeit aufgezeigt, den

Weg zu schützen. Wie jeder Kampf wird auch dieser Opfer fordern. Möchtest du ein Kämpfer Gottes sein?«

Silas war vor Bischof Aringarosa – dem Mann, der ihm ein neues Leben geschenkt hatte – auf die Knie gefallen. »Ich bin ein Schäflein Gottes«, hatte er gesagt. »Seid mein Hirte, ganz wie Euer Herz es Euch befiehlt.«

Als Aringarosa ihm den möglichen Ausweg erläutert hatte, war Silas sofort klar geworden, dass Gottes Hand im Spiel gewesen sein musste. Aringarosa hatte für Silas die Verbindung zu jenem Mann hergestellt, der sich selbst *der Lehrer* nannte. Silas und der Lehrer waren einander zwar nie von Angesicht zu Angesicht begegnet, doch nach jedem Telefonat hatten die unermesslichen Kenntnisse und die immense Machtfülle des Lehrers Silas stets aufs Neue mit Ehrfurcht erfüllt. Der Lehrer schien alles zu wissen, schien die Augen und Ohren überall zu haben. *Wie* der Lehrer an seine Informationen gelangte, wusste Silas nicht, doch Aringarosa hatte sein ganzes Vertrauen in den Lehrer gesetzt und Silas aufgefordert, dies ebenfalls zu tun. »Tue alles, was der Lehrer von dir verlangt«, hatte der Bischof zu Silas gesagt. »Dann werden wir obsiegen.«

Obsiegen. Silas starrte auf den nackten Fußboden vor sich. Der Sieg war ihnen durch die Finger geronnen. Der Lehrer war übertölpelt worden. Der Schlussstein hatte sich als trügerische Chimäre erwiesen – als Täuschung, an der alle Hoffnung zuschanden geworden war.

Silas wünschte sich, er könnte Bischof Aringarosa anrufen, um ihn zu warnen, aber der Lehrer hatte heute Nacht sämtliche direkten Verbindungen zum Bischof gekappt. *Zu Ihrer eigenen Sicherheit.*

Schließlich, nachdem er seine Skrupel niedergerungen hatte, kroch Silas auf allen vieren zu seiner Kutte, die auf dem Boden lag, und zog das Handy aus der Tasche. Mit hängendem Kopf wählte er die Nummer.

»Verehrter Lehrer«, flüsterte er in den Apparat, »alles ist verloren. Man hat uns hereingelegt.« Er berichtete in allen Einzelheiten, was geschehen war.

»Sie werfen die Flinte zu schnell ins Korn«, tadelte der Lehrer. »Soeben hat mich eine Nachricht erreicht – eine unerwartete und sehr willkommene Nachricht. Das Geheimnis lebt noch. Jacques Saunière hat es vor seinem Tod weitergegeben. Sie werden bald von mir hören. Unsere Arbeit ist noch nicht beendet.«

47. KAPITEL

Der schwach beleuchtete Laderaum des Geldtransporters war so etwas wie eine Einzelzelle auf Rädern. Langdon kämpfte mit den nur allzu vertrauten Symptomen seiner Platzangst, die ihn in beengten Räumen stets überfiel. *Vernet hat gesagt, er will uns in sicherer Entfernung draußen vor der Stadt absetzen. Aber wo? Und wie weit draußen?*

Vom langen Sitzen waren Langdon die Beine eingeschlafen. Er änderte die Körperhaltung. Mit einem Gefühl, als würden ihm tausend glühende Nadeln ins Fleisch gestochen, schoss das Blut in seine tauben Gliedmaßen. In den Armen hielt er immer noch das merkwürdige Schatzkästchen aus dem Banktresor.

»Ich glaube, jetzt sind wir auf einer Autobahn«, sagte Sophie.

Langdon hatte ebenfalls den Eindruck. Nach einem nervenaufreibend langen Halt am Ende der Zufahrtsrampe der Bank war der Kleinlaster endlich losgefahren, war mehrere Male rechts und links abgebogen und hatte dann beschleunigt. Unter ihnen surrten nun die schusssicheren Reifen über einen glatten Straßenbelag. Langdon zwang sich, an nichts anderes zu denken, als an den kostbaren Rosenholzkasten in seinen Armen. Er legte das Bündel auf den Wagenboden, wickelte das Kästchen aus seinem Jackett und zog es heran. Sophie kauerte sich neben ihn. Langdon kam es vor, als wären sie zwei Kinder, die sich über ihr Weihnachtsgeschenk beugten.

Die Rose im Deckel schimmerte hell im schwachen Licht. Die Einlegearbeit war als Kontrast zum warmen Farbton des Rosenholzkastens aus hellem Holz gefertigt, vermutlich aus Esche. *Die Rose*. Streitbare Mächte und Religionen hatten sich auf dieses Symbol gegründet – und Geheimgesellschaften. *Die Rosenkreuzer. Die Ritter vom Rosenkreuz.*

»Na los«, sagte Sophie. »Machen Sie endlich auf.«

Langdon holte tief Luft. Mit einem letzten bewundernden Blick auf die kunstvolle Einlegearbeit griff er nach der Schatulle, löste den Verschluss und klappte den Deckel auf.

Langdon hatte einige Vermutungen gehabt, was den Inhalt betraf, doch sie erwiesen sich allesamt als falsch.

Sorgsam in die üppige rote Seidenpolsterung eingepasst, lag ein Gegenstand, der Langdon Rätsel aufgab.

Es war ein aus poliertem weißem Marmor gefertigter Steinzylinder, ungefähr doppelt so groß wie eine Getränkedose. Der Zylinder bestand jedoch nicht aus einem Stück, sondern war aus mehreren dicken Scheiben zusammengesetzt: Fünf Marmorscheiben von der Größe eines Camemberts waren aufeinander gesetzt und mittels eines zierlichen Bronzerahmens miteinander verbunden. Das Ganze sah aus wie ein Kaleidoskop aus mehreren kurzen Röhren. Nachdem Langdon es im Innern des Zylinders gluckern gehört hatte, hielt er ihn für hohl, doch beide Enden des Zylinders waren durch marmorne Deckel verschlossen, die den Blick hinein verwehrten.

So geheimnisvoll wie die Konstruktion des Zylinders waren auch die auf den fünf Segmenten ringsum eingravierten Buchstaben, die Langdons besondere Aufmerksamkeit erregten. In jede der fünf Scheiben war sorgfältig die gleiche Buchstabenfolge graviert – das vollständige Alphabet von A bis Z. Der Zylinder mit den Buchstaben erinnerte Langdon an ein Spielzeug aus seiner Kindheit, ein Stab mit drehbaren Nocken, auf die Buchstaben gemalt waren, mit denen man Wörter bilden konnte.

»Erstaunlich, nicht wahr?«, flüsterte Sophie.

Langdon hob den Blick. »Was ist das?«

In Sophies Augen glitzerte es. »Mein Großvater hat solche Dinge zum Zeitvertreib gebastelt. Es sind Erfindungen Leonardo da Vincis.«

Langdons Überraschung war auch in der trüben Beleuchtung nicht zu übersehen. »Da Vinci?«, murmelte er und betrachtete wieder den Zylinder.

»Ja. Man nennt so etwas ein *Kryptex*. Meinem Großvater zufolge stammt der Bauplan aus Leonardos Skizzenbüchern.«

»Und was macht man damit?«

In Anbetracht der Ereignisse der heutigen Nacht hielt Sophie die Antwort für nicht ganz uninteressant. »Es ist eine Art Minitresor«, sagte sie. »Zur Aufbewahrung von Geheiminformationen.«

Langdon runzelte die Stirn.

Sophie erzählte ihm, dass der Bau von Modellen der Erfindungen da Vincis eines der liebsten Hobbys ihres Großvaters gewesen war. Als geschickter Handwerker hatte er Stunden in seiner Schreiner- und Mechanikerwerkstatt verbracht und begeistert den großen Meistern des Kunsthandwerks nachgeeifert – Fabergé, den Emaillekünstlern und dem weniger auf das Künstlerische als auf die Praxis orientierten Leonardo da Vinci.

Selbst ein flüchtiger Blick in da Vincis Journale ließ erkennen, weshalb er für seine Sprunghaftigkeit ebenso bekannt war wie für sein Genie. Er hatte von Hunderten seiner Erfindungen die entsprechenden Konstruktionszeichnungen angefertigt, aber nur ganz wenige selbst ausgeführt und gebaut. Eine von Jacques Saunières bevorzugten Freizeitbeschäftigungen bestand darin, da Vincis Kopfgeburten Leben einzuhauchen – Chronometern, Wasserpumpen, Kryptexbehältern und sogar dem voll beweglichen Modell eines mittelalterlichen französischen Ritters, das er stolz auf dem Schreibtisch seines Büros aufgestellt hatte. Da Vinci hatte das Modell 1495 im Zuge seiner Studien der Anatomie und der Bewegungsabläufe des menschlichen Körpers entworfen. Der innere Mechanismus des künstlichen Ritters wies Gelenke und Sehnen auf, die genauestens berechnet waren, sodass er sich setzen, aufstehen, mit dem Arm winken, den Kopf drehen und seinen anatomisch exakt nachgebildeten Kiefer öffnen und schließen konnte. Für Sophie war der Ritter in seiner Rüstung das schönste Modell gewesen, das ihr Großvater je gebaut hatte ... bis sie dieses Kryptex in der Rosenholzschatulle sah.

»Er hat mir so eins gemacht, als ich noch klein war«, sagte Sophie. »Aber ein so großes und prächtiges Kryptex wie dieses habe ich noch nie gesehen.«

Langdon blickte noch immer darauf. »Ich habe noch nie davon gehört.«

Sophie war nicht überrascht. Die meisten der nicht ausgeführten Erfindungen Leonardos waren nie studiert oder auch nur mit einem Namen versehen worden. Das Kunstwort »Kryptex« stammte möglicherweise von Saunière selbst und war eine sehr passende Bezeichnung für einen Gegenstand, der mittels der *Kryptologie*, der Wissenschaft von den Verschlüsselungsverfahren, den in seinem Innern verwahrten *Kodex* schützte.

Wie Sophie wusste, war da Vinci ein Pionier der Kryptologie gewesen, auch wenn dies kaum bekannt oder gar anerkannt war. Sophies Professoren hatten bei der Präsentation von Computer-Verschlüsselungsverfahren zur Datensicherung moderne Kryptologen wie Zimmermann und Schneider hervorgehoben, aber kein Wort darüber verloren, dass Leonardo da Vinci schon vor Jahrhunderten das erste rudimentäre Kodierungsverfahren mit allgemein zugänglichen Schlüsseln erfunden hatte – alles Dinge, die Sophie von ihrem Großvater erfahren hatte.

Während der gepanzerte Lieferwagen über die Autobahn schnurrte, erzählte Sophie, dass da Vinci das Kryptex ersonnen hatte, um das Problem des sicheren Transports vertraulicher Mitteilungen über größere Entfernungen zu lösen. In einem Zeitalter ohne Telefon und E-Mail konnte man Informationen für einen weit entfernten Empfänger nur schriftlich niederlegen und den Brief einem Boten anvertrauen. Dieser Bote jedoch konnte oft einen weitaus höheren Lohn einheimsen, wenn er ein Schreiben mit wertvollen Informationen nicht dem Adressaten zustellte, sondern dessen Gegner.

Viele große Geister der Geschichte hatten sich Gedanken gemacht, wie man dieses Problem durch Verschlüsselung der Botschaft lösen könnte. Julius Caesar hatte sich ein Verschlüsselungssystem ausgedacht, das man Caesars Quadrat nannte. Die von Elisabeth I. in Gefangenschaft gehaltene schottische Königin Maria Stuart hatte Kassiber aus ihrem Gefängnis geschmuggelt, die mit einem System zum Austausch der Buchstaben verschlüsselt waren. Der geniale arabische Wissenschaftler Abu Jussuf Ismail al-Kindi hatte seine Geheimnisse ebenfalls mit einem Austauschsystem gesichert, das mehrere Alphabete verwendete.

Leonardo da Vinci hatte zur Lösung des Problems die Mathematik mit der Mechanik kombiniert und das Kryptex erfunden, einen tragbaren Behälter, der Briefe, Landkarten, Zeichnungen und anderes aufnehmen konnte. Sobald die Information im Kryptex eingeschlossen war, konnte außer dem Besitzer des richtigen Passworts keiner mehr Zugriff darauf nehmen.

»Man musste das Passwort kennen«, sagte Sophie und zeigte auf die Buchstabenringe. »Das Kryptex funktioniert ähnlich wie ein Zahlenschloss. Dieses Kryptex hat auf seinen fünf Segmenten Buchstaben. Die Segmente müssen so gegeneinander verdreht werden, dass die richtigen Buchstaben übereinander kommen. Wenn die Buchstaben in der richtigen Reihenfolge senkrecht untereinander stehen, wird der Verschluss freigegeben, die Halteklauen im Innern lösen sich aus den Rasten, und der Zylinder kann auseinander genommen werden.«

»Und wie sieht es im Innern aus?«

»Wenn der Zylinder auseinander gleitet, wird ein Hohlraum frei, in dem man auf einem zusammengerollten Stück Papier vertrauliche Informationen aufbewahren kann.«

»Und so etwas wie das hier hat Ihr Großvater für Sie gebaut, als Sie noch ein Kind waren?« Langdon schien es nicht glauben zu wollen.

»Ja, aber die Modelle waren nicht so groß. Er hat mir ein paar Mal zum Geburtstag ein Kryptex geschenkt und mir gleichzeitig ein Rätsel aufgegeben. Die Lösung des Rätsels war dann das Passwort für das Kryptex, und ich konnte es aufmachen und meine Geburtstagskarte herausholen.«

»Eine Geburtstagskarte? War das nicht ein bisschen viel Aufwand für eine Karte?«

»Nein, überhaupt nicht. Auf der Karte stand nämlich wieder ein Rätsel oder ein Hinweis. Mein Großvater hat mit Begeisterung eine Schatzsuche durchs ganze Haus veranstaltet – wie eine Schnitzeljagd –, die mich am Ende zum eigentlichen Geschenk führte. Die Schatzsuche war jedes Mal zugleich eine Prüfung meiner Charakterfestigkeit, ob ich das Geschenk auch verdient hatte. Es war nicht immer ganz einfach.«

Langdon betrachtete das Kryptex noch einmal. »Und wenn man das Ding einfach aufbricht? Oder mit dem Hammer zertrümmert? Die Bronzeführungen sind nicht besonders stabil, und Marmor ist nicht unzerbrechlich.«

Sophie lächelte. »Das wusste da Vinci natürlich auch und hat sich etwas überlegt, damit die Information sich beim gewaltsamen Öffnen des Kryptex selbst zerstört. Passen Sie mal auf.« Sophie griff nach dem Zylinder und holte ihn aus dem Kästchen. »Die Informationen hier drin werden auf eine kleine Papyrusrolle geschrieben.«

»Nicht auf Pergament?«

Sophie schüttelte den Kopf. »Nein, auf Papyrus. Pergament ist zwar strapazierfähiger und war damals auch gebräuchlicher, aber es muss Papyrus sein – je dünner, desto besser.«

»Und weiter?«

»Vor dem Einsetzen wird der Papyrus um eine Phiole aus dünnem Glas gewickelt.« Sophie hielt das Kryptex schief. Es gluckerte. »In der Phiole befindet sich nämlich eine Flüssigkeit.«

»Und welche?«

»Essig«, sagte Sophie und lächelte.

Langdon ließ die Information auf sich einwirken. »Genial«, sagte er dann.

Papyrus und Essig. Beim Versuch, das Kryptex gewaltsam zu öffnen, zerbrach die Phiole, und der Essig löste den Papyrus im Handumdrehen auf. Bis die Geheimbotschaft geborgen war, hatte sie sich in einen gestaltlosen, matschigen Klumpen verwandelt.

»Wie Sie sehen«, sagte Sophie, »können wir an unsere Information nur mit dem richtigen Passwort aus fünf Buchstaben herankommen. Und bei fünf Drehsegmenten mit jeweils sechsundzwanzig Buchstaben ergibt das sechsundzwanzig hoch fünf Möglichkeiten für das Passwort. Das sind grob geschätzt zwölf Millionen mögliche Passwörter.«

»Wenn Sie es sagen«, meinte Langdon. Er sah aus, als gingen ihm zwölf Millionen Fragen durch den Kopf. »Was steht da drin? Was glauben Sie?«

»Was es auch ist, meinem Großvater war offenbar sehr daran gelegen, dass es geheim bleibt.« Sie klappte den Deckel des Kästchens zu und betrachtete die Einlegearbeit mit der fünfblättrigen Rose. Sie wirkte irgendwie beunruhigt. »Haben Sie vorhin nicht gesagt, die Rose sei ein Symbol für den Gral?«

»Genau. In der Symbolsprache der *Prieuré* sind Rose und Gral gleichbedeutend.«

Sophie runzelte die Brauen. »Merkwürdig. Großvater hat mir nämlich immer gesagt, die Rose würde *Vertraulichkeit* bedeuten. Wenn er zu Hause beispielsweise ein vertrauliches Telefonat führen und nicht gestört sein wollte, hat er immer eine Rose hinter die Klinke seines Arbeitszimmers gesteckt. Er hat mich aufgefordert, das auch zu tun.« *Liebling*, hatte er gesagt, *wir brauchen die Türen nicht abzuschließen. Wenn wir nicht gestört sein wollen, genügt es vollkommen, wenn wir eine Rose – die Blume der Geheimnisse – an unsere Tür hängen. Auf diese Weise lernen wir, einander zu respektieren und uns gegenseitig zu vertrauen. Schon die alten Römer kannten den Brauch, eine Rose aufzuhängen.*

»*Sub rosa*«, sagte Langdon. »Stimmt. Die Römer haben bei vertraulichen Gesprächen eine Rose aufgehängt. Die Dienerschaft wusste, dass alles, was unter der Rose – *sub rosa* – gesagt wurde, nicht weitergetragen werden durfte.«

Das Motiv der Geheimhaltung, ergänzte Langdon, das im Symbol der Rose anklang, sei nicht der einzige Grund dafür, dass die *Prieuré* sie auch als Symbol für den Gral benutzte. *Rosa rugosa*, eine der ältesten Rosenarten, besaß fünf Blütenblätter und eine pentagonale Symmetrie wie der »Meerstern« Venus, wodurch die Rose ikonographisch einen starken Bezug zum *Weiblichen* erhielt und gleichzeitig zur Vorstellung des Leitsterns, der dem Seefahrer die Richtung weist. Die Kompassrose half bei der Navigation, ebenso die Rosenlinien oder Längengrade der Land- und Seekarten. Daher hatte das Rosensymbol auf vielen Ebenen Bezüge zum Heiligen Gral, in dem sich Vorstellungen über das Geheimnisvolle, das Weibliche, die Geburtssymbolik des Kelchs und das Bild des Leitsterns bei der Suche nach der verborgenen Wahrheit vereinigten.

Mitten in seinen Ausführungen verstummte Langdon plötzlich.

»Ist was nicht in Ordnung, Robert?«, fragte Sophie.

Langdons Blicke ruhten fasziniert auf dem Rosenholzkasten. »*Sub rosa*«, sagte er, und in seiner Stimme lag Fassungslosigkeit. »Das ist doch nicht möglich...«

»Was denn?«

Langsam hob Langdon den Blick. »Unter dem Zeichen der Rose...«, flüsterte er. »Ich glaube, ich weiß, was es mit diesem Kryptex auf sich hat.«

48. KAPITEL

Langdon fand den Gedanken, der ihm gerade gekommen war, geradezu unglaublich. Doch wenn er in Betracht zog, *wer* ihnen diesen Marmorzylinder zugespielt hatte und *wie* er in ihre Hände gelangt war – und dazu noch die Einlegearbeit mit der Rose auf dem Kasten –, blieb für ihn nur eine einzige logische Schlussfolgerung.

Du hältst den Schlussstein der Prieuré in Händen.

Was das betraf, gab es an der Legende nichts zu deuten.

Der Schlussstein ist ein verschlüsselter Stein, und er liegt unter dem Zeichen der Rose.

»Robert?«, fragte Sophie verwundert. »Was ist denn los?«

Langdon brauchte einen Moment, um seine Gedanken zu ordnen. »Hat Ihr Großvater Ihnen gegenüber einmal vom *clef de voûte* gesprochen, Sophie?«

»Dem Schlüssel zum Gewölbe?«, übersetzte Sophie.

»Das ist zu wörtlich übersetzt. Mit *clef de voûte* ist kein Schlüssel für ein Bankgewölbe oder einen Tresor gemeint, sondern die Gewölbekonstruktion in der Architektur, etwa das Gewölbe über einem Kirchenschiff.«

»Aber was soll dann der Begriff ›Schlüssel‹?«

»Nun, jedes steinerne Gewölbe benötigt als Abschluss oben in der Mitte einen zentralen keilförmigen Stein, der das Gewölbe schließt und das Gewicht zu den Seiten hin in die Pfeiler ableitet. Diesen Stein nennt man in der Architektur den Schlussstein. Im Englischen heißt er *keystone*.« Langdon hielt in Sophies Augen nach einem Funken des Erkennens Ausschau.

Sophie zuckte die Achseln und betrachtete das Kryptex. »Aber das ist doch kein Schlussstein für ein Gewölbe.«

Langdon wusste nicht, wo er anfangen sollte. Die Kunst, einen Schlussstein passgenau zurechtzuhauen, war eines der bestgehüteten Geheimnisse der Steinmetzgilden mittelalterlicher Dombauhütten gewesen. Das Geheimwissen, wie man einen keilförmigen Schlussstein zum Bau von Gewölben herstellte und verwendete, hatte die Steinmetzgilden reich werden lassen, und sie hatten dieses Wissen sorgfältig gehütet. Deshalb war der Schlussstein stets von einem Geheimnis umwittert gewesen. Der Steinzylinder im Rosenholzkasten allerdings war offenbar etwas ganz anderes. Der Schlussstein der *Prieuré de Sion* – falls sie ihn tatsächlich in Händen hielten – entsprach ganz und gar nicht Langdons Vorstellungen.

»Der Schlussstein der *Prieuré* ist leider nicht mein Spezialgebiet«, räumte er ein. »Mein Interesse am Heiligen Gral galt vor allem den symbolischen Aspekten. Ich habe mich deshalb nur am Rande mit dem reichen Sagengut über die Gralssuche befasst, wo abgehandelt wird, wie man ihn findet.«

Sophie hob die Brauen. »Sie meinen, den Heiligen Gral?«

Langdon nickte. Die nächsten Worte wählte er mit Bedacht. »Nach der Überlieferung der *Prieuré de Sion* ist der Schlussstein so etwas wie eine verschlüsselte Landkarte … ein Wegweiser, der den Suchenden zu dem Ort führt, an dem der Gral verborgen ist.«

Auf Sophies Gesicht spiegelte sich Verwirrung. »Und Sie glauben, wir hätten diesen Wegweiser hier vor uns?«

Langdon wusste nicht, was er darauf erwidern sollte. Es fiel ihm ja selbst schwer, daran zu glauben; dennoch drängte sich ihm diese Schlussfolgerung geradezu auf. *Ein verschlüsselter Stein, verborgen unter dem Zeichen der Rose.*

Die Vorstellung, dass das Kryptex eine Erfindung Leonardo da Vincis war – eines früheren Großmeisters der *Prieuré de Sion* –, die ein anderes Mitglied der Bruderschaft Jahrhunderte später verwirklicht hatte, machte den Gedanken, dass es sich hier tatsächlich um den Schlussstein der *Prieuré* handelte, noch plausibler.

Die Verbindung war zu offenkundig, als dass man sie von der Hand weisen konnte.

In der zurückliegenden Dekade hatten Historiker die Suche nach dem Schlussstein in französischen Kirchen aufgenommen. Die Gralssucher – mit den Doppeldeutigkeiten der Verlautbarungen der *Prieuré* vertraut – waren zu dem Ergebnis gekommen, man müsse den *clef de voûte* wörtlich als »Schlussstein« verstehen, als einen mit einer verschlüsselten Inschrift versehenen keilförmigen Stein, der irgendwo in einer Kirche als Schlussstein eines Gewölbes eingesetzt worden war. *Unter dem Zeichen der Rose.* Rosen waren in der Kirchenarchitektur allgegenwärtig: Fensterrosen, Rosettenreliefs und die Fünfpässe, jene allegorischen fünfblättrigen Rosen, die häufig den Spitzbogen von Fenstern in gotischen Kirchen zierten … Das Versteck war von genialer Banalität. Der Wegweiser zum Heiligen Gral war möglicherweise irgendwo im Gewölbe einer Kirche eingefügt, hoch über den Köpfen der ahnungslosen Kirchgänger …

»Dieses Kryptex *kann* nicht der Schlussstein sein«, gab Sophie zu bedenken. »Es ist nicht alt genug. Ich bin sicher, mein Großvater hat es gebaut. Wie soll es da in einer alten Gralslegende eine Rolle spielen?«

»Das wäre kein Hinderungsgrund«, sagte Langdon aufgeregt. »Es heißt, die *Prieuré* hätte den Schlussstein erst in den vergangenen Jahrzehnten geschaffen.«

Sophie blickte ihn ungläubig an. »Nur mal angenommen, dieses Kryptex enthält tatsächlich die Wegbeschreibung zum Heiligen Gral – warum sollte mein Großvater es ausgerechnet *mir* vermacht haben? Ich weiß ja noch nicht einmal, was der Heilige Gral überhaupt ist!«

Zu seinem Erstaunen musste Langdon gestehen, dass Sophie nicht ganz Unrecht hatte. Er war bislang noch nicht dazu gekommen, ihr zu erklären, was es mit dem Gral wirklich auf sich hatte. Aber dafür war im Moment keine Zeit. Jetzt ging es erst einmal um den Schlussstein.

Falls es sich hier wirklich um den Schlussstein handelt.

Während unter ihnen die schusssicheren Reifen über den Asphalt surrten, berichtete Langdon Sophie in aller Kürze, was er über dieses Thema wusste. Das größte Geheimnis der *Prieuré de Sion* – das Versteck des Heiligen Grals – war angeblich über Jahrhunderte nicht schriftlich niedergelegt worden. Den neu ins Amt gekommenen Seneschallen war dieses Wissen aus Gründen der Sicherheit immer nur mündlich anvertraut worden, im Rahmen einer heimlichen Zeremonie. Irgendwann im zwanzigsten Jahrhundert wurde jedoch gerüchteweise laut, dass die *Prieuré* ihre Vorgehensweise geändert hätte. Es mochte mit den ungeahnten Möglichkeiten der elektronischen Spionagetechniken zu tun haben – die *Prieuré* gelobte jedenfalls, nie wieder den Namen des geheiligten Orts, an dem der Gral versteckt war, laut auszusprechen.

»Aber wie hat man dann das Geheimnis weitergegeben?«, fragte Sophie verwundert.

»Hier kommt der Schlussstein ins Spiel. Wenn eines der vier ranghöchsten Ordensmitglieder starb, suchten die verbliebenen drei sich in den niedrigeren Rängen der *Prieuré* einen Nachfolgekandidaten für das verwaiste Amt des Seneschalls. Dem Nachfolger wurde das Geheimnis jedoch nicht eröffnet, sondern in Gestalt einer Prüfung präsentiert. Wenn er sie bestand, hatte er den Nachweis erbracht, des Amtes würdig zu sein.«

Sophie wirkte alarmiert. Sie fühlte sich an jene »Schatzsuchen« erinnert, die ihr Großvater für sie veranstaltet hatte. Die Weitergabe des Schlusssteins war offenbar ein ganz ähnliches Konzept. Andererseits waren solche Prüfungen bei Geheimgesellschaften üblich. Am bekanntesten war vielleicht das Verfahren der Freimaurer: Mitglieder konnten sich einen höheren Rang erwerben, indem sie sich als fähig erwiesen, über lange Zeit ein Geheimnis zu hüten und über Jahre hinweg Rituale einzuhalten und Prüfungen ihrer Würdigkeit abzulegen. Die Prüfungen wurden von Mal zu Mal schwieriger und gipfelten in der Einführung in den zweiunddreißigsten Grad.

»Das Kryptex ist also eine *preuve de mérite*«, sagte Sophie. »Wenn ein angehender Seneschall es öffnen kann, hat er sich damit des Geheimnisses als würdig erwiesen, das im Kryptex enthalten ist.«

Langdon nickte. »Ich habe vergessen, dass Sie in solchen Dingen bewandert sind.«

»In der Kryptologie spricht man in diesem Zusammenhang von einer ›sich selbst autorisierenden Sprache‹, was so viel bedeutet, dass derjenige, der schlau genug ist, einen verschlüsselten Text zu lesen, auch die Befugnis hat, seinen Inhalt zu erfahren.«

Langdon zögerte. »Sophie, Ihnen ist doch klar, dass Ihr Großvater, wenn wir hier tatsächlich den Schlussstein vor uns haben, ein außerordentlich hohes Amt in der *Prieuré de Sion* bekleidet haben muss. Einen der vier höchsten Ränge überhaupt.«

Sophie seufzte. »Ich bin sicher, dass er ein sehr mächtiger Mann in einer Geheimgesellschaft gewesen ist. Dass es die *Prieuré* war, kann ich allerdings nur vermuten.«

Langdon sah sie verblüfft an. »Sie haben *gewusst*, dass er einer Geheimgesellschaft angehörte?«

»Ich habe vor zehn Jahren Dinge gesehen, die ich nicht sehen sollte. Seitdem haben wir nicht mehr miteinander geredet.« Sophie hielt inne. »Mein Großvater war nicht bloß ein ranghohes Mitglied dieser Organisation, ich habe Grund zu der Annahme, dass er der *Ranghöchste* war.«

Langdon konnte kaum glauben, was er da hörte. »Dann wäre er der Großmeister gewesen. Aber es ist völlig ausgeschlossen, dass Sie davon erfahren hätten!«

»Darüber möchte ich mich lieber nicht auslassen.« Sophie blickte zur Seite. Entschlossenheit und Schmerz spiegelten sich auf ihrem Gesicht.

Langdon konnte es nicht fassen. *Jacques Saunière war der Großmeister?* Trotz der beinahe unglaublichen Implikationen, die sich daraus ergaben – Langdon hatte das beklemmende Gefühl, dass es tatsächlich so war. Schließlich waren bisher sämtliche Großmeister *auch* angesehene Persönlichkeiten des öffentlichen Lebens mit einer ausgeprägten künstlerischen Ader gewesen. Den Beweis dafür hatte man vor Jahren in der Pariser Nationalbibliothek in einem Dokument entdeckt, das unter dem Namen *Les Dossiers Secrets*, die Geheimdossiers, bekannt geworden ist.

Jeder, der sich aus Berufsgründen oder aus Leidenschaft für die *Prieuré de Sion* oder den Heiligen Gral interessierte, hatte die *Dossiers* gelesen. Die unter der Katalognummer 4° lm¹ 249 geführten und von vielen Sachverständigen als echt eingestuften Dokumente hatten eindeutig bestätigt, was viele Historiker schon lange vermuteten: Leonardo da Vinci, Sandro Botticelli, Sir Isaac Newton, Victor Hugo und in jüngerer Zeit der berühmte Pariser Künstler Jean Cocteau waren Großmeister des Geheimordens gewesen.

Warum also nicht Jacques Saunière?

Doch als Langdon daran dachte, dass er am vergangenen Abend mit Saunière verabredet gewesen war, wurde er wieder unsicher.

Der Großmeister der Prieuré *wollte dich treffen. Wozu? Um ein bisschen über Kunst mit dir zu plaudern?*

Auf einmal kam Langdon alles wieder fraglich vor. Selbst den eigenen Tod vor Augen, hätte Saunière immer noch drei Seneschalle gehabt, die ebenfalls das Geheimnis kannten und es gehütet hätten. Weshalb also sollte er sich auf das gewaltige Risiko einlassen, den Schlussstein an seine Enkelin weiterzugeben, zumal sie sich mit ihm entzweit hatte? Und wozu hätte er ihn, Langdon – einen Außenstehenden –, in die Sache hineinziehen sollen?

In diesem Puzzle fehlt ein Stück.

Die Lösung der offenen Fragen musste offensichtlich noch warten.

Langdon und Sophie blickten auf, als der Motor plötzlich langsamer lief. Schotter knirschte unter den Reifen. *Warum biegt Vernet schon von der Schnellstraße ab?*, fragte sich Langdon. Hatte er nicht gesagt, er wolle sie sicherheitshalber ein gutes Stück aus der Stadt hinausfahren?

Der Lieferwagen verlangsamte weiter bis zum Schritttempo und fuhr über unerwartet holpriges Gelände. Mit einem unbehaglichen Blick zu Langdon klappte Sophie hastig den Kasten mit dem Kryptex zu und verriegelte das Schloss. Langdon schlüpfte wieder in sein Jackett.

Schließlich hielt der Lieferwagen. Die Schlösser der Hecktür wurden entriegelt. Beim Aufschwingen der Tür konnte Langdon zu seiner Überraschung erkennen, dass sie sich weitab der Straße in einem Waldgebiet befanden.

Vernet trat ins Blickfeld, eine Pistole in der Hand. Es war ihm anzusehen, dass er sich nicht wohl in seiner Haut fühlte.

»Tut mir Leid, aber mir bleibt keine andere Wahl«, sagte er.

49. KAPITEL

A ndré Vernet hielt die Waffe unbeholfen in der Hand, doch in seinen Augen lag eine Entschlossenheit, die Langdon lieber nicht auf die Probe stellen wollte.

»Ich fürche, ich kann Ihnen das nicht ersparen«, sagte Vernet und richtete die Pistolenmündung auf Sophie. »Stellen Sie den Kasten auf den Wagenboden.«

Sophie drückte das Kästchen an die Brust. »Sagten Sie nicht, Sie und mein Großvater seien Freunde gewesen?«

»Ich habe die Pflicht, das Eigentum Ihres Großvaters zu beschützen«, sagte Vernet. »Genau das tue ich. Und jetzt stellen Sie endlich den Kasten auf den Boden!«

»Mein Großvater hat ihn aber *mir* anvertraut«, erklärte Sophie.

»Nun machen Sie schon!«, sagte Vernet und hob drohend die Waffe.

Sophie setzte das Kästchen vor ihren Füßen ab.

Langdon sah den Lauf der Waffe zu sich herüberschwenken.

»Mr Langdon«, sagte Vernet, »Sie werden jetzt so freundlich sein, mir den Kasten zu bringen. Sie sollen wissen, warum ich mich mit dieser Bitte an *Sie* wende: Weil ich bei Ihnen keine Skrupel habe, den Abzug zu betätigen.«

Langdon starrte den Bankier fassungslos an. »Warum tun Sie das?«

»Was glauben Sie wohl?«, zischte Vernet. »Weil ich verpflichtet bin, die Vermögenswerte meiner Kunden zu schützen!«

»Jetzt sind aber *wir* Ihre Kunden«, sagte Sophie.

Vernets Miene wurde abweisend. »Mademoiselle Neveu, ich weiß nicht, wie Sie heute Nacht in den Besitz des Schlüssels und der Depotnummer gelangt sind, aber es liegt doch auf der Hand, dass es dabei nicht mit rechten Dingen zugegangen ist. Hätte ich gewusst, dass Sie bis zum Hals in kriminellen Machenschaften stecken, hätte ich Ihnen niemals zur Flucht aus meiner Bank verholfen.«

»Ich habe Ihnen doch gesagt, dass wir nichts mit dem Tod meines Großvaters zu tun haben!«, rief Sophie.

»Weshalb wird dann im Radio gemeldet, dass Sie nicht nur wegen des Mordes an Jacques Saunière gesucht werden, sondern auch wegen der Ermordung von drei anderen Männern?«

»Was? Damit haben wir nichts zu tun!«, rief Langdon protestierend. Er war wie vor den Kopf geschlagen. *Noch drei Morde?* Die Zahl ging ihm mehr unter die Haut als die Tatsache, dass er der Hauptverdächtige war. Das konnte kaum noch ein Zufall mehr sein. *Waren die drei getöteten Männer die drei Seneschalle?* Langdons Blick richtete sich auf das Rosenholzkästchen auf dem Wagenboden. *Falls die drei Seneschalle tatsächlich einem Mord zum Opfer gefallen sind, hatte Jacques Saunière keine andere Wahl. Dann musste er den Schlussstein* außerhalb *der Reihen des Ordens weitergeben.*

»Was Sie damit zu tun haben«, erwiderte Vernet auf Langdons Bemerkung, »soll die Polizei ermitteln, sobald ich Sie abgeliefert habe. Ich habe meine Bank schon viel zu tief in die Sache hineingeritten.«

Sophie starrte Vernet in die Augen. »Wenn Sie vorhätten, uns bei der Polizei abzuliefern, hätten Sie nur zu Ihrer Bank zurückzufahren brauchen. Stattdessen kutschieren Sie uns ins Grüne und halten uns eine Waffe unter die Nase. Was soll das?«

»Ihr Großvater hat meine Dienste aus einem einzigen Grund in Anspruch genommen – damit seine Effekten sicher aufgehoben sind und von der Bildfläche verschwinden. Was immer in diesem Kasten steckt, ich habe nicht die Absicht, es zum nummerierten Beweisstück eines Strafverfahrens werden zu lassen. Mr Langdon, bringen Sie mir jetzt den Kasten!«

Sophie schüttelte den Kopf. »Tun Sie's nicht!«

Ein Schuss peitschte auf. Die Kugel fuhr in die Deckenverkleidung über Langdons Kopf. Der Einschlag und der Nachhall des Schusses schienen den ganzen Lieferwagen zu erschüttern. Eine Patronenhülse klapperte auf den Metallboden.

Verdammt! Langdon erstarrte.

»Heben Sie jetzt brav das Kästchen auf, Mr Langdon«, sagte Vernet, als würde er einem störrischen Kind zureden.

Langdon gehorchte.

»Gut. Und jetzt bringen Sie es her zu mir.« Vernet stand hinter dem Lieferwagen, die Oberschenkel an die Stoßstange gelehnt, und hielt die Waffe mit ausgestrecktem Arm auf Langdon im Laderaum gerichtet.

Das Kästchen in der Hand, ging Langdon langsam zur offenen Hecktür.

Du musst dir etwas einfallen lassen! Du bist im Begriff, den Schlussstein der Prieuré aus der Hand zu geben!

Langdon überlegte fieberhaft, als er sich der Hecktür näherte. Vernets Pistole befand sich inzwischen auf seiner Kniehöhe. Sollte er versuchen, seine erhöhte Position auf der Ladefläche auszunutzen? *Ein gut gezielter Tritt vielleicht …*

Vernet schien die Drohung zu spüren. Er trat ein paar Schritte zurück, blieb in etwa drei Metern Entfernung stehen und richtete die Waffe erneut auf Langdon. »Stellen Sie jetzt den Kasten auf die Ladekante.«

Langdon sah keine andere Möglichkeit, als sich hinzuknien und das Kästchen abzustellen.

»Stehen Sie jetzt wieder auf und treten Sie von dem Kasten zurück!«

Beim Aufstehen erspähte Langdon die leere Patronenhülse. Sie lag direkt neben dem passgenauen unteren Anschlag der Hecktür. Unauffällig ließ Langdon die Patronenhülse in die schmale Rinne kullern.

»Drehen Sie sich jetzt um, und gehen Sie zur vorderen Wand!«

Langdon gehorchte.

Vernet schlug das Herz bis zum Hals. Die Waffe in der rechten Hand, griff er mit der linken nach dem Holzkästchen, doch es war zu schwer. *Du brauchst beide Hände dafür.* Er warf einen Blick auf seine Gefangenen, die auf sein Geheiß mit dem Rücken zu ihm fast fünf Meter entfernt an der Vorderwand des Laderaums standen. Vernet legte die Pistole auf die Stoßstange, griff sich mit einer blitzschnellen Bewegung den Kasten, stellte ihn vor sich auf den Boden, nahm sofort die Waffe wieder auf und richtete sie erneut auf seine Opfer. Keiner der beiden hatte sich vom Fleck gerührt.

Perfekt. Jetzt brauchte er nur noch die Hecktür zu schließen. Vernet packte die gepanzerte Tür am Riegel und schwang sie herum. Mit einem dumpfen Laut fiel sie in ihr Widerlager. Vernet versuchte, den Riegel in die Verschlussstellung zu schieben, doch er bewegte sich nur ein Stück, dann war ein Widerstand zu spüren. *Was klemmt denn hier?* Vernet versuchte es noch einmal, doch der Riegel rastete nicht in die Endstellung ein. Der Mechanismus war durch irgendetwas blockiert. *Die Tür ist nicht richtig zu …*

Vernet geriet in Panik. Er drückte mit aller Gewalt, doch der Riegel blieb in der Zwischenstellung. Vernet wollte einen Schritt zurücktreten, um sich mit der Schulter gegen die störrische Tür zu werfen. In diesem Moment flog die Stahltür explosionsartig auf und knallte ihm ins Gesicht. Die Hände vor die quälend schmerzende, zerquetschte Nase geschlagen, ging Vernet rückwärts zu Boden. Die Pistole flog ihm aus der Hand. Er spürte, wie das Blut ihm warm übers Gesicht lief.

Robert Langdon war neben ihm auf den Boden gesprungen. Als Vernet sich aufzurichten versuchte, wurde ihm schwarz vor Augen, und er fiel wieder nach hinten. Sophie Neveu rief Langdon irgendetwas zu. Im nächsten Moment fegte eine Wolke aus Dieselqualm, Staub und Steinchen über Vernet hinweg. Er hörte das Geräusch von Reifen, die im Schotter durchdrehten. Als er sich aufsetzte, konnte er gerade noch sehen, dass der Lieferwagen eine Kurve nicht eng genug genommen hatte. Es krachte, als die vordere Stoßstange sich in einem kleinen Baum verhakte. Der Motor heulte auf. Der Baumstamm bog sich wie im Sturm, aber schließlich zog die Stoßstange den Kürzeren und riss zur Hälfte ab. Der gepanzerte Transporter schlingerte mit herabhängender Stoßstange davon.

Vernet starrte auf die Stelle, wo das Kästchen gestanden hatte. Im schwachen Mondlicht war zu erkennen, dass es verschwunden war.

50. KAPITEL

Der unauffällige Fiat ließ Castel Gandolfo hinter sich und wand sich talwärts durch die Albaner Berge. Bischof Aringarosa, der lächelnd auf dem Rücksitz saß, blickte durchs Fenster auf die malerische Landschaft. Auf dem Schoß spürte er das angenehme Gewicht des Köfferchens.

Zwanzig Millionen Euro. Hoffentlich findet der Austausch mit dem Lehrer bald statt.

Die Macht, die Aringarosa sich mit dieser Summe erkaufen würde, war unvergleichlich mehr wert als das Geld.

Aringarosa wunderte sich, dass der Lehrer noch nicht Verbindung mit ihm aufgenommen hatte. Er nahm sein Handy aus der Soutane und blickte auf die Anzeige der Signalstärke. Sie war extrem schwach.

»Hier oben fährt man von einem Funkloch ins andere«, sagte der Fahrer mit einem Blick in den Innenspiegel. »Gleich kommen wir aus den hohen Bergen heraus, dann wird es besser.«

»Danke.« Aringarosa war plötzlich sehr besorgt. Das Handy funktioniert hier nicht? Hatte der Lehrer vielleicht schon die ganze Zeit versucht, ihn zu erreichen? War etwas schief gegangen?

Aringarosa hörte die Mailbox ab. Nichts. Außerdem hätte der Lehrer niemals eine Nachricht hinterlassen, die aufgezeichnet wurde. Er war ein Mensch, der bei jeder Kontaktaufnahme äußerste Vorsicht walten ließ. Niemand kannte die Fallstricke der vielfältigen Kommunikation in der modernen Welt besser als der Lehrer; schließlich hatte er vor allem mit Hilfe elektronischer

Abhörmethoden seinen erstaunlichen Fundus an Geheimwissen zusammengetragen.

Und deshalb ist er besonders vorsichtig.

Leider gehörte zu den Vorsichtsmaßnahmen des Lehrers auch die Weigerung, Aringarosa eine Nummer zu geben, unter der er seinerseits erreichbar war. *Der Kontakt wird immer nur von mir ausgehen,* hatte der Lehrer ihm beschieden. *Sorgen Sie nur dafür, dass Sie stets das Mobiltelefon zur Hand haben.* Deshalb fürchtete Aringarosa so sehr, der Lehrer könnte vergeblich versucht haben, ihn zu erreichen, und falsche Schlüsse daraus ziehen.

Er wird denken, dass etwas nicht geklappt hat.

Oder dass du die Obligationen nicht bekommen hast.

Oder dass du mit dem Geld verschwunden bist …

Dem Bischof trat der Schweiß auf die Stirn.

51. KAPITEL

Selbst bei mäßigen sechzig Stundenkilometern machte die Stoßstange des Geldtransporters, die über die einsame Landstraße schrammte, einen Höllenlärm und ließ einen Funkenregen über die Fahrzeugschnauze stieben.

Wir müssen von der Straße, sagte sich Langdon.

Er konnte ohnehin kaum erkennen, wohin er fuhr. Der einzige noch funktionierende Scheinwerfer war schief in die Karosserie eingedrückt und warf einen schrägen Lichtstrahl seitwärts ins Gebüsch. Die Bezeichnung »gepanzert« bezog sich offensichtlich nur auf den Laderaum des Fahrzeugs und keinesfalls auf die Frontpartie.

Sophie saß auf dem Beifahrersitz und starrte auf das Rosenholzkästchen auf ihrem Schoß. Sie sah völlig verwirrt aus.

»Alles in Ordnung?«, erkundigte sich Langdon.

»Glauben Sie Vernet?«

»Die Sache mit den drei weiteren Morden? Unbesehen. Das liefert uns nämlich die Antwort auf viele Fragen – zum Beispiel, warum Ihr Großvater so verzweifelt versucht hat, den Schlussstein an Sie weiterzugeben, und warum Fache so intensiv nach mir fahndet.«

»Nein, ich meine, dass Vernet angeblich seine Bank zu schützen versucht.«

Langdon schaute zu Sophie hinüber. »Oder aber?«

»Er wollte sich den Schlussstein in Wirklichkeit selbst unter den Nagel reißen.«

Daran hatte Langdon überhaupt noch nicht gedacht. »Aber wie hätte er wissen sollen, was sich im Kästchen befindet?«

»Es wurde in seiner Bank aufbewahrt. Er hat meinen Großvater gekannt. Er könnte etwas herausbekommen haben. Vielleicht ist er hinter dem Gral her.«

Langdon schüttelte den Kopf. Dafür war Vernet nicht der Typ. »Nach meiner Erfahrung gibt es nur zwei Gründe, weshalb jemand sich auf die Gralssuche einlässt. Entweder er ist naiv und glaubt, den verschollenen Kelch Christi finden zu können ...«

»Oder?«

»Oder er kennt die Wahrheit und muss sie fürchten. Im Laufe der Geschichte gab es viele Gruppierungen, die den Gral zerstören wollten.«

Das durchdringende Kreischen der Stoßstange klang doppelt laut und nervtötend in dem Schweigen, das sich zwischen Sophie und Langdon ausbreitete. Sie waren inzwischen ein paar Kilometer gefahren. Angesichts des Lärms und der Funkenkaskaden vor dem Fahrzeug wurde Langdon klar, dass er etwas unternehmen musste: Falls ihnen ein Fahrzeug begegnete, wurde man bestimmt auf sie aufmerksam.

»Ich versuche, die Stoßstange wieder hinzubiegen«, sagte er entschlossen, fuhr rechts ran und hielt.

Wohltuende Stille.

Als Langdon ausstieg und zur Front des Lieferwagens ging, fühlte er sich erstaunlich munter. Der Blick in den Lauf der zweiten Pistole des heutigen Abends hatte für einen gewaltigen Adrenalinschub gesorgt. Nicht nur, dass er ein gejagter Mann war – Langdon spürte auch angesichts der Tatsache, dass Sophie und er möglicherweise den verschlüsselten Wegweiser zu einem der am längsten und besten gehüteten Geheimnisse aller Zeiten in Händen hielten, den wachsenden Druck der Verantwortung.

Und damit nicht genug. Langdon erkannte, dass jegliche Möglichkeit, den Stein an die *Prieuré* zurückzugeben, endgültig zunichte gemacht war. Die Nachricht von den drei weiteren Morden ließ das Schlimmste vermuten: *Die Prieuré ist unterwandert worden. Sie ist nicht mehr vertrauenswürdig.*

Die Bruderschaft wurde offenbar überwacht, oder es gab in den höheren Rängen einen Maulwurf. Das würde erklären, weshalb Saunière den Schlussstein Sophie und Langdon zugespielt hatte – zwei Personen außerhalb der Bruderschaft. Eine Rückgabe war daher so gut wie ausgeschlossen. Selbst wenn Langdon gewusst hätte, wie er Kontakt zur *Prieuré* aufnehmen sollte – das Risiko, bei der Rückgabe des Schlusssteins an den unbekannten Widersacher zu geraten, war viel zu groß. Im Moment jedenfalls lastete die Verantwortung für den Schlussstein auf Sophie und Langdon, ob sie wollten oder nicht.

Die Frontpartie des Lieferwagens sah schlimmer aus, als Langdon erwartet hatte. Der linke Scheinwerfer fehlte ganz, der rechte sah wie ein ausgeschlagenes Auge aus, das an Nervensträngen aus seiner Höhle baumelte. Langdon versuchte, den Reflektor in seine Halterung zurückzudrücken, doch er fiel wieder heraus. Der einzige Lichtblick war, dass die vordere Stoßstange sich fast vollständig aus der Verankerung gelöst hatte. Während Langdon fest dagegen trat, um das verbogene Metallteil gänzlich abzureißen, fiel ihm sein erstes Gespräch mit Sophie wieder ein. *Mein Großvater hat mir auf dem Anrufbeantworter eine Nachricht hinterlassen*, hatte sie zu ihm gesagt. *Er hat gesagt, er muss mich unbedingt in das Geheimnis meiner Familie einweihen.* Damals war dieser Satz für Langdon ohne besondere Bedeutung gewesen, aber jetzt, da er wusste, dass die *Prieuré de Sion* mit im Spiel war, ergab sich eine faszinierende neue Möglichkeit.

Krachend brach die Stoßstange ab. Langdon hielt inne, um wieder zu Puste zu kommen. Jetzt war der Lieferwagen wenigstens keine fahrende Wunderkerze mehr. Er schleuderte die Stoßstange ins Gebüsch, wo niemand sie sah.

Aber wohin jetzt? Und wie sollten sie das Kryptex aufbekommen? Warum hatte Saunière es ihnen überhaupt zugespielt? Von den richtigen Antworten auf diese Fragen schien es abzuhängen, ob sie in dieser Nacht mit heiler Haut davonkamen.

Wir brauchen Hilfe, sagte sich Langdon. *Professionelle Hilfe.*

In der Welt des Heiligen Grals und der *Prieuré de Sion* gab es nur einen einzigen Mann, der als Helfer in Frage kam. Aber zuerst musste er Sophie für seinen Plan gewinnen.

Sophie wartete in der Fahrerkabine auf Langdon. Das Gewicht des Rosenholzkästchens drückte auf ihren Schoß. Sie mochte dieses Gefühl nicht. *Warum nur hat Großvater dir dieses Ding gegeben?* Sophie hatte keinen Schimmer, was sie damit anfangen sollte.

Denk nach! Gebrauche deinen Verstand! Grand-père versucht, dir irgendetwas zu sagen...!

Sophie klappte das Kästchen auf und betrachtete das Kryptex mit seinen Drehsegmenten. Sie spürte die Hand des Großvaters, die hier am Werk gewesen war. *Eine Charakterprüfung. Der Schlussstein ist ein Wegweiser, dem nur folgen kann, wer dessen würdig ist...*

Sie hob das Kryptex aus dem Kästchen und fuhr mit den Fingern sanft über die Buchstabenbänder. *Fünf Drehsegmente.* Sie ließen sich glatt und widerstandslos gegeneinander verdrehen. Am Marmorzylinder befanden sich oben und unten kleine pfeilförmige Einstellmarkierungen aus Bronze. Sophie drehte fünf Buchstaben zwischen die Markierungen, auch wenn dieses Lösungswort in seiner Offensichtlichkeit absurd war:

G-R-A-I-L.

Es war die englische Bezeichnung für den Gral; Saunière hatte ja auch die Botschaft im Louvre auf Englisch übermittelt.

Vorsichtig zog Sophie an den beiden Endscheiben des Zylinders. Nichts bewegte sich, lediglich die Phiole mit dem Essig im Innern gluckerte. Sie hielt inne und versuchte ein neues Passwort, diesmal auf Französisch.

V-O-U-T-E

Wieder tat sich nichts.

V-I-N-C-I

Nichts. Das Kryptex blieb geschlossen.

Stirnrunzelnd legte Sophie den Marmorzylinder in sein Behältnis zurück und schloss den Deckel. Sie schaute zu Langdon hinaus und empfand Dankbarkeit, dass er bei ihr war. *P. S. Robert Langdon suchen.* Sie hatte inzwischen begriffen, zu welchem Zweck Saunière ihr Langdon an die Seite gegeben hatte. Sophie fehlten das Wissen und die Voraussetzungen, um die Absichten ihres Großvaters zu verstehen; deshalb hatte er Langdon zu ihrem Ratgeber und Lehrer gemacht. Nur hatte Langdon leider das Pech gehabt, ins Visier Bezu Faches geraten zu sein … und einer unsichtbaren Macht, die ebenfalls hinter dem Heiligen Gral her war.

Wobei noch offen war, als was der Gral sich letzten Endes entpuppte.

Sophie fragte sich, ob die Suche den Einsatz ihres Lebens überhaupt wert war.

Beim Anfahren stellte Langdon zufrieden fest, wie leise der Lieferwagen jetzt dahinrollte. »Wissen Sie, wie wir von hier nach Versailles kommen, Sophie?«, fragte er.

Sie sah ihn von der Seite an. »Zu einer Schlossbesichtigung?«

»Dafür wäre es noch zu früh. Nein, ich habe einen Plan. In der Nähe von Versailles wohnt ein Bekannter von mir, ein Religionswissenschaftler. Ich weiß nicht mehr genau, wo sein Anwesen liegt, aber die Adresse können wir in einer Telefonzelle nachschlagen. Ich bin schon ein paarmal dort gewesen. Er heißt Leigh Teabing und ist Mitglied der British Royal Society.«

»Und jetzt lebt er in Paris?«

»Teabings große Leidenschaft ist der Gral. Als vor fünfzehn Jahren die Gerüchte über den Schlussstein der *Prieuré* aufkamen, ist er nach Frankreich gezogen, um hier die Kirchen abzusuchen, die als Versteck des Schlusssteins in Frage kommen. Er hat mehrere Bücher über den Gral und den Schlussstein geschrieben. Vielleicht hat er eine Idee, wie man das Kryptex aufbekommt und was man dann damit anfängt.«

Sophie blickte Langdon argwöhnisch an. »Können wir dem Mann vertrauen?«

»Inwiefern? Dass er uns nicht unsere Informationen klaut?«

»Ganz recht. Und dass er uns nicht an die Polizei ausliefert.«

»Keine Bange – ich habe nicht vor, ihm auf die Nase zu binden, dass nach uns gefahndet wird. Ich hoffe, dass er uns Unterschlupf gewährt, bis alles überstanden ist.«

»Ist Ihnen eigentlich klar, Robert, dass unsere Bilder zurzeit über sämtliche Bildschirme Frankreichs flimmern? Bezu Fache hat immer schon verstanden, die Medien für seine Zwecke einzusetzen. Er wird irgendwie verhindern, dass wir uns frei bewegen können, ohne sofort erkannt zu werden.«

Na toll, ging es Langdon durch den Kopf. *Deinen ersten Fernsehauftritt in Frankreich hattest du dir eigentlich anders vorgestellt.*

Langdon bezweifelte, dass Teabing ein eifriger Fernsehkonsument war – erst recht nicht zu dieser Stunde –, aber die Frage nach dem Risiko durfte nicht außer Acht gelassen werden. Doch Langdons Instinkt stufte Teabing als absolut vertrauenswürdig ein. In Anbetracht der Umstände würde er sich vermutlich sogar ein Bein ausreißen, ihnen zu helfen. Nicht nur, dass er Langdon einen Gefallen schuldig war – Teabing war ein besessener Gralssucher, und Sophies Großvater war vermutlich der letzte Großmeister der *Prieuré de Sion* gewesen. Wenn Teabing *das* hörte, würde er alle Hebel in Bewegung setzen, um die Probleme zu lösen, mit denen Sophie und Langdon sich konfrontiert sahen.

»Ist dieser Wissenschaftler ein guter Freund von Ihnen?«, wollte Sophie wissen.

»Teabing könnte sich als mächtiger Verbündeter erweisen«, erwiderte Langdon. *Je nachdem, wie tief wir ihn in unsere Karten blicken lassen...*

»Fache wird vermutlich eine Belohnung aussetzen.«

Langdon lachte auf. »Glauben Sie mir, Geld ist das Letzte, was diesen Mann interessiert.« Leigh Teabing zählte zu den vermögendsten Männern Englands. Als Abkömmling des Ersten Duke of Lancaster hatte er seinen Reichtum auf altmodische Weise erworben – durch Erbschaft. Sein Heim im Umland von Paris war ein Schloss aus dem siebzehnten Jahrhundert, einschließlich zweier Teiche in den ausgedehnten umliegenden Ländereien.

Langdon hatte Teabing vor mehreren Jahren durch die British Broadcasting Corporation kennen gelernt. Teabing war damals mit einem Exposé für eine Fernsehdokumentation an die BBC herangetreten, in der er dem Fernsehpublikum die dramatische Geschichte des Heiligen Grals näher bringen wollte. Die Produzenten der BBC waren von Teabings explosivem Thema, seiner sauberen

Recherche und seinen Referenzen begeistert, befürchteten aber, dass die ungeheure Brisanz der Geschichte die Glaubwürdigkeit der BBC als Hort des seriösen Journalismus beschädigen könnte. Auf Teabings Vorschlag hatte die BBC das Glaubwürdigkeitsproblem gelöst, indem sie drei weltweit anerkannte Historiker in der Sendung auftreten ließ, die mit ihren eigenen Forschungsergebnissen die unglaubliche Geschichte vom Geheimnis des Heiligen Grals einhellig bestätigten.

Einer dieser Experten war Langdon gewesen.

Die BBC hatte Langdon für die Filmarbeiten auf Teabings Pariser Anwesen eingeflogen. Er hatte in Teabings luxuriösem Salon vor der Kamera gesessen und erzählt, was er zu erzählen hatte – wie er anfangs selbst skeptisch gewesen sei, als er von der alternativen Deutung der Grallegende erfahren hatte, wie seine jahrelange Forschungsarbeit ihn dann aber von der Stichhaltigkeit dieser Deutung überzeugt hatte. Langdon hatte einige seiner eigenen Forschungsergebnisse vorgetragen – eine Reihe verschiedener Beziehungen auf symbolischer Ebene –, die nachdrücklich für die Richtigkeit von Teabings scheinbar ungeheuerlichen Behauptungen sprachen.

Als die Sendung in England ausgestrahlt wurde, hatte sie ungeachtet der Absicherung durch Experten und trotz des gut dokumentierten Beweismaterials einen Sturm der Entrüstung bei den Kirchen ausgelöst, kaum dass die Sendung ausgestrahlt war. In den Vereinigten Staaten kam es erst gar nicht mehr zur Ausstrahlung, doch das Protestgeschrei hallte bis über den Atlantik. Langdon hatte kurz darauf von einem guten alten Freund, dem katholischen Bischof von Philadelphia, ein Schreiben erhalten, auf dem der fromme Mann ihm jene Worte entgegenschleuderte, die Cäsar zu seinem Protegé Brutus gesagt hatte, als der ihn zusammen mit den anderen Verschwörern im Senat erdolcht hatte: *Et tu, Robert?* [5]

»Robert«, sagte Sophie, »sind Sie sicher, dass wir diesem Mann vertrauen können?«

---

[5] Auch du, Robert?

»Absolut«, gab Langdon zurück. »Wir sind so etwas wie Kollegen. Und Geld ist für ihn kein Thema – er ist Multimillionär. Aber er ist sauer auf die französischen Behörden. Zufällig weiß ich, dass er vom französischen Fiskus gewaltig geschröpft wird, weil er eine historische Liegenschaft erworben hat. Deshalb wird er kaum den Wunsch haben, Fache in die Hände zu arbeiten.«

Sophie starrte auf das gelbe Band der Straße im Dunkel der Nacht. »Wie viel Einblick wollen Sie ihm denn gewähren, falls wir zu ihm gehen?«

Langdon schien keine Bedenken zu haben. »Ach, wissen Sie, Leigh Teabing weiß mehr über die *Prieuré de Sion* als sonst jemand auf der Welt.«

Sophie schaute ihn an. »Mehr als mein Großvater?«

»Mehr als irgendjemand *außerhalb* der Bruderschaft.«

»Und woher wollen Sie wissen, dass dieser Teabing nicht dazugehört?«

»Er hat fast sein ganzes Leben damit verbracht, sein Wissen über den Heiligen Gral zu verbreiten. Die Mitglieder der *Prieuré* dagegen haben ein Gelübde abgelegt, das Geheimnis zu hüten.« Langdon konnte Sophies Bedenken gut verstehen. Schließlich hatte ihr Saunière persönlich das Kryptex anvertraut. Sie hatte Skrupel, einen völlig Fremden in die Sache einzubeziehen, auch wenn sie noch nicht wusste, was sich im Kryptex befand und was sie damit tun sollte. Angesichts der Information, um die es möglicherweise ging, waren ihre Skrupel keineswegs übertrieben. »Wir brauchen Teabing ja nicht gleich vom Schlussstein zu erzählen. Vielleicht verschweigen wir es ganz. Jedenfalls können wir uns in Teabings Villa versteckt halten und unsere Lage überdenken. Und wenn wir uns mit ihm über den Gral unterhalten, bekommen wir vielleicht einen Hinweis darauf, weshalb Ihr Großvater Ihnen das Kryptex zugespielt hat.«

»*Uns*«, korrigierte Sophie.

Langdon verspürte einen Anflug bescheidenen Stolzes. Dennoch fragte er sich zum x-ten Mal, weshalb Saunière ihn mit ins Boot geholt hatte.

»Und Sie wissen, wo dieser Teabing wohnt?«

»Seine Adresse ist Château Villette.«

»*Das* Château Villette?«

»Genau.«

»Solche Bekannte möchte ich auch gern haben.«

»Sie kennen das Anwesen?«

»Ich bin öfters daran vorbeigefahren. Es ist nicht weit von Versailles entfernt. Von hier aus sind es ungefähr zwanzig Minuten.«

Langdon nickte. »Okay.«

»Zeit genug, dass Sie mir erzählen, was der Heilige Gral denn nun *wirklich* ist.«

Langdon schwieg einen Moment. »Ich erkläre es Ihnen, wenn wir bei Teabing sind. Er und ich sind Experten für jeweils andere Aspekte der Legende. Wenn Sie die Geschichte von uns *beiden* hören, wird es sich sehr gut ergänzen.« Langdon lächelte. »Die Gralssuche ist Teabings Lebensinhalt. Die Geschichte des Heiligen Grals von Leigh Teabing zu hören ist etwa so, als würde Einstein persönlich einem die Relativitätstheorie auf verständliche Weise erklären.«

»Dann wollen wir nur hoffen, dass Ihr guter Leigh nichts gegen späten Besuch hat.«

»Sagen Sie lieber Sir Leigh zu ihm, Sophie – aber das nur am Rande.« Langdon hatte sich diesen Fauxpas selbst einmal zuschulden kommen lassen – nur einmal. »Teabing ist ein ziemliches Unikum. Die Queen hat ihn vor einiger Zeit zum Ritter geschlagen, nachdem er eine umfassende Geschichte des Hauses York verfasst hatte.«

Sophie sah zu Langdon hinüber. »Jetzt machen Sie aber Witze! Wir sind doch nicht etwa unterwegs zu einem *echten* Ritter?«

Langdon grinste sie schief an. »Wir sind auf der Gralssuche, Sophie. Wer könnte uns da besser zur Seite stehen als ein Ritter?«

52. KAPITEL

Château Villette, ein weitläufiges, fünfundsiebzig Hektar großes Anwesen, lag fünfundzwanzig Autominuten nordwestlich von Paris in der Umgebung von Versailles. Das Schlösschen, 1668 von François Mansart für den Grafen von Aufflay entworfen und gebaut, gehörte zu den bemerkenswertesten historischen Schlossbauten in der Umgebung von Paris. Mit den beiden großen rechteckigen Teichen und dem von Le Nôtre entworfenen Garten war Château Villette eher ein mittleres Schloss als ein Landhaus. Man nannte es denn auch liebevoll *Le Petit Versailles*.

Mit quietschenden Reifen brachte Langdon den Lieferwagen am Abzweig der anderthalb Kilometer langen Zufahrtsstraße zu Teabings Anwesen zum Stehen. Hinter einem beeindruckenden Tor, das mit allen sicherheitstechnischen Schikanen versehen war, erhob sich in der Ferne das Schloss aus den weiten Rasenflächen. Ein englischsprachiges Schild prangte am Tor.

PRIVATE PROPERTY. NO TRESPASSING.[6]

Als gälte es, vor seinem Heim eine britische Duftmarke zu setzen, hatte Teabing nicht nur sämtliche Schilder mit englischen Aufschriften versehen, er hatte auch die Gegensprechanlage am Tor auf der *rechten* Seite installieren lassen, wo in ganz Europa der Beifahrer saß, nur eben bekanntlich nicht in England.

Sophie bedachte die falsch platzierte Rufanlage mit einem schiefen Blick. »Und wenn nun jemand ohne Beifahrer vorfährt?«

---

[6] Privat. Betreten verboten.

»Fragen Sie mich nicht«, wehrte Langdon ab. Er hatte sich deswegen mit Teabing beinahe schon in den Haaren gelegen. »Er hat eben gern alles so, wie er es von zu Hause gewohnt ist.«

Sophie kurbelte die Seitenscheibe herunter. »Ich glaube, es ist besser, Sie führen das Gespräch, Robert.«

Als Langdon sich über Sophie hinweg weit nach rechts beugte, um auf den Sprechknopf zu drücken, stieg ihm der betörende Hauch ihres Parfüms in die Nase und machte ihm bewusst, wie nahe sie einander waren. Aus dem Lautsprecher drang eine Art Freizeichen. Endlich knackte es in der Rufanlage. Eine indignierte französische Stimme meldete sich. »Château Villette. Wer ist da?«

»Hier ist Robert Langdon. Ich bin ein Freund von Sir Leigh Teabing«, sagte Langdon, der Sophie inzwischen beinahe auf dem Schoß lag. »Ich brauche seine Hilfe.«

»Sir Leigh hat sich bereits zur Ruhe begeben… wovon Sie übrigens auch bezüglich meiner Wenigkeit ausgehen können. Was war gleich Ihr Anliegen?«

»Das ist eine Privatsache. Eine Angelegenheit von größtem Interesse für Sir Leigh.«

»Dann bin ich sicher, dass Sir Leigh Sie morgen Vormittag mit dem größten Vergnügen empfangen wird.«

Langdon bemühte sich um ein Minimum an körperlichem Abstand zu Sophie. »Aber es ist sehr wichtig!«

»Was auch für Sir Leighs Ruhe gilt. Falls Sie tatsächlich mit Sir Leigh befreundet sind, dürfte Ihnen bekannt sein, dass es mit seiner Gesundheit nicht zum Besten steht und dass er der Schonung bedarf.«

Leigh Teabing war als Kind an Polio erkrankt. Deshalb ging er an Krücken und musste Beinschienen tragen, doch Langdon hatte ihn bei seinem letzten Besuch als einen so lebendigen und vielseitigen Mann erlebt, dass man seine Behinderung völlig vergaß.

»Dann richten Sie Sir Leigh bitte aus, dass ich auf neue und sehr brisante Informationen über den Heiligen Gral gestoßen bin – Informationen, die ich leider nicht bis morgen zurückhalten kann.«

Eine lange Pause entstand. Sophie und Langdon warteten. Der Motor des Lieferwagens tuckerte im Leerlauf.

Eine ganze Minute verstrich. Schließlich ließ sich eine klare helle Stimme vernehmen. »Lieber Freund, mir scheint, Sie leben noch nach New Yorker Zeit.«

Langdon grinste. Er hatte den unüberhörbaren britischen Akzent sofort erkannt. »Sir Leigh, ich muss mich für meine Unverschämtheit entschuldigen, Sie zu dieser nachtschlafenen Zeit herauszuklingeln.«

»Wie ich von meinem Butler höre, weilen Sie nicht nur in Paris – Sie bringen auch neue Kunde vom Gral?«

»Nun, ich dachte mir, ich könnte Sie damit aus dem Bett locken.«

»Das ist Ihnen gelungen.«

»Wäre es denkbar, dass Sie für einen alten Freund die Zugbrücke herunterlassen?«

»Wer gleich mir die Wahrheit sucht, ist mehr als ein Freund. Er ist mir ein Bruder.«

Langdon blickte Sophie an und verdrehte die Augen. Teabings Vorliebe für salbungsvolle Sprüche war ihm nur zu bekannt.

»Ich werde das Tor für Euch öffnen«, verkündete Teabing, »aber zuerst muss ich mich vergewissern, ob Ihr reinen Sinnes seid. Verteidigt Eure Ehre. Drei Fragen sind zu beantworten.«

Langdon stöhnte auf. »Üben Sie Nachsicht, genau wie ich«, flüsterte er Sophie zu. »Wie schon gesagt – Teabing ist ein ziemliches Unikum.«

»Kommen wir zur ersten Frage«, erklärte Teabing in dramatischem Tonfall. »Was soll ich Ihnen servieren, Kaffee oder Tee?«

Langdon kannte Teabings Einstellung zur amerikanischen Vorliebe für Kaffee. »Tee!«, trumpfte er auf. »Earl Grey.«

»Ausgezeichnet. Nun die zweite Frage: Milch oder Zucker?«

Langdon zögerte.

»Milch«, flüsterte Sophie ihm ins Ohr. »Die Briten nehmen doch immer Milch zum Tee.«

»Milch«, sagte Langdon.

Keine Antwort.

»Zucker ...?«

Immer noch keine Antwort.

Moment mal. Langdon erinnerte sich an das ätzende Gebräu, das ihm bei seinem letzten Besuch kredenzt worden war. »Zitrone«, sagte er. »Earl Grey mit viel Zitrone.«

»Ihr schlagt Euch wacker, kühner Streiter.« Teabing schien sich prächtig zu amüsieren. »Und zum Abschluss noch eine Frage, die schwerwiegender nicht sein könnte: In welchem Jahr hat ein Boot von Harvard dem Oxford-Achter zum letzten Mal das Heck gezeigt?«

Langdon lächelte. »Ein Harvard-Achter ist nie gegen Oxford angetreten. Und dass es jemals zu einer Infamie solchen Ausmaßes kommen wird, ist schlechterdings unmöglich.«

»Euer Herz ist rein, mein Freund. Ihr könnt passieren.«

Klickend sprang das Tor auf.

53. KAPITEL

M onsieur Vernet!« Erleichtert vernahm der Nachtmanager der Zürcher Depositenbank die Stimme seines Vorgesetzten am Telefon. »Wo stecken Sie denn? Die Polizei ist hier, alles wartet auf Sie!«

»Ich habe ein kleines Problem«, sagte Vernet. Seine Stimme klang nasal. »Ich brauche sofort Ihre Hilfe.«

Du hast mehr als ein kleines Problem, dachte der Nachtmanager. Die Polizei hatte die Bank völlig abgeriegelt, und der Capitaine war angeblich mit dem Durchsuchungsbefehl unterwegs.

»Was kann ich für Sie tun, Monsieur?«, fragte der Nacht-manager.

»Es geht um Geldtransporter Nummer drei. Ich muss wissen, wo er sich befindet.«

Der Manager ging verwundert den Lieferplan durch. »Das Fahr-zeug steht hier bei uns. Unten in der Ladebucht.«

»Da steht es leider nicht mehr. Es wurde von den beiden poli-zeilich gesuchten Verdächtigen gestohlen.«

»Was? Wie sind die denn hinausgekommen?«

»Ich kann am Telefon nicht in die Einzelheiten gehen, aber die Situation hat sich leider in eine Richtung entwickelt, die unserer Bank gefährlich werden könnte.«

»Was soll ich tun, Monsieur?«

»Ich möchte, dass Sie den Transponder des Fahrzeugs akti-vieren.«

Der Blick des Managers schweifte zur Kontrolltafel des LoJack-

Systems an der anderen Wand. Wie die meisten für Werttransporte eingesetzten Fahrzeuge waren auch die Transporter dieser Bank mit einem ferngesteuerten Transponder ausgerüstet, der per Funksignal von der Bank aus aktiviert werden konnte. Nach einer Fahrzeugentführung hatte der Manager dieses System bislang nur ein einziges Mal benutzen müssen, und es hatte tadellos funktioniert – der Standort des Fahrzeugs und seine Bewegungskoordinaten waren einwandfrei an die Fahndungszentrale übertragen worden. Der Manager hatte allerdings den Eindruck, dass seinem Chef heute Nacht ein diskreteres Vorgehen lieber gewesen wäre.

»Ich brauche Sie ja nicht darauf aufmerksam zu machen, Monsieur Vernet, dass durch die Aktivierung des Transponders automatisch auch die Polizeibehörden darüber informiert werden, dass wir ein Problem haben.«

Vernet schwieg ein paar Sekunden. »Ich weiß«, sagte er dann. »Tun Sie's trotzdem. Transporter Nummer drei. Sobald Sie den genauen Standort des Fahrzeugs haben, geben Sie ihn mir bitte sofort durch. Ich bleibe in der Leitung.«

»Jawohl, Monsieur. Habe verstanden.«

Vierzig Kilometer entfernt und dreißig Sekunden nach diesem Gespräch nahm ein winziges elektronisches Kästchen, das sich unter der Karosserie des Geldtransporters befand, leise summend den Betrieb auf.

54. KAPITEL

Langdon und Sophie fuhren die gewundene Pappelallee zum Schloss hinauf. Schon jetzt fühlte Sophie, wie ihre Muskeln sich entspannten. Es war beruhigend, von der Straße herunter zu sein. Um endlich einmal zur Ruhe zu kommen und die Beine auszustrecken, konnte Sophie sich keinen sichereren Ort vorstellen als dieses umzäunte, mit einem Tor versehene private Anwesen eines Ausländers, der ihnen wohl gesinnt war.

Als sie in die lange, gewundene Zufahrt einbogen, kam auf der rechten Seite Château Villette ins Blickfeld. Die graue Steinfront des mindestens sechzig Meter breiten, dreistöckigen Gebäudes wurde von Scheinwerfern beleuchtet. Die schmucklose Fassade bildete einen seltsamen Kontrast zu den vorbildlich gepflegten Gartenanlagen und dem glasklaren Teich.

In diesem Moment flammten im gesamten Schloss die Lichter auf.

Statt vor dem Eingang vorzufahren, steuerte Langdon den Transporter auf einen Parkplatz, der sich hinter immergrünen Sträuchern verbarg. »Es muss ja nicht gleich jeder den Wagen von der Straße aus sehen können … und Leigh soll sich nicht wundern müssen, weshalb wir in einem ramponierten Geldtransporter vorfahren.«

Sophie nickte. »Was sollen wir mit dem Kryptex machen? Es hier draußen lassen, wäre nicht besonders klug, aber wenn Teabing es zu sehen bekommt, wird er vermutlich wissen wollen, was es ist.«

»Kein Problem«, sagte Langdon und zog beim Aussteigen das Jackett aus. Er wickelte es um das Kästchen und hielt das Bündel wie ein Baby in den Armen.

Sophie blickte ihn zweifelnd an. »Sehr unauffällig!«

»Teabing geht nie selbst an die Tür. Er macht lieber einen großen Auftritt. Bis er uns begrüßen kommt, werde ich drinnen schon ein Eckchen gefunden haben, wo ich das Kryptex verschwinden lassen kann.« Langdon hielt inne. »Bevor Sie Teabing gegenübertreten, sollte ich Sie vielleicht vor seinem Humor warnen. Manche Leute finden ihn ein wenig … nun ja, merkwürdig.«

Sophie bezweifelte, dass ihr nach dem Verlauf dieser Nacht überhaupt noch etwas merkwürdig vorkommen würde.

Ein gepflasterter Weg führte zum Haupteingang. An dem geschnitzten Portal aus Eiche und Kirschholz befand sich ein bronzener Türklopfer von der Größe einer Grapefruit. Als Sophie die Hand danach ausstreckte, wurde von innen geöffnet.

Ein elegant gekleideter Butler stand vor ihnen. Die Arroganz stand ihm ins Gesicht geschrieben. Er zupfte noch an seiner weißen Fliege und dem Smoking, die er augenscheinlich soeben angelegt hatte. Er mochte um die fünfzig sein. Auf seinen Zügen lag ein herablassender Ausdruck, der wenig Zweifel daran ließ, dass er über den Besuch wenig erfreut war.

»Sir Leigh wird sich sogleich herunterbemühen«, sagte er mit starkem französischen Akzent. »Er ist noch mit dem Ankleiden beschäftigt. Sir Leigh schätzt es gar nicht, Besucher im Morgenmantel zu empfangen. Darf ich dem Herrn das Jackett abnehmen?« Er bedachte das Tweedbündel in Langdons Armen mit einem abfälligen Blick.

»Danke. Ich komme schon zurecht.«

»Der Herr kommt zurecht. Gewiss. Hier entlang, bitte.« Der Butler führte sie durch ein prächtiges Marmorvestibül in einen mit erlesenem Geschmack ausgestatteten Salon. Viktorianische Lampen mit fransenbesetzten Schirmen spendeten gedämpftes Licht. Ein Duftbukett aus Pfeifentabak, feinem Tee und Sherry vermischte sich mit dem Geruch von Edelholz und dem erdigen

Aroma des alten Mauerwerks. Es roch nach guter alter Zeit. An der gegenüberliegenden Wand befand sich ein gemauerter Kamin, in dem man einen Ochsen hätte braten können; er wurde von zwei schimmernden Kettenpanzern flankiert. Der Butler kniete davor nieder und steckte mit einem Zündholz die Kienspäne und Eichenscheite an. Kurz darauf prasselte in dem riesigen Kamin ein behagliches Feuer.

Der Butler erhob sich. »Sir Leigh lässt Ihnen sagen, Sie sollen sich wie zu Hause fühlen«, gab er zu wissen, entfernte sich und ließ Sophie und Langdon allein.

Sophie überlegte, auf welche der Antiquitäten am Kamin sie sich setzen sollte – das Samtsofa im Renaissancestil, den Schaukelstuhl mit den Adlerklauen oder auf eine der beiden steinernen Bänke, die wie Beutestücke aus einer byzantinischen Basilika aussahen.

Langdon wickelte das Kästchen aus seinem Jackett, trat an das Renaissancesofa und schob es mit dem Fuß weit unter das Sitzmöbel, bis kein Zipfel mehr davon zu sehen war. Dann schüttelte er das Jackett aus, schlüpfte hinein, strich das Revers glatt, lächelte Sophie an und ließ sich genau über dem verborgenen Schatz nieder.

Sophie setzte sich neben Langdon aufs Sofa.

Während sie in die knisternden Flammen schaute und die wohlige Wärme genoss, musste Sophie daran denken, dass dieser Raum ihrem Großvater sehr gut gefallen hätte. Mehrere alte Meister hingen an den Wänden, darunter ein Gemälde von Nicolas Poussin, wie Sophie erkannte, dem Lieblingsmaler Nummer zwei ihres Großvaters. Auf dem Kaminsims stand eine Isisbüste aus Alabaster und wachte still über den Raum.

Unter der ägyptischen Göttin ragten zwei steinerne Wasserspeier als Halterungen für den Bratspieß in den Feuerraum des Kamins. Durch die aufgerissenen Mäuler konnte man in ihren gefräßigen Schlund blicken. Als Kind hatte Sophie sich vor Wasserspeiern stets gefürchtet, bis ihr Großvater sie eines Tages bei einem Wolkenbruch aufs Dach der Kathedrale von Notre Dame geführt hatte. »Prinzessin, sieh dir nur diese albernen Geschöpfe an«, hatte er gesagt und auf die hässlichen Wasserspeier gezeigt, aus deren Mäulern in dickem Strahl das Wasser schoss. »Hörst du das komische Geräusch in ihrem Schlund?« Sophie nickte. »Sie *gurgeln*«, hatte Großvater gesagt, »und weil du schön Englisch lernen sollst, will ich dir verraten, wie Wasserspeier auf Englisch heißen: *gargoyle*.« Sophie hatte sich nie wieder vor einem Wasserspeier gefürchtet.

Diese Kindheitserinnerung prallte auf die harte Realität des Mordes, und die Trauer versetzte Sophie einen Stich. *Grand-père ist tot.* Dann dachte sie an das Kryptex unter dem Sofa. Ob Leigh Teabing eine Idee hatte, wie man es aufbekam? *Oder sollen wir ihn lieber gar nicht erst fragen?* Mit seinen letzten Worten hatte der Großvater sie aufgefordert, Robert Langdon zu suchen – von der Einbeziehung eines Dritten war nicht die Rede gewesen. *Aber wir mussten schließlich irgendwo unterkriechen*, beruhigte sich Sophie und beschloss, auf Roberts Urteil zu vertrauen.

»Robert!«, dröhnte eine Stimme irgendwo aus dem Hintergrund. »Sie reisen in Damenbegleitung, wie ich sehe.«

Langdon erhob sich, Sophie ebenfalls. Die Stimme war vom oberen Ende einer Wendeltreppe gekommen, die sich in die Düsternis des ersten Stocks hinaufschraubte. Eine silhouettenhafte Gestalt bewegte sich oben im Dunkel.

»Guten Abend!«, rief Langdon hinauf. »Sir Leigh, darf ich Ihnen meine Begleiterin vorstellen, Mademoiselle Sophie Neveu?«

»Ich bin entzückt!«

»Vielen Dank, dass Sie uns die Ehre geben«, sagte Sophie, die jetzt erkannte, dass der Mann Beinschienen trug und an Krücken ging. Umständlich kam er Stufe um Stufe die Treppe herunter. »Es ist leider schon spät.«

»Meine Liebe, es ist so spät, dass es schon wieder früh ist.« Teabing lachte auf. »Sie sind wohl keine *Américaine?*«

Sophie schüttelte den Kopf. »*Parisienne.*«

»Sie sprechen ein ausgezeichnetes Englisch.«

»Vielen Dank. Ich habe am *Royal Halloway* studiert.«

»Das erklärt alles.« Teabing kam immer mehr ins Helle heruntergehinkt. »Wie Robert Ihnen vielleicht schon erzählt hat, habe ich ein Stückchen weiter die Straße hinunter in Oxford studiert.« Verschlagen grinsend fixierte er Langdon. »Ich hatte mich natürlich auch in Harvard eingeschrieben – falls ich es in Oxford nicht schaffen sollte.«

Sophies und Langdons Gastgeber war nun am Fuß der Wendeltreppe angelangt. Er wirkte auf Sophie nicht ritterlicher als Sir Elton John. Leigh Teabing war ein wenig dicklich und hatte rosige Haut, buschiges rotes Haar und haselnussbraune Augen, in denen es schelmisch aufblitzte, wenn er sprach. Er trug eine Hose mit messerscharfer Bügelfalte, ein weites Seidenhemd, darüber eine Weste mit Paisleymuster. Ungeachtet der Aluminiumschienen an den Beinen besaß seine Haltung etwas unerschütterlich Aufrechtes, was wohl eher seiner vornehmen Abkunft als bewusstem Bemühen entsprang.

Teabing trat auf Langdon zu und streckte ihm jovial die Hand entgegen. »Sie haben Gewicht verloren, Robert.«

»Und Sie haben zugenommen.« Langdon grinste.

Lachend tätschelte Teabing seinen Bauch. »*Touché.* Ich fürchte, meine einzigen fleischlichen Sünden sind heutzutage kulinarischer Art.« Teabing wandte sich Sophie zu, nahm ihre Hand und hauchte mit leicht geneigtem Kopf und abgewendetem Blick einen Kuss auf ihre Finger. »M'lady ...«

Sophie warf Langdon einen unsicheren Blick zu. Offenbar wusste sie nicht recht, ob sie eine Reise in die Vergangenheit oder in ein Irrenhaus gemacht hatte.

Der Butler, der ihnen geöffnet hatte, kam mit einem Tablett in den Salon, auf dem ein Teeservice stand, das er auf einem Tischchen vor dem Kamin abstellte.

»Das ist Rémy Legaludec«, sagte Teabing, »mein Butler.«

Der hagere Mann verbeugte sich steif in der Hüfte und verschwand.

»Rémy stammt aus Lyon«, flüsterte Teabing, als handele es sich um eine peinliche Krankheit. »Saucen kochen kann er ganz ordentlich, aber sonst ...«

Langdon musste lächeln. »Ich hätte eher damit gerechnet, Sie würden englisches Personal importieren.«

»Um Himmels willen, nein!«, rief Teabing entsetzt. »Einen englischen Koch möchte ich niemandem an den Hals wünschen – außer den Beamten meines zuständigen französischen Finanzamts natürlich.« Er blickte Sophie an. »*Pardonnez-moi*, Mademoiselle Neveu. Seien Sie versichert, meine Frankophobie richtet sich lediglich auf die französische Politik und die französische Fußballnationalmannschaft. Ihre Regierung nimmt mich aus wie eine Weihnachtsgans, und Ihre Nationalmannschaft hat die unsere vor kurzem zur Schnecke gemacht.«

Sophie lächelte huldvoll.

Teabing betrachtete erst Sophie, dann Langdon. »Es muss etwas passiert sein. Sie wirken beide ein wenig derangiert.«

Langdon nickte. »Wir hatten einen interessanten Abend.«

»Unverkennbar. Sie tauchen unangemeldet mitten in der Nacht an meiner Schwelle auf und erzählen etwas vom Gral. Sagen Sie, geht es wirklich um den Gral, oder war das nur ein Köder, weil Sie wissen, dass es das Einzige ist, mit dem man mich jederzeit aus dem Schlaf holen kann?«

Ein bisschen von beidem, dachte Sophie. Das Kryptex unter dem Sofa erschien vor ihrem inneren Auge.

»Sir Leigh«, sagte Langdon, »wir möchten uns mit Ihnen über die *Prieuré de Sion* unterhalten.«

Teabings buschige Augenbrauen hoben sich, und er blickte Langdon interessiert an. »Die Hüter des Geheimnisses. Dann geht es also wirklich um den Gral. Sie sagen, Sie hätten Informationen mitgebracht? Gibt es etwas Neues, Robert?«

»Möglicherweise. Wir sind uns nicht sicher. Wir würden allerdings weniger im Dunkeln tappen, wenn *Sie* uns einige Informationen geben könnten.«

Teabing wackelte drohend mit dem Zeigefinger. »Stets der geschäftstüchtige Amerikaner! Gibst du mir, geb ich dir. Also gut, ich stehe zu Diensten. Was möchten Sie von mir wissen?«

Langdon seufzte. »Ich hatte gehofft, Sie würden so freundlich sein, Mademoiselle Neveu in die wahre Natur des Grals einzuführen.«

Teabing sah Langdon entgeistert an. »Sie ist noch unwissend?«

Langdon nickte bestätigend.

Auf Teabings Zügen breitete sich ein beinahe obszönes Lächeln aus. »Sie haben mir eine *Jungfrau* gebracht, Robert?«

Langdon zuckte zusammen und blickte Sophie an. »Das ist die Bezeichnung der Gralsforscher für jemand, der die wirkliche Gralsgeschichte noch nicht kennt«, erklärte er verlegen.

Teabing wandte sich Sophie zu. »Wie viel wissen Sie denn, meine Liebe?«

Sophie berichtete mit knappen Worten, worüber Langdon bereits mit ihr gesprochen hatte – über die *Prieuré de Sion*, die Tempelritter, die Sangreal-Dokumente, und dass der Heilige Gral angeblich kein Kelch sei, sondern etwas ganz anderes, das unermessliche Macht verkörpert.

»Das ist alles?« Teabing sah Langdon tadelnd an. »Ich hielt Sie immer für einen Gentleman, Robert, aber Sie haben der Dame den Höhepunkt vorenthalten.«

»Ja, ich weiß, aber ich dachte, Sie und ich … ich meine, wir beide zusammen könnten ihr vielleicht …« Langdon verstummte. Das vertretbare Maß ungewollter Zweideutigkeiten schien ihm offensichtlich überschritten.

Teabing hielt Sophie fest im Blick. »Sie sind also eine Gralsjungfer, meine Liebe? Vertrauen Sie sich mir an. Und glauben Sie mir, Sie werden das erste Mal nie vergessen.«

55. KAPITEL

Sophie saß neben Langdon auf dem Sofa, trank Tee und aß Gebäck. Die belebende Wirkung des Getränks tat ihr gut. Sir Leigh strahlte und ging mit klackenden Beinschienen unbeholfen auf den Steinplatten vor dem großen Kamin auf und ab.

»Ja, der Heilige Gral«, begann er im Tonfall eines Predigers. »Meistens werde ich gefragt, *wo* er ist, und diese Frage, fürchte ich, werde ich nie beantworten können.« Er blickte Sophie scharf an. »Aber die viel wichtigere Frage lautet: *Was* ist der Gral?« Er schaute Langdon an, der zustimmend nickte. »Wenn wir den Gral verstehen wollen«, fuhr Teabing fort, »müssen wir zuerst die Bibel verstehen. Wie gut kennen Sie das Neue Testament, Sophie?«

Sie hob die Achseln. »Eigentlich gar nicht. Ich bin bei einem Mann aufgewachsen, der Leonardo da Vinci angebetet hat.«

Teabing sah erstaunt und erfreut zugleich aus. »Eine erleuchtete Seele! Hervorragend. Dann muss Ihnen bekannt sein, dass Leonardo einer der Hüter des Gralsgeheimnisses gewesen ist. Er hat viele versteckte Hinweise in sein künstlerisches Schaffen einfließen lassen.«

»Ja, das hat Mr Langdon mir schon erläutert.«

»Und wie steht es mit Leonardos Sichtweise des Neuen Testaments?«

»Darüber weiß ich überhaupt nichts.«

Mit leuchtenden Augen wies Teabing auf das Bücherregal an der anderen Wand. »Wären Sie bitte so freundlich, Robert? Im untersten Fach. *La Storia di Leonardo.*«

Langdon nahm einen großen Band vom Regal und legte ihn auf den Tisch vor dem Sofa. Teabing drehte das Buch zu Sophie und schlug die Innenseite des hinteren Einbanddeckels auf, wo eine Reihe von Zitaten abgedruckt war. »Das ist aus Leonardos Notizen zu Polemik und Mutmaßungen«, sagte er und deutete auf eines der Zitate. »Ich glaube, das hier wird Ihnen bei unserer Diskussion weiterhelfen.«

Sophie las:

Viele haben aus Täuschungen
und falschen Wundern
ein Geschäft gemacht
und führen die törichte Menge
hinters Licht.
−LEONARDO DA VINCI−

»Hier ist noch eins«, sagte Teabing.

Unkenntnis blendet und lässt uns in die Irre gehen.
Oh, ihr elenden Sterblichen, öffnet die Augen.
−LEONARDO DA VINCI−

Sophie fröstelte plötzlich. »Meint da Vinci etwa die Heilige Schrift?«

Teabing nickte. »Leonardos Einstellung zur Heiligen Schrift hat unmittelbar mit dem Heiligen Gral zu tun. Er hat den wahren Heiligen Gral sogar gemalt, wie ich Ihnen gleich zeigen werde, aber zuerst müssen wir uns noch ein bisschen über die Bibel unterhalten.« Teabing lächelte. »Die Quintessenz dessen, was man wissen muss, hat der großartige Theologe Martyn Pervy in einem Satz zusammengefasst.« Teabing räusperte sich. »Die Heilige Schrift ist uns nicht per Fax vom Himmel zugegangen.«

»Bitte?«

»Er meint damit, dass die Heilige Schrift keine Schöpfung Gottes ist, sondern der Menschen. Sie ist nicht auf wundersame

Weise irgendwann einmal fertig vom Himmel gefallen. Die Menschen haben sie als Chronik eines dramatischen Zeitgeschehens geschaffen. Die Heilige Schrift hat sich angesichts zahlloser Hinzufügungen, Korrekturen und Neuübersetzungen verändert und fortentwickelt. Es hat nie eine endgültige Version des Buchs der Bücher gegeben.«

»Ich verstehe.«

»Christus war eine historische Gestalt von unerhörter Wirkung, vielleicht die geheimnisvollste und inspirierendste Führergestalt, die die Welt je gesehen hat. Als der Messias der Prophezeiung ließ er Könige stürzen, führte Millionen Menschen zu einem neuen Aufbruch und begründete eine neue Weltanschauung. Als unmittelbarer Abkömmling der Könige Salomon und David hatte Jesus einen legitimen Anspruch auf den jüdischen Königsthron. Kein Wunder also, dass sein Leben von Tausenden seiner Anhänger im ganzen Land aufgezeichnet wurde.« Teabing genehmigte sich einen Schluck Tee und stellte die Tasse auf dem Kaminsims ab. »Es gab mehr als *achtzig* Evangelien, die für das Neue Testament zur Auswahl standen, dennoch kamen nur vier zum Zuge – die Evangelien des Matthäus, Markus, Lukas und Johannes.«

»Und wer hat bestimmt, welche Evangelien ausgewählt wurden?«, wollte Sophie wissen.

»Ah!« Teabing war von seiner aufmerksamen Zuhörerin sehr angetan. »Hier stoßen wir auf die grundlegende Ironie des Christentums! Das Neue Testament, wie wir es heute kennen, geht auf den heidnischen römischen Kaiser Konstantin den Großen zurück.«

»Ich dachte immer, Konstantin der Große sei Christ gewesen«, wandte Sophie ein.

»Wohl kaum«, spöttelte Teabing. »Er war sein Leben lang Heide. Man hat ihn auf dem Totenbett getauft, als er sich nicht mehr dagegen wehren konnte. Zu Konstantins Zeiten war die offizielle römische Religion der Sonnenkult des *Sol Invictus*, des unbesiegbaren Sonnengottes, und Konstantin war der Hohepriester dieser Staatsreligion. Doch leider versank Rom immer tiefer in religiösen Unruhen. Drei Jahrhunderte nach der Kreuzigung hatte sich die Anhängerschaft Christi explosionsartig vermehrt. Christen und Heiden waren sich in die Haare geraten. Die Streitigkeiten nahmen solche Ausmaße an, dass das Römische Reich auseinander zu fallen drohte. Konstantin hielt es für an der Zeit, etwas dagegen zu unternehmen. Im Jahr 325 unserer Zeitrechnung vollzog er die Einigung des Reichs unter dem Banner einer einzigen Religion – des Christentums.«

»Wie kommt ein heidnischer Herrscher dazu, sich ausgerechnet das Christentum als Staatsreligion auszusuchen?«, fragte Sophie verwundert.

Teabing kicherte in sich hinein. »Konstantin war ein ausgezeichneter Geschäftsmann. Er hatte begriffen, dass das Christentum im Kommen war, und da hat er eben aufs schnellste Pferd gesetzt. Die Historiker staunen noch heute, mit welchem Geschick Konstantin aus seinen heidnischen Sonnenanbetern Christen gemacht hat. Er hat die heidnischen Symbole, Festtage und Rituale mit der sich herausbildenden christlichen Tradition verschmolzen und auf diese Weise eine Art Mischreligion geschaffen, die für beide Seiten akzeptabel war.«

»Bäumchen wechsle dich«, sagte Langdon. »Nein, im Ernst, die Spuren der heidnischen Religion sind in der christlichen Symbolik unübersehbar. Aus der ägyptischen Sonnenscheibe ist der Heiligenschein der christlichen Märtyrer geworden. Die Bildnisse der Isis, die ihren auf wundersame Weise empfangenen Sohn Horus nährt, wurden zum Vorbild der Darstellungen der Jungfrau Maria mit dem Jesuskind. Und die Elemente der kirchlichen Liturgie – die Mitra, der Altar, die liturgischen Gesänge, die Kommunion als Akt der Gottesverspeisung und so weiter – stammen ausnahmslos aus den älteren heidnischen Religionen und sind vielfach unverändert übernommen worden.«

Teabing stöhnte auf. »Wenn ein Symbolologe erst einmal loslegt, sich über das christliche Bild- und Symbolgut auszulassen... Aber am Christentum gibt es wirklich kaum etwas Eigenständiges. Der vorchristliche Gott Mithras – man nannte ihn den *Sohn Got-*

tes und das Licht der Welt – wurde an einem fünfundzwanzigsten Dezember geboren, kam gewaltsam ums Leben, wurde in einem Felsengrab bestattet und ist nach drei Tagen von den Toten wieder auferstanden. Der fünfundzwanzigste Dezember ist übrigens auch der Geburtstag von Osiris, Adonis und Dionysos. Dem neugeborenen Krischna wurden Weihrauch, Gold und Myrrhe dargebracht. Sogar der wöchentliche Feiertag der Christen stammt aus dem Repertoire der Heiden.«

»Was meinen Sie damit?«

»Ursprünglich hatten die Christen den jüdischen Sabbat geheiligt, den Samstag, aber Konstantin hat den Feiertag um einen Tag verschoben, damit er mit jenem Tag zusammenfiel, an dem die Heiden die Sonne verehrten.« Er grinste. »Wenn die Leute heutzutage am Sonntagmorgen zur Messe gehen, ist den wenigsten bewusst, dass ihr Kirchgang an dem Wochentag stattfindet, an dem die Heiden ihrem Sonnengott den wöchentlichen Tribut gezollt haben – am *Sonn*-tag.«

Sophie schwirrte der Kopf. »Und das hat alles mit dem Gral zu tun?«

»In der Tat«, sagte Teabing. »Hören Sie nur weiter zu. Beim Vereinigungsprozess der Religionen musste Konstantin etwas zur Konsolidierung der noch jungen christlichen Lehre tun. Deshalb berief er alle christlichen Würdenträger der damaligen Welt zu einer Versammlung ein – das berühmte Konzil von Nizäa. Bei dieser Versammlung wurde eine Vielzahl christlicher Angelegenheiten erörtert und durch Abstimmung entschieden, beispielsweise ein einheitlicher Termin für das Osterfest, die Machtbefugnisse der Bischöfe, das Spenden der Sakramente – und natürlich die *Göttlichkeit* Jesu.«

»Seine Göttlichkeit?«

»Bis zum Konzil von Nizäa, meine Liebe, wurde Jesus von seinen Anhängern als sterblicher Prophet betrachtet, als ein großer und mächtiger Mensch, aber eben als *Mensch* – ein sterblicher Mensch.«

»Nicht als Sohn Gottes?«

»Nein. Zum Sohn Gottes wurde Jesus erst nach einer entsprechenden Abstimmung auf dem Konzil von Nizäa erklärt«, sagte Teabing.

»Moment mal. Soll das heißen, die Göttlichkeit Jesu ist das Ergebnis einer *Abstimmung*?«

»Mit einer ziemlich knappen Mehrheit obendrein«, fügte Teabing hinzu. »Gleichwohl war die Göttlichkeit Christi für den Fortbestand der Einheit des Römischen Reiches und die Machtbasis der neuen katholischen Kirche von entscheidender Bedeutung. Durch die offizielle Einsetzung Jesu zum Sohn Gottes hatte Konstantin einen Gott geschaffen, der über der Welt der Menschen schwebte und dessen Macht nicht mehr zur Diskussion stand. Damit war nicht nur allen heidnischen Angriffen auf das Christentum ein Riegel vorgeschoben, auch die Christen selbst konnten den Weg des Heils von nun an nur noch innerhalb der römisch-katholischen Kirche beschreiten.«

Sophie schaute Langdon an, der bestätigend nickte.

»Im Grunde ging es nur um die Macht«, fuhr Teabing fort. »Christus weiterhin als Messias gelten zu lassen war für Kirche und Staat zu bedenklich. Viele Kenner dieser Materie sind der Ansicht, dass die angehende römisch-katholische Staatskirche den Urchristen Jesus gleichsam geraubt hat, indem sie über seine diesseitige Botschaft der Nächstenliebe und Menschlichkeit den undurchdringlichen Mantel einer jenseitigen Göttlichkeit breitete, um auf diese Weise ungestört ihren weltlichen Machenschaften nachgehen zu können. Ich habe diesen Sachverhalt in mehreren Büchern erörtert.«

»Dann darf ich wohl annehmen, dass Ihnen täglich empörte Drohbriefe frommer Christen ins Haus flattern.«

»Wieso?«, konterte Teabing. »Der weit überwiegende Teil der gebildeten Christen kennt die Geschichte seines Glaubens durchaus. Jesus war ja in der Tat ein großartiger und mächtiger Mann. Konstantins Machenschaften können schließlich nicht die Würde Jesu herabsetzen. Kein Mensch hat behauptet, dass Jesus ein Betrüger war, oder bestritten, dass er auf Erden gewandelt ist und

Millionen Menschen zur Umkehr und zu einem tugendreicheren Leben veranlasst hat. Wir sagen ja nur, dass Konstantin sich die immense Wucht und den Einfluss der Lehre Jesu zunutze gemacht hat. Und indem er das tat, hat er entscheidend das Christentum geprägt, wie wir es heute kennen.«

Sophie warf einen raschen Blick auf den Kunstband, der vor ihr lag. Sie brannte darauf, endlich da Vincis Bild vom Heiligen Gral zu sehen.

»Der Haken an der Sache war, dass Konstantin Jesus erst vier Jahrhunderte nach der Kreuzigung zum Gottessohn erhoben hat. Deshalb existierten bereits Tausende von Niederschriften, in denen Jesus als normaler Sterblicher geschildert wird. Konstantin wusste, dass nur mit einem kühnen Handstreich dagegen anzukommen war – ein Coup, der zur Schicksalsstunde des Christentums wurde.« Teabing legte eine effektvolle Pause ein. »Konstantin gab eine neue Evangeliensammlung in Auftrag, die er obendrein finanzierte. In diese Sammlung durfte keine jener Darstellungen aufgenommen werden, in denen Jesus als Mensch gesehen wurde, während alles, was ihn in ein göttliches Licht rückte, besonders hervorzuheben war. Die früheren Evangelien wurden geächtet, konfisziert und verbrannt.«

»Dazu möchte ich eine interessante Anmerkung machen«, warf Langdon ein. »Wer die neue Evangeliensammlung Konstantins nicht annehmen wollte und bei den alten Lehren blieb, wurde zum Ketzer erklärt, zum Häretiker. Die Bezeichnung Häretiker gibt es erst seit dieser Zeit. Das lateinische Wort *haerere* heißt haften, beharren. Wer auf dem ursprünglichen Jesusbild beharrte, war ein Häretiker.«

»Konstantin ließ fast alle alten Schriften vernichten. Zum Glück für uns Historiker blieben einige dennoch der Nachwelt erhalten. In einer Höhle bei Qumran in der Wüste von Judäa wurden im Jahr 1950 die Schriftrollen vom Toten Meer entdeckt. Und dann gibt es natürlich noch die koptischen Schriftrollen von Nag Hammadi. Abgesehen davon, dass diese Dokumente die wahre Gralsgeschichte erzählen, sprechen sie in einer sehr menschlichen

Weise vom Wirken Jesu. Natürlich hat der Vatikan in Fortsetzung seiner Tradition der Verschleierung und Informationsunterdrückung mit allen Mitteln versucht, die Veröffentlichung dieser Schriften zu verhindern. Grund dazu hatte er genug. Anhand der Schriftrollen treten augenfällige historische Ungereimtheiten und Fälschungen zutage, die klar erkennen lassen, dass unser heutiges Neues Testament von Männern zusammengestellt und herausgegeben wurde, die eine politische Absicht damit verbunden haben. Zur Untermauerung ihres eigenen Machtanspruchs musste aus dem Menschen Jesus Christus der Sohn Gottes gemacht werden.«

»Trotzdem darf man nicht vergessen«, warf Langdon ein, »dass die Bestrebungen der modernen Kirche, diese Dokumente zu unterdrücken, sich aus dem festen Glauben an das herkömmliche Christusverständnis herleiten. Im Vatikan sitzen lauter fromme Leute, die subjektiv redlich davon überzeugt sind, dass diese Dokumente ein falsches Bild wiedergeben.«

Auflachend ließ Teabing sich Sophie gegenüber in einen Sessel sinken. »Wie Sie sehen, geht unser Professor mit der katholischen Kirche weitaus milder ins Gericht als ich. Dennoch trifft es zu, wenn er sagt, dass der moderne Klerus diese unbequemen Dokumente aus ehrlicher Überzeugung für irreführend hält. Man kann das verstehen. Solange sie denken können, ist das konstantinische Neue Testament ihre Wahrheit gewesen. Niemand ist stärker indoktriniert als der Indoktrinierende selbst.«

»Sir Leigh will damit sagen, dass wir den Gott unserer Väter verehren«, meinte Langdon.

»Ich will damit sagen«, präzisierte Teabing, »dass fast alles, was unsere Väter uns über Christus gelehrt haben, falsch ist. Und mit den Legenden über den Heiligen Gral sieht es nicht besser aus.«

Sophies Blick fiel wieder auf das Buch mit dem Da-Vinci-Zitat:

Unkenntnis blendet und lässt uns in die Irre gehen.
Oh, ihr elenden Sterblichen, öffnet die Augen.

Teabing griff nach dem Band und blätterte zurück zur Mitte. »Bevor ich Ihnen da Vincis Gemälde vom Heiligen Gral zeige, sollten Sie sich einmal kurz das hier ansehen. Er schlug eine farbige Doppelseite auf. »Ich nehme an, Sie kennen dieses Fresko.«

Jetzt nimmt er dich aber auf den Arm! Vor Sophie lag das berühmteste Fresko aller Zeiten, *Das letzte Abendmahl*, Leonardos weltbekanntes Wandgemälde im Refektorium des Dominikanerklosters Santa Maria delle Grazie in Mailand. Auf dem stark beschädigten und verfallenen Fresko ist jener Augenblick festgehalten, als Jesus beim letzten Abendmahl seinen zwölf Jüngern verkündet, dass einer aus ihrer Mitte ihn verraten wird.

»Natürlich kenne ich da Vincis *Abendmahl*«, sagte Sophie.

»Dann wollen wir ein kleines Spiel spielen, wenn Sie gestatten. Ich möchte Sie bitten, die Augen zu schließen.«

Ein wenig verunsichert machte Sophie die Augen zu.

»Wo sitzt Jesus?«, fragte Teabing.

»In der Mitte.«

»Gut. Und was essen Jesus und die Jünger?«

»Brot.« *Was denn sonst?*

»Und was trinken sie?«

»Wein.«

»Sehr gut. Und jetzt noch eine letzte Frage. Wie viele Weingläser stehen auf dem Tisch?«

Sophie dachte nach, denn das konnte eine Fangfrage sein. *Und er nahm den Kelch und dankte, gab ihnen den Kelch und sprach...* »Keine Gläser. Ein Kelch.« *Der Kelch Christi. Der Heilige Gral.* »Jesus hat einen Kelch mit Wein herumgereicht, ähnlich wie es heutzutage noch manche Konfessionen bei der Kommunionfeier tun.«

Teabing seufzte. »Öffnen Sie die Augen«, sagte er.

Sophie schlug die Augen auf und sah Sir Leigh selbstgefällig grinsen. Als sie das Gemälde betrachtete, bemerkte sie erstaunt, dass *jede* der abgebildeten Personen, auch Jesus, einen Weinbecher hatte. Dreizehn Becher, nicht besonders groß, aus Glas und ohne Stiel. Auf dem ganzen Gemälde gab es keinen Kelch. Keinen Heiligen Gral.

»Ein bisschen seltsam, finden Sie nicht?«, sagte Teabing und zwinkerte Sophie zu. »Dabei ist dieser Moment für die Heilige Schrift und die Gralslegenden jener Augenblick, an dem der Heilige Gral ins Licht der Geschichte tritt. Merkwürdigerweise scheint Leonardo in seinem Gemälde den Kelch Christi vergessen zu haben.«

»Das müsste den Kunstgelehrten doch längst aufgefallen sein.«

»Sie werden sich noch wundern, welche Abweichungen da Vinci sich hier geleistet hat, ohne dass die Mehrzahl der Gelehrten es zur Kenntnis genommen hat oder zur Kenntnis nehmen wollte. Dieses Fresko ist der Schlüssel zum Gralsgeheimnis. In seinem *Letzten Abendmahl* hat da Vinci es unverhüllt dargestellt.«

Sophies Blicke huschten über die Abbildung. »Dann ist diesem Fresko zu entnehmen, was der Gral in Wirklichkeit ist?«

»Nicht *was* er ist«, sagte Teabing leise und eindringlich, »sondern *wer* er ist. Der Heilige Gral ist kein Gegenstand. Er ist ein Mensch.«

56. KAPITEL

D er Heilige Gral ist ein *Mensch?*« Sophie blickte entgeistert von Teabing zu Langdon.

Langdon nickte. »Eine Frau, um genau zu sein.«

Auf Sophies Gesicht war deutlich abzulesen, dass sie nicht mehr folgen konnte. Langdon erinnerte sich daran, dass er bei seiner ersten Konfrontation mit dieser Aussage kaum anders reagiert hatte. Erst als er den Symbolgehalt des Grals verstanden hatte, war ihm die Verbindung zum Mythos der Weiblichkeit klar geworden.

»Das ist jetzt vielleicht der Zeitpunkt, Robert, da der Symbolologe ein klärendes Wort sprechen sollte«, sagte Teabing, der offenbar in ähnlichen Bahnen dachte.

Langdon zog einen Stift aus der Tasche und griff nach einem Blatt Papier. »Sie kennen doch die modernen Symbole für männlich und weiblich, Sophie?«

Er zeichnete die Symbole ♂ für männlich und ♀ für weiblich.

»Natürlich«, sagte Sophie.

»Das sind aber nicht die ursprünglichen Zeichen. Vielfach wird fälschlicherweise angenommen, dass das männliche Symbol einen Schild mit einem Speer darstellt und das weibliche einen Spiegel für die Schönheit. In Wirklichkeit handelte es sich ursprünglich um die astronomischen Symbole für den Planetengott Mars und die Planetengöttin Venus. Die alten Symbole für männlich und weiblich sind viel einfacher.« Langdon zeichnete ein Winkelzeichen mit der Spitze nach oben aufs Papier.

»Das ist das ursprüngliche Zeichen für *männlich*«, erklärte er, »ein rudimentärer Phallus.«

»*Sehr* rudimentär«, sagte Sophie.

»Aber immerhin«, meinte Teabing.

Langdon setzte seine Erklärung fort. »Dieses Zeichen nennt man den Winkel. Es steht für Aggression und Männlichkeit. Es wird heute noch als militärisches Rangabzeichen auf die Uniformen genäht.«

»So sieht's aus.« Teabing grinste. »Je mehr Penisse einer hat, desto höher sein Rang. Männer sind da sehr konsequent.«

Langdon zog den Kopf ein. »Also gut. Und nun wollen wir uns das weibliche Symbol ansehen. Wie Sie sich vielleicht schon gedacht haben, ist es die genaue Umkehrung des Winkels. Man nennt es den Kelch.« Er zeichnete das Zeichen unter das andere aufs Papier.

Sophie hob überrascht den Kopf.

Langdon merkte, dass sie den Zusammenhang begriffen hatte. »Das Kelchzeichen hat Ähnlichkeit mit einem Trinkgefäß oder einer Schale, aber vor allem ähnelt es dem weiblichen Schoß. Es symbolisiert Weiblichkeit und Fruchtbarkeit.« Langdon sah Sophie in die Augen. »In der Legende wird berichtet, dass der Gral ein Kelch sei oder eine Schale. Aber das ist in Wirklichkeit eine Allegorie, mit der die wahre Natur des Heiligen Grals verschleiert worden ist. Ich will damit sagen, dass der Kelch in der Legende als Metapher für etwas viel Wichtigeres benutzt wird.«

»Als Metapher für eine Frau«, warf Sophie ein.

Langdon lächelte. »Genau. Der Gral ist das alte Symbol für das Weibliche, und als *Heiliger Gral* repräsentiert er das göttlich Weibliche und die Heiligkeit der göttlichen Urmutter – Vorstellungen, die inzwischen natürlich untergegangen sind. Sie wurden von der katholischen Kirche nachhaltig eliminiert. Die Fähigkeit der Frau, Leben hervorzubringen, hat in früheren Zeiten tiefe Verehrung gefunden, stellte jedoch eine Bedrohung der vorwiegend männlichen Kirchenhierarchie dar. Deshalb wurde das Weibliche dämonisiert und für unrein erklärt. Nicht Gott, sondern Männer – genauer gesagt Kirchenmänner – haben die Erbsünde erfunden, der zufolge Eva vom Apfel der Erkenntnis gegessen und damit angeblich die Vertreibung des Menschen aus dem Paradies verschuldet hat. Die Frau, einst die Lebensspenderin, war zur Widersacherin geworden.«

Teabing schaltete sich ein. »An dieser Stelle ist anzumerken, dass die Vorstellung von der Frau als Lebensspenderin den Ursprung sämtlicher alten Religionen bildet. Die Gebärfähigkeit war etwas Mystisches und Geheimnisvolles. Es ist ein Unglück, dass die christliche Philosophie die Schöpferkraft des Weiblichen geleugnet hat. Sie hat sich über den biologischen Sachverhalt hinweggesetzt und den *Mann* zum Schöpfer erklärt. In der Schöpfungsgeschichte der Bibel wird erzählt, dass Eva von Gott aus einer Rippe Adams geschaffen worden ist. Die Frau wurde zu einem Ableger des Mannes gemacht – einem sündigen obendrein. Die Schöpfungsgeschichte war der Anfang vom Ende der Muttergottheit.«

»Der Gral symbolisiert die verloren gegangene göttliche Urmutter«, fuhr Langdon fort. »Mit der Verbreitung des Christentums haben die alten heidnischen Religionen sich nicht auf einen Schlag in Luft aufgelöst. Die Legenden von der ritterlichen Suche nach dem verlorenen Gral handeln in Wirklichkeit von der verbotenen Suche nach der göttlichen Urmutter. Die christlichen Ritter, die sich angeblich auf ›die Suche nach dem Kelch‹ begeben haben, benutzten diese Kodierung als Schutzmaßnahme vor einer Kirche, die die Urmutter verbannt, die Frauen unterdrückt, Ungläubige auf den Scheiterhaufen geschleppt und die heidnische Verehrung der göttlichen Urmutter zum Verbrechen erklärt hat.«

»Verzeihung, Robert«, sagte Sophie, »als Sie sagten, dass der

Gral eine Frau ist, dachte ich, Sie meinten damit eine ganz bestimmte Frau.«

»Es *ist* eine ganz bestimmte Frau.«

»Und keineswegs irgendwer«, platzte Teabing heraus. »Es ist
eine Frau, die ein Geheimnis von solcher Brisanz bewahrt hat,
dass die Enthüllung das Christentum seiner gesamten Grundlage
beraubt hätte!«

Sophie schaute ihn entgeistert an. »Und man weiß, wer diese
Frau ist?«

»Durchaus.« Teabing griff nach seinen Krücken und deutete
zum Flur. »Meine Freunde, wenn Sie so freundlich wären, mir in
mein Arbeitszimmer zu folgen, wird es mir eine Ehre sein, Ihnen
da Vincis Gemälde von dieser Frau vorzuführen.«

Zwei Türen weiter stand der Butler Rémy Legaludec schweigend
vor dem Küchenfernseher und verfolgte die Nachrichten. Die
Fotos eines Mannes und einer Frau wurden gezeigt... jene Personen, denen er soeben Tee serviert hatte.

57. KAPITEL

L eutnant Collet stand an der Straßensperre vor der Zürcher Depositenbank. Er fragte sich, wieso Fache so lange brauchte, einen Durchsuchungsbefehl zu bekommen, zumal die Bank offensichtlich etwas zu verbergen hatte. Angeblich hatte man Langdon und Neveu wieder weggeschickt, weil sie die Nummer ihres Depots nicht kannten.

Aber warum will man uns dann nicht hineinlassen, um nachzuschauen?

Collets Handy meldete sich. Die Kommandozentrale im Louvre war dran. »Gibt's immer noch keinen Durchsuchungsbefehl?«, maulte Collet.

»Die Bank können Sie vergessen, Leutnant«, sagte sein Kollege aufgeregt. »Wir haben soeben einen Tipp bekommen und kennen jetzt den genauen Aufenthaltsort von Langdon und unserer lieben Kollegin Neveu.«

Collet setzte sich auf den Kotflügel des Streifenwagens. »Im Ernst?«

»Ich habe hier eine Adresse in der Nähe von Versailles.«

»Ist Capitaine Fache schon informiert?«

»Nein, noch nicht. Er hängt dauernd an der Strippe. Muss was Wichtiges sein.«

»Bin schon unterwegs. Der Chef kann mich ja anrufen, sobald er wieder frei ist.« Collet notierte sich die Adresse und schwang sich hinters Steuer. Während er mit kreischenden Reifen losjagte, fiel ihm ein, dass er sich gar nicht erkundigt hatte, von *wem* der Tipp über Langdons Aufenthaltsort gekommen war.

Aber das war jetzt egal. Collet hatte die Gelegenheit bekommen, die Scharte wieder auszuwetzen und die Pleiten dieser Nacht vergessen zu machen. Bald würde er die wichtigste Verhaftung seiner Laufbahn vornehmen.

Über Funk rief er die fünf Streifenwagen seiner Abteilung zusammen. »Kein Blaulicht und kein Martinshorn, Männer! Langdon braucht nicht zu wissen, dass wir anrücken.«

Vierzig Kilometer entfernt bog ein schwarzer Audi von der Landstraße in einen Feldweg und parkte im Schutz eines Gebüschs am Rande eines Ackers. Silas stieg aus und spähte durch die Gitterstäbe des schmiedeeisernen Zauns, der das riesige Anwesen umgab, das sich dahinter ausbreitete. Ganz am Ende der geschwungenen Zufahrt war im Mondlicht das Schloss zu sehen.

Im Parterre brannten sämtliche Lichter. *Um diese Zeit? Also doch*, dachte Silas und lächelte. Die Informationen des Lehrers waren augenscheinlich wieder einmal zutreffend. *Du verlässt dieses Haus nicht wieder ohne den Schlussstein*, schwor er sich. *Du wirst den Bischof und den Lehrer nicht noch einmal enttäuschen.*

Silas überprüfte die dreizehnschüssige Heckler & Koch, bevor er sie hinter dem Zaun auf den moosigen Boden fallen ließ. Dann packte er die schmiedeeisernen Gitterstäbe, schwang sich geschickt den Zaun hinauf und sprang auf der anderen Seite zu Boden. Ohne auf den Bußgürtel zu achten, der sich ihm schmerzhaft ins Fleisch grub, hob er die Waffe auf und machte sich auf den langen Weg über die Rasenflächen hinauf zum Hügel.

58. KAPITEL

So etwas wie Teabings »Arbeitszimmer« hatte Sophie noch nie gesehen. Der von drei Kristallkronleuchtern erhellte, luxuriöse Saal war sechs-, siebenmal so groß wie das Büro des Direktors eines Großkonzerns. Das »Arbeitszimmer« wirkte wie eine misslungene Mischung aus Laboratorium, Archiv und überdachtem Flohmarkt. Über die endlose Kachelbodenfläche waren willkürlich Arbeitsinseln verteilt, auf denen sich Bücher, Kunstgegenstände und Artefakte türmten; hinzu kam ein erstaunlich umfangreiches Arsenal elektronischer und wissenschaftlicher Gerätschaften – Computer und Scanner, Mikroskope und Analysegeräte, Kopierer und Projektoren und dergleichen mehr.

»Ich habe den Ballsaal in Beschlag genommen«, sagte Teabing mit einem schiefen Grinsen, während er in sein *cabinet du travail* hinkte. »Zum Tanzen fehlt mir ohnehin die Gelegenheit.«

Sophie kam die Nacht allmählich wie ein seltsamer Traum vor, wie eine Schattenwelt, in der sämtliche Erwartungen immer wieder von einer irrationalen Wirklichkeit zunichte gemacht wurden. »Und das brauchen Sie alles für Ihre Arbeit?«

»Die Suche nach der Wahrheit ist die Liebesaffäre meines Lebens, und meine Geliebte heißt Sangreal.«

Der Heilige Gral ist eine Frau. In Sophies Kopf drängten sich die zusammenhanglosen Theorien, die keinen Sinn zu ergeben schienen. »Sie haben gesagt, Sie hätten ein Bild jener Frau, die Ihrer Behauptung zufolge der Heilige Gral ist …?«

»In der Tat. Aber die Behauptung stammt nicht von mir, sondern von Christus selbst.«

»Welches Bild ist es denn?«, fragte Sophie und ließ den Blick über die Wände schweifen.

»Hmmm ...« Teabing tat, als müsse er angestrengt nachdenken. »Der Heilige Gral ... der Sangreal ... der Kelch ...« Plötzlich fuhr er herum und deutete auf die Stirnwand des Saales, an der eine zwei Meter fünfzig breite Reproduktion von da Vincis *Abendmahl* hing – das gleiche Bild, das Sophie soeben in dem Kunstband betrachtet hatte. »Da ist es ja!«

Sophie glaubte, nicht richtig verstanden zu haben. »Aber das ist doch das Werk von da Vinci, das Sie mir eben gezeigt haben.«

Er zwinkerte ihr zu. »Ich weiß, aber ist die Vergrößerung nicht viel eindrucksvoller?«

Sophie blickte Langdon ratlos an. »Jetzt verstehe ich gar nichts mehr.«

Langdon lächelte. »Der Heilige Gral ist tatsächlich auf diesem Fresko abgebildet. Leonardo hat dafür sogar eine herausragende Stelle gewählt.«

»Jetzt mal langsam«, sagte Sophie. »Haben Sie mir nicht gesagt, der Gral sei eine Frau? Aber Leonardo da Vincis *Abendmahl* ist doch ein Bild mit dreizehn Männern.«

Teabing hob die Brauen. »Ach ja?«, sagte er. »Dann schauen Sie mal genau hin.«

Sophie trat ein Stück näher an das Gemälde heran und betrachtete prüfend die dreizehn Gestalten – Jesus Christus in der Mitte, sechs Apostel zu seiner Rechten, sechs zu seiner Linken. »Alles Männer«, stellte sie fest.

»Tatsächlich?«, sagte Teabing. »Was halten Sie denn von dem Herrn auf dem Ehrenplatz zur Rechten Jesu?«

Sophie betrachtete die Gestalt eingehend. Sie hatte weich fließendes, langes rotes Haar; die zarten Hände waren gefaltet, und sogar die Andeutung eines Busens war zu sehen.

»Das ist tatsächlich eine Frau!«, rief Sophie aus.

Teabing lachte. »Leonardo war sehr geschickt im Herausarbeiten der Geschlechtsunterschiede!«

Sophie konnte den Blick nicht von der Frau neben Christus wenden. *Wer war diese Frau auf dem Bild, auf dem doch eigentlich dreizehn Männer sein sollten?* Sophie hatte das Fresko schon unzählige Mal gesehen, aber die Diskrepanz war ihr nie zuvor aufgefallen.

»Das geht allen so«, sagte Teabing. »Diese Szene ist durch unsere vorgefasste Meinung so eindeutig definiert, dass unser Hirn die Unstimmigkeit nicht zur Kenntnis nimmt und den Augenschein unterdrückt.«

»Klassischer Fall von Skotom – partieller Ausfall des Gesichtsfelds«, sagte Langdon. »Eine wohl bekannte Reaktion unseres Gehirns bei machtvollen Symbolen.«

»Ein weiterer Grund dafür, dass die Frau Ihnen entgangen ist, Sophie«, meinte Teabing, »mag darin liegen, dass man in den Kunstbänden oft ältere Reproduktionen findet, als die Feinheiten noch unter einer dicken Schmutzschicht und den ungeschickten Restaurierungsversuchen des achtzehnten Jahrhunderts verborgen lagen. Inzwischen wurde da Vincis ursprünglicher Farbauftrag endlich freigelegt … *et voilà!*« Er deutete auf die Großreproduktion.

Sophie trat noch näher heran. Die Frau an der Seite Jesu wirkte jung und fromm, hatte einen zurückhaltenden Gesichtsausdruck, schönes rotes Haar und faltete still die Hände. *Das soll die Frau sein, die der katholischen Kirche mit einem Schlag den Todesstoß versetzen könnte?*

»Wer ist das?«, erkundigte sich Sophie.

»Das, meine Liebe«, gab Teabing zur Antwort, »ist Maria Magdalena.«

Sophie fuhr herum. »Die Dirne?«

Teabing sog wie von einem schmerzhaften Hieb getroffen kurz und scharf die Luft ein. »Maria Magdalena war ganz und gar keine Dirne. Diese schlimme Verfälschung ist das Ergebnis einer bewussten Verleumdungskampagne der Kirche, die Maria Magdalena in den

Schmutz ziehen *musste*, um das gefährliche Geheimnis dieser Frau unter den Teppich zu kehren – ihre Funktion als Heiliger Gral.«

»Ihre *was*?«

»Wie ich schon sagte«, fuhr Teabing fort, »stand die Kirche vor der Notwendigkeit, die Welt davon zu überzeugen, dass Jesus der Sohn Gottes und nicht etwa ein sterblicher Prophet war. Aus diesem Grund waren sämtliche weltlichen Aspekte des Lebens Jesu aus den Evangelien gestrichen worden. Doch sehr zum Leidwesen der damaligen Bearbeiter tauchte immer wieder ein Störfaktor in den Evangelien auf, nämlich Maria Magdalena – oder genauer, dass Jesus mit Maria Magdalena verheiratet war.«

»Wie bitte?« Sophies Blick wanderte Hilfe suchend zu Langdon und wieder zurück zu Teabing.

»Es handelt sich hier um eine historisch verbürgte Tatsache«, sagte Teabing, »die Leonardo da Vinci mit Sicherheit bekannt war. Dass Jesus und Maria Magdalena ein Paar waren, schleudert da Vinci dem Betrachter in seinem *Abendmahl* geradezu ins Gesicht.«

Wieder betrachtete Sophie das Fresko.

»Fällt Ihnen auf, dass Jesus und Maria Magdalena komplementär gekleidet sind?« Teabing deutete auf die beiden Gestalten in der Mitte des Freskos.

Jesus trug ein rotes Untergewand und einen blauen Mantel, Maria Magdalena ein blaues Untergewand und einen roten Umhang. *Yin und Yang.* Sophie war fasziniert.

»Wenn man die Sache noch etwas weiter treiben will«, sagte Teabing, »werden Sie bemerken, dass Jesus und seine Braut an der Hüfte miteinander verbunden zu sein scheinen, wobei sie sich voneinander weglehnen, wie um diesen deutlich abgegrenzten unausgefüllten Raum zwischen sich zu schaffen.«

Teabing brauchte die Linie gar nicht nachzuzeichnen. Sophie sah auch so die eindeutige ⋁-Form im Brennpunkt des Gemäldes. Es war die gleiche Symbolfigur, die Langdon zuvor für den Gral, den Kelch und den weiblichen Schoß aufgezeichnet hatte.

»Und wenn Sie schließlich Jesus und Maria Magdalena nicht

als Figuren, sondern als kompositorische Elemente betrachten«, sagte Teabing, »wird Ihnen noch ein weiteres unübersehbares Formelement ins Auge springen.« Er machte eine Kunstpause. »Ein Buchstabe des Alphabets.«

Sophie sah es sofort – »ins Auge springen« wäre sogar noch eine Untertreibung gewesen. Sie sah plötzlich nur noch den Buchstaben, sonst nichts mehr. Im Zentrum des Bildes prangte unübersehbar ein perfekt geformtes großes M.

»Für einen Zufall ein bisschen zu deutlich, meinen Sie nicht?«, sagte Teabing.

»Was soll das M an dieser Stelle?«, wollte Sophie verwundert wissen.

Teabing hob die Schultern. »Einige Verschwörungstheoretiker behaupten, es stünde für *Matrimonium* [7] oder *Maria Magdalena*, aber um ehrlich zu sein – niemand weiß es so genau. Sicher ist nur, dass das M kein Zufall ist. In zahllosen Werken, die eine Beziehung zum Gral aufweisen, tritt dieses M mehr oder minder verborgen in Erscheinung, sei es als Wasserzeichen, als Untermalung oder als Kompositionselement. Das unverhohlenste M findet sich natürlich auf dem Altarbild der Kirche *Our Lady of Paris* in London von Jean Cocteau, einem vormaligen Großmeister der *Prieuré de Sion*.«

»Ich gebe zu, dass diese verborgenen M zu denken geben«, sagte Sophie nachdenklich, »aber es wird wohl kaum jemand so weit gehen, darin den Beweis zu sehen, dass Jesus und Maria Magdalena verheiratet waren.«

»Nein, nein«, sagte Teabing und trat an einen mit Büchern überladenen Tisch. »Wie ich schon sagte, die Ehe zwischen Jesus und Maria Magdalena ist historisch verbürgt.« Er stöberte in den Wälzern herum. »Außerdem ist es weitaus sinnvoller anzunehmen, dass Jesus ein verheirateter Mann gewesen ist, als der üblichen Aussage des Neuen Testaments zu folgen, die ihn als Junggesellen hinstellt.«

»Wieso das?«

---

[7] lateinisch: Ehe

»Weil Jesus Jude war«, schaltete Langdon sich ein, während Teabing immer noch auf seinem Wühltisch stöberte. »Nach den Anstandsregeln der damaligen Zeit war es einem jüdischen Mann praktisch verboten, unverheiratet zu bleiben. Ein zölibatäres Leben war nach jüdischem Brauch undenkbar. Ein Mann *musste* eine Frau ehelichen, die ihm einen Sohn gebar. Wäre Jesus unverheiratet gewesen, hätte das in mindestens einem der vier Evangelien erwähnt und sein unnatürliches Junggesellentum irgendwie erklärt werden müssen.«

Endlich hatte Teabing gefunden, was er suchte. Er zog einen ledergebundenen Folianten von der Größe eines Weltatlas über den Tisch zu sich herüber. *Die gnostischen Evangelien* stand auf dem Buchdeckel. Teabing schlug das Werk auf. Sophie konnte vergrößerte Fotoreproduktionen von offenbar uralten Dokumenten erkennen – in Auflösung begriffene Papyri mit handgeschriebenem Text. Die Sprache der alten Handschrift war Sophie nicht geläufig, doch die Übersetzung stand jeweils auf der rechten Seite in Maschinenschrift daneben.

»Das sind Fotokopien der bereits erwähnten Schriftrollen von Nag Hammadi und vom Toten Meer«, sagte Teabing, »die frühesten Dokumente des Christentums. Fatalerweise enthalten sie zahlreiche Widersprüche zu den Evangelien des Neuen Testaments.« Teabing blätterte zur Mitte des Buches und zeigte auf einen Abschnitt. »Das Evangelium des Philippus ist stets ein guter Ausgangspunkt.«

Sophie las den Abschnitt:

Und die Gefährtin des Erlösers war Maria Magdalena. Christus liebte sie mehr als seine Jünger und küsste sie oft auf den Mund. Die Jünger waren darüber erzürnt und verliehen ihrer Enttäuschung Ausdruck. Sie sprachen zu ihm: Warum liebst du sie mehr als uns?

Sophie fand den Text zwar überraschend, aber besonders beweiskräftig war er in ihren Augen nicht. »Von einer Ehe steht hier aber nichts«, meinte sie.

»*Au contraire!*« Lächelnd deutete Teabing auf die erste Zeile. »Jeder, der des Aramäischen mächtig ist, wird Ihnen bestätigen, dass das Wort *Gefährtin* in jenen Tagen nichts anderes als Ehefrau bedeutet hat.«

Langdon nickte bestätigend.

Sophie las die Zeile noch einmal. *Und die Gefährtin des Erlösers war Maria Magdalena.*

Teabing blätterte weiter und wies mehrmals auf Abschnitte hin, aus denen zu Sophies Verblüffung eindeutig hervorging, dass Jesus und Maria Magdalena ein Liebesverhältnis hatten. Beim Lesen der Textpassagen kam Sophie die Erinnerung an den Besuch eines echauffierten Geistlichen, der damals – es war noch während ihrer Schulzeit – zornig an die Tür ihres Großvaters gepocht hatte.

Sophie hatte dem Mann geöffnet. »Wohnt hier ein gewisser Jacques Saunière?«, hatte der geistliche Herr sie angeschnauzt. »Ich werde diesen Schmierfinken zur Rede stellen! Er hat diesen Artikel hier verbrochen!« Der Geistliche wedelte mit einer Zeitung.

Sophie hatte den Großvater herbeigerufen, der mit dem Besucher in seinem Arbeitszimmer verschwand und die Tür hinter sich schloss. *Großvater hat etwas in der Zeitung geschrieben?* Sophie war sofort in die Küche geflitzt und hatte die Morgenzeitung durchgeblättert. Schon auf der zweiten Seite war sie auf den mit dem Namen des Großvaters gezeichneten Artikel gestoßen und hatte ihn gelesen. Zwar hatte sie nicht alles verstanden, aber es ging vor allem darum, dass die französischen Behörden unter dem Druck der katholischen Geistlichkeit einen amerikanischen Spielfilm mit dem Titel »Die letzte Versuchung Christi« verboten hatten, weil Jesus in diesem Film mit einer gewissen Maria Magdalena eine Bettszene hatte. Sophies Großvater hatte in dem Artikel geschrieben, die Kirche nehme sich zu viel heraus; außerdem sei es eine engstirnige Torheit, den Film zu verbieten.

Kein Wunder, dass der Priester kurz vor einem Tobsuchtsanfall steht, hatte Sophie gedacht.

»Das ist Pornographie! Gotteslästerung ist das!«, hatte der

empörte geistliche Herr geschrien, als er aus dem Arbeitszimmer zur Tür gestürmt war. »Wie können Sie sich hinter ein solches Machwerk stellen? Dieser Scorsese ist ein Schandmaul, ein Gotteslästerer! Er kann sich in ganz Frankreich auf das Kanzelwort der Kirche gefasst machen!« Mit diesen Worten hatte er die Tür hinter sich zugeknallt.

Als Großvater in die Küche gekommen war, hatte er Sophie mit der Nase in der Zeitung ertappt. »Du verlierst wirklich keine Sekunde«, hatte er stirnrunzelnd bemerkt.

»Glaubst du, dass Jesus eine Freundin hatte?«, hatte Sophie gefragt.

»Nein, Liebes. Ich habe nur gesagt, dass die Kirche nicht darüber entscheiden sollte, was wir denken dürfen und was nicht.«

»Aber hatte Jesus denn eine Freundin oder nicht?«

Der Großvater hatte ein paar Augenblicke geschwiegen. »Wäre es denn so schlimm, wenn er eine Freundin gehabt hätte?«

Sophie hatte kurz darüber nachgedacht und dann die Achseln gezuckt. »Wäre mir egal.«

»Ich möchte Sie nicht mit endlosen Verweisen auf die Verbindung von Jesus und Maria Magdalena langweilen«, sagte Sir Leigh. »Die moderne Geschichtswissenschaft hat das bis zum Überdruss durchexerziert. Aber ich möchte Ihnen gern Folgendes zu lesen geben.« Er wies auf eine soeben aufgeschlagene Passage. »Das ist aus dem Evangelium der Maria Magdalena.«

Sophie hatte gar nicht gewusst, dass es ein solches Evangelium überhaupt gab. Sie las:

Und Petrus sagte: »*Hat der Heiland wirklich ohne unser Wissen mit einer Frau gesprochen? Sollen wir uns ihr zuwenden? Sollen wir auf ihre Worte hören? Zieht Jesus sie uns vor?*«

Und Levi antwortete ihm: »*Petrus, du bist stets voller Jähzorn gewesen. Und nun muss ich sehen, dass du dich gegen diese Frau erhebst wie gegen einen Feind. Gewiss kennt der Erlöser sie sehr gut. Darum liebt er sie mehr als uns.*«

»An dieser Stelle ist von Maria Magdalena die Rede«, erklärte Teabing. »Petrus ist eifersüchtig auf sie.«

»Weil Jesus Maria Magdalena ihm vorgezogen hat?«

»Es steckt viel mehr dahinter. Es ist jene Stelle des Evangeliums, an der Jesus argwöhnt, dass er bald gefangen genommen und gekreuzigt wird. Aus diesem Grund erteilt er Maria Magdalena Anweisungen, wie sie seine Kirche nach seinem Tod weiterführen soll, mit dem Ergebnis, dass Petrus ungehalten wird, weil er die zweite Geige hinter einer Frau spielen soll. Ich wage zu behaupten, dass Petrus ein Macho gewesen ist.«

Sophie versuchte, nicht den Anschluss zu verlieren, so viel stürmte auf sie ein. »Reden wir hier vom heiligen Petrus, dem Fels, auf den Christus seine Kirche bauen wollte?«

»Genau – bis auf eine Kleinigkeit. Nach Aussage jener alten unverfälschten Evangelien hat Christus nicht Petrus zum Sachwalter seiner Kirche eingesetzt, sondern Maria Magdalena.«

Sophie sah ihn an. »Dann sollte die Kirche Christi von einer Frau fortgeführt werden?«

»Das war Jesu Absicht. Jesus war sozusagen der erste Feminist. Er wollte, dass die Zukunft seiner Kirche in den Händen von Maria Magdalena liegt.«

»Und das hat Petrus nicht gefallen«, sagte Langdon und deutete auf das Bild vom *Abendmahl*. »Schauen Sie ihn sich an. Man kann deutlich sehen, dass da Vinci sehr genau wusste, was Petrus von Maria Magdalena hielt.«

Wieder einmal war Sophie sprachlos. Der Apostel Petrus beugte sich zu Maria Magdalena vor und vollführte mit der Hand eine drohende Geste, als wolle er ihr die Kehle durchschneiden. Die gleiche Drohgebärde, wie Uriel sie auf Leonardos *Felsgrottenmadonna* zeigt.

»Und hier noch einmal«, sagte Langdon und zeigte auf die Apostelgruppe um Petrus. »Ein bisschen viel auf einmal, nicht wahr?«

Sophie blickte angestrengt auf das Bild. In der Gruppe der Jünger sah sie eine Hand über die Tischkante ragen. »Hält die Hand etwa ein Messer?«, fragte sie.

»Allerdings. Und was noch merkwürdiger ist – sie scheint zu niemandem zu gehören. Sie ist ohne Körper, anonym.«

Sophie wurden die Knie weich, so erdrückend war die Last der unglaublichen Informationen. »Aber ich verstehe immer noch nicht, weshalb das alles bedeutet, dass Maria Magdalena der Heilige Gral ist.«

»Ah!«, rief Teabing aus. »Jetzt kommen wir zum Kern der Sache.« Er zog eine große Falttafel aus dem Bücherwust und breitete sie vor Sophie aus. Ein weit verzweigter Stammbaum kam zum Vorschein. »Kaum jemand weiß, dass Maria Magdalena ohnehin eine mächtige Frau war, auch wenn sie nicht die rechte Hand Christi gewesen wäre.«

Sophie hatte inzwischen die Überschrift des Stammbaums entziffert:

DER STAMM BENJAMIN

»Maria Magdalena ist hier«, sagte Teabing und zeigte auf eine Stelle ziemlich weit oben in der Ahnenfolge.

Sophie war überrascht. »Sie stammte aus dem Hause Benjamin?«

»Ja. Maria Magdalena war von königlichem Blut.«

»Aber ich habe immer gedacht, sie sei arm gewesen.«

Teabing schüttelte den Kopf. »Man hat Maria Magdalena zur Dirne herabgewürdigt, um ihre mächtigen Verwandtschaftsbeziehungen zu vertuschen.«

Wieder bedachte Sophie Langdon mit einem Hilfe suchenden Blick, und wieder nickte er ihr bestätigend zu. »Aber wieso hat die Kirche sich daran gestört, dass Maria Magdalena von königlichem Geblüt war?«

Sir Leigh lächelte. »Liebes Kind, nicht Maria Magdalenas königliches Blut hat die Kirche gestört, sondern ihre Beziehung zu Jesus Christus, der ebenfalls von königlichem Geblüt war. Wie Sie wissen, wird im Matthäusevangelium berichtet, dass Jesus aus dem Hause David stammte. Er war also ein Abkömmling Salomons – des Königs der Juden. Durch die Einheirat in das mächtige Haus Benjamin hatte Jesus zwei Königshäuser vereinigt. Dadurch war eine schlagkräftige politische Union entstanden, die einen legitimen Anspruch auf den jüdischen Königsthron rechtfertigte und wieder hierarchische Verhältnisse herstellen konnte, wie sie unter Salomon geherrscht hatten.«

Sophie hatte das Gefühl, dass Leigh Teabing endlich zum springenden Punkt kam.

Teabing konnte seine Erregung nicht mehr verbergen. »Die Legende vom Heiligen Gral ist eine Legende vom königlichen Geblüt. Wenn in der Legende die Rede ist vom ›Kelch, der das Blut Christi aufgefangen hat‹ ... ja, dann ist in Wahrheit von Maria Magdalena die Rede, von dem weiblichen Schoß, der das Geblüt Christi getragen hat.«

Der letzte Satz schien eine Weile in der Luft des Ballsaals zu hängen, bis Sophie seine Tragweite vollends begriffen hatte. *Maria Magdalena hat das königliche Geblüt Christi getragen? Aber das hieße doch ...*

Sie sah Langdon an.

Langdon lächelte ihr zu. »Ja. Christus und Maria Magdalena müssen ein Kind gehabt haben.«

Sophie stand da wie vom Donner gerührt.

»Man höre und staune!«, rief Teabing. »Die größte Verschleierungsaktion in der Geschichte der Menschheit. Jesus Christus war nicht nur verheiratet, er war auch Vater eines Kindes. Meine Liebe, Maria Magdalena war das heilige Gefäß, sie war der Kelch, der Christi königliches Blut aufgefangen hat, sie war der Weinstock, der die heilige Rebe getragen hat, und sie war der Schoß, der den Stammhalter geboren hat!«

Sophie spürte, wie ihr die Härchen an den Armen zu Berge standen. »Aber wie war es möglich, ein Geheimnis von solch unfassbarer Bedeutung über all die Jahrhunderte zu vertuschen?«

»Du lieber Himmel!«, rief Teabing aus, »von vertuschen kann doch nun wirklich nicht die Rede sein! Das königliche Geschlecht, das von Jesus abstammt, ist der Quell der hartnäckigsten Legende aller Zeiten, der Legende vom Heiligen Gral. Seit Jahrhunderten pfeifen die Spatzen Maria Magdalenas Geschichte in allen möglichen Metaphern und sprachlichen Verschlüsselungen von den Dächern. Die Geschichte ist allgegenwärtig! Man braucht nur die Augen aufzumachen.«

»Und was ist mit den Sangreal-Dokumenten?«, warf Sophie ein. »Sie enthalten doch angeblich den Beweis, dass Jesus königlicher Abstammung war.«

»Ganz recht.«

»Dann dreht sich die gesamte Gralslegende also nur um das königliche Geblüt?«

»Ja, und das sogar in einem ziemlich wörtlichen Sinne«, entgegnete Teabing. »Das Wort *sangreal* kommt von *San Greal*, der Heilige Gral. Aber in seiner ältesten Schreibweise war dieses Wort anders unterteilt.« Teabing griff nach einem Blatt, schrieb etwas darauf und schob es Sophie hin. Sie las:

SANG REAL

Sophie erkannte augenblicklich die Bedeutung.

Sang Real hieß *königliches Blut*.

59. KAPITEL

Der Portier am Empfang der Opus-Dei-Zentrale an der Lexington Avenue in New York stutzte, als er die Stimme von Bischof Aringarosa aus dem Telefonhörer vernahm.

»Guten Abend, Exzellenz«, sagte der Portier.

»Liegt eine Nachricht für mich vor?« Die Stimme des Bischofs klang hörbar angespannt.

»Jawohl, Exzellenz. Ich bin froh, dass Sie anrufen. Vor einer halben Stunde ist eine dringende Nachricht für Sie hereingekommen.«

»Aha. Hat der Anrufer seinen Namen genannt?«

»Nein. Er hat nur eine Nummer hinterlassen, mit der Bitte, Sie möchten sich umgehend melden.« Der Portier gab die Nummer durch.

»Die Vorwahl lautet 0033? Das ist in Frankreich, nicht wahr?«

»Gewiss, Exzellenz. In Paris.«

»Besten Dank. Ich habe auf diesen Anruf schon gewartet«, sagte Aringarosa und unterbrach die Verbindung.

Der Portier fragte sich beim Auflegen, weshalb die Verständigung so schlecht gewesen war. Dem Terminplan zufolge befand der Bischof sich an diesem Wochenende in New York, doch es hatte sich angehört, als wäre der Anruf vom anderen Ende der Welt gekommen.

Der Portier zuckte die Schultern. Bischof Aringarosa hatte sich schon die letzten fünf Monate äußerst merkwürdig benommen.

Du bist mit deinem Handy in einem Funkloch gewesen, dachte Aringarosa, während der Chauffeur den Fiat zum Charterflughafen Ciampino in Rom steuerte. *Der Lehrer hat versucht, dich zu erreichen.* Nach seiner vorherigen Befürchtung, den Anruf verpasst zu haben, war Aringarosa nun erleichtert, dass der Lehrer immerhin so viel Vertrauen in ihn gesetzt hatte, um sich direkt an die Zentrale des Opus Dei in New York zu wenden.

Das kann nur bedeuten, dass die Sache in Paris heute Nacht gut gelaufen ist.

In freudiger Erwartung wählte er die Nummer. Nicht mehr lange, und er war in Paris. *Noch bevor es hell wird, bist du dort gelandet.* Für den kurzen Flug nach Frankreich wartete eine gecharterte Turbopropmaschine auf den Bischof. Ein Linienflug war zu dieser Stunde ohnehin keine Alternative, erst recht nicht in Anbetracht des Inhalts seines Köfferchens.

Aringarosa hörte den Rufton der gewählten Nummer. Eine Frauenstimme meldete sich. *»Direction Centrale Police Judiciaire.«*

Aringarosa stutzte. »Ich, äh… man hat mich gebeten, diese Nummer anzurufen.«

»Qui êtes-vous?«, fragte die Frauenstimme. »Wer sind Sie?«

Aringarosa war nicht sicher, ob er sich zu erkennen geben sollte. *Die französische Polizei will dich sprechen?*

»Ihren Namen bitte, Monsieur.«

»Bischof Manuel Aringarosa.«

»Un moment.« Es klickte in der Leitung.

Nach längerem Warten meldete sich am anderen Ende eine barsche Stimme, in der Besorgnis mitschwang. »Exzellenz, ich bin froh, Sie endlich erreicht zu haben. Wir müssen unbedingt einige Dinge bereden.«

*angreal ... Sang Real ... San Greal ... der Heilige Gral ... das kö-
nigliche Blut ...*

Es hing alles zusammen.

*Der Heilige Gral ist Maria Magdalena ... die Mutter der königlichen
Nachkommenschaft Jesu Christi ...*

Sophie stand im Ballsaal, noch immer verwirrt und ungläubig.
Ihre Gedanken überschlugen sich. Je mehr Steine dieses Puzzles
Teabing und Langdon vor ihr ausbreiteten, desto unglaublicher
und undurchschaubarer wurde das Ganze.

Teabing hinkte zu einem Bücherbord. »Wie Sie sehen, meine
Liebe«, sagte er, »ist Leonardo da Vinci nicht der Einzige, der
versucht hat, der Welt die Wahrheit über den Heiligen Gral zu
offenbaren. Das königliche Geblüt Christi ist in der Gelehrtenwelt
ausgiebig und bis ins letzte Detail untersucht worden.« Teabing
ließ den Finger über mehrere Dutzend Buchrücken gleiten.

Sophie neigte den Kopf zur Seite, sodass sie einige der Titel
entziffern konnte:

DAS GEHEIMNIS DER TEMPLER
*Die geheimen Hüter des wahren Wissens um das Wesen
und die Person Christi.*

DIE FRAU MIT DEM ALABASTERGEFÄSS:
Maria Magdalena und der Heilige Gral

DIE FRUCHTBARKEITSGÖTTIN IN
DER HEILIGEN SCHRIFT
Die Wiedergewinnung des Mutterkults

»Und hier der vielleicht bekannteste Titel«, sagte Teabing, zog einen abgegriffenen Band aus dem Regal und reichte ihn Sophie. Auf dem Umschlag stand:

DER HEILIGE GRAL UND SEINE ERBEN
Der internationale Bestseller

Sophie blickte auf. »Ein internationaler Bestseller? Ich habe noch nie von diesem Buch gehört.«

»Sie haben das Glück, zu jung dafür zu sein«, sagte Teabing. »Dieses Buch hat Anfang der Achtzigerjahre großes Aufsehen erregt. Die Autoren haben für meinen Geschmack hier und da überzogene Schlüsse gezogen, doch ihre Grundannahme ist vernünftig. Ihnen gebührt das Verdienst, die Thematik der Dynastie Jesu Christi an eine breitere Öffentlichkeit getragen zu haben.«

»Und wie hat die Kirche auf dieses Buch reagiert?«

»Mit Empörung, versteht sich. Damit war zu rechnen. Schließlich handelte es sich um ein peinliches Geheimnis, das die Kirche schon im vierten Jahrhundert aus der Welt schaffen wollte. Sogar in den Kreuzzügen ging es zum Teil noch darum, brisante Informationen an sich zu reißen und sie für immer verschwinden zu lassen. Maria Magdalena stellte für die Männer der Kirche eine so immense Bedrohung dar, dass sie ihnen das Genick brechen konnte. Nicht nur, dass Jesus die Aufgabe, seine Kirche zu gründen, einer Frau – seiner eigenen Frau – übertragen hatte, diese Frau verkörperte obendrein den Beweis, dass der von der Kirche proklamierte Gottessohn eine Dynastie von Sterblichen begründet hatte. Zur Abwehr der nachhaltigen Bedrohung stellte die Kirche Maria Magdalena beharrlich als Dirne dar und vernichtete sämtliche Dokumente, die sie als Gattin Christi ausweisen konnten. Den unliebsamen Behauptungen, dass Christus Nachkommen hatte und dass er ein sterblicher Prophet gewesen war, sollte auf diese Weise ein Riegel vorgeschoben werden.«

»Die historische Beweislage für diesen Sachverhalt ist erdrückend«, sagte Langdon und nickte Sophie zu.

»Zugegeben«, sagte Teabing, »das hört sich düster an, aber man muss auch verstehen, dass die Kirche wohl beraten war, dieses Täuschungsmanöver zu unternehmen. Wäre allgemein bekannt geworden, dass Christus Nachkommen hatte, hätte die Kirche nicht überleben können. Ein von Jesus gezeugtes Kind hätte die zentrale Vorstellung von der Göttlichkeit Christi unhaltbar gemacht – ebenso den allein selig machenden Anspruch der katholischen Kirche, dass der Mensch nur durch sie allein und ihre Sakramente mit Gott in Verbindung treten und die Aufnahme ins Himmelreich bewirken könne.«

»Die fünfblättrige Rose!«, sagte Sophie plötzlich und deutete auf einen der Buchrücken. *Genau die gleiche Rose wie auf dem Rosenholzkästchen.*

Teabing grinste Langdon an. »Sie hat gute Augen, nicht wahr?« Er wandte sich Sophie zu. »Das ist das Symbol der *Prieuré de Sion* für den Gral und für Maria Magdalena. Da sie von der Kirche mit Acht und Bann belegt wurde, haben sich zahlreiche Pseudonyme für ihren Namen entwickelt – der Kelch, der Heilige Gral, die Rose ...« Teabing hielt inne. »Die Rose steht in Beziehung zum fünfzackigen Stern der Venus und zum Leitstern der Kompassrose. Die Bezeichnung ›Rose‹ ist übrigens im Englischen, Französischen, Deutschen und vielen anderen Sprachen gleich.«

»*Rose* ist außerdem ein Anagramm auf *Eros*«, sagte Langdon, »den griechischen Gott der geschlechtlichen Liebe.«

Sophie streifte ihn mit einem überraschten Seitenblick, während Teabing unbeirrt fortfuhr.

»Die Rose war immer schon das vorrangige Symbol der weiblichen Sexualität. In primitiven Fruchtbarkeitskulten stehen die fünf Blätter der Rose für die fünf Wendepunkte im Leben der Frau – Geburt, erste Menstruation, Mutterschaft, Menopause und Tod. In neuerer Zeit wird die Beziehung der blühenden Rose zur Weiblichkeit eher auf optischem Gebiet gesehen.« Er blickte Robert an. »Vielleicht kann uns hier der Symbolkundler weiterhelfen.«

Robert suchte nach einem Ansatzpunkt, allerdings einen Augenblick zu lang.

»Du lieber Himmel«, lästerte Teabing, »was seid ihr Amerikaner prüde.« Er schaute wieder Sophie an. »Was Robert so schwer über die Lippen will, ist die Tatsache, dass die Rosenblüte dem weiblichen Genitale ähnelt, jener verborgenen Blüte, durch die jedes Menschenwesen die Welt betritt. Falls Sie jemals ein Gemälde von Georgia O'Keefe gesehen haben, wissen Sie, was ich meine.«

»Letztlich geht es hier doch darum«, meldete Langdon sich zu Wort und deutete auf das Bücherbord, »dass alle diese Werke die gleiche historische Annahme untermauern.«

»Dass Jesus Familienvater war?«, fragte Sophie, noch immer nicht überzeugt.

»Jawohl!«, sagte Teabing, »und dass Maria Magdalenas Schoß seine königliche Nachkommenschaft getragen hat. Die *Prieuré de Sion* verehrt Maria Magdalena bis zum heutigen Tag als die Göttin des Heiligen Grals, als die Rose und die göttliche Mutter.«

Plötzlich stand Sophie wieder das Ritual im Felsenkeller vor Augen.

Teabing fuhr fort: »Der *Prieuré* zufolge war Maria Magdalena zum Zeitpunkt der Kreuzigung schwanger. Um das ungeborene Kind nicht zu gefährden, hatte sie keine andere Wahl, als außer Landes zu gehen. Mit der Hilfe des Joseph von Arimatäa, dem vertrauenswürdigen Onkel von Jesus, ist Maria Magdalena heimlich nach Frankreich gereist, das damals ›Gaul‹ genannt wurde, und wo sie eine sichere Zuflucht in der dortigen großen jüdischen Gemeinde fand. Hier in Frankreich hat sie eine Tochter zur Welt gebracht, die den Namen Sarah erhielt.«

Sophie blickte erstaunt. »Man kennt sogar den Namen des Kindes?«

»Noch viel mehr. Das Leben von Maria Magdalena und Sarah ist von ihren jüdischen Beschützern genauestens aufgezeichnet worden. Man darf nicht vergessen, dass Maria Magdalenas Kind die Linie der jüdischen Könige fortführte – des Hauses David und Salomo. Aus diesem Grund sahen die damaligen Juden in Frankreich in Maria Magdalena eine Vertreterin des heiligen Königshauses und verehrten sie als Garantin seines Fortbestehens. Zahllose gelehrte Chronisten jener Zeit haben die Tage Maria Magdalenas in Frankreich dokumentiert, einschließlich der Geburt Sarahs und des Stammbaums, der sich daraus entwickelt hat.«

»Es gibt einen *Stammbaum* der Nachkommenschaft Christi?«, fragte Sophie fassungslos.

»Allerdings. Und er dürfte einer der wesentlichen Bestandteile der Sangreal-Dokumente sein – eine vollständige Genealogie der frühen Nachkommen Christi.«

»Aber was hat ein solches Dokument über die Nachkommenschaft Christi schon zu bedeuten?«, wandte Sophie ein. »Es ist doch kein unwiderlegbarer Beweis. Die Historiker können doch unmöglich seine Echtheit nachweisen.«

Teabing kicherte in sich hinein. »Genauso wenig, wie man die Echtheit der Heiligen Schrift nachweisen kann.«

»Und das bedeutet?«

»Es bedeutet, dass die Geschichte immer von den Siegern geschrieben wird. Wenn zwei Kulturen aufeinander prallen, verschwindet der Verlierer von der Bildfläche, und der Sieger schreibt die Geschichtsbücher, in denen er sich selbst im vorteilhaftesten Licht zeichnet und den besiegten Feind als Halunken darstellt. Wie hat Napoleon so treffend gesagt? ›Was ist die Geschichte anderes als eine Lüge, über die alle sich einig sind.‹« Teabing lächelte. »Das liegt in der Natur der Sache. Die Geschichte ist immer eine einseitige Berichterstattung.«

So hatte Sophie es noch nie betrachtet.

»Die Sangreal-Dokumente erzählen nichts anderes als die *andere* Seite der Geschichte Jesu Christi. Was man letzten Endes für wahr hält, ist eine Frage des Glaubens beziehungsweise der persönlichen Neugier, aber die Information *als solche* hat immerhin überlebt. Die Sangreal-Dokumente umfassen Zehntausende beschriebener Seiten. Nach dem Bericht von Augenzeugen wurde der Sangreal-Schatz von den Tempelrittern in vier großen Truhen fortgeschafft. In diesen Truhen sollen sich auch die *Dokumente der reinen Lehre* befunden haben – Tausende Seiten originaler Schriftstücke aus der Zeit vor Konstantin dem Großen, niedergeschrieben von den frühen Anhängern Jesu, die ihn als durch und durch menschlichen Lehrer und Propheten verehrt haben. Auch das legendäre ›Q‹-Dokument wird diesem Schatz zugerechnet – ein Manuskript, dessen Existenz sogar von der katholischen Kirche offiziell eingeräumt wird und das eine Aufzeichnung der Lehre Jesu sein soll, möglicherweise sogar von Jesus selbst verfasst.«

»Ein Manuskript von Jesus persönlich?«

»Gewiss«, sagte Teabing. »Warum soll Jesus keine Chronik seines Lebens verfasst haben? In jenen Tagen haben das viele Menschen getan, zumal so bedeutende Personen wie Jesus von Nazareth. Ein weiteres hochbrisantes Dokument, das sich in diesem Konvolut befinden soll, sind die *Tagebücher der Maria Magdalena* – ihr persönlicher Bericht über ihr Leben mit Jesus, seine Kreuzigung und ihren Aufenthalt in Frankreich.«

Sophie blieb lange stumm. »Und diese vier Truhen sind der Schatz, den die Tempelritter unter dem Tempel Salomos gefunden haben?«

»So ist es. Es sind jene Dokumente, denen die Tempelritter ihre immense Macht verdankten und die im Laufe der Jahrhunderte Gegenstand der zahllosen Gralssuchen gewesen sind.«

»Aber sagten Sie nicht, dass *Maria Magdalena* der Heilige Gral ist? Weshalb bezeichnen Sie dann die Suche nach Dokumenten ebenfalls als eine Suche nach dem Gral?«

Teabing schaute Sophie an. Sein Blick wurde weich. »Weil sich im Versteck des Grals auch ein Sarkophag befindet.«

Draußen klagte der Wind in den Bäumen.

Teabings Stimme war leiser geworden. »Die Suche nach dem Gral ist letztlich die Sehnsucht, vor den Gebeinen Maria Magdalenas niederzuknien – eine Wallfahrt, um zu Füßen der Ausgestoßenen zu beten, der Trägerin des verloren gegangenen göttlich Weiblichen.«

»Das Versteck des Heiligen Grals ist eine *Grabstätte?*«

Teabings Haselnussaugen nahmen einen verträumten Ausdruck an. »Ja. Es ist eine Begräbnisstätte, in der sich der Leichnam Maria Magdalenas befindet, zusammen mit den Dokumenten, die ihre wahre Lebensgeschichte belegen. Die Jagd nach dem Gral ist nie etwas anderes gewesen als die Suche nach Maria Magdalena – nach der um ihr Recht betrogenen Königin, der *reine perdue*, die mitsamt den Beweisen des legitimen Machtanspruchs ihrer Familie im Grab liegt.«

Sophie dachte an ihren Großvater. Vieles ergab immer noch keinen Sinn. »Haben die Mitglieder der *Prieuré* all die Jahre dem Druck der Gralssucher standgehalten und das Geheimnis der Sangreal-Dokumente und der letzten Ruhestätte Maria Magdalenas bewahren können?«, fragte sie.

»Ja. Aber der Bruderschaft obliegt noch eine weitere bedeutende Pflicht – der Schutz der Nachkommenschaft als solcher. Die Nachkommen Jesu waren stets gefährdet. Die Kirche konnte ein Wachsen und Gedeihen der Dynastie Christi nicht zulassen, denn damit würde sich früher oder später das Geheimnis offenbaren, dass Christus Maria Magdalena zur Gemahlin genommen hatte, was der Grundlage der katholischen Lehre den Todesstoß versetzt hätte – der Doktrin vom göttlichen Messias, der nichts mit Frauen zu schaffen hatte ... oder gar sich mit einer Frau geschlechtlich vereinigt hätte.« Teabing holte Luft. »Dennoch konnte sich die Dynastie in Frankreich im Verborgenen entwickeln, bis sie sich im fünften Jahrhundert durch Heirat mit einem französischen Königsgeschlecht vereinte, woraus eine Dynastie hervorging – die Merowinger.«

Wieder konnte Sophie kaum glauben, was sie da hörte; aber diesmal befand sie sich wenigstens auf vertrautem Terrain. Die Merowinger kannte in Frankreich jedes Schulkind.

»Die ...« Sie stockte, denn ihr schwirrte der Kopf. »Die Merowinger haben Paris gegründet ...«

»So ist es. Das ist auch einer der Gründe, weshalb die Grallegenden in Frankreich so üppig ins Kraut geschossen sind. Die

Kirche hat immer wieder nach dem Gral suchen lassen, was aber in Wirklichkeit Geheimoperationen zum Zweck der Liquidierung der unliebsamen Königsdynastie gewesen sind. Haben Sie schon einmal von König Dagobert gehört?«

Sophie erinnerte sich vage an eine düstere Episode aus dem Geschichtsunterricht, in der dieser Name eine Rolle gespielt hatte. »War Dagobert nicht ein Merowingerkönig, der im Schlaf durch einen Dolchstoß ins Auge ermordet wurde?«

»Ganz recht. Gegen Ende des siebten Jahrhunderts wurde er von Pippin von Heristal beseitigt, der mit der Kirche unter einer Decke steckte. Diese Bluttat hätte die Dynastie der Merowinger um ein Haar ausgelöscht. Dagoberts Sohn Sigibert war dem Anschlag jedoch wie durch ein Wunder entgangen und erhielt das Königsgeschlecht am Leben, aus dem später auch Gottfried von Bouillon hervorgegangen ist, der Begründer des Ordens der *Prieuré de Sion*.«

»Eben jener Mann«, sagte Langdon, »der den Tempelrittern aufgetragen hat, die Sangreal-Dokumente aus den Ruinen des salomonischen Tempels zu bergen, um in den Besitz des Beweises der Blutsverwandtschaft der Merowinger mit Jesus Christus zu gelangen.«

Teabing nickte und seufzte tief. »Die *Prieuré de Sion* unserer Tage sieht sich mit drei schwierigen Aufgaben von großer Tragweite konfrontiert. Sie muss die Sangreal-Dokumente, die Grabstätte Maria Magdalenas und die Nachkommenschaft Christi hüten und beschützen – die wenigen Nachfahren des merowingischen Königshauses, die heute noch unter uns leben.«

Der Nachhall des letzten Satzes hing bedeutungsschwer in dem großen Saal. Sophie spürte eine merkwürdig vibrierende Resonanz im Körper, als hätte Teabings Aussage eine neue Wahrheit in ihrem Innern in Schwingung versetzt. *Nachkommen Christi, die heute noch unter uns leben.* Wieder wisperte die Stimme des Großvaters in ihrem Ohr. *Prinzessin, ich muss dich in das Geheimnis deiner Familie einweihen.*

Es lief ihr eiskalt über den Rücken.

Königliches Geblüt.

Sie konnte es sich einfach nicht vorstellen.

Prinzessin Sophie.

»Sir Leigh?« Das Krächzen der Stimme des Butlers aus der Sprechanlage an der Wand ließ Sophie zusammenfahren. »Darf ich Euer Lordschaft einen Moment in die Küche bitten?«

Teabing verzog verärgert das Gesicht. Er ging zu der Anlage und drückte auf die Sprechtaste. »Rémy, es dürfte Ihnen bekannt sein, dass ich mich ungestört meinen Gästen widmen möchte. Falls wir etwas brauchen, werden wir uns selbst zu helfen wissen. Danke und gute Nacht.«

»Bitte, noch ein letztes Wort, Sir, bevor ich mich zurückziehe.«

Teabing grunzte ungehalten und drückte die Taste. »Aber schnell, Rémy.«

»Es handelt sich um eine Haushaltsangelegenheit, Sir, die ich Ihren Gästen nicht zumuten möchte.«

Teabing machte ein fassungsloses Gesicht. »Das hat doch wohl bis morgen Zeit!«

»Leider nicht, Sir. Es dauert nur eine Minute.«

Teabing verdrehte die Augen. »Manchmal frage ich mich, wer hier wen bedient.« Er seufzte, warf einen hilflosen Blick zu Sophie und Langdon und drückte wieder die Sprechtaste. »Gut, Rémy, ich komme. Soll ich gleich das gebrauchte Geschirr mitbringen?«

»Bitte nur Ihre Gewogenheit, Sir.«

»Rémy, ich brauche wohl nicht zu betonen, dass Sie das Ausbleiben einer Kündigung nur Ihrem *steak au poivre* zu verdanken haben.«

»Gewiss, Euer Lordschaft, wenn Sie es sagen.«

rinzessin Sophie.

Wie vor den Kopf geschlagen, lauschte Sophie dem rhythmischen Klacken von Teabings Krücken, das sich den Gang hinunter entfernte. Sie sah Langdon entgeistert an, doch der schüttelte den Kopf, als hätte er ihre Gedanken erraten.

»Nein, Sophie«, flüsterte er und blickte sie ermutigend an. »Dieser Gedanke war mir selbst schon gekommen, als ich erkannt habe, dass Ihr Großvater zur *Prieuré* gehörte und Ihnen ein Geheimnis über Ihre Abstammung anvertrauen wollte. Aber es kann einfach nicht sein. Saunière ist kein merowingischer Name«, setzte er hinzu.

Sophie wusste nicht, ob sie enttäuscht oder erleichtert sein sollte. Langdon hatte sie kurz zuvor beiläufig nach dem Mädchennamen ihrer Mutter gefragt – Chauvel. Jetzt verstand Sophie die Frage. »Und Chauvel?«, erkundigte sie sich ein wenig ängstlich.

Langdon schüttelte abermals den Kopf. »Nein. Es tut mir Leid. Ich weiß, das hätte Ihnen manches verständlicher gemacht. Aber die Namen der Familien, um die es hier geht, lauten Plantard und Saint-Clair. Sie leben im Verborgenen, vielleicht unter dem Schutz der *Prieuré.*«

Sophie sagte sich stumm die Namen vor und schüttelte den Kopf. In ihrer Verwandtschaft gab es niemanden, der Plantard oder Saint-Clair hieß. Sie spürte den Sog der Müdigkeit. Seit den Ereignissen im Louvre war Sophie der Lösung des Rätsels um die Botschaft ihres Großvaters keinen Schritt näher gekommen. Sie wünschte sich, er hätte ihre Herkunft bei seinem Anruf am Nachmittag nicht erwähnt. Er hatte alte Wunden bei ihr aufgerissen, die jetzt mehr schmerzten denn je.

Sophie, deine Angehörigen sind tot. Sie kommen nicht mehr nach Hause.

Sophie dachte daran, wie ihre Mutter sie abends in den Schlaf gesungen und wie ihr Vater sie auf den Schultern hatte reiten lassen ... und an die Großmutter und ihren jüngeren Bruder. All das war ihr genommen worden. Sie hatte nur noch den Großvater gehabt.

Und jetzt ist auch er tot. Jetzt bist du ganz allein.

Sophie betrachtete still das Bild vom *Abendmahl*, Maria Magdalenas langes rotes Haar und ihre ruhigen Augen, in denen der Verlust eines geliebten Menschen anklang, ganz ähnlich dem Gefühl, das Sophie jetzt selbst empfand.

»Robert?«, sagte sie leise.

Er trat zu ihr.

»Teabing hat gesagt, dass man auf Schritt und Tritt auf die Gralsgeschichte stößt, aber ich habe heute Abend das erste Mal davon gehört.«

Langdon schien ihr tröstend die Hand auf die Schulter legen zu wollen, ließ es aber dann. »Sie haben die Geschichte schon tausendmal gehört, Sophie, wie jeder andere. Wir merken es nur nicht.«

»Das ist mir zu hoch.«

»Die Gralsgeschichte ist allgegenwärtig, doch sie lebt sozusagen im Verborgenen. Nachdem die Kirche dafür gesorgt hatte, dass es nicht mehr möglich war, offen über Maria Magdalena zu sprechen, musste die Weitergabe der Geschichte Maria Magdalenas und deren Bedeutung auf eine weniger offensichtliche Ebene verlagert werden – auf die Ebene der Metaphern und Symbole.«

»Sie meinen die Kunst.«

Langdon deutete auf das *Abendmahl*. »Ja. Hier haben wir ein perfektes Beispiel vor uns. So wie dieses Gemälde erzählen viele andere unvergängliche Werke der bildenden Kunst, der Literatur und Musik auf verschlüsselte Weise die Geschichte von Maria Magdalena und Jesus.«

Langdon nannte Sophie eine Reihe von Werken da Vincis, Botticellis, Poussins, Berninis, Mozarts und Victor Hugos, in denen das Trachten nach der Wiedereinsetzung des verdrängten Weiblichkeitskults in sein Recht zum Ausdruck kam. Zeitlose Sagen wie die von Sir Gawain und dem grünen Ritter, von König Artus und der Tafelrunde oder das Märchen von Dornröschen waren Allegorien auf den Gral. In Victor Hugos Roman »Der Glöckner von Notre Dame« und in Mozarts »Zauberflöte« wimmelte es von Gralsgeheimnissen und versteckter Freimaurersymbolik.

»Wenn man erst einmal einen Blick dafür bekommen hat«, sagte Langdon, »entdeckt man das Gralsthema überall, auf Gemälden, in Romanen, in Kompositionen – sogar in Comics, in Filmen, selbst in Freizeitparks.«

Er hielt seine Mickymaus-Uhr hoch und erklärte Sophie, dass Walt Disney, der schon zu Lebzeiten als »moderner da Vinci« gepriesen wurde, es sich zur heimlichen Lebensaufgabe gemacht hatte, die Gralsgeschichte an die kommenden Generationen weiterzugeben. Beide Männer waren begnadete Künstler, Mitglieder einer Geheimgesellschaft und ihrer Zeit um Generationen voraus – und beide hatten es faustdick hinter den Ohren. Wie Leonardo hatte auch Walt Disney seinen Werken mit diebischem Vergnügen versteckte Botschaften und Symbole beigefügt. Kenner der Symbolik wurden in frühen Disney-Filmen mit Anspielungen und Metaphern förmlich zugeschüttet.

Disneys verborgene Botschaften behandelten vorwiegend religiöse Inhalte, heidnische Mythen und den Topos der verkannten und unterjochten Prinzessin. Es war keineswegs ein Zufall, dass Disney Märchen wie *Aschenputtel*, *Dornröschen* und *Schneewittchen* zum Sujet seiner Filme gemacht hatte, in denen es jedes Mal um die Einkerkerung des göttlich Weiblichen ging. Man musste kein Symbolkundler sein, um zu erkennen, dass *Schneewittchen* – eine Prinzessin, die in Ungnade gefallen war, nachdem sie von einem vergifteten Apfel gegessen hatte – eine Paraphrase auf Eva im Paradies darstellte, oder dass *Dornröschen*, das Märchen von der Prinzessin, die im tiefen Wald hinter einem *Rosen*dickicht schlummert, das sie vor den Klauen der bösen Hexe schützt, eine Gralsgeschichte für Kinder ist.

Ungeachtet seines Images als Saubermann beschäftigte Disney Mitarbeiter, die sich einen Jux daraus machten, in den Zeichentrickfilmen des Studios heimliche Botschaften einzuschmuggeln. Es war für Langdon unvergesslich, wie einer seiner Studenten mit einer DVD des Films *Simba, der kleine Löwe* ins Seminar kam, um die Vorführung an einer ganz bestimmten Stelle anzuhalten, als sich für einen Sekundenbruchteil deutlich sichtbar aus Staubwölkchen das Wort »SEX« über Simbas Kopf bildete. Auch wenn Langdon damals eher den Eindruck gehabt hatte, dass der Zeichner hier einen Schülerwitz und weniger eine Anspielung auf die heidnischen Aspekte menschlicher Sexualität gemacht hatte, unterschätzte er Disneys Gespür für Symbolik keineswegs. *Die kleine Meerjungfrau* war ein faszinierendes Gewebe so eindeutiger Symbolbezüge zum Weiblichkeitskult, dass jeder Zufall ausgeschlossen war, etwa das Gemälde in der Unterwasserwohnung Arielles, *Die Büßerin Maria Magdalena* von Gabriel de la Tour, einem Meister des siebzehnten Jahrhunderts – eine berühmte Hommage an die verfemte Maria Magdalena. Das Bild war ein passendes Dekor für einen Film, der sich als neunzigminütige Collage unverhohlener symbolischer Reverenzen an Isis, Eva, die Fischgöttin Pisces und immer wieder Maria Magdalena entpuppte. Arielle, der Name der Meerjungfrau, hatte starke Bezüge zum göttlich Weiblichen. Im Buch des Propheten Jesaia war »Ariël« ein Synonym für »die belagerte Heilige Stadt«. Auch das wehende rote Haar der Meerjungfrau war wohl kein Zufall.

Das klackende Geräusch der Krücken Sir Leigh Teabings riss Langdon aus seinen Gedanken. Als Teabing kurz darauf durch die Tür kam, blickte er Langdon und Sophie abweisend an.

»Sie schulden mir eine Erklärung, Robert«, sagte er kalt. »Sie haben versucht, mich hinters Licht zu führen.«

62. KAPITEL

Sir Leigh, man will mir etwas anhängen«, sagte Langdon und bemühte sich, Ruhe zu bewahren. *Du kennst mich doch, Leigh. Sehe ich wie ein Mörder aus?*

Teabings Tonfall blieb frostig. »Robert, Ihr Fahndungsfoto wird im Fernsehen gezeigt, verdammt! Wussten Sie, dass die Polizei Ihnen auf den Fersen ist?«

»Ja.«

»Dann haben Sie mein Vertrauen missbraucht. Es ist erstaunlich, mit welcher Seelenruhe Sie mich in Gefahr bringen, indem Sie hier auftauchen und mich über den Gral dozieren lassen, nur um in meinem Heim eine sichere Zuflucht zu finden.«

»Ich bin kein Mörder, Sir Leigh, und ...«

»Jacques Saunière ist tot, und die Polizei ist sicher, dass Sie der Täter sind.« Teabings Blick wurde traurig. »Was hat dieser Mann nicht alles für die Kunst geleistet ...«

»Sir?« Der Butler war hinter Teabing erschienen und hatte sich mit verschränkten Armen im Türrahmen aufgebaut. »Sir, wünschen Sie, dass ich die Herrschaften nach draußen begleite?«

»Schon gut, Rémy«, sagte Teabing mit einem giftigen Blick auf Langdon und Sophie, während er durch den Saal hinkte und eine große gläserne Verandatür aufstieß. »Begeben Sie sich bitte zu Ihrem Wagen und verlassen Sie sofort mein Grundstück.«

Sophie rührte sich nicht von der Stelle. »Wir sind im Besitz von Informationen über den *clef de voûte.* Den Schlussstein der *Prieuré.*«

Teabing blickte Sophie abschätzend an. »Wieder so ein verzweifeltes Manöver!« Er lachte verächtlich. »Robert weiß, wie besessen ich nach diesem Stein gesucht habe.«

»Miss Neveu spricht die Wahrheit«, pflichtete Langdon Sophie bei.

»Gehen Sie jetzt, oder ich rufe die Polizei!«, mischte der Butler sich ein.

»Sir Leigh«, flüsterte Langdon beschwörend, »wir wissen, wo der Stein ist!«

Teabings Entschlossenheit schien ins Wanken zu geraten.

Rémy näherte sich mit steifen Schritten. »Wenn Sie nicht augenblicklich gehen«, sagte er drohend zu Langdon und Sophie, »werde ich Sie gewaltsam ...«

»Rémy!«, herrschte Teabing ihn an. »Lassen Sie uns allein!«

Der Butler blickte seinen Herrn und Meister betroffen an. »Aber Sir Leigh, diese Leute sind ...«

»Überlassen Sie gefälligst *mir* die Entscheidung, wen ich vor mir habe!« Teabing wies mit dem Finger auf den Flur. »Verschwinden Sie jetzt.«

Der Butler schwieg gekränkt und schlich wie ein begossener Pudel davon.

Durch die offene Verandatür strich kühl die Nachtluft herein. Teabing wandte sich wieder Sophie und Langdon zu. »Jetzt aber keine Mätzchen mehr! Was wissen Sie über den Schlussstein?«

Silas kauerte im dichten Gebüsch vor Teabings zum Arbeitsraum umfunktionierten Ballsaal. Er hielt den Griff der Pistole umklammert und äugte durch die offene Glastür. Vor wenigen Augenblicken erst war er zur Rückseite des Gebäudes geschlichen und hatte Langdon und die Frau in dem großen Saal miteinander reden sehen. Doch bevor Silas etwas unternehmen konnte, war ein Mann auf Krücken in den Saal gekommen, hatte Langdon beschimpft, die Verandatür aufgerissen und seine Gäste barsch zum Gehen aufgefordert. Dann hatte die Frau etwas von einem *Schlussstein* gesagt, und mit einem Schlag hatte die Situation sich vollkommen geändert. Aus der lautstarken Auseinandersetzung war Geflüster geworden, die Wogen hatten sich geglättet – und die Glastür war wieder geschlossen worden.

Im Dunkeln kauernd, spähte Silas durch die Scheiben. *Der Schlussstein befindet sich irgendwo hier im Château!* Der hünenhafte Albino konnte es geradezu körperlich fühlen.

Auf gute Deckung bedacht, schlich er näher an die Scheiben, um zu lauschen, was drinnen gesagt wurde. Silas gab den Personen im Saal fünf Minuten. Wenn bis dahin kein Wort über den Verbleib des Schlusssteins gefallen war, musste er hinein und die Anwesenden mit dem bewährten Mittel der Gewalt zum Reden bringen...

Langdon sah die Verwunderung auf dem Gesicht seines Gastgebers.

»Jacques Saunière soll Großmeister gewesen sein?«, stieß Teabing hervor.

Sophie, der Teabings maßloses Erstaunen nicht entging, nickte.

»Aber wie wollen Sie das denn überhaupt wissen?«

»Jacques Saunière war mein Großvater.«

Teabing taumelte auf seinen Krücken zurück. Sein Blick traf Langdon, der bestätigend nickte. Teabing sah wieder Sophie an. »Miss Neveu, mir fehlen die Worte. Wenn das stimmt, bin ich zutiefst betrübt über Ihren Verlust. Sie müssen wissen, dass ich studienhalber Listen von Pariser Bürgern geführt habe, die nach meiner Einschätzung als Kandidaten für die Mitgliedschaft in der *Prieuré* in Frage kamen. Neben vielen anderen stand auch Jacques Saunière auf der Liste. Aber *Großmeister*, sagen Sie? Das fällt mir denn doch schwer zu glauben.« Teabing verstummte nachdenklich und schüttelte den Kopf. »Es spricht zu viel dagegen. Selbst wenn Saunière tatsächlich Großmeister der *Prieuré* gewesen wäre und den Schlussstein eigenhändig angefertigt hätte, würde er Ihnen *niemals* anvertraut haben, wie und wo der Stein zu finden ist. Der Schlussstein enthält die Wegbeschreibung zum lange gehüteten Schatz der *Prieuré*. Enkelin hin oder her, Miss Neveu, Sie gehören keinesfalls zu dem Personenkreis, der in dieses Wissen eingeweiht werden darf.«

»Saunière lag sterbend am Boden, als er diese Information weitergab«, sagte Langdon. »Er hatte keine andere Wahl.«

»Wozu hätte er eine andere Wahl gebraucht? Es gibt noch drei Seneschalle, die ebenfalls in das Geheimnis eingeweiht sind. Das ist ja das Großartige an diesem Geheimhaltungssystem. Wenn jemand zum Großmeister aufsteigt, rückt ein *neuer* Mann als Seneschall nach, der bei dieser Gelegenheit *neu* in das Geheimnis eingeweiht wird.«

»Offenbar haben Sie nur einen Teil der Fernsehnachrichten gesehen«, sagte Sophie. »Außer meinem Großvater wurden heute Nacht drei weitere prominente Pariser Bürger ermordet. Alle auf ganz ähnliche Weise. Und alle scheinen mit brutaler Gewalt zu einer Aussage erpresst worden zu sein.«

Teabing sah sie verblüfft an. »Und Sie nehmen an, diese drei anderen Ermordeten waren…?«

»Die Seneschalle«, vollendete Langdon den Satz.

»Aber wie ist das möglich? Wie soll ein Mörder die vier führenden Köpfe der *Prieuré de Sion* enttarnt haben? Nehmen Sie mich, zum Beispiel. Nach Jahrzehnten intensivster Nachforschungen kann ich Ihnen kein einziges Mitglied der *Prieuré* namentlich nennen! Es ist schlichtweg unmöglich, dass die drei Seneschalle und der Großmeister an einem einzigen Tag enttarnt und ermordet wurden.«

»Ich bezweifle, dass ihre Enttarnung das Werk eines einzigen Tages gewesen ist«, sagte Sophie. »Mir kommt die Sache wie ein wohl geplantes *décapiter* vor, ein präziser Schlag zur Enthauptung. Mit dieser Technik rücken wir beim DCPJ der organisierten Kriminalität zu Leibe. Wenn unsere Polizei eine bestimmte Gruppierung ausschalten will, wird sie über Monate hinweg überwacht, bis wir sämtliche Köpfe der Organisation namentlich kennen. Erst dann wird in einer genau abgestimmten Aktion zugeschlagen und die gesamte Führung gleichzeitig verhaftet. Damit ist die Organisation gleichsam enthauptet. Sie ist führungslos und versinkt im Chaos, was in den meisten Fällen weitere Informationen hervorbringt. Möglicherweise hat jemand über lange Zeit die *Prieuré* geduldig belauert und dann zugeschlagen, in der Hoffnung, dass die Führungsebene das Geheimnis des Schlusssteins preisgibt.«

Teabing wirkte nicht überzeugt. »Aber diese Männer würden niemals reden. Sie haben ein Gelübde abgelegt, das Geheimnis zu hüten, selbst angesichts des Todes!«

»Eben«, sagte Langdon. »Wenn diese Männer das Geheimnis *nicht* preisgeben, aber getötet werden ...«

Teabing schnappte nach Luft. »... wäre das Geheimnis vom Versteck des Heiligen Grals für immer verloren!« Er schien unter dem Gewicht dieser Vorstellung zu wanken, ließ sich in einen Sessel sinken und starrte durch die Scheiben nach draußen.

Sophie trat zu ihm. »Wenn man die verzweifelte Lage meines Großvaters bedenkt, halte ich es für möglich, dass er das Geheimnis an eine außen stehende Person weitergeben *musste* – eine Person, die er für vertrauenswürdig hielt. Jemand aus seiner Familie. Jemand wie mich.«

Teabing war blass geworden. »Aber wer sollte in der Lage sein, die *Prieuré* so gründlich auszuspionieren und einen solchen Schlag zu führen ...« Er verstummte, und ein Ausdruck des Entsetzens erschien auf seinem Gesicht. »Für ein Unterwanderungsmanöver dieses Kalibers kommt nur eine einzige Macht in Frage. Die älteste Feindin der *Prieuré de Sion*.«

Langdon sah Teabing an. »Die Kirche?«

»Wer sonst? Rom ist seit Jahrhunderten hinter dem Gral her!«

Sophie war skeptisch. »Sie glauben, die Kirche hätte meinen Großvater auf dem Gewissen?«

»Es wäre nicht das erste Mal in der Geschichte, dass die Kirche gemordet hätte, um sich zu schützen«, sagte Teabing. »Die Dokumente, die zum Heiligen Gral gehören, sind hochbrisant. Die Kirche hat seit Jahrhunderten versucht, ihrer habhaft zu werden, um sie zu vernichten.«

Langdon war skeptisch, was Teabings Theorie betraf, die moderne Kirche würde zum Mittel des plumpen Mordes greifen, um sich

Dokumente oder anderes zu verschaffen. Er hatte den neuen Papst und viele Kardinäle persönlich erlebt und wusste, dass diese Männer niemals ein Attentat gutheißen würden. *Egal, was auf dem Spiel steht.*

Sophie schien ähnliche Überlegungen anzustellen. »Wäre es nicht möglich, dass die Mitglieder der Bruderschaft von jemandem umgebracht wurden, der außerhalb der Kirche steht? Jemand, der die wahre Natur des Heiligen Grals überhaupt nicht kennt? Der Kelch Christi wäre schließlich eine ungeheure Verlockung. Schatzsucher haben schon für viel weniger getötet.«

»Nach meiner Erfahrung«, sagte Teabing, »legen die Menschen sich viel mehr ins Zeug, um zu vermeiden, wovor sie Angst haben, als um sich zu verschaffen, was sie begehren. Für mich riecht dieser Anschlag auf die *Prieuré* nach Verzweiflung.«

»Sir Leigh«, sagte Langdon, »ich halte Ihre Überlegung für widersinnig. Warum sollten Mitglieder der katholischen Geistlichkeit Mitglieder der *Prieuré* ermorden, um in den Besitz von Dokumenten zu gelangen, die in ihren Augen ohnehin falsche Informationen beinhalten?«

Teabing lachte leise. »Ihre Geistesschärfe hat im Elfenbeinturm von Harvard offenbar gelitten, Robert. Ganz recht – der römische Klerus ist mit einem alles überwindenden Glauben gesegnet, der ihm die Kraft gibt, sämtliche Stürme abzuwehren, wozu auch die Dokumente gehören, die alles in Frage stellen, was diesen Leuten lieb und teuer ist. Aber wie steht es mit jenen, denen diese Gewissheit des Glaubens fehlt? Was ist mit denen, die sich angesichts der grausamen Geschehnisse in unserer Welt fragen, wo Gott geblieben ist? Was ist mit denen, die angesichts der skandalösen Vorgänge in der Kirche die Frage stellen, wer eigentlich die Männer sind, die angeblich das Wort Gottes verkünden und gleichzeitig schamlos lügen, um den sexuellen Missbrauch von Kindern durch ihre eigene Priesterschaft zu vertuschen?« Teabing hielt inne. »Wie werden *diese* Leute reagieren, Robert, wenn stichhaltige Beweise auf den Tisch gelegt werden, dass die von der Kirche verbreitete biblische Geschichte von Jesus Christus mehr Dichtung als Wahrheit enthält?«

Langdon erwiderte nichts.

»Ich werde Ihnen sagen, was passiert, wenn diese Dokumente ans Tageslicht kommen, Robert«, fuhr Teabing fort. »Die katholische Kirche wird in die größte Krise ihrer zweitausendjährigen Geschichte stürzen!«

»Aber wenn die Kirche für diesen Anschlag verantwortlich ist«, sagte Sophie nach längerem Schweigen, »warum schreitet sie ausgerechnet jetzt zur Tat? Nach so vielen Jahrhunderten? Die *Prieuré* hält die Dokumente doch unter Verschluss. Sie sind für die Kirche keine unmittelbare Bedrohung.«

Teabing seufzte bedeutungsvoll und sah Langdon an. »Ich darf doch annehmen, Robert, dass Sie den endgültigen Auftrag der *Prieuré* kennen?«

Der Gedanke ließ Langdon den Atem stocken. »Durchaus!«

»Miss Neveu«, sagte Teabing, »zwischen der katholischen Kirche und der *Prieuré de Sion* hat es seit Urzeiten eine stillschweigende Übereinkunft gegeben. Die Kirche lässt die *Prieuré* in Ruhe, und die *Prieuré* lässt im Gegenzug die Sangreal-Dokumente im Keller. Nun war es aber stets erklärte Absicht der *Prieuré*, das Geheimnis eines Tages zu lüften. Wenn ein bestimmter Zeitpunkt in der Geschichte gekommen ist, will die Bruderschaft das Schweigen brechen und ihren letzten triumphalen Schlag führen, indem sie die wahre Geschichte Jesu Christi von den Berggipfeln ruft.«

Sophie sah Teabing schweigend an und setzte sich schließlich ebenfalls. »Offenbar gehen Sie davon aus, dass dieser Zeitpunkt unmittelbar bevorsteht. Und die Kirche? Ist sie auch dieser Ansicht?«

»Es ist nur eine Spekulation – aus der sich für die Kirche allerdings ein Motiv ergeben würde, die Dokumente mit einem einzigen vernichtenden Schlag in die Hand zu bekommen, bevor es zu spät ist.«

Langdon hatte das ungute Gefühl, dass einiges für Teabings Annahme sprach. »Glauben Sie, die Kirche wäre in der Lage, diesen selbst gesetzten Stichtag der *Prieuré* herauszufinden?«

»Warum nicht? Wenn wir annehmen, dass sie es geschafft

hat, die Identitäten des Großmeisters und seiner drei Seneschalle aufzudecken, kann sie durchaus auch die Pläne der *Prieuré* in Erfahrung gebracht haben. Und selbst wenn der Kirche das genaue Datum nicht bekannt ist, könnte sie von ihrem Aberglauben zum Handeln getrieben worden sein.«

»Aberglauben?« Sophie horchte auf.

»Den Prophezeiungen der Bibel zufolge befinden wir uns zurzeit in einem gewaltigen Umbruch. Mit dem Millenium, das wir erlebt haben, ist nach zweitausend Jahren das astrologische Zeitalter des Sternzeichens der Fische zu Ende gegangen – wobei der Fisch wohlgemerkt auch ein griechisches Anagramm für den Namen Jesus Christus ist. Jeder Kenner der Astrologie wird Ihnen sagen können, dass die zum eigenverantwortlichen Denken und Handeln unfähige Menschheit nach astrologischem Verständnis im Zeichen der Fische der Führung durch eine höhere Macht bedarf. Deshalb ist das Zeitalter der Fische die Ära der religiösen Inbrunst gewesen. Jetzt aber treten wir in das Zeitalter des Wassermanns ein, in dem die Ideale der Wahrheitsliebe und des eigenständigen Denkens zum Tragen kommen. Das bedeutet einen gewaltigen ideologischen Umbruch, den wir zurzeit ja auch erleben.«

Langdon fröstelte. Er selbst konnte mit der Astrologie wenig anfangen, doch er wusste, dass es viele Kirchenmänner gab, bei denen dies keineswegs der Fall war. »Die Kirche nennt diese Übergangsperiode das ›Ende der Zeit‹«, sagte er.

»Das Ende der Welt also? Die Apokalypse?«, fragte Sophie ängstlich.

»Nein«, erwiderte Langdon beruhigend, »das ist ein häufiges Missverständnis. Vom ›Ende der Zeit‹ ist in vielen Religionen die Rede, womit nicht das Ende der Welt gemeint ist, sondern das Ende des soeben ablaufenden Zeitalters der Fische, das in der Zeit um Christi Geburt begonnen und zweitausend Jahre angedauert hat und das mit der Wende ins dritte Jahrtausend ausklingt. Mit dem erfolgten Übergang ins neue Jahrtausend ist auch das ›Ende der Zeit‹ gekommen.«

»Unter Gralshistorikern herrscht die verbreitete Ansicht«,

meinte Teabing, »dass dieser symbolträchtige Zeitpunkt für die *Prieuré* besonders geeignet ist, mit der Wahrheit ans Licht zu treten, falls sie es tatsächlich beabsichtigt. Die meisten wissenschaftlichen Kenner der *Prieuré de Sion*, meine Wenigkeit eingeschlossen, waren der Ansicht, der Zeitpunkt, an dem die Bruderschaft an die Öffentlichkeit tritt, würde genau mit der Jahrtausendwende zusammenfallen. Das war offenkundig nicht der Fall, wobei es allerdings eine gewisse Grauzone gibt, da unser gregorianischer Kalender nicht genau mit der astrologischen Chronologie übereinstimmt. Ich vermag nicht zu sagen, ob die Kirche inzwischen Informationen über einen möglichen Zeitpunkt erlangt hat, an dem die *Prieuré* die Wahrheit enthüllt, oder ob sie aufgrund der Prophezeiungen einfach nur nervös geworden ist. Aber darauf kommt es auch gar nicht an. Den Anlass zu einem Präventivschlag gegen die *Prieuré* hätte die Kirche so oder so.« Teabing machte ein düsteres Gesicht. »Und glauben Sie mir, wenn die Kirche den Heiligen Gral findet, wird sie ihn vernichten, und die Dokumente und die Reliquien unserer gesegneten Maria Magdalena ebenfalls.« Teabings Blick wurde trüb. »Und wenn die Sangreal-Dokumente zerstört sind, ist jede Spur ausgelöscht. Dann, meine Liebe, hat die Kirche in ihrem seit Jahrhunderten geführten Kampf, die Geschichte umzuschreiben, die Oberhand behalten. Die Vergangenheit wird dann für immer ausradiert sein.«

Sophie zog den kreuzförmigen Schlüssel aus der Tasche und hielt ihn Teabing hin.

Der nahm ihn in die Hand und betrachtete ihn. »Mein Gott!«, rief er aus, »das Emblem der *Prieuré*! Wo haben Sie diesen Schlüssel her?«

»Von meinem Großvater. Er hat ihn mir heute Nacht zugespielt, bevor er starb.«

Teabing ließ die Finger über den kreuzförmigen Griff gleiten. »Ein Kirchenschlüssel?«

Sophie holte tief Luft. »Mit diesem Schlüssel gelangt man zum Schlussstein der *Prieuré*.«

Teabing zuckte zusammen. Verwunderung und Ratlosigkeit

spiegelten sich in seinem Blick. »Ausgeschlossen! Ich habe jede Kirche Frankreichs, die in Frage kommt, dahin gehend untersucht.«

»Der Schlussstein befindet sich nicht in einer Kirche«, sagte Sophie, »sondern im Depot einer Schweizer Bank.«

»In einer *Bank*?«, fragte Teabing.

»In einem Tresorkeller«, präzisierte Langdon.

»In einem *Tresor*keller?« Teabing schüttelte heftig den Kopf. »Das ist unmöglich. Der Schlussstein verbirgt sich unter dem Zeichen der Rose.«

»So ist es«, sagte Langdon. »Der Schlussstein befand sich in einem Rosenholzkasten mit einer Einlegearbeit, die eine fünfblättrige Rose zeigt.«

»Sie haben ihn gesehen?« Teabing zitterte am ganzen Körper.

Sophie nickte. »Wir sind in dieser Bank gewesen.«

Teabing erhob sich mühsam und trat dicht an Sophie und Langdon heran. In seinen Augen flackerte Angst. »Meine Freunde, wir müssen unbedingt etwas unternehmen. Der Schlussstein ist in Gefahr! Wir müssen ihn schützen, das ist unsere Pflicht! Was, wenn es noch mehr Schlüssel gibt, die möglicherweise den ermordeten Seneschallen gestohlen wurden? Wenn die Kirche sich Zutritt zu der Bank verschaffen kann, wie es offensichtlich auch Ihnen gelungen ist, dann ...«

»Dann kommt sie zu spät«, vollendete Sophie den Satz. »Wir haben den Stein mitgenommen.«

»*Was?* Sie haben den Schlussstein aus seinem Versteck geholt?«

»Keine Bange«, sagte Langdon. »Er ist gut aufgehoben.«

»*Sehr* gut aufgehoben, hoffe ich!«

Langdon konnte sich ein Grinsen nicht verkneifen. »Das hängt davon ab, wie oft unter Ihrem Sofa Staub gewischt wird.«

Der Wind, der um Château Villette strich, hatte aufgefrischt und ließ Silas' Kutte flattern. Noch immer kauerte der Albino im Dunkeln vor dem Fenster. Zwar hatte er kaum verstehen können, was drinnen gesprochen wurde, aber das Wort »Schlussstein« war mehrere Male bis zu ihm nach draußen gedrungen.

Er ist da drin.

Die Worte des Lehrers hafteten noch frisch in Silas' Gedächtnis. *Dringen Sie ins Château Villette ein. Bringen Sie den Schlussstein an sich. Aber verletzen Sie niemanden.*

Plötzlich waren Langdon und die anderen in einen anderen Raum gegangen und hatten die Lichter des riesigen Arbeitsraums hinter sich gelöscht. Als Silas sich geschmeidig zur großen Verandatür bewegte, kam er sich vor wie ein Panther, der seine Beute beschleicht. Die Tür war nicht wieder verriegelt worden. Silas schlüpfte hinein und verschloss die Tür leise hinter sich. Aus dem Nebenraum klangen gedämpfte Stimmen zu ihm. Er zog die Pistole aus der Tasche, entsicherte sie und schlich auf den Flur.

63. KAPITEL

Leutnant Collet stand am Anfang der Zufahrt zu Leigh Teabings Anwesen und schaute zu dem massigen Gebäude hinauf. *Isoliert. Dunkel. Gute Deckung.* Die acht Mann seines Kommandos waren geräuschlos am Zaun ausgeschwärmt. Binnen Minuten konnten sie hinübersteigen und das Château umstellen. Für einen Überraschungsschlag von Collets Einsatzkommando hätte Langdon keinen besseren Ort wählen können als das große Schloss mit dem weitläufigen Gelände.

Collet wollte gerade Fache anrufen, als sein Handy sich meldete und Fache selbst anrief. Der Capitaine schien von der jüngsten Entwicklung längst nicht so angetan, wie Collet erwartet hatte. »Warum hat man mir nicht mitgeteilt, dass wir Langdons Spur wieder aufgenommen haben?«

»Sie hatten gerade telefoniert, Chef, und ...«

»Wo ist Ihr genauer Standort, Leutnant Collet?«

Collet gab es durch. »Das Anwesen gehört einem britischen Staatsbürger namens Teabing«, fügte er hinzu. »Langdon hat eine ziemlich lange Fahrt in Kauf genommen, um hierher zu gelangen. Sein Wagen ist innerhalb der Umzäunung. Wir haben keine Anzeichen dafür gefunden, dass er sich gewaltsam Zutritt verschafft hat. Es ist eher davon auszugehen, dass Langdon den Bewohner des Anwesens kennt.«

»Ich komme zu Ihnen raus«, sagte Fache. »Bleiben Sie, wo Sie sind. Ich werde die Sache persönlich in die Hand nehmen.«

Collet machte ein langes Gesicht. »Aber Sie können in frühestens zwanzig Minuten hier sein. Wir sollten sofort etwas unternehmen, Chef! Ich habe den Täter hier auf dem Präsentierteller, und acht einsatzbereite Männer stehen zu meiner Verfügung! Vier sind mit Armeegewehren bewaffnet, die anderen haben Handfeuerwaffen und ...«

»Warten Sie auf mich!«

»Und was ist, wenn Langdon da drinnen Geiseln genommen hat, Capitaine? Wenn wir eingreifen wollen, muss es *sofort* geschehen! Meine Männer sind in Stellung und warten auf den Einsatzbefehl.«

»Leutnant Collet, Sie werden nichts unternehmen, bevor ich da bin. Das ist ein Befehl!« Fache unterbrach die Verbindung.

Auch Collet schaltete sein Handy aus. Er wusste, warum Fache ihm befohlen hatte, zu warten. Der Capitaine war mindestens so berühmt für seine Spürnase, wie er für seine Eitelkeit berüchtigt war. *Fache möchte die Lorbeeren für die Verhaftung selbst einheimsen.* Nachdem er dafür gesorgt hatte, dass das Gesicht des Amerikaners auf jeder Mattscheibe erschien, wollte er sichergehen, dass sein eigenes Gesicht mindestens ebenso oft über die französischen Bildschirme flimmerte. Collet hatte die undankbare Aufgabe, die Stellung zu halten, bis der Chef kam und den großen Zampano spielen konnte.

Während Collet noch an seinem Ärger kaute, schoss ihm eine andere Erklärung für die Verzögerung durch den Kopf. *Schadensbegrenzung.* Bei der Verhaftung eines Flüchtigen wurde nicht lange gefackelt, es sei denn, es waren Zweifel an seiner Schuld aufgekommen. *Hat Fache Bedenken, dass Langdon der richtige Mann ist?* Der Gedanke war alles andere als beruhigend. Fache hatte sich heute Nacht weit aus dem Fenster gelehnt, um Robert Langdon in die Finger zu bekommen – verdeckte Ermittlung, Interpol und jetzt die Fernsehfahndung. Nicht einmal der große Bezu Fache würde das innenpolitische Erdbeben überleben, wenn er einen prominenten amerikanischen Staatsbürger fälschlicherweise zum Mörder erklärt und eine Fernsehfahndung nach ihm losgetreten hatte ...

Falls Robert Langdon unschuldig war, überlegte Collet, lieferte dies auch eine Erklärung für eine der merkwürdigsten Ungereimtheiten dieses Falls. Sophie Neveu, die Enkelin des Opfers, würde nicht ausgerechnet dem angeblichen Mörder ihres Großvaters zur Flucht verhelfen – es sei denn, sie wüsste genau, dass Langdon unschuldig war.

Fache hatte für Sophies merkwürdiges Verhalten bereits sämtliche denkbaren und undenkbaren Erklärungen angeboten, einschließlich der Version, dass Sophie als Saunières Alleinerbin ihren heimlichen Geliebten Robert Langdon zum Mord an ihrem Großvater angestiftet hatte, der wiederum Verdacht geschöpft und der Polizei den Hinweis P. S. *Robert Langdon suchen* hinterlassen hatte. Doch Sophie Neveu war viel zu klug, um sich auf ein so verrücktes und riskantes Spiel einzulassen. Collet war sicher, dass hier etwas ganz anderes im Busch war.

»Leutnant?« Einer von Collets Beamten kam zu ihm gerannt. »Wir haben einen Wagen gefunden.«

Collet folgte dem Mann etwa fünfzig Meter über den Abzweig der Zufahrtsstraße hinaus. Der Beamte deutete auf das breite Bankett auf der anderen Straßenseite, wo fast unsichtbar im Gebüsch ein schwarzer Audi stand. Das Fahrzeug hatte die Nummernschilder einer Autovermietung. Collet legte die Hand auf die Motorhaube. Sie war noch warm, fast heiß.

»Mit diesem Wagen muss Langdon gekommen sein«, sagte Collet. »Rufen Sie die Autovermietung an. Fragen Sie nach, ob er gestohlen wurde.«

»Ja, Chef.«

Ein anderer Beamter winkte Collet zum Zaun herüber. »Leutnant, das sollten Sie sich mal ansehen«, sagte er und hielt Collet ein Nachtsichtgerät hin. »Die Baumgruppe am Ende der Zufahrt.«

Collet peilte die Kuppe des Hügels an und stellte das Glas scharf. Aus verschwommenen grünen Umrissen schälte sich langsam ein klares Bild heraus. Collet folgte der Zufahrt, schwenkte langsam zu der Baumgruppe – und konnte kaum fassen, was er sah. Dort, im üppigen Grün, stand ein Geldtransporter. Genau so ein Transporter wie der, den er zuvor aus der Zürcher Depositenbank gelassen hatte. Er schickte ein Stoßgebet zum Himmel, es möge sich um einen dummen Zufall handeln, doch er wusste, dass es keiner war.

»Langdon und Neveu sind offenbar mit diesem Lieferwagen aus der Bank entwischt«, meinte der Beamte.

Collet fehlten die Worte. Der Fahrer des Geldtransporters fiel ihm ein. Seine Rolex. Seine Ungeduld. *Du hast den Laderaum nicht kontrolliert!*

Jemand in der Bank musste die Polizei an der Nase herumgeführt und Langdon und Sophie zur Flucht verholfen haben. Collet konnte es kaum glauben. *Aber wer? Und warum?* Collet fragte sich, ob vielleicht *das* der Grund war, weshalb Fache ihm befohlen hatte, auf sein Erscheinen zu warten. Vielleicht war Fache dahinter gekommen, dass heute Nacht mehr Leute im Spiel waren als lediglich Langdon und Sophie.

Aber wenn Langdon und Neveu mit dem Geldtransporter gekommen sind, wer hat dann den Audi gefahren?

Hunderte von Kilometern weiter südlich raste eine gecharterte Beechcraft Baron 58 über das Tyrrhenische Meer nach Norden. Trotz des ruhigen Flugs hielt Bischof Aringarosa sich eine Tüte vors Gesicht. Er hatte das Gefühl, sich jeden Moment übergeben zu müssen. Das Telefonat mit Paris war alles andere als erwartungsgemäß verlaufen.

Aringarosa saß als einziger Passagier in der kleinen Kabine. Er drehte den goldenen Ring an seinem Finger und versuchte, seiner lähmenden Angst und Verzweiflung Herr zu werden. *In Paris ist alles schrecklich schief gegangen.* Aringarosa schloss die Augen und betete, dass es Bezu Fache gelingen möge, alles wieder ins Lot zu bringen.

64. KAPITEL

Teabing saß auf dem Sofa. Er hielt das Rosenholzkästchen auf den Knien und bewunderte die kunstvollen Intarsien auf dem Deckel. *Das ist die merkwürdigste und zugleich wunderbarste Nacht deines Lebens.*

»Klappen Sie den Deckel auf«, flüsterte Sophie, die neben Langdon stand und sich zu Teabing hinuntergebeugt hatte.

Teabing lächelte. *Jetzt nur keine Eile.* Nachdem er mehr als ein Jahrzehnt mit der Suche nach dem Schlussstein verbracht hatte, wollte er jede Sekunde dieses wundervollen Augenblicks voll auskosten. Seine Hand, die liebkosend über den Holzdeckel glitt, ertastete die Struktur der eingelegten Rosenblüte.

»Die Rose«, flüsterte er. *Die Rose ist Maria Magdalena und der Heilige Gral. Die Rose ist der Kompass, der uns den Weg weisen wird.* Teabing kam sich albern vor. Jahrelang hatte er in ganz Frankreich Kirchen und Kathedralen abgeklappert, hatte es sich viel Geld kosten lassen, überall Zutritt zu bekommen, hatte Hunderte von Gewölben inspiziert, die unter Rosenfenstern lagen, und einen Schlussstein gesucht, in den eine verschlüsselte Botschaft eingemeißelt war. *La clef de voûte – der Stein unter dem Zeichen der Rose.*

Teabing löste bedächtig den Verschluss und hob den Deckel. Als sein Blick den Inhalt erfasste, wusste er sofort, dass es nur der Schlussstein sein konnte – ein Steinzylinder, der aus sorgfältig zusammengefügten, mit Buchstabenmarkierungen versehenen und gegeneinander drehbaren Segmenten bestand. Der Gegenstand kam ihm irgendwie bekannt vor.

»Es ist ein Entwurf aus Leonardo da Vincis Skizzenbüchern«, sagte Sophie. »Mein Großvater hat ihn in seiner Freizeit angefertigt.«

Natürlich! Teabing erinnerte sich an die Zeichnungen und Entwürfe Leonardos. *In diesem Stein befindet sich der Schlüssel zum Heiligen Gral.* Teabing nahm das schwere Kryptex heraus und wog es behutsam in der Hand. Er spürte, dass sein eigenes Schicksal im Innern dieses Steines beschlossen lag, auch wenn er keine Ahnung hatte, wie er zu öffnen war. In Augenblicken fehlgeschlagener Hoffnung hatte Teabing oft am Erfolg seiner lebenslangen Suche gezweifelt. Diese Zweifel waren nun für immer verflogen. Er konnte die uralten Worte hören... die Quintessenz der Gralslegende.

Vous ne trouvez pas le Saint-Graal, c'est le Saint-Graal qui vous trouve.

Du wirst den Heiligen Gral nicht finden. Der Heilige Gral findet dich.

Und heute Nacht – es war kaum zu fassen – war der Wegweiser zum Gral zu seiner Tür hereinspaziert...

Während Sophie und Teabing sich auf dem Sofa über die Einstellscheiben, das mögliche Passwort und den Selbstvernichtungsmechanismus unterhielten, hatte Langdon das Kästchen zu einem gut ausgeleuchteten Tisch getragen, um es besser in Augenschein nehmen zu können. Teabing hatte vorhin einen Satz gesagt, der Langdon nicht mehr aus dem Kopf ging...

Der Schlüssel zum Gral liegt unter dem Zeichen der Rose.

Langdon hielt das Holzkästchen ans Licht und untersuchte die Einlegearbeit mit der Rose. Er war zwar kein Kenner von Holzschnitzereien und Intarsienkunst, erinnerte sich jedoch an das berühmte Kloster bei Madrid, wo sich Jahrhunderte nach der Errichtung des Bauwerks die Paneele der Holzdecke gelöst hatten und darunter die von Mönchen in den einst noch frischen Putz gekratzten heiligen Inschriften zum Vorschein gekommen waren.

Langdon betrachtete die Rose.

Unter der Rose.

Sub rosa.

Geheim.

Ein Geräusch auf dem Flur ließ ihn herumfahren, doch im Zwielicht hinter der offenen Tür war nichts zu erkennen. Es konnte nur Teabings Butler gewesen sein. Langdon wandte sich wieder dem Kästchen zu. Konnte man die Rose vielleicht herausheben? Er ließ den Finger über den Rand der Intarsien gleiten, doch die Passform war perfekt. Nicht mal eine Rasierklinge hätte man zwischen die Rose und den Rand der sorgfältig ausgesparten Vertiefung schieben können, in die sie eingearbeitet war.

Langdon öffnete den Kasten und betrachtete den Deckel von innen. Auch hier war alles vollkommen glatt. Als er den Kasten im Licht ein bisschen drehte, glaubte er genau in der Mitte des Deckels ein kleines Loch zu erkennen. Langdon schloss den Deckel wieder und betrachtete die Einlegearbeit mit dem Symbol noch einmal von außen. Kein Loch.

Das Loch geht nicht durch.

Langdon setzte den Kasten wieder ab und sah sich um. Ein paar Blätter, von einer Büroklammer zusammengehalten, lagen auf einem Tischchen. Er nahm die Büroklammer an sich, trat wieder an den Tisch, klappte den Kasten auf und studierte die kleine Öffnung. Geschickt bog er die Büroklammer auseinander und schob das Ende in das Loch. Als er vorsichtig ein wenig drückte, fiel leise klappernd etwas auf die Tischplatte. Die Rose war aus ihrer Vertiefung gesprungen.

Langdon betrachtete die Stelle, an der die Rose gesessen hatte, und es verschlug ihm die Sprache. Im unbearbeiteten Holz der Vertiefung schienen in makelloser Handschrift vier Zeilen auf, doch Schrift und Sprache waren ihm völlig unbekannt.

Die Buchstaben sehen semitisch aus, dachte Langdon, *aber du kannst nicht einmal die Sprache erkennen.*

Eine plötzliche Bewegung hinter ihm riss ihn aus seinen Gedanken. Wie aus dem Nichts traf ihn ein schwerer Hieb auf den Kopf.

Während Langdon in die Knie ging, glaubte er einen Sekundenbruchteil lang einen riesigen, bleichen Geist mit einer Pistole in der Hand über sich hinwegschweben zu sehen. Dann wurde alles schwarz.

65. KAPITEL

Sophie Neveu arbeitete zwar für die Polizei, doch bis zu dieser Nacht hatte ihr noch niemand eine Pistole unter die Nase gehalten. Noch verrückter aber war, dass die Waffe, in deren Mündung Sophie jetzt starrte, sich in der bleichen Hand eines hünenhaften Albinos mit langen weißen Haaren befand. Er musterte Sophie aus roten Augen, die auf Furcht erregende Weise körperlos wirkten. In seiner groben Kutte mit dem Strick um die Hüften sah er wie eine Mönchsgestalt aus dem Mittelalter aus. Sophie hatte nicht die leiseste Ahnung, wer dieser Riese war, doch ihr Respekt vor Teabing, der die Kirche hinter den Ereignissen vermutete, bekam neue Nahrung.

Die Stimme des Mönchs klang hohl. »Sie wissen, weshalb ich gekommen bin.«

Sophie und Teabing saßen auf dem Sofa und hielten die Arme in die Höhe, wie der Eindringling es von ihnen verlangt hatte. Langdon lag stöhnend am Boden.

Der Blick des Mönchs ruhte auf dem Kryptex.

»Sie werden es nicht aufbekommen«, sagte Teabing mit fester Stimme und drückte das Kryptex an sich.

»Mein Lehrer ist ein weiser Mann«, gab der Mönch zurück und kam langsam näher. Die Mündung seiner Waffe zeigte abwechselnd auf Teabing und Sophie.

Sophie fragte sich, wo Teabings Butler blieb. *Der Mann muss doch etwas gehört haben!*

»Wer ist Ihr Lehrer?«, fragte Teabing. »Man könnte doch eine finanzielle Vereinbarung treffen.«

»Der Gral hat keinen Preis.« Der Mönch kam noch näher.

»Sie bluten ja«, bemerkte Teabing ruhig und deutete mit dem Kinn auf den rechten Knöchel des Mönchs, wo ein Blutrinnsal unter dem Saum der Kutte hervorsickerte. »Und Sie humpeln.«

»Sie auch«, gab der Mönch zurück und wies auf die Leichtmetallkrücken, die neben Teabing an der Sofakante lehnten. »Nun geben Sie schon den Schlussstein her.«

»Sie … wissen vom Schlussstein?«, sagte Teabing überrascht.

»Es geht Sie nichts an, was ich weiß. Stehen Sie auf, und reichen Sie mir den Stein herüber.«

»Ich kann aber nur ganz langsam aufstehen.«

»Umso besser. Sie sollten nämlich keine schnellen Bewegungen machen.«

Teabing legte den rechten Arm bis zum Ellbogen in eine der Krücken. Das Kryptex in der Linken, stemmte er sich hoch, bis er unsicher aufrecht stand. Auf der Handfläche der ausgestreckten Linken hielt er dem Mönch den schweren Steinzylinder hin.

Der Mönch trat bis auf Armlänge heran, die Pistole auf Teabings Kopf gerichtet. Sophie musste hilflos zusehen, wie er die Hand nach dem Steinzylinder ausstreckte.

»Sie werden es nicht schaffen«, sagte Teabing. »Nur wer dessen würdig ist, kann den Stein öffnen.«

Gott allein bestimmt, wer würdig ist, dachte Silas.

»Er ist ziemlich schwer«, sagte Teabing, dessen Arm herabzusinken drohte. »Wenn Sie mir den Stein nicht bald abnehmen, muss ich ihn fallen lassen.« Er schwankte gefährlich.

Als Silas vorsprang, um den Stein an sich zu reißen, verlor Teabing das Gleichgewicht. Die Krücke rutschte unter ihm weg, und er kippte nach rechts.

Nein! Silas ließ die Waffe sinken und hechtete vor, um den Stein zu retten, der jedoch immer weiter aus seiner Reichweite geriet, da der stürzende Teabing ihn mit der Linken schräg nach hinten aufs Sofa fallen ließ. Gleichzeitig schien die Krücke, die unter ihm weggeglitten war, sich selbstständig zu machen. Blitzschnell fuhr sie in die Höhe und beschrieb einen eleganten

Bogen, der jäh und präzise auf dem Bußgürtel an Silas' Oberschenkel endete.

Die Stacheln bohrten sich tief in Silas' ohnehin wundes Fleisch.
Der Schmerz jagte wie eine explodierende Splitterbombe durch
seinen Körper. Er krümmte sich, brach in die Knie. Im Fallen
löste sich aus seiner Waffe mit ohrenbetäubendem Krachen ein
Schuss. Das Projektil fuhr harmlos in die Dielen des Parkettbodens. Als Silas die Waffe hochzureißen versuchte, traf ihn Sophies
Schuh an der Kinnspitze.

Am Fuß der Zufahrt vernahm Collet das gedämpfte Geräusch
eines Schusses. Panik stieg in ihm auf. Nun, da Fache nach hier
unterwegs war, hatte Collet bereits jede Hoffnung aufgegeben,
den Ruhm einheimsen zu können, Langdon gefasst zu haben. Nun
fehlte ihm nur noch, dass Fache ihm ein Disziplinarverfahren wegen Vernachlässigung der Dienstpflicht anhängte.

*In dem Schloss wurde eine Waffe abgefeuert, und Sie, Collet, haben
am Ende der Zufahrt gestanden, ohne einzugreifen?*

Collet wusste, dass die Gelegenheit für einen Überraschungsschlag längst vertan war. Er wusste aber auch, dass seine Karriere
bei Anbruch des Morgengrauens zu Ende war, wenn er nur noch
eine Sekunde tatenlos herumstand. Er beäugte das eiserne Gitter-
tor und fasste einen Entschluss.

»Spannt zwei Wagen an und reißt das Tor nieder!«

Irgendwo in seinem umnebelten Hirn hörte Langdon das Dröhnen
eines Schusses und einen Schmerzensschrei. Seinen eigenen? Ein
Presslufthammer schien ein Loch in seinen Hinterkopf zu bohren.
Ganz in der Nähe glaubte er aufgeregte Stimmen zu hören.

»Rémy! Wo steckten Sie denn, zum Teufel?«, rief Teabing.

Der Butler kam herbeigerannt. »Was ist geschehen? O Gott,
wer ist denn das? Ich rufe sofort die Polizei!«

»Nein, das werden Sie nicht tun, verdammt noch mal! Nun
machen Sie sich endlich nützlich! Besorgen Sie uns etwas, womit
wir dieses Monstrum fesseln können.«

»Und ein paar Eiswürfel!«, rief Sophie dem Butler hinterher.

Für einen Moment verlor Langdon erneut das Bewusstsein; dann hörte er wieder Stimmen. Er lag auf einem Sofa, und Sophie drückte ihm einen Eisbeutel auf den Kopf. In seinem Schädel brummte es wie ein Hornissenschwarm. Als er langsam wieder klarer sehen konnte, fiel sein Blick auf eine Gestalt, die auf dem Boden lag – ein mit dickem Klebeband gefesselter und geknebelter hünenhafter Albino im Mönchsgewand. An seinem Kinn prangte eine Platzwunde, und seine Kutte war am rechten Schenkel mit Blut durchtränkt. Auch dieser Riese schien gerade wieder zu sich zu kommen.

»Wer ist das? Was… ist denn passiert?«, stammelte Langdon.

Teabing kam zu ihm gehinkt. »Ein Ritter hat Sie mit seinem Schwert aus der Orthopädiewerkstatt gerettet.«

Was? Langdon versuchte sich aufzusetzen.

Sophie drückte ihn mit einer sanften Berührung in die Kissen zurück. »Gönnen Sie sich noch ein paar Minuten Ruhe, Robert.«

»Ich fürchte, ich habe Ihrer Begleiterin soeben eine Demonstration der unfreiwilligen Vorzüge meines Leidens geliefert«, meinte Teabing. »Ich habe den Eindruck, ich werde manchmal etwas unterschätzt.«

Langdon setzte sich langsam auf, betrachtete den riesigen Mönch und versuchte sich vorzustellen, was geschehen war.

»Er hat einen Bußgürtel getragen«, sagte Teabing.

»Einen was?«

Teabing deutete auf ein blutiges, dornenbesetztes Lederband auf dem Boden. »Ein Band, das der Selbstkasteiung dient. Er hat es um den Oberschenkel getragen. Ich habe genau darauf gezielt.«

Langdon rieb sich den Schädel. »Aber wie konnten Sie wissen…«

Teabing grinste. »Christliche Sekten sind mein Spezialgebiet, Robert. Manche machen gar kein Geheimnis aus ihren Praktiken.« Er deutete auf die blutgetränkte Kutte des Mönchs. »Wie in diesem Fall.«

»Opus Dei«, flüsterte Langdon. Er erinnerte sich an das Medienspektakel, das unlängst mehrere bekannte Bostoner Geschäftsleute verursacht hatten, allesamt Mitglieder von Opus Dei. Alarmierte Berufskollegen hatten sie fälschlicherweise öffentlich bezichtigt, unter ihren Dreiteilern Bußgürtel zu tragen, wovon in Wirklichkeit natürlich keine Rede war. Wie die meisten Mitglieder von Opus Dei waren diese Männer »Supernumerarier« und praktizierten keine körperliche Selbstkasteiung. Sie waren bloß fromme Katholiken und treu sorgende Familienväter, die sich nachdrücklich für das Wohl ihrer Gemeinden einsetzten. Es konnte kaum überraschen, dass die Medien dem geistigen und sozialen Engagement dieser Männer wenig Raum gewährten, um desto beflissener mit den strengeren Praktiken der ranghöheren »Numerarier« Sensationsmache zu betreiben, Mitglieder des Opus Dei – wie der Mönch, der jetzt vor Langdon auf dem Boden lag.

Teabing inspizierte den blutigen Lederriemen. »Dann ist also Opus Dei hinter dem Heiligen Gral her ...«

Langdon war viel zu erschöpft, um darüber nachzudenken.

»Was ist das, Robert?«, fragte Sophie und hielt die flache hölzerne Rose hoch, die Langdon vom Deckel des Kastens gelöst hatte.

»Darunter steht etwas im Deckel. Der Text kann uns möglicherweise verraten, wie wir das Kryptex aufbekommen.«

Bevor Sophie und Teabing antworten konnten, heulten am Fuß des Hügels Martinshörner los, und eine Karawane blitzender Blaulichter schlängelte sich die anderthalb Kilometer lange Zufahrt herauf.

Teabing runzelte die Stirn. »Liebe Freunde, ich glaube, jetzt muss eine Entscheidung getroffen werden. Und zwar schnell.«

66. KAPITEL

Collet und seine Beamten stürmten mit gezogenen Waffen durch die Eingangstür von Sir Leigh Teabings noblem Wohnsitz und schwärmten im Erdgeschoss aus, um die Räume zu durchsuchen. Im Salon fanden sie ein Einschussloch im Boden, ein wenig eingetrocknetes Blut, einen seltsamen Riemen mit Stacheln und eine zur Hälfte aufgebrauchte Rolle Textilklebeband. Ansonsten wirkte das gesamte Erdgeschoss verlassen.

Collet wollte seine Männer gerade zur Durchsuchung des Kellers und des Außenbereichs hinter dem Haus einteilen, als er auf der ersten Etage Stimmen hörte.

»Sie sind oben!«

Er stürmte mit seinen Leuten die breite Treppe hinauf. Unter Absicherung der ungezählten Flure und Gästezimmer arbeiteten sie sich Zimmer für Zimmer zu einem Raum am Ende eines langen Ganges vor, aus dem die Stimmen zu kommen schienen. Collets Beamte schlichen den Flur entlang und versperrten sämtliche möglichen Fluchtwege.

Die Tür des letzten Zimmers stand weit offen. Plötzlich endete das Stimmengewirr, und ein sonores Brummen war zu hören, wie von einem Automotor.

Mit erhobener Waffe gab Collet seinen Männern ein Zeichen. Er griff um den Türrahmen herum, tastete nach dem Schalter und knipste das Licht an. Als die Beleuchtung aufflammte, wirbelte er an der Spitze seiner Männer ins Zimmer. Mit dem Ruf »Hände hoch, Polizei!«, richtete er die Waffe auf… gar nichts.

Keuchend stand er in einem unberührten Gästezimmer.

Das Motorgeräusch drang aus einem schwarzen Kunststoffkästchen neben dem Bett an der Wand. Collet hatte diese Kästchen schon anderswo im Haus gesehen. Es waren die Lautsprecher der Rufanlage. Drei schnelle Schritte, und Collet stand vor dem Kästchen. Unter dem Lautsprecher befand sich ein halbes Dutzend beschrifteter Tasten:

ARBEITSZIMMER ... KÜCHE ... HAUSHALTS-
ZIMMER ... KELLER ...

Verdammt, wieso hörst du ein Auto?

SCHLAFZIMMER ... SOLARIUM ... GARAGE ...
BIBLIOTHEK

Die Garage! Binnen weniger Sekunden war Collet wieder unten und rannte zur Hintertür. Unterwegs hatte er einen seiner Beamten aufgelesen. Nach einem Sprint über den Rasen hinter der Villa gelangten beide Männer atemlos vor ein verwittertes graues Nebengebäude. Sie hatten die Tür noch nicht erreicht, als Collet das Geräusch eines davonfahrenden Wagens vernahm, das rasch leiser wurde, als das Fahrzeug sich entfernte. Die Waffe gezogen, riss Collet die Tür auf, stürmte ins Zimmer und schaltete das Licht an.

Rechts befand sich eine Art Werkstatt: Rasenmäher, Gartengeräte, Autowerkzeuge. An der Wand hing das vertraute Kästchen der Rufanlage. Eine der Tasten war gedrückt und blinkte:

GÄSTEZIMMER II

Collet fuhr wutentbrannt herum. *Wir haben uns wie die letzten Trottel mit der Rufanlage nach oben locken lassen!*

Als er die andere Seite des Nebengebäudes inspizierte, stieß er auf eine lange Reihe Pferdeboxen. Der Besitzer schien jedoch eine andere Art von Pferdestärken zu bevorzugen, denn man hatte die Boxen zu Unterstellplätzen für nagelneue Nobelkarossen und wertvolle Oldtimer umgebaut. Die Sammlung konnte sich sehen lassen – ein schwarzer Ferrari, ein nagelneuer Rolls Royce, ein Aston Martin Coupé, ein Porsche 356 ...

Die letzte Box war leer.

Collet ging dorthin. Auf dem Boden waren Ölflecken. Collet grinste. *Die kommen nicht weit.* Der Leutnant hatte Zufahrt und Tor durch quer gestellte Streifenwagen sperren lassen.

»Chef?« Der Beamte, der mit Collet gekommen war, deutete auf ein großes Schiebetor in der Rückseite des Schuppens, das weit offen stand. Ein unwegsames, morastiges Wiesengelände erstreckte sich dahinter, bis es mit der Dunkelheit der Nacht verschmolz. Collet rannte zum Tor und versuchte, etwas zu erkennen. Nirgends war ein Scheinwerferpaar zu sehen. Am Horizont war der dunkle Schatten eines Waldsaums auszumachen. Das Waldstück war vermutlich von Dutzenden Forstpfaden durchzogen, die auf keiner Landkarte verzeichnet waren, doch Collet war zuversichtlich, dass die Flüchtigen es niemals durch dieses Waldgebiet schafften. »Ein paar Männer sollen dort unten ausschwärmen. Unsere Ausflügler sind mit ihrem schmucken Sportflitzer vermutlich schon stecken geblieben.«

»Würde ich nicht unbedingt sagen, Chef.« Der Beamte wies auf ein Schlüsselbrett, an dem verschiedene Autoschlüssel hingen. Über den Haken waren Schildchen mit wohlklingenden Namen angebracht:

DAIMLER ... ROLLS ROYCE ... ASTON MARTIN ... PORSCHE ...

Der letzte Haken war leer. Am dazugehörigen Schildchen erkannte Collet, dass er in der Tinte saß.

67. KAPITEL

D er Range Rover war schwarzmetallic, hatte Allradantrieb, Schaltgetriebe, Xenon-Scheinwerfer, Kombiheckleuchten und – Rechtslenkung.

Langdon war froh, dass er nicht fahren musste.

Teabings Butler Rémy, von seinem Herrn mit Anweisungen wohl versorgt, lenkte den Wagen durch das vom schwachen Mondlicht beschienene Wiesengelände hinter Château Villette. Er erwies sich als beeindruckend geschickter Fahrer. Ohne die Scheinwerfer einzuschalten, hatte er eine Hügelkuppe überwunden und fuhr jetzt zielstrebig auf der anderen Seite den flach abfallenden Hang hinunter, dem gezackten Waldrand in der Ferne entgegen.

Langdon saß auf dem Beifahrersitz, die Schatulle mit dem Kryptex in den Armen. Er wandte sich zu Sophie und Teabing um, die auf der Rückbank saßen.

»Wie geht es Ihrem Kopf?«, erkundigte Sophie sich besorgt.

Langdon rang sich ein gequältes Lächeln ab. »Danke, schon viel besser.« Die Kopfschmerzen brachten ihn fast um.

Über die Schulter betrachtete Teabing den gefesselten und geknebelten Mönch, der in das enge Gepäckabteil hinter der Rücksitzlehne gepfercht war. Teabing hatte die Pistole des Albinos auf dem Schoß; er sah aus wie ein britischer Großwildjäger, der sich für das Trophäenfoto über seine erlegte Beute beugt.

»Was bin ich froh, dass Sie heute Nacht bei mir reingeschaut haben, Robert«, sagte Teabing und grinste.

»Tut mir Leid, Sir Leigh, dass ich Sie in diese Sache hineingezogen habe.«

»Mein Gott, ich warte schon mein Leben lang darauf, endlich hineingezogen zu *werden*!« Teabing spähte an Langdon vorbei zur Frontscheibe hinaus. Ein langer Heckenrain tauchte auf. Teabing tippte Rémy auf die Schulter. »Denken Sie daran, keine Bremslichter! Wenn gebremst werden muss, dann mit der Handbremse. Wir müssen erst ein Stück im Wald sein. Ich will nicht riskieren, dass man uns vom Château aus sehen kann.«

Rémy drosselte den Range Rover auf Schritttempo und lenkte ihn geschickt durch eine Lücke in der Hecke. Der Wagen schlingerte auf einen Weg, der zwischen den Bäumen verschwand. Unter den überhängenden Ästen erlosch das Mondlicht augenblicklich.

Jetzt sieht man gar nichts mehr, dachte Langdon. Angestrengt blickte er in die pechschwarze Dunkelheit. Zweige streiften mit kratzendem Geräusch über die linke Wagenseite. Rémy lenkte ein wenig nach rechts und fuhr etwa dreißig Meter in den stockfinsteren Wald hinein.

»Sie machen das hervorragend, Rémy«, sagte Teabing. »Das ist jetzt weit genug. Robert, wären Sie so nett, den kleinen Kippschalter direkt unter der Lüftungsdüse zu betätigen? Haben Sie ihn?«

Langdon hatte den Schalter ertastet. Als er ihn betätigte, fiel sanftes gelbes Licht auf den Waldweg, der zwischen dichtem Unterholz verlief. *Nebelleuchten*, dachte Langdon erleichtert – gerade hell genug, um den Weg zu finden, aber nicht so hell, dass sie das Fahrzeug verraten konnten.

»Mein lieber Rémy«, verkündete Teabing gut gelaunt, »das Licht ist an. Unser Leben liegt in Ihrer Hand.«

»Wo wollen wir eigentlich hin?«, fragte Sophie.

»Dieser Pfad führt ungefähr drei Kilometer quer durch meinen Privatforst«, erklärte Teabing. »Dann schwenkt er nach Norden ab. Falls wir unterwegs nicht in einem Wasserloch stecken bleiben oder gegen einen umgestürzten Baumstamm fahren, kommen wir hoffentlich unbeschadet an der E 5 heraus.«

Unbeschadet? Langdons Schädel war anderer Ansicht.

Langdon blickte auf das hölzerne Kästchen mit dem Schluss-stein, das in seinem Schoß ruhte. Die Rosenintarsie war wieder an ihrem Platz. Trotz der rasenden Kopfschmerzen brannte Langdon darauf, die Rose wieder zu entfernen und die darunter eingravierte Schrift näher zu untersuchen. Er entriegelte den Deckel. Als er ihn öffnen wollte, spürte er Teabings Hand auf der Schulter.

»Geduld, Robert. Hier ist es viel zu finster. Sie konnten die Schrift schon im Hellen nicht entziffern – wie soll es da im Dun-keln gelingen? Und bei diesem Geholpere? Lassen Sie uns erst heil hier raus sein. Sie bekommen Ihre Chance noch früh genug.«

Langdon musste Teabing Recht geben. Er nickte und verrie-gelte den Deckel wieder.

Der hünenhafte Mönch zerrte mit dumpfem Stöhnen an den Fesseln; dann trat er plötzlich wild mit den Beinen.

Teabing fuhr herum und richtete die Pistole auf den Gefange-nen. »Guter Mann, ich begreife nicht, weshalb Sie sich so echauf-fieren. Sie sind in mein Heim eingedrungen und haben einem lieben Freund eins über den Schädel gezogen. Ich hätte nicht übel Lust, Sie abzuknallen und hier im Wald verrotten zu lassen.«

Der Mönch wurde wieder still.

»Sind Sie sicher, dass es eine gute Idee war, ihn mitzuneh-men?«, fragte Langdon.

»Und ob!«, rief Teabing. »Robert, dieser Mistkerl ist Ihre Fahrkarte in die Freiheit. Sie werden wegen Mordes gesucht. Die Polizei ist offenbar so sehr an Ihnen interessiert, dass sie Ihnen bis zu meinem bescheidenen Heim gefolgt ist.«

»Das war meine Schuld«, sagte Sophie. »Der Geldtransporter hatte vermutlich einen Transponder.«

»Das ist nicht der Punkt«, wandte Teabing ein. »Es wundert mich nicht, dass die Polizei Sie gefunden hat, aber es würde mich doch interessieren, wie diese Opus-Dei-Kreatur Sie aufgespürt hat. Nach allem, was Sie mir erzählt haben, kann ich mir nicht erklären, wie dieser Mann Ihnen zum Château folgen konnte, es sei denn, er hat entweder bei der Polizei oder bei der Bank einen Informanten.«

Langdon dachte darüber nach. Bezu Fache hatte es offenbar sehr nötig, für die Morde dieser Nacht einen Sündenbock zu finden. Und Vernets Angriff war ziemlich unvermutet gekommen – obwohl sein Gesinnungswandel im Grunde verständlich war, wenn man bedachte, dass Langdon unter vierfachem Mordverdacht stand.

»Dieser Klosterbruder arbeitet nicht allein, Robert«, sagte Teabing, »und solange wir nicht wissen, wer seine Hintermänner sind, schweben Sie beide in Gefahr. Aber es gibt eine gute Nachricht, mein Freund: Von jetzt an sind Sie am Drücker. Dieses Monstrum hinter mir weiß zu viel. Wer immer den Kerl am Gängelband hat – sein Chef muss jetzt ziemlich nervös geworden sein.«

Rémy kam mit den Wegverhältnissen inzwischen gut zurecht und fuhr ein wenig schneller.

Teabing deutete auf das Autotelefon unter dem Armaturenbrett. »Robert, seien Sie doch so nett und geben Sie mir das Telefon nach hinten.« Langdon reichte ihm den Apparat. Teabing wählte. Er musste sehr lange warten, bis abgehoben wurde. »Richard? Habe ich Sie geweckt? Dumme Frage, natürlich habe ich Sie geweckt. Tut mir Leid. Ich habe ein kleines Problem. Fühle mich leider nicht besonders … Rémy und ich müssen mal rasch auf die Insel rüber zum Onkel Doktor … Es muss leider ein bisschen schnell gehen, jetzt sofort, um genau zu sein. Tut mit Leid, dass ich mich nicht früher melden konnte. Können Sie Elizabeth in zwanzig Minuten startklar bekommen? … Ist mir klar, aber ich weiß, dass ich mich auf Sie verlassen kann. Bis gleich.« Er unterbrach die Verbindung.

»Elizabeth?«, fragte Langdon.

»Mein Flugzeug. Die Mühle kostet mich so viel wie die Apanage einer Königin.«

Langdon drehte sich im Sitz um und sah Teabing mit großen Augen an.

»Was ist?«, sagte Teabing. »Wollen Sie etwa in Frankreich bleiben und die gesamte Polizeibehörde auf dem Hals haben? In London sind Sie wesentlich sicherer.«

Sophie meldete sich zu Wort. »Sie halten es für besser, wir verlassen das Land?«

»Werte Freunde«, meinte Teabing, »drüben in der zivilisierten Welt reicht mein Einfluss wesentlich weiter als in Frankreich. Außerdem heißt es, der Gral befände sich in Großbritannien. Wenn wir das Kryptex aufbekommen, werden wir eine Karte finden und feststellen, dass wir uns in die richtige Richtung bewegt haben, da bin ich sicher.«

»Sie gehen ein großes Risiko ein, indem Sie uns helfen«, sagte Sophie. »Damit werden Sie sich bei der französischen Polizei keine Freunde machen.«

Teabing machte eine wegwerfende Geste. »Mit Frankreich bin ich fertig«, schnaubte er. »Ich bin nur hergezogen, um den Schlussstein zu finden. Das ist passé. Mir soll's recht sein, wenn ich Château Villette nicht mehr wiedersehe.«

»Wie wollen Sie uns am Flugplatz durch die Kontrollen bringen?«, fragte Sophie unsicher.

»Ich fliege von Le Bourget«, entgegnete Teabing und grinste. »Ein Platz für Geschäftsflieger, nicht weit von hier. Französische Ärzte machen mich immer nervös, wissen Sie, deshalb fliege ich alle vierzehn Tage zur Behandlung nach England hinüber. Ich habe mir hüben und drüben gewisse Privilegien erkauft. Wenn wir in der Luft sind, können Sie sich überlegen, ob drüben bei der Ankunft jemand von der amerikanischen Botschaft auf Sie warten soll.«

Langdon wollte plötzlich nichts mehr mit der amerikanischen Botschaft zu tun haben. Sein ganzes Streben war jetzt auf den Schlussstein gerichtet, auf die Inschrift und die Frage, ob sie sich auf dem richtigen Weg zum Gral befanden. Er überlegte, ob Teabing richtig lag, was England betraf. In der Tat vermuteten die meisten modernen Grallegenden den Heiligen Gral irgendwo in England. Inzwischen hieß es sogar, König Artus' mystische Insel Avalon sei nichts anderes als das englische Städtchen Glastonbury. Aber wo immer der Gral auch sein mochte – Langdon hätte nie gedacht, dass er sich jemals aktiv an der Gralssuche beteiligen würde.

Die Sangreal-Dokumente, die wahre Geschichte Jesu Christi, die Grabstätte der Maria Magdalena…

Langdon hatte plötzlich das Gefühl, in eine Art Niemandsland geraten zu sein, in eine Zeitblase ohne Verbindung zur wirklichen Welt.

Rémy meldete sich zu Wort. »Sir? Gedenken Sie endgültig nach England zurückzukehren?«

»Machen Sie sich deswegen keine Sorgen, Rémy«, sagte Teabing tröstend. »Meine Rückkehr ins Königreich bedeutet noch lange nicht, dass ich meinen Gaumen für den Rest meiner Tage von der britischen Küche malträtieren lasse. Ich würde mich freuen, wenn Sie mir auch in Zukunft das Vergnügen Ihrer Dienste gönnen, in einem herrschaftlichen Haus in Devonshire, das ich zu erwerben beabsichtige. Man wird Ihre Effekten unverzüglich dorthin verbringen. Das wird ein Abenteuer, Rémy. Ein Abenteuer, sage ich Ihnen!« Teabings Vorfreude auf seine triumphale Rückkehr nach England hatte etwas Ansteckendes.

Langdon musste lächeln. Gedankenverloren schaute er hinaus in den Wald, der im blassgelben Licht der Nebelscheinwerfer gespenstisch am Fenster vorüberglitt. Zweige hatten den Seitenspiegel nach innen gedrückt. Langdon sah Sophies Spiegelbild; sie saß ruhig auf der Rückbank. Er betrachtete sie eine ganze Weile. Unvermutet überkam ihn eine Woge der Zufriedenheit. Er war dankbar, in den Wirrnissen dieser Nacht eine so gute… und hübsche… Gefährtin gefunden zu haben.

Plötzlich bemerkte er Sophies Blick. Sie beugte sich vor, legte ihm die Hände auf die Schultern und massierte sie ein bisschen. »Geht es Ihnen gut?«

»Sehr gut«, sagte Langdon. »Auf einmal. Irgendwie.«

Sophie lehnte sich wieder zurück, und Langdon sah ein zufriedenes Lächeln über ihr Gesicht huschen.

Silas war in den Gepäckraum des Range Rover regelrecht eingekeilt. Er bekam kaum Luft. Man hatte ihm die Arme nach hinten gedreht und mit Paketschnur und mehreren Lagen Klebeband an die Knöchel gefesselt. Jede Unebenheit jagte ihm einen stechenden Schmerz durch die verdrehten Schultern. Wenigstens den Bußgürtel hatte man ihm abgenommen. Da auch sein Mund mit Klebeband verschlossen war, konnte Silas nur durch die Nase atmen, die sich in der Enge des verstaubten Gepäckabteils zusehends verstopfte. Er musste würgend husten.

»Ich glaube, er bekommt keine Luft«, sagte der französische Fahrer besorgt.

Der Brite, der Silas mit der Krücke außer Gefecht gesetzt hatte, wandte sich um und sah ihn über die Schulter finster an. »Zum Glück für Sie beurteilen meine britischen Landsleute den Anstand eines Menschen nicht nach seinem Verhalten gegenüber seinen Freunden, sondern gegenüber seinen Feinden.« Er griff nach dem Klebeband auf Silas' Mund und riss es mit einem heftigen Ruck ab.

Silas' Lippen brannten wie Feuer, doch die frische Luft, die in seine Lungen strömte, war ein Gottesgeschenk.

»Für wen arbeiten Sie? Raus mit der Sprache«, fuhr der Brite ihn an.

»Ich arbeite für den Herrn!«, zischte Silas. An seinem Kinn schmerzte die Platzwunde vom Fußtritt der Frau.

»Sie sind vom Opus Dei«, sagte der Brite. Es war keine Frage, sondern eine Feststellung.

»Sie haben keine Ahnung, woher ich bin!«

»Warum ist Opus Dei hinter dem Schlussstein her?«

Silas hatte nicht die Absicht, darauf zu antworten. Der Schlussstein war der Schlüssel für den Heiligen Gral, und der Heilige Gral war der Schlüssel für die Rettung des Glaubens. *Du bist das Werkzeug Gottes. Der Weg ist in Gefahr.*

Silas war hilflos; er konnte die Fesseln nicht lösen. In seinem Innern wühlte die Angst, den Lehrer und den Bischof endgültig enttäuscht zu haben. Er hatte nicht einmal die Möglichkeit, Kontakt mit ihnen aufzunehmen und sie über den schrecklichen Gang der Ereignisse zu unterrichten. *Jetzt haben die anderen den Schlussstein – diejenigen, die dich gefangen haben. Sie werden vor uns beim Heiligen Gral sein und ihn bergen.* In der Dunkelheit und Enge begann Silas voller Inbrunst zu beten.

O Herr, schenk mir ein Wunder.

Er konnte nicht wissen, dass dieses Wunder ihm schon in ein paar Stunden beschert werden sollte.

»Robert?« Sophie sah ihn immer noch an. »Sie haben gerade so ein komisches Gesicht gemacht.«

Langdon drehte sich zu ihr um. Er merkte, dass seine Kiefer mahlten. Sein Herz jagte. Er hatte soeben eine unglaubliche Eingebung gehabt. *Sollte die Erklärung wirklich so einfach sein?* »Darf ich mal Ihr Handy benutzen, Sophie? Mir ist gerade etwas eingefallen.«

»Was denn?«

»Ich werde es Ihnen gleich sagen, aber zuerst brauche ich Ihr Handy.«

Sie reichte es ihm. »Ich glaube zwar nicht, dass Fache das Handy überwacht, aber sprechen Sie trotzdem weniger als eine Minute, für alle Fälle.«

»Ich muss in die USA anrufen.«

»Das geht nur per R-Gespräch. Der Funknetzbetreiber vermittelt sonst keine Transatlantikgespräche.«

Langdon wählte eine Null. Die nächsten sechzig Sekunden lieferten vielleicht die Antwort auf eine Frage, an der er schon die ganze Nacht herumgerätselt hatte.

68. KAPITEL

Der New Yorker Lektor Jonas Faulkman hatte sich gerade schlafen gelegt, als das Telefon klingelte. *Wer ruft so spät noch an?* Mürrisch hob er ab.

»Übernehmen Sie die Gebühren für ein R-Gespräch mit Mr Robert Langdon?«, quäkte die Stimme einer Telefonistin.

Verwundert knipste Faulkman die Nachttischlampe an. »Äh … ja, sicher, stellen Sie durch.«

Es klickte in der Leitung. »Jonas?«

»Robert! Sie klingeln mich mitten in der Nacht aus dem Schlaf, und ich darf den Spaß auch noch bezahlen.«

»Haben Sie Nachsicht, Jonas«, sagte Langdon. »Ich werde mich kurz fassen. Das Manuskript, das ich Ihnen gegeben habe … ich muss unbedingt wissen, ob Sie …«

»Ich weiß, dass ich Ihnen die redigierte Fassung für diese Woche versprochen habe, aber bei mir ist wieder mal Land unter. Nächsten Montag. Ich versprech's hoch und heilig.«

»Darum geht es mir nicht. Ich möchte nur wissen, ob Sie bereits ohne mein Wissen Vorabexemplare verschickt haben.«

Faulkman zögerte. In Langdons neuestem Manuskript – eine Untersuchung der Kulte weiblicher Gottheiten – befanden sich auch einige Abschnitte über Maria Magdalena, die manchem Gläubigen vermutlich sehr gegen den Strich gingen. Das Material war zwar einwandfrei recherchiert und dokumentiert – und es gab bereits eine Reihe anderer Veröffentlichungen zu diesem Thema –, doch Faulkman hatte nicht die Absicht, Vorabexemplare von

Langdons Buch zu drucken, ohne sich zuvor das Manuskript von anerkannten Fachleuten absegnen zu lassen. Faulkman hatte das Manuskript zehn angesehenen Künstlern und Wissenschaftlern zugeschickt, begleitet von einem höflichen Schreiben mit der Anfrage, ob der verehrte Empfänger bereit sei, für den Umschlagtext ein paar anerkennende Worte der Empfehlung zu verfassen. Nach Faulkmans Erfahrung rissen die Leute sich für gewöhnlich darum, ihren Namen gedruckt zu sehen.

»Jonas?« Langdons Ungeduld war unüberhörbar. »Sie haben mein Manuskript an mehrere Experten rausgeschickt, nicht wahr?«

Faulkman spürte, dass Langdon nicht besonders erbaut darüber war. »Ich wollte Ihnen mit ein paar begeisterten Kritiken eine kleine Freude machen, Robert...«

»Haben Sie auch dem Direktor des Pariser Louvre ein Exemplar geschickt?«

»Was denken *Sie* denn? In Ihrem Manuskript wimmelt es von Verweisen auf die Sammlungen des Louvre, und in der Bibliographie zitieren Sie mehrere von Saunières Büchern. Außerdem sorgt der Mann allein mit seinem Namen für Umsätze im Ausland. Saunière ist mir als Allererster eingefallen!«

Das Schweigen am anderen Ende der Leitung dauerte ziemlich lange. »Und wann haben Sie das Manuskript rausgeschickt?«

»Vor ungefähr einem Monat. Ich habe übrigens erwähnt, dass Sie bald nach Paris kommen und vorgeschlagen, dass Sie sich mit Saunière unterhalten. Hat er sich bei Ihnen gemeldet?« Faulkman schien zu überlegen. »Moment mal, sollten Sie diese Woche nicht in Paris sein?«

»Ich *bin* in Paris.«

Faulkman setzte sich abrupt im Bett auf. »Was? Sie jubeln mir einfach so ein R-Gespräch aus Paris unter?«

»Ziehen Sie es von meinen Tantiemen ab. Jonas, haben Sie von Saunière schon eine Rückmeldung bekommen? Hat ihm das Manuskript gefallen?«

»Keine Ahnung. Bis jetzt habe ich noch nichts von ihm gehört.«

»Lassen Sie sich nicht entmutigen, Jonas. Ich muss jetzt leider Schluss machen. Sie haben mir sehr geholfen. Vielen Dank.«

»Robert ...«

Die Leitung war tot.

Faulkman legte kopfschüttelnd auf. *Autoren!*, dachte er mit einem tiefen Seufzer.

Teabing lachte schallend auf. »Sie haben in Ihrem Manuskript eine Geheimgesellschaft aufs Korn genommen, und Ihr Lektor hat genau *diesem* Verein das Manuskript geschickt?«

Langdon blickte bekümmert drein. »Offensichtlich.«

»Welch ein niederträchtiger Zufall, mein Freund.«

Das hat mit Zufall nichts zu tun. Es lag auf der Hand, Jacques Saunière um ein Zitat für den Klappentext zu einem Buch über Weiblichkeits- und Fruchtbarkeitskulte zu bitten. Das war so werbewirksam, als würde man von Tiger Woods einen freundlichen Kommentar zu einem Buch über den Golfsport bekommen. Zudem war in einem Buch wie dem Langdons die Erwähnung der *Prieuré de Sion* fast unumgänglich.

Teabing amüsierte sich immer noch köstlich. »Und nun die große Preisfrage: War Ihre Stellungnahme zur *Prieuré* positiv oder negativ?«

Langdon wusste genau, worauf Teabing hinauswollte. Viele Historiker waren nicht damit einverstanden, dass die *Prieuré* die Sangreal-Dokumente noch immer hütete. Sie waren der Meinung, dass diese Unterlagen der Welt längst hätten zugänglich gemacht werden müssen. »Ich habe keinerlei Wertung der Bruderschaft und ihres Tuns vorgenommen.«

»*Mangels* eines solchen Tuns, nicht wahr?«

Langdon zuckte die Schultern. Teabing gehörte anscheinend zu denen, die der Ansicht waren, dass die Dokumente veröffentlicht werden sollten. »Ich habe lediglich Material zur Geschichte der Bruderschaft geliefert und sie als eine Gesellschaft dargestellt, die noch heute einen heidnischen Göttinnenkult betreibt und das Gralsgeheimnis sowie uralte Dokumente hütet.«

Sophie sah ihn an. »Haben Sie auch vom Schlussstein gesprochen?«

Langdon zuckte zusammen. Er hatte. An mehreren Stellen. »Ich habe den angeblichen Schlussstein als Beispiel dafür herangezogen, was die *Prieuré* sich alles einfallen lässt, um die Sangreal-Dokumente zu schützen.«

Sophie blickte ihn überrascht an. »Damit wäre wohl die Zeile *P. S. Robert Langdon suchen* erklärt.«

Langdon hatte das Gefühl, dass viel eher ein anderer Aspekt seines Manuskripts Saunières Interesse herausgefordert hatte, aber das war ein Thema, über das er mit Sophie lieber unter vier Augen sprechen wollte.

»Dann haben Sie Capitaine Fache die Unwahrheit gesagt?«

»Wie bitte?«, fragte Langdon erstaunt.

»Nun, Sie sagten ihm, Sie hätten nie mit meinem Großvater korrespondiert.«

»Das habe ich auch nicht. Mein Lektor hat ihm das Manuskript geschickt.«

»Denken Sie doch mal nach, Robert. Wenn Fache nicht zufällig den Umschlag mit dem Absender Ihres Lektors findet, muss er annehmen, Sie hätten Saunière das Manuskript geschickt.« Sie machte eine Pause. »Oder schlimmer noch, dass Sie das Manuskript persönlich abgeliefert haben, ohne Fache davon zu erzählen.«

Am Flugplatz Le Bourget fuhr Rémy den Range Rover zu einem kleinen Hangar am Ende der Landebahn. Als sie sich dem Gebäude näherten, kam ein zerzauster Mann in einem zerknitterten Overall heraus, winkte und schob das riesige Wellblechtor auf. Ein schlanker weißer Privatjet kam zum Vorschein.

Langdons Blick glitt über den glänzenden Rumpf. »Das ist Elizabeth?«

Teabing grinste. »Besser als der alberne Kanaltunnel, nicht wahr?«

Der Mann im Overall lief ihnen entgegen. Er blinzelte ins Scheinwerferlicht. »Fast fertig, Sir«, rief er mit britischem Akzent. »Tut mir Leid, dass es noch ein paar Minuten dauert, aber Ihr Anruf kam leider etwas plötzlich, und…« Er verstummte, als einer nach dem anderen ausstieg. Der Mann sah erst Sophie und Langdon an; dann richtete er den Blick auf Teabing.

»Meine Partner und ich müssen geschäftlich dringend nach London«, sagte Teabing. »Die Sache duldet keinen Aufschub. Bitte treffen Sie unverzüglich die Startvorbereitungen.« Noch während er sprach, nahm er die Pistole aus dem Wagen und reichte sie Langdon.

Beim Anblick der Waffe riss der Pilot die Augen auf und trat zu Teabing. »Sir«, flüsterte er, »ich muss mich tausendmal entschuldigen, aber meine Sondergenehmigung für Diplomatenflüge umfasst lediglich Sie selbst und Ihren Butler. Ich kann Ihre Gäste leider nicht mitnehmen.«

»Richard.« Teabing lächelte den Piloten warmherzig an. »Ich würde sagen, zweitausend Pfund Sterling und diese geladene Pistole sind für Sie Grund genug, Ihre Sondergenehmigung auf meine Gäste zu erweitern.« Er deutete auf den Range Rover. »Und auf den Pechvogel dort im Gepäckraum.«

69. KAPITEL

Die beiden donnernden Garrett TFE-731 Triebwerke jagten die Hawker 731 mit brachialer Gewalt zum Himmel. Der Flugplatz von Le Bourget wich mit atemberaubender Geschwindigkeit vor dem Fenster zurück.

Du fliehst aus deiner Heimat, dachte Sophie, die in den Ledersitz gepresst wurde. Bis zu diesem Moment hatte sie noch hoffen können, das Katz-und-Maus-Spiel mit Fache irgendwie vor ihrem Arbeitgeber, dem Innenministerium, rechtfertigen zu können. *Du hast versucht, einen Unschuldigen zu schützen. Du wolltest den letzten Wunsch deines sterbenden Großvaters erfüllen.* Aber dieses Schlupfloch gab es jetzt nicht mehr. Sie hatte das Land ohne Papiere verlassen, in Begleitung eines polizeilich gesuchten Mannes und einer gefesselten Geisel zwielichtiger Herkunft. Falls es je eine noch vertretbare Grenzlinie für Sophie gegeben hatte, dann hatte sie diese Linie soeben fast mit Schallgeschwindigkeit überschritten.

Sophie saß mit Langdon und Teabing im vorderen Teil der luxuriös ausgestatteten Kabine. Die bequemen verstellbaren Sitze waren am Boden in einem Schienensystem verankert und konnten um einen Edelholztisch herum gruppiert werden. Ein Sitzungssaal im Kleinen.

Das exklusive Ambiente konnte jedoch nicht über die unwürdige Situation im Heck der Kabine hinwegtäuschen, wo in einem separaten Sitzbereich neben der Bordtoilette Teabings Butler Rémy Platz genommen hatte und auf Geheiß seines Herrn mit der Waffe in der Hand widerwillig den blutverschmierten Mönch bewachte, der wie ein Gepäckstück als gefesseltes Bündel zu seinen Füßen lag.

»Bevor wir uns näher mit dem Schlussstein befassen«, sagte Teabing, »möchte ich Sie bitten, mir ein paar Worte zu gestatten.« Seine Stimme klang angespannt, wie die eines Vaters, der sich genötigt sieht, seinem Sohn die Geschichte von den Bienen und Blumen zu erläutern. »Meine Freunde, ich bin mir darüber im Klaren, dass ich auf dieser Reise im Grunde nur der Gastgeber bin – was mir übrigens eine Ehre ist. Doch als ein Mann, der sein Leben der Gralssuche gewidmet hat, halte ich es für meine Pflicht, Ihnen ein Wort der Warnung mit auf jenen Weg zu geben, den Sie beschreiten möchten, denn auf diesem Weg gibt es kein Zurück mehr, auch wenn noch so große Gefahren lauern.« Er wandte sich an Sophie. »Miss Neveu, Ihr Großvater hat Ihnen dieses Kryptex in der Hoffnung anvertraut, dass Sie das Geheimnis des Heiligen Grals am Leben erhalten.«

»Ja.«

»Da ist es nur zu verständlich, dass Sie sich veranlasst sehen, dem Pfad zu folgen, wohin er Sie auch führen mag.«

Sophie nickte, wenngleich sie noch ein anderes Motiv hatte, das wie eine Flamme in ihr brannte: die Wahrheit über ihre Familie zu erfahren. Und wenngleich Langdon der Überzeugung war, dass das Kryptex nichts mit ihrer Vergangenheit zu tun habe, fühlte Sophie sich immer noch auf sehr persönliche Weise damit verbunden. Ihr war, als wolle dieses von der Hand ihres Großvaters gefertigte Marmorkunstwerk zu ihr sprechen; als würde es die Erlösung von der Leere in sich tragen, die Sophie all die Jahre bedrückt hatte.

»Ihr Großvater und drei andere Männer haben heute Nacht ihr Leben gelassen«, fuhr Teabing fort. »Sie sind gestorben, damit der Schlussstein nicht der Kirche in die Hand fällt. Opus Dei war heute Nacht nur noch einen winzigen Schritt davon entfernt, den Schlussstein zu besitzen. Ich nehme an, Sie wissen, dass eine außerordentliche Verantwortung auf Ihnen lastet. Ihnen wurde gleichsam eine Fackel übergeben, eine zweitausend Jahre alte Flamme, die weder verlöschen noch in die falschen Hände geraten darf.« Teabing streifte das Rosenholzkästchen mit einem Blick. »Miss Neveu, ich weiß sehr wohl, dass Sie mehr oder weniger unfreiwillig in diese Sache hineingeraten sind, aber angesichts dessen, was auf dem Spiel steht, müssen Sie sich ohne Wenn und Aber der Verantwortung stellen, oder Sie müssen diese Verantwortung an jemand anderen weiterreichen.«

»Mein Großvater hat das Kryptex an mich weitergegeben. Ich bin sicher, er war davon überzeugt, dass ich der Verantwortung gewachsen bin.«

Teabing wirkte ein wenig zuversichtlicher, war aber offenkundig noch immer nicht überzeugt. »Gut. Ein starker Wille ist unverzichtbar. Trotzdem frage ich mich, ob Ihnen klar ist, dass die Sache erst dann wirklich schwierig wird, wenn der Schlussstein erfolgreich geöffnet worden ist.«

»Inwiefern?«

»Meine Liebe, stellen Sie sich vor, Sie halten plötzlich die Karte in der Hand, die Ihnen den Weg zum Heiligen Gral weist. In diesem Moment verfügen Sie über eine Wahrheit, die den Lauf der Geschichte für immer ändern kann. Dann sind *Sie* die Hüterin eines Wissens, dem die Menschheit seit Jahrhunderten auf die Spur zu kommen trachtet. Sie müssen die Entscheidung treffen, ob der Welt dieses Wissen enthüllt werden soll. Wenn Sie sich dafür entscheiden, werden Ihnen viele Menschen zujubeln, aber ebenso viele werden Sie verdammen. Die Frage ist, ob Sie die Kraft haben, sich dieser Aufgabe zu stellen.«

Sophie schien nachzudenken. »Ist es denn an mir, diese Entscheidung zu fällen?«

Teabing hob die Brauen. »An wem denn sonst, wenn nicht an dem, der den Schlussstein besitzt?«

»An der *Prieuré de Sion*, die das Geheimnis so lange gehütet hat.«

»An der *Prieuré*?« Teabing blickte Sophie skeptisch an. »Wie soll das gehen? Die *Prieuré de Sion* wurde heute Nacht zerschlagen – enthauptet, wie Sie selbst ganz richtig bemerkt haben. Wir werden nie erfahren, ob die *Prieuré* durch einen Spion in den

eigenen Reihen oder durch irgendwelche Abhörpraktiken aus-
gespäht wurde, doch es bleibt die Tatsache bestehen, dass jemand
die Identität ihrer vier höchsten Mitglieder aufgedeckt hat. Ich
würde jedem misstrauen, der als Vertreter der *Prieuré* an mich
herantritt.«

»Was schlagen Sie vor?«, fragte Langdon.

»Sie wissen so gut wie ich, Robert, dass die *Prieuré* die Wahrheit
nicht all die Jahre gehütet hat, damit sie bis in alle Ewigkeit in
einer dunklen Ecke vor sich hin schimmelt. Die *Prieuré* wollte den
richtigen Moment in der Geschichte abwarten, um das Geheimnis
zu enthüllen – gleichsam eine Zeit, die die Wahrheit verkraften
kann.«

»Und Sie sind der Meinung, diese Zeit sei jetzt gekommen?«

»Absolut! Offensichtlicher könnte es gar nicht sein. Sämtliche
historischen Vorzeichen sind eingetreten. Und wieso hätte die
Kirche gerade jetzt zuschlagen sollen, wenn nicht aus dem Grund,
weil die *Prieuré* die Absicht hat, in absehbarer Zeit an die Öffentlichkeit zu gehen?«

»Der Mönch hat uns seine Absichten noch nicht verraten«,
wandte Sophie ein.

»Die Absichten des Mönchs sind die Absichten der Kirche«,
gab Teabing zurück. »Es geht um die Zerstörung der Dokumente,
die den ungeheuren Betrug der Kirche beweisen. Die Kirche ist
ihrem Ziel heute Nacht näher gekommen als je zuvor. Die *Prieuré*,
Miss Neveu, hat ihr Vertrauen in Sie gesetzt. Ihre Aufgabe, den
Gral zu retten, umfasst auch den Auftrag, den letzten Wunsch der
Prieuré zu erfüllen und die Wahrheit mit der Welt zu teilen.«

Langdon schaltete sich ein. »Sir Leigh, ist es nicht ein bisschen
viel von Sophie verlangt, eine solche Entscheidung jetzt zu treffen,
wo sie erst vor einer Stunde erfahren hat, dass es die Sangreal-Dokumente überhaupt gibt?«

Teabing seufzte. »Miss Neveu, entschuldigen Sie bitte meine
Ungeduld. Was mich betrifft, war ich immer der Ansicht, dass
diese Dokumente veröffentlicht gehören, aber die Entscheidung
liegt letztlich bei Ihnen. Ich halte es aber für wichtig, dass Sie

sich Gedanken darüber machen, was geschehen soll, wenn es uns gelingt, diesen Schlussstein zu öffnen.«

»Gentlemen«, sagte Sophie mit fester Stimme, »ich möchte Ihre eigenen Worte zitieren: *Du wirst den Heiligen Gral nicht finden. Der Heilige Gral findet dich.* Ich vertraue darauf, dass der Gral mich nicht ohne Grund gefunden hat. Wenn es so weit ist, werde ich wissen, was ich zu tun habe.«

Die beiden Männer blickten einander erstaunt an.

Sophie deutete auf das Rosenholzkästchen. »Dann wollen wir mal.«

70. KAPITEL

Leutnant Collet stand im Salon des Château Villette und blickte betrübt in das erlöschende Kaminfeuer. Capitaine Fache war wenige Augenblicke zuvor eingetroffen. Man hörte seine Stimme im Nebenraum ins Telefon brüllen, wo er die fehlgeschlagene Suchaktion nach dem Range Rover noch zu retten versuchte.

Die sind längst über alle Berge, dachte Collet.

Nachdem er Faches ausdrücklichen Befehl missachtet hatte und Langdon ihm zum zweiten Mal durch die Lappen gegangen war, musste er dankbar sein, dass die Spurensicherung das Einschussloch im Boden entdeckt hatte, was wenigstens Collets Behauptung bestätigte, dass im Haus geschossen worden war. Gleichwohl, Fache war sauer, und Collet spürte, dass die Sache ein Nachspiel haben würde, sobald der Staub sich gelegt hatte.

Es kam hinzu, dass die Spuren und Hinweise keinerlei Rückschlüsse zuließen, was im Château vorgefallen war, und wer die Beteiligten gewesen waren. Der schwarze Audi war unter falschem Namen gemietet und mit einer gefälschten Kreditkarte bezahlt worden, und die Fingerabdrücke im Innern des Fahrzeugs waren in der Datenbank von Interpol nicht registriert.

Ein Beamter kam in den Salon gerannt. »Wo ist Capitaine Fache?«, rief er eifrig.

Collet sah kaum von der verlöschenden Glut auf. »Hängt am Telefon.«

»Ich hänge nicht am Telefon!«, stieß Fache hervor, der soeben in den Salon kam. »Was haben Sie für mich?«

»Chef, die Zentrale hatte gerade einen Anruf von André Vernet von der Zürcher Depositenbank«, sagte der Beamte. »Vernet möchte unter vier Augen mit Ihnen sprechen. Er will seine Aussage ändern.«

»Was Sie nicht sagen.«

Auch Collet sah jetzt auf.

»Vernet gibt zu, dass Langdon und Neveu heute Nacht eine gewisse Zeit in seiner Bank verbracht haben.«

»Das dachten wir uns schon«, knurrte Fache. »Warum hat Vernet uns belogen?«

»Er sagt, er will nur mit Ihnen persönlich sprechen, aber er hat sich zur vorbehaltlosen Kooperation bereit erklärt.«

»Was verlangt er als Gegenleistung?«

»Dass wir den Namen seiner Bank aus den Meldungen heraushalten. Außerdem möchte er, dass wir ihm bei der Wiederbeschaffung eines gestohlenen Gegenstandes helfen. Langdon und Neveu haben anscheinend etwas aus Saunières Depot mitgehen lassen.«

»Wie bitte?«, platzte Collet heraus.

Faches Blick ruhte unerschütterlich auf dem Polizeibeamten. »Und *was* haben sie gestohlen?«

»Dazu hat Vernet sich nicht geäußert, aber er scheint zu allem bereit zu sein, sofern er diesen Gegenstand zurückbekommt.«

Collet versuchte sich vorzustellen, was geschehen war. Hatten Langdon und Neveu einen Bankangestellten mit der Waffe bedroht? Möglicherweise hatten sie Vernet gezwungen, Saunières Depot zu öffnen und ihnen mit dem Geldtransporter zur Flucht zu verhelfen. Doch Collet konnte sich einfach nicht vorstellen, dass Sophie Neveu sich an so etwas beteiligen würde.

»Capitaine?«, rief ein Beamter aus der Küche. »Ich bin gerade den Kurzwahlspeicher des Telefons durchgegangen und habe jetzt den Flugplatz Le Bourget an der Strippe. Leider gibt es schlechte Neuigkeiten.«

Dreißig Sekunden später hatte Fache seinen Auftritt im Château Villette beendet und eilte zu seinem Wagen. Er hatte soeben erfahren, dass Teabing auf dem nahen Flugplatz eine Privatmaschine stehen hatte, die vor etwa einer halben Stunde gestartet war.

Die Flugleitung von Le Bourget hatte am Telefon behauptet, das Ziel der Maschine nicht zu kennen. Eine Starterlaubnis war nicht erteilt, ein Flugplan nicht eingereicht worden. Doch Fache war sicher, alle gewünschten Auskünfte zu bekommen, wenn er nur die richtigen Register zog.

»Leutnant Collet«, schnauzte er auf dem Weg zur Tür, »ich habe leider keine andere Wahl, als Ihnen hier die Leitung der Spurensicherung zu überlassen. Versuchen Sie zur Abwechslung, diesmal keinen Mist zu bauen.«

71. KAPITEL

Als die Hawker die Reiseflughöhe erreicht hatte und die Nase gen England richtete, stellte Langdon das Rosenholzkästchen, das er beim Start schützend auf dem Schoß gehalten hatte, vorsichtig auf den Kabinentisch. Sophie und Teabing beugten sich erwartungsvoll vor.

Langdon entriegelte den Deckel und klappte ihn auf. Seine Aufmerksamkeit galt nicht dem Kryptex mit seinen buchstabenbedeckten Einstellscheiben, sondern dem kleinen Loch in der Innenseite des Deckels, in das er vorsichtig mit der Spitze eines Kugelschreibers hineinfuhr.

Die Rose löste sich vom Deckel und gab den darunter liegenden Text frei. *Sub rosa.* Langdon hoffte, dass ein neuerlicher Blick auf diesen Text die erhoffte Klarheit brachte. Konzentriert betrachtete er die vier eigenartigen Zeilen.

»Ich weiß beim besten Willen nicht, was ich damit anfangen soll«, sagte er nach einigen Sekunden enttäuscht.

Sophie konnte von ihrem Platz aus den Text nicht sehen, aber dass Langdon nicht in der Lage war, das Idiom zu erkennen, überraschte sie. *Großvater hat eine alte Sprache beherrscht, die sogar einem Symbolologen Rätsel aufgibt?*

Teabing, der Sophie gegenübersaß, konnte kaum noch an sich halten. Gespannt versuchte er, an Langdon vorbei einen Blick auf den Text zu werfen.

»Ich weiß nicht«, murmelte Langdon, »meine erste Vermutung wäre, dass es sich um eine semitische Schrift handelt, aber das passt irgendwie nicht, weil die *nekkudot* fehlen, die man bei fast allen primären semitischen Schriften findet.«

»Vielleicht ist die Schrift sehr alt«, meinte Teabing.

»Was sind *nekkudot*?«, fragte Sophie.

Teabing nahm den Blick nicht vom Kästchen. »In den meisten modernen semitischen Alphabeten gibt es anstelle der Vokale so genannte *nekkudot* – kleine Punkte und Häkchen unterhalb oder innerhalb der Konsonanten, die den Vokalwert angeben, der den Konsonanten begleitet. *Nekkudot* sind historisch gesehen ein relativ junger Schriftzusatz.«

Langdon war immer noch über die Inschrift gebeugt. »Es könnte vielleicht eine sephardische Transliteration sein…«

Teabing konnte nicht mehr an sich halten. »Vielleicht darf ich mal…« Er griff über den Tisch und zog das Kästchen zu sich heran. Mit einer Mischung aus Staunen, Ehrfurcht und unstillbarer Neugier wanderte sein Blick über die eingravierten Zeilen. Dann schüttelte er resigniert den Kopf. »Ich bin ebenfalls überfragt. Eine solche Schrift ist mir noch nie unter die Augen gekommen.«

»Darf ich mal sehen?«, fragte Sophie.

Teabing tat, als hätte er sie nicht gehört. »Robert«, wandte er sich an Langdon, »sagten Sie vorhin nicht, Sie hätten etwas Ähnliches schon einmal gesehen?«

»Ja, es kam mir so vor, aber ich bin nicht sicher. Irgendwie erinnert mich die Schrift an etwas…«

»Sir Leigh«, meldete Sophie sich erneut zu Wort, sichtlich verärgert, einfach übergangen zu werden. »Dürfte ich auch mal einen Blick auf die Zeilen werfen?«

»Aber gewiss, meine Liebe«, sagte Teabing und schob ihr den Kasten hin, ohne ihr einen Blick zu gönnen, als wolle er damit andeuten, dass Sophie Lichtjahre an Kompetenz und Wissen fehlten. Wenn nicht einmal ein Historiker der britischen Royal Society und ein Harvard-Professor die Sprache des Vierzeilers identifizieren konnten…

»Aha«, sagte Sophie, nachdem sie einen kurzen Blick auf die Inschrift geworfen hatte. »Das dachte ich mir gleich.«

Teabing und Langdon blickten sie mit großen Augen an.

»*Was* dachten Sie sich gleich?«, fragte Teabing.

»Dass mein Großvater diese Schrift und diese Sprache benutzt hat.«

»Wollen Sie etwa behaupten, Sie könnten das lesen?«

»Mühelos«, sagte Sophie, die diese Situation sichtlich genoss, mit fröhlichem Lächeln. »Mein Großvater hat mich diese Schrift gelehrt, als ich noch keine sechs Jahre alt war. Ich kann sie vorwärts und rückwärts.« Sie lächelte Teabing an. »Ehrlich gesagt, Sir Leigh, hätte ich mehr von Ihnen erwartet. Ein Mann, der mit der Royal Society auf so vertrautem Fuß steht wie Sie… ich bin überrascht, dass Sie nicht von allein auf die Lösung gekommen sind.«

Plötzlich fiel es Langdon wie Schuppen von den Augen. Kein Wunder, dass diese Schrift ihm so merkwürdig vertraut vorkam! Einige Jahre zuvor hatte er eine Veranstaltung im Fogg Museum von Harvard besucht. Der Studienabbrecher Bill Gates war an seine alte Alma Mater zurückgekehrt, um dem Museum eine seiner unschätzbaren Erwerbungen als Leihgabe zu überlassen – achtzehn Blätter, die er auf einer Auktion aus den Beständen von Armand Hammer erworben hatte.

Sein Gebot, das ihm den Zuschlag gebracht hatte, belief sich auf 30,8 Millionen Dollar.

Der Autor des Manuskripts war Leonardo da Vinci.

Die achtzehn Blätter, die nach ihrem Besitzer, dem Earl von

Leicester, unter der Bezeichnung *Codex Leicester* bekannt sind, waren der Rest eines der faszinierendsten Werkbücher des Künstlers, das Anmerkungen und Zeichnungen seiner überaus fortschrittlichen Überlegungen zur Astronomie, Geologie, Archäologie und Hydrologie enthielt.

Doch die Blätter waren nicht ohne weiteres zu entziffern. Sie waren zwar tadellos erhalten und trugen eine saubere und klare Handschrift in karmesinroter Tinte auf cremefarbenem Papier, doch es sah wie sinnloses Geschreibsel aus. Wer hoffte, auch nur ein einziges italienisches Wort entziffern zu können, sah sich enttäuscht.

Des Rätsels Lösung bestand darin, dass da Vinci eine Spiegelschrift beherrscht hatte, die für den normalen Betrachter unleserlich war. Die Gelehrten diskutierten noch immer darüber, ob da Vinci diese Schrift lediglich zum eigenen Vergnügen benutzt hatte oder weil er verhindern wollte, dass jemand seine Ideen stahl.

»Ich habe die erste Zeile schon entziffert«, sagte Sophie. »Der Text ist englisch.«

»Jetzt verstehe ich überhaupt nichts mehr!«, stieß Teabing unwirsch hervor.

»Spiegelschrift«, sagte Langdon knapp. »Wir brauchen einen Handspiegel.«

»Nein, den brauchen wir nicht«, sagte Sophie. »Dieses Furnier dürfte dünn genug sein.« Sie hielt den Deckel des Rosenholzkästchens vor einen Punktstrahler, der in die Wandverkleidung eingelassen war, und betrachtete die Innenseite. Jacques Saunière hatte nicht in Spiegelschrift schreiben können. Er hatte stets gemogelt, indem er die Unterseite des Papiers in Normalschrift beschrieben, das Blatt umgedreht und den durchscheinenden Text auf der anderen Seite nachgezeichnet hatte. Sophie vermutete, dass er die vier Zeilen in ein Brettchen eingebrannt und es dann so lange dünn geschliffen hatte, bis die eingebrannten Zeilen sich durchs Holz hindurch schwarz abzeichneten. Dann hatte er das Brettchen einfach umgedreht, zugeschnitten, die Schrift nachgezogen und in die Vertiefung eingelegt.

Sophie hielt den Deckel noch näher ans Licht. Sie hatte sich nicht getäuscht. Im hellen Licht des Strahlers, das durchs papierdünne Holz drang, erschien der Text klar und deutlich in normaler Schrift auf der Innenseite des Deckels.

»Englisch!«, stieß Teabing hervor. »Meine Muttersprache!«

Rémy Legaludec, der Butler, spitzte die Ohren, um im Heck der Kabine trotz des Lärms der Triebwerke etwas vom Gespräch im vorderen Teil der Maschine mitzubekommen, jedoch vergeblich. Der Lauf der Ereignisse in dieser Nacht machte Rémy zu schaffen – sehr sogar. Er blickte auf den gefesselten Mönch zu seinen Füßen. Der Hüne lag jetzt völlig bewegungslos da, als hätte er sich in sein Schicksal ergeben…

72. KAPITEL

Viereinhalbtausend Meter über der Erde spürte Langdon, wie die reale Welt von ihm abfiel. All seine Gedanken hatten sich auf Saunières Vierzeiler konzentriert, der im Gegenlicht innen im Deckel des Rosenholzkästchens lesbar geworden war.

an ancient word of wisdom frees this scroll
and helps us keep her scatter'd family whole
a headstone praised by templars is the key
and atbash will reveal the truth to thee

Sophie hatte sich einen Zettel genommen und den Text abgeschrieben. Als sie fertig war, reichte sie den Zettel an Langdon, der die Zeilen studierte und den Zettel dann an Teabing weitergab. Es war ein Art archäologisches Kreuzworträtsel, ein Ratespiel, dessen Lösung den Zugang zum Inhalt des Kryptex versprach.

> *An ancient word of wisdom frees this scroll*
> *and helps to keep her scatter'd family whole.*
> *A headstone praised by templars is the key*
> *and atbash will reveal the truth to thee.* [8]

Bevor Langdon auch nur einen Gedanken darauf richten konnte, aus den Versen das Passwort zu filtern, begann tief in seinem Innern eine ganz andere Saite zu schwingen, die das Versmaß betraf.

Fünffüßige Jamben.

Bei seiner mehrjährigen Forschungsarbeit über europäische Geheimgesellschaften war Langdon häufig auf dieses Versmaß gestoßen, das letzte Mal im Jahr zuvor in den Geheimarchiven des Vatikans. Seit Jahrtausenden war der fünffüßige Jambus oder Blankvers das bevorzugte Versmaß der Hochliteratur gewesen, von Archilochus im alten Griechenland bis hin zu Shakespeare, Milton, Chaucer und Voltaire – alles kühne Männer, die sich bei der Niederschrift ihrer Kritik an der Gesellschaft ein Versmaß ausgesucht hatten, dem man zu ihrer Zeit mystische Qualitäten zuerkannte. Der fünffüßige Jambus war tief im heidnischen Denken verwurzelt.

Der Jambus. Zwei Silben mit unterschiedlichen Hebungen. Betont und unbetont. Yin und Yang. Ein ausgeglichenes Paar. Angeordnet in einer Fünferfolge. Fünf für das Pentagramm der Venus und das göttlich Weibliche.

»Das sind fünffüßige Jamben!«, platzte Teabing heraus. »Und die Verse sind englisch! *La lingua pura!*«

Langdon nickte. Wie viele europäische Geheimgesellschaften, die sich im Konflikt mit der Kirche befanden, hatte auch die *Prieuré* über Jahrhunderte hinweg das Englische als die einzige *reine* europäische Sprache gelten lassen. Anders als das Französische, Spanische und Italienische, die im Lateinischen wurzelten, war das Englische für die Propagandamaschine der Kirche zu sperrig und wurde deshalb zur heiligen Geheimsprache jener Bruderschaften, deren Mitglieder über ausreichend Bildung verfügten, um diese Sprache zu erlernen.

»Dieses Gedicht«, begeisterte sich Teabing, »bezieht sich nicht

---

[8] Ein uralt Wort der Weisheit löst den Bann.
Macht die Familie wieder heil sodann.
Schlüssel ist ein gepriesener Templerstein,
Athasch allein schenkt die Wahrheit dir ein.

nur auf den Gral, sondern auch auf die Tempelritter und die verstreute Familie der Maria Magdalena. Was will das Herz noch mehr?«

»Das Passwort«, sagte Sophie trocken und betrachtete wieder das Gedicht. »Mir scheint, wir brauchen ein ›uraltes Wort der Weisheit‹.«

»Abrakadabra?«, blödelte Teabing und zwinkerte ihr zu.

Ein Wort mit fünf Buchstaben, dachte Langdon und hielt sich die unermessliche Zahl alter Wörter vor Augen, die als *Wort der Weisheit* gelten mochten – Wörter aus mystischen Gesängen, aus astrologischen Prophezeiungen, aus den Initiationsriten und Einweihungszeremonien der Geheimgesellschaften, aus Wicca-Ritualen, aus altägyptischen Bannflüchen, aus heidnischen Mantras. Die Liste war endlos.

»Das Passwort scheint etwas mit den Tempelrittern zu tun zu haben«, meinte Sophie und las laut vor. »Schlüssel ist ein gepriesener Templerstein.«

»Die Templer sind doch Ihr Spezialgebiet, Sir Leigh«, sagte Langdon. »Haben Sie eine Idee?«

Teabing zögerte; dann seufzte er und sagte: »Es könnte von einem Grabstein die Rede sein. Vielleicht bezieht sich die Zeile auf einen Grabstein, den die Templer als letzte Ruhestätte Maria Magdalenas verehrt haben. Aber da wir nicht wissen, wo sich dieses Grab befindet, hilft uns das auch nicht weiter.«

»In der letzten Zeile heißt es, ›*Atbasch* allein schenkt die Wahrheit dir ein‹. Ich habe dieses Wort schon mal irgendwo gehört«, bemerkte Sophie.

»Das überrascht mich nicht«, antwortete Langdon. »Die Atbasch-Chiffre ist einer der ältesten Geheimcodes der Menschheitsgeschichte.«

Natürlich!, dachte Sophie. *Das berühmte hebräische Verschlüsselungssystem.*

Als Kryptologin wusste sie, dass der Atbasch-Code auf das Jahr 500 v. Chr. zurückging und als Schulbeispiel für einen einfachen Austauschcode im Rotationssystem galt. Der im jüdischen

Sprachbereich weit verbreitete Code beruhte darauf, dass der erste Buchstabe des zweiundzwanzig Buchstaben umfassenden jüdischen Alphabets gegen den letzten ausgetauscht wurde, der zweite gegen den vorletzten und so weiter.

»Atbasch passt auf hintergründige Weise ganz hervorragend«, sagte Teabing. »Atbasch-codierte Texte findet man überall in der Kabbala, in den Schriftrollen vom Toten Meer und sogar im Alten Testament. Noch heute spüren jüdische Schriftgelehrte und Wissenschaftler verborgene Bedeutungen auf, indem sie den Atbasch-Code benutzen. Es ist davon auszugehen, dass die *Prieuré* diesen Code in ihren Lehren weitervermittelt hat.«

»Womit wir allerdings vor dem kleinen Problem stünden, dass wir keinen Text haben, auf den wir den Atbasch-Code anwenden könnten«, meinte Langdon. »Atbasch ist der Schlüssel, aber uns fehlt das Schloss.«

»Auf dem Grabstein muss sich ein Codewort befinden«, sagte Teabing nachdenklich. »Wir müssen den ›gepriesenen Templerstein‹ finden.« Er stieß einen tiefen Seufzer aus. »Liebe Freunde«, sagte er, »ich werde uns etwas zum Knabbern besorgen und nachsehen, wie es Rémy und unserem Gast ergeht.«

Sophie sah ihm nachdenklich hinterher und blickte dann durchs Flugzeugfenster hinaus in die Schwärze der Nacht in der Stunde vor der Morgendämmerung. Sie hatte das Gefühl, durch den Raum geschleudert zu werden, ohne zu wissen, wo sich ihr Ziel befand. Als sie an die vielen Rätsel dachte, die der Schreiber dieser Zeilen, ihr Großvater, ihr als Kind aufgegeben hatte, beschlich sie das ungute Gefühl, dass in den Verszeilen weitere Informationen steckten, die ihnen bislang jedoch verborgen geblieben waren.

Wir haben noch nicht alles begriffen. In den Zeilen ist noch mehr versteckt, nur sehen wir es nicht…

Die Befürchtung, dass der Inhalt des Kryptex, so sie es denn endlich geöffnet hatten, sich nicht ohne weiteres als »Wegweiser zum Gral« entpuppen würde, beunruhigte Sophie zusätzlich. Ungeachtet Teabings und Langdons Optimismus, dass des Rätsels endgültige Lösung in dem Marmorzylinder beschlossen lag, hatte

Sophie genügend »Schatzsuchen« ihres Großvaters erlebt, um zu wissen, dass Jacques Saunière seine Geheimnisse nicht so leicht preisgab.

73. KAPITEL

Der Fluglotse von der Nachtschicht im kleinen Tower von Le Bourget döste vor dem leeren Radarschirm, als Capitaine Fache ihm die Tür eintrat.

»Was ist mit Teabings Privatmaschine?«, fuhr Fache ihn an. »Ich verlange Auskunft, wohin der Mann geflogen ist!«

Die anfänglichen Versuche des Fluglotsen, sich auf den Datenschutz und die Privatsphäre des wohlgelittenen britischen Flugplatzkunden zu berufen, scheiterten kläglich.

»Wie Sie wollen«, sagte Fache kühl, »dann sind Sie wegen Gewährung der Starterlaubnis für eine Privatmaschine ohne vorherige Einreichung eines Flugplans verhaftet.« Fache winkte einem Beamten, der sich mit Handschellen vor dem Fluglotsen aufbaute. Der Mann bekam es mit der Angst zu tun. In der Presse wurde darüber gestritten, ob Fache, der erfolgreichste französische Polizist, ein Held oder eine Landplage war. Für den Fluglotsen hatte diese Frage sich soeben von selbst beantwortet.

»Warten Sie!«, stieß er beim Anblick der Handschellen hervor. »Ich kann Ihnen lediglich sagen, dass Teabing häufig Flüge nach London unternimmt, um sich dort ärztlich behandeln zu lassen. Er hat auf dem Biggin Hill Executive Airport in Kent einen Hangar, am Rand des Stadtgebiets von London.«

Fache pfiff den Beamten mit den Handschellen zurück. »Ist Teabing heute Nacht nach Biggin Hill geflogen?«

»Das kann ich nicht sagen«, erwiderte der Lotse wahrheitsgemäß. »Die Maschine ist auf ihrer üblichen Startbahn abgeflogen.

Nach dem letzten Radarkontakt könnte das Ziel aber durchaus Biggin Hill gewesen sein.«

»Hatte Teabing noch andere Personen an Bord?«

»Ich habe keine Ahnung, Capitaine. Wenn sie es wünschen, können unsere Kunden bis in ihren Hangar fahren und ihre Maschinen dort beladen und einsteigen, vor Wind und Wetter geschützt. Und was die Fluggäste angeht, fallen sie in den Verantwortungsbereich der Zollbehörden am Zielflughafen.«

Mit einem Blick auf die Uhr sah Fache hinaus auf die vor dem Empfangsgebäude abgestellten Düsenmaschinen. »Wie lange dauert ein Flug nach Biggin Hill?«

Der Lotse tippte auf der Tastatur seines Computers. »Teabings Maschine könnte etwa um sechs Uhr dreißig wieder am Boden sein. Das wäre in fünfzehn Minuten.«

Fache wandte sich an einen seiner Beamten. »Besorgen Sie mir ein Flugzeug. Ich muss nach London. Und stellen Sie mir eine Verbindung zur örtlichen Polizei von Kent her. Das MI5 lassen wir aus dem Spiel. Ich will keinen großen Bahnhof. Sagen Sie den Beamten, sie sollen Teabings Maschine gleich nach der Landung auf dem Rollfeld umstellen. Niemand darf das Flugzeug verlassen, bevor ich dort bin!«

74. KAPITEL

»Sie sind so still«, sagte Langdon mit einem Blick hinüber zu Sophie auf der anderen Seite der Kabine.

»Nur ein bisschen müde«, antwortete sie. »Und der Vierzeiler. Ich weiß nicht recht ...«

Auch Langdon war ziemlich erschöpft. Hinzu kam das monotone Geräusch der Triebwerke, das eine einschläfernde Wirkung hatte. Außerdem brummte ihm noch der Schädel von dem Schlag des Mönchs. Teabing war immer noch hinten im Flugzeug.

Langdon beschloss, den ungestörten Augenblick zu nutzen, um mit Sophie über etwas zu sprechen, das ihn schon einige Zeit beschäftigte. »Ich glaube, Sophie«, sagte er, »ich kenne den Grund, weshalb Ihr Großvater uns zusammengebracht hat. Vermutlich wollte er, dass ich Ihnen etwas erkläre.«

»Und was?«

Langdon wusste nicht recht, wie er fortfahren sollte. »Ich ... nun, ich weiß, weshalb Sie seit zehn Jahren nicht mit Ihrem Großvater gesprochen hatten und warum es zu Ihrem Zerwürfnis kam. Ihr Großvater hat wohl gehofft, dass Sie ihn eher verstehen, wenn *ich* Ihnen die Sache erkläre.«

»Ich habe Ihnen doch gar nicht erzählt, weshalb wir uns entzweit haben«, sagte Sophie verunsichert.

Langdon blickte sie vielsagend an. »Sie sind Zeugin eines Sexualritus geworden, nicht wahr?«

Sophie zuckte zusammen. »Woher wissen Sie das?«

»Weil Sie mir sagten, Sie hätten etwas beobachtet ... etwas, das

Sie zu dem Schluss führte, dass Ihr Großvater einer Geheimgesellschaft angehörte. Und was immer Sie beobachtet haben, es hat Sie so bestürzt, dass Sie seitdem nicht mehr mit Ihrem Großvater gesprochen haben. Ich weiß ein klein wenig über Geheimgesellschaften Bescheid. Man braucht kein da Vinci zu sein, um zu erraten, was Sie gesehen haben.«

Sophie schaute ihn mit großen Augen an.

»War es im Frühjahr?«, wollte Langdon wissen. »Zur Zeit der Tag- und Nachtgleiche? Mitte März?«

Sophie blickte zum Fenster hinaus. »Ja. Ich war ein paar Tage eher von der Universität nach Hause gekommen ...«

»Möchten Sie mir die Geschichte nicht erzählen?«

»Lieber nicht.« Unvermutet wandte Sophie sich vom Fenster ab und blickte ihn an. In ihren Augen spiegelte sich der Widerstreit der Gefühle. »Außerdem ... Ich weiß gar nicht, was ich gesehen habe.«

»Sind Männer *und* Frauen da gewesen?«

Einen Herzschlag lang zögerte Sophie; dann nickte sie.

»Die einen schwarz gekleidet, die anderen weiß?«

»Ja. Die Frauen trugen weiße durchsichtige Gewänder und goldene Pantoffeln, und sie hielten einen goldenen Ball. Bei den Männern waren die Gewänder und die Schuhe schwarz.«

Langdon versuchte, Ruhe zu bewahren. Er konnte kaum glauben, was er da hörte. Offenbar war Sophie Neveu unfreiwillig Zeugin einer viertausend Jahre alten heiligen Zeremonie geworden. »Trugen sie auch Masken?«, fragte Langdon weiter. »Androgyne Masken?«

»Ja, sie hatten alle Masken ... die gleichen Masken. Die Frauen weiße, die Männer schwarze.«

Langdon hatte Beschreibungen des Rituals gelesen und kannte dessen mythische Wurzeln. »Man nennt es *hieros Gamos*. Das Ritual ist mehr als viertausend Jahre alt. Ägyptische Priester und Priesterinnen haben es zur Verehrung der fruchtbringenden Kraft des Weiblichen regelmäßig gefeiert.« Er beugte sich vor. »Wenn Sie ohne Einweihung Zeugin des *hieros Gamos* geworden sind, wundert es mich nicht, dass Sie schockiert waren.«

Sophie antwortete nicht.

»*Hieros Gamos* ist griechisch und bedeutet ›heilige Hochzeit‹«, erklärte Langdon.

»Ich habe aber keine Hochzeitsfeier gesehen«, entgegnete Sophie ironisch.

»Ich meine, Hochzeit im Sinne der Vereinigung zweier Menschen, Sophie.«

»Sie meinen Sex.«

»Nein.«

»*Nein?*« Sophie blickte ihn prüfend an.

»Nun ja, in gewisser Weise schon, aber nicht in dem Sinn, wie wir das Wort heute verstehen«, sagte Langdon. »Was Sie gesehen haben, sah vielleicht wie ein Sexualritus aus, hatte mit Sex im erotischen Sinne aber nichts zu tun. *Hieros Gamos* ist spiritueller Natur. Historisch gesehen ist der Geschlechtsverkehr ein Akt, in dem das Männliche und Weibliche das Göttliche schauen. Die alten Völker glaubten, dass das Männliche in einem geistigen Mangelstatus existiert, bis es in der fleischlichen Vereinigung mit der Frau die Erfahrung des göttlich Weiblichen macht. Die körperliche Vereinigung war das einzige Mittel, durch das der Mann geistig heil werden und *gnosis* erlangen konnte – Wissen vom Göttlichen. Seit den Zeiten der Göttin Isis betrachtete man die Sexual- und Fruchtbarkeitsriten als die Brücke, über die der Mann von der Erde zum Himmel gelangt. Durch die Vereinigung mit der Frau kann der Mann im Augenblick der Ekstase erleben, wie sein Geist sich völlig entleert und das Göttliche sichtbar wird.«

Sophie sah ihn stirnrunzelnd an. »Orgasmus als Gebet?«

Langdon zuckte die Schultern, doch im Prinzip hatte Sophie Recht. Physiologisch betrachtet, setzte beim männlichen Orgasmus einen Sekundenbruchteil lang jede gedankliche Tätigkeit aus; es entstand eine Art Vakuum, ein Moment der Klarheit, in dem der Geist eine Ahnung von Gott erhaschen konnte. Manche Gurus, die diesen Zustand allein durch Meditation erreichten, beschrieben das Nirwana als nicht enden wollenden spirituellen Orgasmus.

»Es ist wichtig, Sophie«, fuhr Langdon fort, »sich klar zu machen, dass die Vorstellungen vom Geschlechtlichen bei den alten Völkern völlig anderer Art waren als heutzutage bei uns. Die Sexualität brachte neues Leben hervor. Es war das Wunder an sich, und Wunder konnte nur eine Göttin vollbringen. Die Fähigkeit der Frau, neues Leben hervorzubringen, machte sie heilig. Der Geschlechtsverkehr war gleichsam die Vereinigung der beiden getrennten Hälften des Menschen – weiblich und männlich –, durch die der Mann seine spirituelle Ganzheit und seine Einheit mit dem Göttlichen wieder gefunden hat. Bei dem Ritual, das Sie beobachtet haben, ging es nicht um Sex, sondern um Spiritualität. Das Ritual des *hieros Gamos* ist keine Perversion, sondern eine zutiefst sakrosankte Zeremonie.«

Langdons Worte schienen bei Sophie einen empfindlichen Nerv zu treffen. Sie hatte die ganze Nacht sehr beherrscht gewirkt; jetzt aber konnte Langdon ihre Fassade bröckeln sehen. Tränen schimmerten in ihren Augen, und sie tupfte sie mit dem Ärmel ab.

Langdon wartete, bis sie die Fassung wiedergewonnen hatte. Die Vorstellung vom Geschlechtsverkehr als Weg zur Gotteserkenntnis war zugegebenermaßen auf den ersten Blick schockierend. Langdons jüdische Studenten beispielsweise waren jedes Mal entgeistert, wenn er ihnen darlegte, dass das frühe Judentum sexuelle Fruchtbarkeitsriten praktiziert hatte – *im Tempel.* Die alten Juden glaubten, dass im Allerheiligsten von Salomons Tempel nicht nur Gott, sondern auch sein machtvolles weibliches Gegenstück Schekinah gegenwärtig sei. Auf der Suche nach spiritueller Ganzheit kamen die Männer zu den Priesterinnen des Tempels – den *Hierodulen* oder Tempeldienerinnen –, die mit ihnen den Liebesakt vollzogen und den Männern durch die körperliche Vereinigung zur Erfahrung des Göttlichen verhalfen. Das aus den vier Buchstaben YHWH bestehende jüdische Wortkürzel – der heilige Name Gottes – setzte sich zusammen aus den Buchstaben des Wortes *Jehova*, einer androgynen Vereinigung des männlichen *Jah* und des vorhebräischen Wortes für Eva, *Havah.*

»Für die Kirche war der unmittelbare Zugang zu Gott durch das Geschlechtliche natürlich eine ernste Bedrohung ihres Machtanspruchs«, fuhr Langdon fort. »Es setzte der katholischen Kirche sozusagen den Stuhl vor die Tür und unterminierte ihren Anspruch, die *einzige* Mittlerin zwischen Gott und den Menschen zu sein. Aus nahe liegenden Gründen hat die Kirche das Geschlechtliche nachhaltig dämonisiert und den Geschlechtsakt als ekelhaft und sündig diffamiert. Andere Weltreligionen sind ganz ähnlich vorgegangen.«

In einer Vorlesung hatte Langdon auf den gleichen Sachverhalt hingewiesen. »Wir brauchen uns über unsere widersprüchliche Einstellung zum Sexuellen nicht zu wundern«, hatte er zu seinen Studenten gesagt. »Unser altes kulturelles Erbe und unsere Physiologie sagen uns, dass Sex das Natürlichste von der Welt ist – ein altehrwürdiger Weg zur geistigen Erfüllung –, doch die heutigen Religionen behandeln das Geschlechtliche mit Geringschätzung und verlangen von uns, unsere sexuellen Bedürfnisse als Machenschaften des Bösen zu fürchten.«

Langdon hatte darauf verzichtet, seine Studenten mit der Information zu schockieren, dass weltweit mehr als ein Dutzend Geheimgesellschaften – darunter sehr einflussreiche – bis zum heutigen Tage die alten Überlieferungen lebendig erhielten und Sexual- und Fruchtbarkeitsriten praktizierten. In dem Film »Eyes Wide Shut« spielt Tom Cruise einen Mann, der unsanft auf diesen Tatbestand gestoßen wird, als er sich in ein privates Treffen der High Society von Manhattan einschleicht, wo er Zeuge eines *Hieros-Gamos*-Rituals wird. Leider schießen die Filmemacher in der Darstellung des sachlichen Hintergrunds einen Bock nach dem anderen, doch der Kern ihrer Aussage stimmt: Es gibt Geheimgesellschaften, die zur Feier der Magie des Sexuellen zusammenkommen.

Sophie drückte die Stirn an die kühle Scheibe des Fensters, starrte mit leerem Blick hinaus und versuchte einzuordnen, was sie soeben von Langdon gehört hatte. Eine nie gekannte Reue regte sich in ihr. *Zehn Jahre.* Sie dachte an die Stapel ungeöffneter Briefe, die der Großvater ihr geschickt hatte ...

Robert soll alles erfahren, sagte sie sich. Ohne sich vom Fenster abzuwenden, begann sie zu erzählen – mit leiser, beinahe ängstlicher Stimme, und hatte das Gefühl, wieder in jene längst vergangene Nacht im März einzutauchen ... wie sie im Wald vor dem Château ihres Großvaters in der Normandie aus dem Auto gestiegen war ... wie sie verwirrt das Gebäude abgesucht und plötzlich unter sich die Stimmen gehört hatte ... wie sie die Geheimtür fand ... Wieder schlich Sophie langsam die steinerne Wendeltreppe hinunter, Schritt für Schritt, in die unterirdische Grotte. Sie roch die erdige Luft, kühl und anregend. Und dann, aus ihrem beschatteten Versteck auf der Treppe, beobachtete sie fassungslos die Gestalten, die sich singend im flackernden Fackelschein wiegten.

Frauen und Männer hatten einen Kreis gebildet, schwarz, weiß, schwarz, weiß. Die Frauen reckten in der Rechten goldene Bälle in die Höhe; ihre Gewänder bauschten sich, und sie sangen im Chor: »*Ich war bei dir zu Anbeginn, in der Morgenröte, als alles den Anfang nahm, was heilig ist. Ich habe dich in meinem Schoß getragen, bevor der Tag anbrach.*«

Dann ließen die Frauen die emporgereckten goldenen Bälle sinken, wiegten sich wieder vor und zurück, wie in Trance. Im Mittelpunkt des Kreises befand sich irgendetwas, dem offenkundig die Verehrung der gesamten Gemeinde galt.

Was ist da?, fragte sich Sophie. *Was ist in ihrer Mitte?*

Der Gesang wurde schneller, lauter.

»*Erkenne deine Frau, sie ist die Liebe!*«, riefen die Frauen und hoben wieder die goldenen Bälle.

»*Sie ist meine Behausung in Ewigkeit!*«, antworteten die Männer.

Der Gesang schwoll weiter an, wurde noch schneller, noch lauter, beinahe ohrenbetäubend. Dann, plötzlich, hatten alle sich auf die Knie geworfen – und Sophie sah endlich den Gegenstand der allgemeinen Aufmerksamkeit.

Auf einem niedrigen, reich geschmückten Altar in der Mitte lag ein Mann auf dem Rücken. Bis auf die schwarze Maske war er vollkommen nackt, doch Sophie hatte ihn am Muttermal an der Schulter sofort erkannt. Um ein Haar hätte sie aufgeschrien.

Grand-père! Allein schon dieses Bild hatte Sophie zutiefst schockiert. Aber es war noch nicht alles...

Eine Frau mit weißer Maske saß rittlings auf Saunière und ließ im Rhythmus des Gesangs die Hüften kreisen. Üppiges silbriges Haar fiel ihr tief über den Rücken. Ihr Körper war füllig und unansehnlich.

Sophie hatte davonrennen wollen, doch sie konnte es nicht. Die steinernen Mauern der Grotte hielten sie gleichsam gefangen, während der Gesang sich zu einem wilden Crescendo steigerte, das sich in einem plötzlichen, orgiastischen Aufbrüllen entlud, das den ganzen Raum erfasste...

Endlich löste Sophie sich aus ihrer Starre. Sie wandte sich von der scheußlichen Szene ab, taumelte die Treppe hinauf und rannte mit stolpernden Schritten aus dem Gebäude, wobei ihr Tränen über die Wangen liefen. Am ganzen Körper zitternd, fuhr sie nach Paris zurück.

75. KAPITEL

Als Aringarosa sein zweites Gespräch mit Bezu Fache beendet hatte, blitzte unter der gecharterten Maschine das Lichtermeer Monacos auf. Aringarosa griff wieder nach einer Tüte und erbrach sich.

Wenn nur endlich alles vorbei wäre.

Faches neuestem Lagebericht zufolge schien alles aus dem Ruder zu laufen; in dieser Nacht schien aber auch *gar nichts* nach Plan gegangen zu sein.

Was ist nur los? Wo hast du Silas hineinmanövriert? Wo hast du dich selbst hineinmanövriert?

Auf wackligen Beinen ging Aringarosa zum Cockpit. »Wir müssen unser Ziel ändern.«

Der Pilot blickte über die Schulter und lachte. »Das soll wohl ein Witz sein.«

»Nein. Ich muss so schnell wie möglich nach London.«

»Das ist ein Charterflug, kein Taxi.«

»Ich werde Sie natürlich großzügig dafür bezahlen«, sagte Aringarosa. »Wie viel verlangen Sie? London liegt nur eine knappe Flugstunde weiter nördlich, und den Kurs brauchen Sie auch kaum zu ändern, also…«

»Das ist keine Frage des Geldes. Das Problem liegt ganz woanders.«

»Ich biete Ihnen zehntausend Euro. Jetzt sofort.«

Der Pilot drehte sich um und blickte Aringarosa verwundert an. »Wie viel? Sie als Priester laufen mit so viel Geld herum?«

Aringarosa holte aus seinem schwarzen Köfferchen in der Kabine ein Schriftstück und hielt es dem Piloten hin.

»Was ist das?«, wollte der Pilot wissen.

»Eine Inhaberobligation der Vatikanbank über zehntausend Euro.«

Der Pilot machte ein skeptisches Gesicht.

»Das ist so gut wie Bargeld.«

»Nur Bargeld ist Bargeld«, sagte der Pilot und winkte ab.

In Aringarosa stieg Verzweiflung auf. Halt suchend lehnte er sich gegen die Cockpittür. »Es geht um Leben und Tod. Ich muss unbedingt nach London. Sie müssen mir helfen.«

Der Pilot deutete auf Aringarosas goldenen Ring. »Sind die Brillanten echt?«

Aringarosa blickte auf seinen Bischofsring. »Davon kann ich mich unmöglich trennen.«

Der Pilot zuckte die Achseln und wandte sich wieder seinen Instrumenten zu.

Aringarosa betrachtete den Ring. Tiefe Trauer überkam ihn. Doch alles, wofür dieser Ring stand, war ihm ohnehin schon so gut wie abhanden gekommen. Zögernd streifte er den Ring vom Finger und legte ihn behutsam auf den Rahmen der Instrumententafel. Dann verließ er das Cockpit und ließ sich in seinen Sitz sinken.

Fünfzehn Sekunden später spürte er, wie die Maschine ein paar Grad nach Norden schwenkte.

Aringarosas Freude hielt sich in Grenzen.

Es hatte als Kampf für eine heilige Sache begonnen, als brillant eingefädelter Coup. Jetzt fiel alles wie ein Kartenhaus in sich zusammen ... und ein Ende war noch nicht abzusehen.

76. KAPITEL

Sophie verstummte erschöpft. Langdon sah, dass ihr diese nächtliche Begebenheit noch immer zu schaffen machte. Er selbst war fasziniert, einen authentischen Bericht über einen *hieros Gamos* gehört zu haben. Nicht nur, dass Sophie das Ritual in allen Einzelheiten miterlebt hatte, der eigene Großvater war obendrein der Zelebrant gewesen ... der Großmeister der *Prieuré de Sion*. Er befand sich in einer Reihe mit großen Namen. *Da Vinci, Botticelli, Victor Hugo, Jean Cocteau ... Jacques Saunière*.

»Ich kann Ihnen nachfühlen, dass es ein Schock für Sie war«, sagte Langdon sanft.

Sophies tränenfeuchte Augen schimmerten jetzt in einem tiefen Grün. »Er hat mich aufgezogen wie sein eigenes Kind.«

Langdon kannte das Gefühl, das bei Sophies Worten aus ihren Augen sprach. Es war Reue. Sophie sah ihren Großvater, dem sie sozusagen den Laufpass gegeben hatte, nun in einem anderen Licht.

Draußen an Steuerbord zog der heraufdämmernde Morgen eine scharlachrote Schärpe über den Horizont. Die Erde unter ihnen war noch schwarz.

»Kleine Erfrischung gefällig?« Teabing präsentierte schwungvoll einige Dosen Cola und eine Schachtel Cracker. »Unser Freund, der Mönch, ist noch ein wenig mundfaul«, berichtete er dann, »aber das wird sich geben.« Er biss geräuschvoll in einen Cracker. »Sind Fortschritte zu vermelden, meine Schöne?«, wandte er sich nach einem Blick auf den Vierzeiler an Sophie.

Sophie schüttelte den Kopf und erwiderte nichts.

Während Teabing sich erneut dem Vierzeiler widmete, riss Langdon eine Coladose auf und schaute zum Fenster hinaus. In seinem Kopf wirbelten Bilder von Geheimritualen und rätselhaften Codes, die auf ihre Entschlüsselung warteten, um Geheimnisse von unvorstellbarer Tragweite preiszugeben. Langdon dachte an die dritte Zeile des rätselhaften Vierzeilers: *ein gepriesener Templerstein*. Er nahm einen tiefen Schluck, betrachtete die letzten Schleier der Nacht, die rasch schwanden, und versuchte, dem noch blassen Tageslicht irgendeine Erleuchtung abzuringen, doch je heller es draußen wurde, desto weiter schien er sich von der Erkenntnis der Wahrheit zu entfernen. In Langdons Kopf vermischten sich der Rhythmus des Vierzeilers und der orgiastische Gesang beim Ritual des *hieros Gamos* mit dem Dröhnen der Triebwerke.

Ein gepriesener Templerstein.

Das Flugzeug hatte die Küste erreicht, als ihm wie ein Blitz die Erleuchtung kam. Langdon setzte die leere Coladose so heftig ab, dass es wie ein Pistolenschuss knallte. »Ihr werdet es mir nicht glauben«, wandte er sich Sophie und Teabing zu, »aber ich weiß, was mit dem gepriesenen Templerstein gemeint ist.«

Teabing riss die Augen auf. »Sie wissen, wo dieser Stein ist?«

»Nicht *wo*, sondern *was* er ist.« Langdon lächelte. »Ich bin sicher, damit ist ein steinerner Kopf gemeint.«

»Ein steinerner Kopf?«, fragte Teabing verwirrt.

Auch Sophie blickte verwundert drein.

»Die Kirche«, fuhr Langdon fort, »hat den Templern doch alle möglichen Blasphemien und Ketzereien vorgeworfen, nicht wahr?«

»Allerdings«, sagte Teabing. »Man hat eine stattliche Liste von Vorwürfen konstruiert: Sodomie, Urinieren auf das Kruzifix, Teufelsverehrung …«

»Auf der Liste befand sich auch der Vorwurf der Götzenanbetung, nicht wahr? Die Kirche hat den Templerorden beschuldigt, Geheimrituale zu vollziehen, bei denen die Skulptur eines steinernen Kopfes verehrt wurde. Der Kopf des heidnischen Gottes …«

»Baphomet!«, platzte Teabing heraus. »Sie haben Recht! Ein gepriesener Templerstein!«

Langdon erläuterte Sophie, dass Baphomet ein heidnischer Fruchtbarkeitsgott war, dem die schöpferische Kraft der Reproduktion zugeschrieben wurde. Sein Kopf wurde als Widderkopf oder Kopf eines Ziegenbocks dargestellt, die weithin als Symbole der Fortpflanzung und Fruchtbarkeit galten. Zur Verehrung Baphomets hatten die Templer, von Gesängen und Gebeten begleitet, einen Reigen um ein steinernes Abbild seines Kopfes getanzt.

»Baphomet!« Teabing schüttelte den Kopf. »Im Baphometkult wurde das schöpferische Geheimnis der geschlechtlichen Vereinigung verehrt, bis Papst Klemens V. aller Welt verkündete, dass der Kopf Baphomets in Wirklichkeit das Haupt des Teufels sei. Er hat den Kopf Baphomets als Stolperstein benutzt, mit dem er die Templer zu Fall brachte.«

Langdon pflichtete ihm bei. Die heutige Vorstellung vom *gehörnten* Teufel verdanken wir dem Bemühen der Kirche, den gehörnten Fruchtbarkeitsgott als Symbol des Bösen zu diffamieren. Das Bemühen der Kirche war offensichtlich von Erfolg gekrönt, wenn auch nicht vollständig. Auf der Festtafel beim traditionellen amerikanischen Thanksgiving, dem Erntedankfest, wurden immer noch gehörnte heidnische Fruchtbarkeitssymbole aufgestellt. Auch das Füllhorn war ein Tribut an Baphomets Fruchtbarkeit und ging zurück auf die Göttersage von Zeus, der von einer Ziege gesäugt wurde, deren Gehörn abbrach und sich wundersamerweise mit Früchten füllte.

»Ja!«, rief Teabing begeistert. »Der Vers *muss* sich auf Baphomet beziehen. Damit hätten wir unseren gepriesenen Templerstein!«

»Aber wenn das stimmt«, meinte Sophie, »haben wir ein neues Problem.« Sie deutete auf die fünf Einstellsegmente des Kryptex. »Baphomet hat acht Buchstaben, aber wir haben nur Platz für fünf.«

Teabing grinste übers ganze Gesicht. »Und hier, meine Liebe, kommt nun der Atbasch-Code ins Spiel.«

77. KAPITEL

L angdon war beeindruckt. Teabing hatte soeben aus dem Gedächtnis sämtliche zweiundzwanzig Buchstaben des hebräischen Alphabets – *alef-beit* – niedergeschrieben. Zugegeben, er hatte die Transkription in lateinischen Buchstaben benutzt, aber jetzt las er das Ganze in makelloser Aussprache vor:

A B G D H V Z Ch T Y K L M N S O P Tz Q R Sh Th

»*Alef, Beit, Gimel, Dalet, He, Vav, Sajin, Chet, Thet, Jod, Kaf, Lamed, Mem, Nun, Samech, Ajin, Pe, Zade, Kof, Resch, Sin und Taw.*« Teabing wischte sich dramatisch den nicht vorhandenen Schweiß von der Stirn und fuhr fort: »In der hebräischen Buchstabierweise gibt es für die Vokale kein Zeichen. Wenn wir also das Wort ›Baphomet‹ auf hebräisch aufschreiben, fallen die drei Vokale aus, und somit hätten wir ...«

»Fünf Buchstaben!«, fiel Sophie ihm ins Wort.

Teabing nickte und begann wieder zu schreiben. »Hier wäre also die korrekte Niederschrift des Wortes ›Baphomet‹ in hebräischer Schreibweise. Der Klarheit halber schreibe ich die fehlenden Vokale klein dazwischen.«

Er schrieb:

B a PV o M e Th

»Nicht zu vergessen«, fuhr Teabing fort, »dass Hebräisch von rechts nach links geschrieben wird, Atbasch jedoch funktioniert bei unserer vertrauten Schreibweise ebenso gut. Jetzt müssen wir noch unseren Austauschschlüssel erstellen, indem wir das ganze Alphabet von hinten nach vorn unter das erste Alphabet schreiben.«

»Das geht auch einfacher«, sagte Sophie und nahm Teabing den Stift aus der Hand. »Das kann man bei allen gegenläufigen Austauschcodes machen. Ein kleiner Trick, den man mir am Royal Holloway beigebracht hat.« Sophie notierte die erste Hälfte des Alphabets von links nach rechts, darunter die zweite Hälfte von rechts nach links. »Kryptoanalytiker nennen das die Faltmethode, halb so kompliziert, aber doppelt so klar.«

A	B	G	D	H	V	Z	Ch	T	Y	K
Th	Sh	R	Q	Tz	P	O	S	N	M	L

Teabing betrachtete schmunzelnd Sophies Matrix. »Sehr gut. Ich stelle mit Befriedigung fest, dass unsere Jungs in Holloway anständige Arbeit geleistet haben.«

Beim Betrachten von Sophies Substitutionsmatrix empfand Langdon eine wachsende Erregung. Nicht anders war es wohl den frühen Religionswissenschaftlern ergangen, denen es durch die Anwendung des Atbasch-Codes gelungen war, das inzwischen berühmte *Geheimnis von Scheschach* zu lüften. Über Jahre hinweg hatte man an den Verweisen der Bibel auf eine Stadt »Scheschach« herumgerätselt. Auf keiner Landkarte und in keinem anderen Dokument war diese Stadt auszumachen, die im Buch Jeremia immer wieder vorkam – der König von Scheschach, die Stadt Scheschach, das Volk von Scheschach –, bis ein Gelehrter auf die Idee kam, den Atbasch-Code auf dieses Wort anzuwenden. Das Ergebnis war verblüffend. Scheschach entpuppte sich als Codewort für eine sehr bekannte Stadt. Die Entschlüsselung war ganz einfach.

Im Hebräischen wird Scheschach Sh-Sh-K geschrieben. Durch die entsprechende Substitution wurde aus Sh-Sh-K die Buchstabenfolge B-B-L, was hebräisch ausgesprochen Babel lautet.

Die geheimnisvolle Stadt Scheschach war Babel.

Daraufhin brach ein regelrechtes Fieber aus, was die Überprüfung biblischer Wörter und Begriffe betraf. Binnen weniger Wochen entdeckte man im Alten Testament eine ganze Reihe von Wörtern, die mit Atbasch verschlüsselt waren, wodurch sich eine ungeahnte Menge unterschwelliger Bedeutungszusammenhänge ergab, von deren Existenz bislang kein Mensch etwas geahnt hatte.

»Wir sind gleich so weit«, flüsterte Langdon, der sich kaum noch beherrschen konnte.

»Nur noch Zentimeter vom Ziel entfernt«, fügte Teabing hinzu und streifte Sophie mit einem Blick. »Fertig?«

Sie nickte.

»Also dann – Baphomet auf hebräisch, ohne Vokale, wäre B-P-V-M-Th. Jetzt nehmen wir Ihre Substitutionsmatrix und übersetzen die fünf Buchstaben in unser Passwort.«

Sophies Matrix im Blick, tauschte Teabing sorgfältig einen Buchstaben nach dem anderen aus. *B wird zu Sh … P wird zu V …*

Teabing strahlte wie ein Junge unter dem Weihnachtsbaum. »Und der Atbasch-Code ergibt…« Abrupt hielt er inne und wurde blass. »Großer Gott!«

Langdon fuhr hoch. Das Herz schlug ihm bis zum Hals. »Was ist?«

»Robert, Sie werden es kaum glauben!«, keuchte Teabing.

»Was denn?«, fragte auch Sophie ungeduldig.

Teabing blickte sie an. »Und Sie schon gar nicht.«

»Wie meinen Sie das?«

»Das ist einfach genial«, flüsterte Teabing und begann wieder zu schreiben. »Und jetzt bitte einen Trommelwirbel! Hier ist das Passwort.« Er hielt den Zettel hoch. Darauf stand:

Sh-V-P-Y-A

Sophie runzelte die Stirn. »Was heißt das?«

Auch Langdon wusste nichts damit anzufangen.

»Das, meine Freunde, ist in der Tat ein ›uralt Wort der Weisheit‹«, sagte Teabing mit bebender Stimme.

Langdon las noch einmal die Buchstabenfolge. *Ein uralt Wort der Weisheit löst den Bann.* Plötzlich ging ihm ein Licht auf. Damit hätte er im Traum nicht gerechnet. »Ein uralt Wort der Weisheit!«

Teabing lachte. »Geradezu wörtlich!«

Sophie betrachtete das Wort und dann den Öffnungsmechanismus des Kryptex. »Auf den Drehsegmenten gibt es aber kein Sh, nur das übliche lateinische Alphabet.«

»Sie müssen das Wort *lesen*«, sagte Langdon eindringlich. »Außerdem müssen Sie wissen, dass im Hebräischen das Zeichen für Sh je nach seinem Akzent auch wie ein einfaches S ausgesprochen werden kann und das Zeichen P wie unser F.«

»SVFYA«, radebrechte Sophie verwirrt.

»Der Mann war ein Genie!« Teabing konnte sich kaum beruhigen. »Das Zeichen Vav ist oft nur ein Platzhalter für den Vokal O!«

Sophie versuchte noch einmal, der Buchstabenreihe Klang zu verleihen. »S ... o ... f ... y ... a.«

Sie hörte den Klang ihrer eigenen Stimme und wollte kaum glauben, was sie soeben gesagt hatte. »Sophia? Das wird ›Sophia‹ ausgesprochen?«

Langdon nickte begeistert. »Ja! Sophia heißt auf Griechisch ›Weisheit‹. Ihr Name, Sophie, ist buchstäblich ›ein uralt Wort der Weisheit‹.«

Sophie sehnte sich plötzlich mit ganzem Herzen nach ihrem Großvater. *Er hat es wieder einmal perfekt hinbekommen. Er hat meinen Namen zum Verschlüsseln des Kryptex benutzt.* Sie spürte einen Kloß im Hals. Ihr Blick fiel auf die fünf Drehsegmente des Kryptex. »Aber, Moment mal ... das Wort Sophia hat sechs Buchstaben.«

Teabings Lächeln war unerschütterlich. »Sehen Sie sich die Verszeile genau an. Ihr Großvater hat geschrieben ›ein *uralt* Wort der Weisheit‹.«

»Ja, und?«

Teabing blinzelte ihr zu. »Im Altgriechischen ist das Ph ein *einziger* Buchstabe, nämlich das Phi, und es klingt wie ein F: S-o-f-i-a!«

78. KAPITEL

Sophie verspürte eine unbezähmbare Erregung, als sie sich das Kryptex in den Schoß legte und die Buchstabenfolge einstellte. *Ein uralt Wort der Weisheit löst den Bann.* Langdon und Teabing sahen ihr atemlos zu.

S... O... F...

»Vorsichtig«, warnte Teabing, »ganz, ganz vorsichtig!«

... I... A

Das letzte Drehsegment war richtig eingestellt. »Also gut«, flüsterte Sophie und sah die beiden Männer an. »Jetzt ziehe ich es auseinander.«

»Denken Sie an den Essig«, mahnte Langdon leise. »Ganz vorsichtig...«

Wenn dieses Kryptex so funktionierte wie jene, die Sophie in ihrer Kindheit geöffnet hatte, brauchte sie nur den Zylinder an beiden Enden oberhalb und unterhalb des letzten Segments zu greifen und unter gleichmäßigem Zug auseinander zu ziehen. Waren die Drehsegmente korrekt eingestellt, würde eines der Endstücke wie der Objektivverschluss einer Kamera herausgleiten, sodass man ins Innere greifen und das Papyrusdokument herausholen konnte, das um die Phiole mit dem Essig gewickelt war. War das eingestellte Passwort jedoch falsch, übertrug die Zugkraft sich auf ein Hebelwerk, das die Glasphiole zerbrach, wenn man zu stark zog.

Zieh ganz vorsichtig, ermahnte sich Sophie.

Teabing und Langdon beugten sich gespannt vor. Sophie

ergriff die Endstücke des Zylinders. Vor lauter Aufregung bei der Entzifferung des Codeworts hatte Sophie fast vergessen, was sie in diesem Steinzylinder zu finden hofften. *Das ist der Schlussstein der Prieuré.* Teabing zufolge enthielt er einen Wegweiser zum Heiligen Gral und enthüllte den Ort der Grabstätte Maria Magdalenas und den Verbleib der Sangreal-Dokumente... den vollständigen Schatz des Geheimwissens.

Nachdem Sophie noch einmal überprüft hatte, ob alle Buchstaben des Passworts richtig eingestellt waren, begann sie behutsam zu ziehen. Nichts tat sich. Sie zog ein bisschen stärker. Plötzlich glitt der Steinzylinder auseinander wie ein präzise gefertigtes Teleskop. Das Endstück löste sich und lag schwer in ihrer Hand. Sophies Herz pochte wild. Sie legte das Endstück auf den Tisch und hielt den Zylinder schräg, um hineinzuspähen.

Eine Schriftrolle.

In der Höhlung der Rolle konnte Sophie einen runden Gegenstand mit dem darumgewickelten Schriftstück erkennen – die Phiole mit dem Essig, wie zu vermuten war. Seltsamerweise war um den Gegenstand nicht der erwartete zarte Papyrus gewickelt, sondern Pergament. *Merkwürdig,* dachte sie. *Essig kann doch kein Pergament aus Schafshaut auflösen.* Als sie noch einmal in die Höhlung spähte, bemerkte sie, dass das Objekt in der Rolle keineswegs ein Glasbehälter mit Essig war. Es war etwas ganz anderes.

»Stimmt was nicht?«, drängte Teabing. »Nun ziehen Sie die Schriftrolle schon heraus!«

Stirnrunzelnd griff Sophie in den Zylinder und zog das Pergament samt dem Gegenstand, um den es gewickelt war, heraus.

»Das ist ja gar kein Papyrus«, sagte Teabing. »Viel zu dick.«

»Ich weiß. Es ist ja nur die Polsterung.«

»Wozu? Für die Phiole mit dem Essig?«

Sophie rollte bereits das Pergament auseinander. Der Gegenstand kam zum Vorschein. »Nein, dafür.«

Als Langdon das Objekt erblickte, sank ihm der Mut.

»Gott steh uns bei«, rief Teabing. »Ihr Großvater kannte wirklich kein Erbarmen.«

»Stimmt«, sagte Langdon. »Saunière hatte nicht vor, uns die Sache leicht zu machen.«

Auf dem Tisch lag ein zweites Kryptex. Kleiner und aus schwarzem Onyx. Eingepasst ins erste Kryptex ... Saunières Leidenschaft für Dualismen. Alles paarweise. *Zwei Kryptexe. Der Doppelsinn als Prinzip. Männlich-weiblich. Das Weiße umfängt das Schwarze.* Langdon spürte, wie sich das Netz symbolischer Bedeutungen immer weiter spann. *Weiß gebiert Schwarz.*

Jeder Mensch ist dem Weib entsprungen.

Weiß – weiblich.

Schwarz – männlich.

Langdon griff nach dem kleinen Kryptex. Es sah aus wie das erste, nur dass es halb so groß und schwarz war. Er hörte das vertraute Gluckern der Essigphiole, die offenbar im zweiten Kryptex steckte.

»Robert«, sagte Teabing und schob Langdon das Pergament hin, »Sie werden bestimmt mit Freuden hören, dass wir immerhin in die richtige Richtung fliegen.«

Langdon betrachtete das dicke Pergament. Wieder befand sich ein in schwungvoller Schrift geschriebener Vierzeiler darauf, wieder in fünffüßigen Jamben. Sein Sinn war erwartungsgemäß dunkel, doch schon nach dem Lesen der ersten Zeile fand Langdon bestätigt, dass Teabings Plan, nach England zu fliegen, sich auszahlen würde.

IN LONDON LIES A KNIGHT A POPE INTERRED [9]

Aus den anderen Versen ging eindeutig hervor, dass sich das Passwort zum Öffnen des zweiten Kryptex durch einen Besuch am Sarkophag dieses rätselhaften Ritters herausfinden ließ, der sich irgendwo in London befinden musste.

»In London liegt ein Ritter, den ein Papst begraben«, sagte Langdon aufgeregt. »Haben Sie eine Ahnung, auf welchen Ritter sich das Gedicht bezieht?«, erkundigte er sich bei Teabing.

---

[9] In London liegt ein Ritter, den ein Papst begraben.

»Nicht die leiseste. Aber ich weiß genau, wo wir uns umsehen sollten.«

Zur gleichen Zeit jagten dreißig Kilometer entfernt sechs Streifenwagen der Polizei von Kent über regennasse Straßen zum Geschäfts- und Sportflugplatz von Biggin Hill.

79. KAPITEL

L eutnant Collet bediente sich aus dem Kühlschrank in Teabings Küche mit einem Perrier und ging gemächlich in den Salon zurück. Statt Fache nach London zu begleiten, wo die Musik spielte, saß er hier im Château Villette fest und spielte den Babysitter für die Leute von der Spurensicherung, die inzwischen im ganzen Schloss ausgeschwärmt waren.

Bislang hatte das Team wenig verwertbares Material zu Tage gefördert: Ein Projektil im Boden, ein Zettel mit den Wörtern »Winkel« und »Kelch«, sowie einen blutverschmierten Riemen mit Stacheln, der, wie Collet von einem der Beamten erfahren hatte, irgendetwas mit der ultrakonservativen katholischen Organisation Opus Dei zu tun hatte, die kürzlich nach einem Fernsehbericht über ihre aggressive Mitgliederwerbung in Paris ins Kreuzfeuer der Medien geraten war.

Collet seufzte. *Wenn wir mit diesem Sammelsurium etwas anfangen können, haben wir mehr Glück als Verstand.*

Er schlenderte den prunkvollen Flur hinunter und betrat den riesigen Ballsaal, der dem Hausherrn als Arbeitsraum diente. Der Chef des Spurensicherungsteams, ein korpulenter Mann mit Hosenträgern, war eifrig damit beschäftigt, Fingerabdrücke zu sichern.

»Schon was gefunden?«, erkundigte sich Collet, als er das Zimmer betrat.

Der Beamte schüttelte den Kopf. »Nichts Neues. Immer wieder die gleichen Abdrücke, die wir schon überall im Haus gefunden haben.«

»Was ist mit den Abdrücken auf dem Bußgürtel?«

»Interpol ist noch dran. Ich hab denen alles gemailt, was wir gefunden haben.«

Collet zeigte auf zwei Plastiktüten für Beweismittel, die auf dem Tisch lagen. »Und was ist damit?«

Der Mann zuckte die Schultern. »Die Macht der Gewohnheit. Alles, was mir merkwürdig vorkommt, wird eingesackt.«

Collet ging zum Tisch. *Merkwürdig?*

»Dieser Teabing ist ein komischer Kauz«, sagte der Beamte. »Sehen Sie sich das mal an.« Er suchte in einer der Tüten, nahm ein Foto heraus und reichte es Collet.

Es war das Bild des Mittelportals einer gotischen Kathedrale – der übliche, tief in den Baukörper eingezogene gotische Kircheneingang, dessen Maueröffnung sich unter den gestaffelten Wülsten spitzbogiger Archivolten bis zum eigentlichen, relativ kleinen Portal verengte.

Collet betrachtete das Bild. »Was soll daran merkwürdig sein?«

»Drehen Sie's mal um.«

Die Rückseite war mit winzigen Notizen in englischer Sprache voll gekritzelt, in denen die weite Höhlung des Kirchenschiffs mit dem weiblichen Uterus verglichen wurde. Das war schon merkwürdig genug, aber der Gipfel war die Notiz zur Gestaltung gotischer Kathedraleneingänge. »Moment mal ...«, sagte Collet, »der Mann ist tatsächlich der Ansicht, der Eingang einer Kathedrale sei ein Abbild der weiblichen ...«

Der Ermittler nickte. »Genau. Samt Schamlippen und einer kleinen Lilie als Klitoris oben im Spitzbogen über der Tür.« Der Beamte seufzte. »Da möchte man doch glatt wieder mal in die Kirche gehen.«

Collet nahm den zweiten Beutel zur Hand. Durch die Plastikfolie konnte er ein großes Hochglanzfoto erkennen, auf dem ein offenbar sehr altes Dokument abfotografiert war. Am oberen Rand stand eine Überschrift:

Les Dossiers Secrets-numéro 4°bn' 249

»Was ist denn das?«, fragte Collet.

»Keine Ahnung, aber weil überall Abzüge davon herumliegen, kam es in den Beutel.«

Collet studierte das Dokument.

PRIEURÉ DE SION –
LES NAUTIONIERS/GROSSMEISTER

Jean de Gisors	1188-1220
Marie de Saint-Clair	1220-1266
Guillaume de Gisors	1266-1307
Edouard de Bar	1307-1336
Jeanne de Bar	1336-1351
Jean de Saint-Clair	1351-1366
Blanche d'Evreux	1366-1398
Nicolas Flamel	1398-1418
René d'Anjou	1418-1480
Iolande de Bar	1480-1483
Sandro Botticelli	1483-1510
Leonardo da Vinci	1510-1519
Connetable de Bourbon	1519-1527
Ferdinand de Gonzaque	1527-1575
Louis de Nevers	1575-1595
Robert Fludd	1595-1637
J. Valentin Andrea	1637-1654
Robert Boyle	1654-1691
Isaac Newton	1691-1727
Charles Radcliffe	1727-1746
Charles de Lorraine	1746-1780
Maximilian de Lorraine	1780-1801
Charles Nodier	1801-1844
Victor Hugo	1844-1885
Claude Debussy	1885-1918
Jean Cocteau	1918-1963

Prieuré de Sion? Collet war ratlos.

»Leutnant?« Ein Beamter steckte den Kopf zur Tür herein. »Die Vermittlung hat einen dringenden Anruf für Capitaine Fache, aber man kann ihn nicht erreichen. Wollen Sie das Gespräch annehmen?«

Collet ging zum Telefon in der Küche und nahm ab.

Es war Vernet. Trotz der gezierten Sprechweise des Bankiers war seine Anspannung unüberhörbar. »Es war vereinbart, dass Capitaine Fache mich zurückruft, aber ich habe bislang nichts von ihm gehört.«

»Der Capitaine ist sehr beschäftigt«, sagte Collet. »Vielleicht kann ich Ihnen weiterhelfen.«

»Man hat mir versichert, dass ich über den Fortgang der Ermittlungen auf dem Laufenden gehalten werde«, beschwerte sich der Anrufer. Seine Stimme kam Collet irgendwie bekannt vor, doch er konnte sie nirgends einordnen.

»Monsieur Vernet, ich bin derzeit mit den Ermittlungen in Paris betraut. Ich bin Leutnant Collet.«

Eine lange Pause entstand. »Äh ... entschuldigen Sie, Leutnant, ich habe einen anderen Anrufer in der Leitung. Ich melde mich gleich zurück.« Vernet hängte ein.

Collet hielt unschlüssig den Hörer in der Hand. Dann dämmerte es ihm. *Der Fahrer des Geldtransporters mit der falschen Rolex!*

Deshalb hatte der Bankier so schnell aufgelegt! Er hatte sich beim Namen Collet an den Beamten erinnert, den er in dieser Nacht so unverschämt an der Nase herumgeführt hatte.

Collet dachte nach. Was hatte diese unerwartete Wendung zu bedeuten? *Vernet steckt in der Sache mit drin!* Collet wusste, dass er Fache benachrichtigen sollte, doch sein Gefühl sagte ihm, dass dieser Glücksstreffer seine Sternstunde werden konnte.

Er rief unverzüglich Interpol an, um sich alles verfügbare Material über die Zürcher Depositenbank und ihren Pariser Direktor André Vernet geben zu lassen.

80. KAPITEL

Bitte anschnallen«, kam die Ansage des Piloten, als Teabings Hawker 731 in einen trüben morgendlichen Nieselregen hinabtauchte. »Wir landen in fünf Minuten.«

Als Teabing die dunstige Hügellandschaft Kents erblickte, die sich weit unter dem landenden Flugzeug ausbreitete, hatte er das freudige und erhebende Gefühl, nach Hause zu kommen. England war weniger als eine Flugstunde von Paris entfernt, und doch lagen Welten dazwischen. An diesem Morgen schien ihn das feuchte Frühlingsgrün seiner heimatlichen Gefilde ganz besonders willkommen zu heißen. *Deine Zeit in Frankreich ist vorbei. Der Schlussstein ist gefunden. Im Triumph kehrst du nach England zurück.* Blieb allerdings noch die Frage, *wohin* der Schlussstein die Suchenden letzten Endes führen würde. *An irgendeinen Ort im Vereinigten Königreich.* Wohin genau, vermochte Teabing nicht zu sagen, doch er kostete bereits den Vorgeschmack des Ruhms.

Teabing erhob sich und ging auf die andere Seite der Kabine. Langdon und Sophie sahen, wie er ein Stück der Wandverkleidung beiseite schob. Ein diskret eingebauter Tresor kam zum Vorschein, den Teabing nach Einstellen der Zahlenkombination öffnete. Er nahm zwei Pässe heraus. »Reisedokumente für Rémy und mich«, verkündete er, griff noch einmal in den Safe und brachte ein dickes Bündel Fünfzig-Pfund-Noten zum Vorschein. »Und Reisedokumente für meine Fluggäste.«

Sophie sah ihn argwöhnisch an. »Bestechungsgeld?«

»Nennen wir es kreative Diplomatie. Auf Geschäftsflugplätzen gibt es immer gewisse Möglichkeiten. Wenn wir in meinem Hangar sind, wird mich ein britischer Zollbeamter begrüßen und bitten, an Bord kommen zu dürfen. Ich werde ihm sagen, dass ich mich in Begleitung einer prominenten französischen Staatsbürgerin befinde, die ungern möchte, dass ihre Anwesenheit in England bekannt wird – wegen der Regenbogenpresse, verstehen Sie –, und dann werde ich dem Beamten in Anerkennung seines unbürokratischen Verhaltens ein großzügiges Trinkgeld zustecken.«

»Und der Beamte wird darauf eingehen?«

»Natürlich nicht jeder, aber die Leute hier kennen mich schon lange. Mein Gott, ich bin schließlich kein Waffenhändler.« Teabing lächelte. »Der Ritterschlag hat auch seine Vorteile.«

Rémy kam durch den Mittelgang nach vorn, die Heckler & Koch in der Hand. »Sir, wie lauten meine Anweisungen?«

»Sie werden mit unserem Gast an Bord bleiben, bis wir wiederkommen. Wir können ihn ja nicht gut durch ganz London mit uns herumschleppen.«

Sophie sah Teabing besorgt an. »Sir Leigh, ich befürchte, dass die französische Polizei Ihr Flugzeug aufgespürt hat, bis wir zurückkommen.«

Teabing lachte. »Die dürften sich ganz schön wundern, wenn sie an Bord kommen und Rémy mit unserem Freund antreffen.«

Für Sophies Empfinden betrachtete Teabing die Sache ein wenig zu gelassen. »Sie haben einen Mann der Freiheit beraubt und gefesselt über internationale Grenzen hinweg außer Landes geschafft, Sir Leigh. Das ist ein harter Brocken.«

»Das sind meine Anwälte auch.« Teabing warf einen finsteren Blick ins Heck auf den gefangenen Mönch. »Dieses Monstrum ist in mein Haus eingebrochen und hätte mich um ein Haar ermordet. Das ist eine Tatsache, und Rémy wird es bestätigen!«

»Aber Sie haben ihn gefesselt nach London geschafft«, sagte Langdon.

Teabing hob die Hand zu einem theatralischen Schwur. »Euer Ehren, vergeben Sie einem exzentrischen alten Ritter seine hohe Meinung von der britischen Justiz. Ich gebe zu, ich hätte die französische Polizei rufen müssen, aber für mich als britischen Snob ist das *laissez-faire* der Franzosen unerträglich. Ich traue ihren Strafverfolgungsbehörden nicht über den Weg. Dieses Ungeheuer hätte mich um ein Haar ins Jenseits befördert. Ja, es war übereilt, dass ich meinen Butler veranlasst habe, mir zu helfen, den Mann nach England zu bringen, aber ich stand unter gewaltigem Stress. Mea culpa.«

Langdon blickte Teabing zweifelnd an. »Weil Sie es sind, Sir Leigh, kommen Sie vielleicht mit einem blauen Auge davon.«

»Sir?«, erklang die Lautsprecherstimme des Piloten in der Kabine. »Der Tower hat sich soeben gemeldet. An Ihrem Hangar gibt es ein technisches Problem. Ich soll stattdessen zum Empfangsgebäude rollen.«

Teabing hatte Biggin Hill seit mehr als zehn Jahren angeflogen, und so etwas war noch nie passiert. »Hat der Tower gesagt, worin das Problem besteht?«

»Nicht genau. Irgendwas von einem Leck an der Tankstation. Ich soll die Maschine vor dem Empfangsgebäude parken und niemand von Bord lassen, bis ich neue Informationen bekomme. Eine Vorsichtsmaßnahme. Jedenfalls soll niemand aussteigen, bis wir vom Tower grünes Licht haben.«

Teabing war skeptisch. Das musste ja ein gewaltiges Leck sein. Die Tankstation befand sich fast einen Kilometer vom Hangar entfernt.

Auch Rémy blickte besorgt drein. »Das erscheint mir höchst außergewöhnlich, Sir.«

Teabing wandte sich an Sophie und Langdon. »Meine Freunde, ich habe den unguten Verdacht, dass uns ein Begrüßungskomitee erwartet.«

Langdon seufzte. »Ich fürchte, Fache hält mich immer noch für seinen Mann.«

»Entweder das«, meinte Sophie, »oder er hat sich so weit in die Sache verrannt, dass er nicht mehr zurückkann.«

Teabing war mit den Gedanken woanders. Egal was Fache vermutete – jetzt musste schnell etwas geschehen. *Du darfst das eigentliche Ziel nicht aus den Augen verlieren. Den Heiligen Gral. Wir haben es fast geschafft.*

Das Fahrwerk wurde ausgefahren und rastete rumpelnd ein.

»Sir Leigh«, sagte Langdon mit ehrlichem Bedauern in der Stimme, »ich sollte mich den Behörden stellen und die Geschichte auf legale Weise zu Ende bringen. Ich habe Sie alle schon tief genug hineingezogen.«

»Du lieber Himmel, Robert!« Teabing hob abwehrend die Hände. »Glauben Sie wirklich, man würde uns einfach so gehen lassen? Ich habe Sie illegal außer Landes geschafft, und Miss Neveu hat Ihnen zur Flucht aus dem Louvre verholfen, und da hinten liegt ein gefesselter Mann im Flugzeug. Wir stecken alle bis zum Hals mit drin!«

»Wie wär's mit einem anderen Flugplatz?«, sagte Sophie.

Teabing schüttelte den Kopf. »Wenn wir jetzt wieder hochziehen und woanders heruntergehen, ist dort bis zur Landung die Armee mit Panzern aufgefahren.« Um sich die britischen Behörden so lange vom Hals zu halten, bis der Gral gefunden war, half nur noch ein kühner Entschluss. »Entschuldigen Sie mich einen Moment«, sagte Teabing und hinkte zum Cockpit.

»Was haben Sie vor?«, wollte Langdon wissen.

»Ich muss ein Verkaufsgespräch führen.« Teabing fragte sich, wie tief der Griff in seine Tasche wohl ausfallen musste, um dem Piloten ein höchst regelwidriges Manöver schmackhaft zu machen.

81. KAPITEL

D ie Hawker befand sich im Landeanflug.

Simon Edwards, Chef der Betreibergesellschaft des Flugplatzes Biggin Hill, tigerte im Kontrollturm auf und ab und schaute immer wieder nervös auf die regennasse Landebahn hinaus. Er schätzte es gar nicht, an einem Samstagmorgen in aller Frühe aus dem Bett geklingelt zu werden, aber dass man ihn herbeigerufen hatte, um bei der Festnahme eines seiner besten Kunden mitzuwirken, war mehr als eine Zumutung. Simon Edwards' Gesellschaft kam nicht nur in den Genuss der Pachteinnahmen aus Sir Leigh Teabings privatem Hangar, sie kassierte auch bei jedem der regelmäßigen Besuche ihres Kunden deftige Start- und Landegebühren. Normalerweise war der Flugplatz über Teabings Pläne im Voraus informiert und konnte bei der Ankunft das auf Teabings persönliche Wünsche abgestimmte Empfangsprotokoll genauestens einhalten. Seine Jaguar-Stretchlimousine, eine Sonderanfertigung, musste voll getankt und frisch poliert im Hangar stehen; auf dem Rücksitz hatte die aktuelle Tagesausgabe der *Times* zu liegen, und für die vorgeschriebene Pass- und Zollkontrolle hatte bei der Ankunft des Flugzeugs ein Zollbeamter am Hangar bereitzustehen. Die Zollbeamten bekamen gelegentlich ein ordentliches Trinkgeld zugesteckt, damit sie bei den öfters mitgeführten landwirtschaftlichen Produkten – meist Delikatessen wie französische Schnecken, ein besonders reifer Rohmilch-Roquefort und gewisse Edelobstsorten – ein Auge zudrückten. Viele Zollvorschriften waren ohnehin lachhaft, und wenn Biggin Hill nicht bereit war, seinen

Kunden ein gewisses Entgegenkommen zu gewähren – andere Flugplätze waren es.

Edwards' Nerven waren zum Zerreißen gespannt, als er das Flugzeug einschweben sah. Er fragte sich, ob Teabing sich durch allzu sorglosen Umgang mit seinen Vermögenswerten in Schwierigkeiten gebracht hatte – die französischen Behörden waren jedenfalls sehr darauf bedacht, seiner habhaft zu werden. Was gegen Teabing vorlag, hatte man Edwards nicht verraten, aber es musste schon etwas Schwerwiegendes sein. Auf Verlangen der französischen Polizei hatten ihre englischen Kollegen den Tower von Biggin Hill angewiesen, Funkkontakt mit dem Piloten der Hawker aufzunehmen und die Maschine direkt vor das Empfangsgebäude zu lenken, statt sie in den Hangar des Kunden rollen zu lassen. Der Pilot hatte sich der Anweisung gefügt und dem Tower offenbar die ziemlich weit hergeholte Geschichte von dem Treibstofffleck abgekauft.

Die britische Polizei war normalerweise unbewaffnet, doch man hielt die Situation offenbar für so delikat, dass ein bewaffnetes Einsatzkommando in Marsch gesetzt worden war. Acht Polizisten – ebenfalls bewaffnet – hielten sich unmittelbar am Ausgang des Terminals bereit und warteten auf den Augenblick, dass der Pilot die Triebwerke abstellte. In diesem Moment sollte ein Flugplatztechniker Bremsklötze vor das Fahrwerk schieben, sodass die Maschine bewegungsunfähig war. Anschließend sollte die Polizei in Aktion treten und die Insassen der Hawker so lange in Schach halten, bis die französische Polizei erschien und das weitere Vorgehen übernehmen konnte.

Die Hawker kam tief hereingeschwebt. Sie streifte fast die Baumwipfel rechts am Ende des Flugfelds. Simon Edwards ging nach unten, um die Landung zu beobachten. Die Polizisten standen versteckt bereit, der Mechaniker wartete mit den Bremsklötzen. Draußen zog die Hawker über der Landebahn die Nase nach oben, und die Reifen setzten quietschend in einer kleinen Rauchwolke auf der Rollbahn auf. Das Flugzeug jagte von rechts auf das Abfertigungsgebäude zu. Der Rumpf glänzte in der Nässe.

Allmählich verlor die Maschine an Fahrt, doch anstatt weiter abzubremsen und auf den Taxiway zum Terminal einzuschwenken, jagte der Jet seelenruhig daran vorbei und hielt auf Teabings Hangar weit hinten am Ende der Landebahn zu.

Die Polizisten fuhren wie ein Mann herum und starrten auf Edwards. »Hat der Pilot nicht gesagt, dass er vor dem Terminal parken wird?«

»Hat er auch!«

Sekunden später fand Edwards sich zwischen Polizisten eingekeilt in einem Streifenwagen wieder, der über die Landebahn zu Teabings Hangar raste. Der Polizeikonvoi war noch immer gut fünfhundert Meter vom Hangar entfernt, als Teabings Maschine gemächlich ins das große Gebäude rollte und verschwand.

Als die Streifenwagen mit kreischenden Reifen vor den Hangars zum Stehen kamen und die Polizisten mit gezogener Waffe aus den Fahrzeugen sprangen, wurden sie von einem Höllenlärm begrüßt. Mit dröhnenden Triebwerken beendete die Maschine soeben den üblichen Schwenk um die eigene Achse und rollte noch ein Stückchen vor, um für den nächsten Flug mit der Nase zur Rollbahn zu stehen. Edwards konnte den Piloten sehen, dem verständlicherweise die Überraschung beim Anblick des Polizeiaufgebots ins Gesicht geschrieben stand.

Als der Pilot die Hawker endgültig zum Stehen brachte und die Triebwerke auslaufen ließ, nahmen die Polizisten um die Maschine herum Aufstellung. Edwards hielt sich im Kielwasser des Chefinspektors der Polizei von Kent, der sich vorsichtig auf den Einstieg der Maschine zubewegte. Nach einigen Sekunden wurde die Tür geöffnet.

Ein Treppchen senkte sich summend zum Boden. Auf eine Krücke gestützt, erschien Leigh Teabing oben im Türrahmen und blickte verwundert in die Mündungen der auf ihn gerichteten Waffen. »Simon«, sagte er zu Edwards und kratzte sich am Kopf, »anscheinend habe ich bei der Polizeilotterie das große Los gezogen, als ich fort war.« Er wirkte eher amüsiert als besorgt.

Simon Edwards schluckte den Frosch in seinem Hals herunter

und trat vor. »Guten Morgen, Sir Leigh. Bitte entschuldigen Sie das Durcheinander. Wir hatten ein Treibstoffleck. Ihr Pilot hat gesagt, er würde zum Terminal rollen.«

»Ja, stimmt. Ich habe ihn angewiesen, direkt hierher zu rollen. Ich habe einen Arzttermin und bin spät dran. Schließlich bezahle ich einen Haufen Geld für diesen Hangar, und Ihre Sorge über den austretenden Treibstoff kam mir ein bisschen übertrieben vor.«

»Sir, ich fürchte, Ihre Ankunft hat uns sozusagen auf dem falschen Fuß erwischt ...«

»Ich weiß, ich weiß, ich komme ein bisschen plötzlich, aber ich kann meine neuen Medikamente nun mal nicht vertragen. Da bin ich kurz entschlossen herübergekommen.«

»Gewiss, Sir«, sagte Edwards kleinlaut.

Die Polizisten blickten einander an. Der Chefinspektor trat vor. »Sir! Ich muss Sie bitten, noch eine halbe Stunde an Bord zu bleiben.«

Teabing kam ärgerlich die Einstiegstreppe heruntergehumpelt. »Ich fürchte, diesen Gefallen kann ich Ihnen nicht tun. Ich muss zu meinem Arzt.« Teabing gelangte zum Ende der Treppe und humpelte los. »Ich kann es mir nicht leisten, den Termin platzen zu lassen.«

Der Chefinspektor verstellte Teabing den Weg. »Ich bin auf Ersuchen der französischen Polizei hier, Sir. Man wirft Ihnen vor, an Bord Ihres Flugzeugs gesetzesflüchtige Personen zu transportieren.«

Teabing starrte den Chefinspektor einen Augenblick an. Dann brach er in schallendes Gelächter aus. »Ach du liebe Güte! Ist das hier die ›Versteckte Kamera‹ oder so was?«

Der Polizist zuckte nicht mit der Wimper. »Das ist kein Spaß, Sir. Die französische Polizei hat uns ferner gemeldet, dass Sie eine Person an Bord haben, die ihrer Freiheit beraubt wurde.«

Teabings Butler erschien oben in der Tür. »Damit könnte ich gemeint sein«, sagte er kühl. »Sir Leigh pflegt mir allerdings zu versichern, ich könne jederzeit meiner Wege gehen.« Rémy sah auf die Uhr. »Sir, wir müssen uns beeilen.« Er wies mit dem Kopf auf die in einer Ecke des Hangars abgestellte Jaguar-Stretchlimousine, ein ebenholzschwarz lackiertes Monstrum mit getönten Scheiben und Weißwandreifen. »Ich hole den Wagen.« Rémy wollte die Treppe hinuntersteigen.

»Halt. Ich fürchte, ich kann Ihnen nicht gestatten, die Maschine zu verlassen«, sagte der Chefinspektor. »Bitte, begeben Sie sich beide wieder ins Flugzeug. Die Vertreter der französischen Polizei werden in Kürze hier landen.«

Teabing sah Simon Edwards an. »Um Himmels willen, Simon, das ist doch absurd! Außer Rémy, unserem Piloten und mir ist wie immer kein Mensch an Bord. Wären Sie vielleicht so nett, sich als Vermittler zu betätigen? Gehen Sie an Bord, sehen Sie sich um und bestätigen Sie uns, dass das Flugzeug leer ist.«

Edwards musste sich wohl oder übel fügen. »Jawohl, Sir, ich werde nachschauen.«

»Zum Teufel, das werden Sie nicht!«, intervenierte der Chefinspektor, der offensichtlich seine Erfahrungen mit Geschäftsflugplätzen gemacht hatte. Edwards war imstande, ihn zu belügen, um sich Teabing als Kunden zu erhalten. »Ich sehe selbst nach.«

»Nichts da«, sagte Teabing und schüttelte den Kopf. »Die Maschine ist mein privater Verfügungsbereich. Solange Sie mir keinen Durchsuchungsbefehl vorweisen, werden Sie mein Flugzeug nicht betreten. Ich habe Ihnen in aller Güte ein Angebot gemacht. Es steht Mr Edwards frei, die Inspektion vorzunehmen.«

»Das könnte Ihnen so passen!«

In Teabing stieg Zorn auf. »Inspektor, ich habe leider nicht die Zeit, auf Ihre Spielchen einzugehen. Ich bin verspätet und werde jetzt gehen. Wenn Sie mich unbedingt aufhalten wollen, müssen Sie mich erschießen.« Teabing und Rémy ließen den Chefinspektor stehen und strebten der geparkten Limousine zu.

Der Chefinspektor der Polizei von Kent empfand für Leigh Teabing, der ihn so verächtlich abgefertigt hatte, heftigen Widerwillen. *Diese Geldsäcke glauben wohl, sie stünden über dem Gesetz.* Der Chefinspektor drehte sich um und richtete die Waffe auf Teabings Rücken. »Halt, oder ich schieße!«

»Nur zu«, sagte Teabing, ohne den Schritt zu verzögern oder sich auch nur umzusehen. »Meine Anwälte werden Ihnen den Arsch aufreißen, dass Ihnen Hören und Sehen vergeht. Und falls Sie es wagen, mein Flugzeug zu betreten, werden Sie vorher kastriert.«

Der Inspektor war wenig beeindruckt. Er kannte diese Machtspielchen. Streng juristisch war Teabing im Recht; die Polizei durfte sein Flugzeug in der Tat nur mit einem Durchsuchungsbefehl betreten, aber nachdem der Flug von französischem Boden ausgegangen war und die Autorität des mächtigen Bezu Fache hinter der Aktion stand, hatte der Chefinspektor aus Kent das Gefühl, seine Karriere würde einen gewaltigen Schub bekommen, wenn er herausbekam, was dieser Teabing so verbissen in seinem Flugzeug zu verbergen suchte.

»Haltet die Männer auf!«, befahl der Chefinspektor seinen Leuten. »Ich durchsuche das Flugzeug.«

Die Polizisten stürmten los und versperrten Teabing und seinem Butler den Weg zur Limousine.

Jetzt endlich drehte Teabing sich um. »Inspektor, ich warne Sie zum letzten Mal. Gehen Sie nicht an Bord. Sie werden es bereuen.«

Ohne auf die Warnung zu achten, stieg der Chefinspektor mit der Waffe im Anschlag das Treppchen hoch. Oben angekommen, lugte er in die Kabine, um dann ganz darin zu verschwinden.

Vom ängstlich dreinblickenden Piloten im Cockpit abgesehen, war die Maschine leer. Keine Menschenseele hielt sich in der Kabine auf. Eine rasche Überprüfung der Toilette und des Gepäckabteils ergab nicht den geringsten Hinweis auf eine versteckte Person, geschweige denn auf mehrere.

Was hat Fache sich bloß gedacht? Leigh Teabing hatte offensichtlich die Wahrheit gesagt.

Der Chefinspektor der Polizei von Kent stand allein und verlassen in der Kabine und schluckte schwer. *Mist.* Sein Gesicht rötete sich. Er trat in die Kabinentür und schaute hinüber zu Teabing und seinem Butler, die mit vorgehaltener Pistole kurz vor der Limousine festgehalten wurden. »Lasst sie gehen«, rief er zu seinen Beamten hinüber. »Man hat uns einen falschen Tipp gegeben.«

Teabings drohender Blick verlor auch über einige Entfernung nichts an Schärfe. »Sie werden von meinen Anwälten hören. Die französische Polizei ist ein Saustall, Inspektor. Das sollten Sie sich für die Zukunft hinter die Ohren schreiben.«

Der Butler riss den hinteren Schlag der Stretchlimousine auf und half seinem behinderten Herrn beim Einsteigen, um sodann würdevoll hinten um das Fahrzeug herumzugehen, sich hinters Steuer zu klemmen und den Motor anzulassen. Quer durch die auseinander stiebenden Polizisten schoss der schwere Jaguar aus dem Hangar.

»Rémy, Sie sind ein exzellenter Schauspieler«, rief Teabing aufgeräumt von der Rückbank nach vorn, als der Jaguar nach Verlassen des Flughafengeländes zügig beschleunigte. Suchend blickte er zur Sitzbank ihm gegenüber in der schwach beleuchteten vorderen Hälfte des geräumigen Innenraums. »Alles bequem?«, fragte er.

Langdon nickte schwach. Sophie und er kauerten immer noch neben dem gefesselten und geknebelten Albino vor der Sitzbank auf dem Wagenboden.

Kurze Zeit zuvor, als die Hawker in den verlassenen Hangar gerollt war, hatte Rémy unverzüglich die Türhydraulik in Gang gesetzt. Der Pilot hatte nach halber Drehung kurz, aber heftig die Bremsen betätigt und das widerstrebende Flugzeug zum Stehen gebracht. Während die Polizei schon gefährlich nahe gekommen war, hatten Sophie und Langdon den gefesselten Mönch wie ein Paket die ausgefahrene Gangway hinunter und quer durch den Hangar bis hinter die Limousine gezerrt. Der Pilot hatte die Triebwerke noch einmal aufheulen lassen und den Rest der Drehung vollführt, als die Polizeifahrzeuge schon mit Vollbremsung in den Hangar schlitterten.

Sophie und Langdon hievten sich auf die Sitzbank der Limousine, die in schneller Fahrt durch Kent rollte. Der Mönch blieb am Boden liegen.

Teabing feixte und öffnete die Bar. »Ein Drink gefällig? Was zum Knabbern? Chips? Erdnüsse? Mineralwasser?«

Sophie und Langdon lehnten dankend ab. Immer noch grinsend, schloss Teabing die Bar. »Also, wie war das nun mit dem begrabenen Ritter?«

82. KAPITEL

F leet Street?«, fragte Langdon und blickte Teabing im Fond
der Limousine verwundert an. *An der Fleet Street soll eine
Krypta sein?* Bis jetzt hatte Leigh Teabing sich nicht aus der Nase
ziehen lassen, wo dieser »begrabene Ritter« zu finden war, der dem
Vierzeiler zufolge das Passwort zum Öffnen des kleinen Kryptex
beisteuern konnte.

Teabing grinste. »Miss Neveu«, sagte er, »lassen Sie unsere
Harvard-Koryphäe bitte noch einmal einen Blick auf den Vers
werfen.«

Sophie wühlte in der Tasche und förderte das in Pergament gewickelte schwarze Kryptex zu Tage. Sie waren übereingekommen,
das Rosenholzkästchen und das große Kryptex im Safe des Flugzeugs zu lassen und nur das wesentlich handlichere, unverzichtbare
schwarze Kryptex und das Pergament mitzunehmen, das Sophie
nun auseinander rollte und ihrem Begleiter reichte.

Obwohl Langdon das Gedicht schon an Bord der Maschine
einige Mal durchgelesen hatte, war es ihm nicht gelungen, dem
Vierzeiler auch nur die Andeutung einer konkreten Ortsangabe
abzugewinnen. Als er nun die Zeilen noch einmal las, ging er sie
langsam und sorgfältig Wort für Wort durch, in der Hoffnung, die
Bedeutung der fünffüßigen Jamben würde sich ihm am Boden eher
offenbaren als in den Lüften.

> *In London lies a knight a Pope interred.*
> *His labor's fruit a Holy wrath incurred.*

You seek the orb that ought be on his tomb.
It speaks of Rosy flesh and seeded womb. [10]

Die Sache schien einfach genug. Ein Ritter lag in London begraben, ein Ritter, dessen Werk den Zorn der Kirche auf sich gezogen hatte. Auf seinem Grab fehlte eine Kugel oder ein Ball, der *eigentlich* dort sein müsste. Die letzte Zeile des Gedichts – das rosige Fleisch und der samenschwere Leib – waren offenbar eine Bezugnahme auf Maria Magdalena, die den Samen Jesu in sich getragen hatte.

Ungeachtet der klaren Aussage dieses Vierzeilers hatte Langdon keine Ahnung, wer dieser Ritter war und wo er begraben lag. Mehr noch, wenn das Grab erst gefunden war, schien die Suche sich auf etwas zu beziehen, das *nicht* vorhanden war, etwas, das fehlte – die *Kugel, die auf dem Grab sollt' sein.*

»Keine Vorschläge?«, fragte Teabing. »Miss Neveu?«

Sophie schüttelte den Kopf.

»Was würdet ihr zwei nur ohne mich machen?« Teabing grinste. »Also gut, ich werde es euch Stück für Stück auseinander setzen. Die erste Zeile ist der Schlüssel. Würde jemand sie bitte laut vorlesen?«

Langdon las. »›In London liegt ein Ritter, den ein Papst begraben.‹«

»Genau. Ein Ritter, den ein Papst unter die Erde gebracht hat.« Er sah Langdon an. »Sagt Ihnen das etwas?«

Langdon hob die Schultern. »Vielleicht hat ein Papst für ihn den Begräbnisgottesdienst gehalten?«

Teabing lachte laut auf. »Oh, Robert, das ist köstlich! Stets der Optimist. Schauen Sie sich doch die zweite Zeile an. Dieser Ritter hat offenbar etwas getan, womit er den heiligen Zorn der Kirche auf sich geladen hat. Denken Sie doch einmal nach. Denken Sie

---

[10] In London liegt ein Ritter, den ein Papst begraben.
Sein' Werkes Frucht hat heil'gen Zorn ihm eingetragen.
Such die Kugel, die auf dem Grab sollt' sein.
Mit rosig Fleisch und samenschwerem Leib.

an die Auseinandersetzungen zwischen der Kirche und den Tempelrittern!«

»Vielleicht ein Ritter, den der Papst auf dem Gewissen hat?«, meinte Sophie.

Teabing tätschelte ihr lächelnd das Knie. »Ausgezeichnet, meine Liebe. Wir suchen einen Ritter, den ein Papst unter die Erde gebracht oder *umgebracht* hat.«

Langdon dachte an den berüchtigten Freitag, den 13. Oktober des Jahres 1307, als Papst Klemens mit einem Überraschungsschlag Hunderte von Tempelrittern töten und unter die Erde bringen ließ. »Die Reihe ihrer Gräber muss endlos sein.«

»Keineswegs«, sagte Teabing. »Viele von ihnen wurden in Rom auf dem Scheiterhaufen verbrannt und ihre Überreste in den Tiber geworfen. Aber unser Gedicht spricht von *einem* Grab, einem Grab in *London*, wo ohnehin nur sehr wenige Ritter beigesetzt sind.« Er hielt inne und sah Langdon an, als würde er darauf warten, dass diesem endlich ein Licht aufging. »Herrgott noch mal, Robert!«, schnaubte er schließlich. »In London gibt es eine Kirche, die vom militärischen Flügel des Templerordens erbaut worden ist – von den Tempelrittern höchstselbst!«

»Die Temple Church?«, fragte Langdon überrascht. »In der Kirche der Tempelritter gibt es Grabstätten?«

»Zehn der Furcht einflößendsten Grabplatten, die Sie je gesehen haben.«

Langdon hatte der Temple Church noch nie einen Besuch abgestattet, obwohl er bei seinen Recherchen über die *Prieuré* immer wieder auf dieses Gebäude gestoßen war, das einst das Zentrum der Aktivitäten des Templerordens beziehungsweise der *Prieuré de Sion* in England gewesen war. Wie der Orden selbst hatte diese Kirche ihren Namen nach dem Tempel Salomons erhalten, aus dem die Templer die Sangreal-Dokumente geborgen hatten. Es gab zahllose Geschichten über seltsame Geheimrituale, die von den Tempelrittern in ihrer nicht minder rätselhaften Temple Church praktiziert worden sein sollen.

»Die Temple Church liegt an der Fleet Street?«, fragte Langdon.

»Nur ein kleines Stück hinter der Fleet Street, an der Inner Temple Lane.« Teabing sah Langdon schelmisch an. »Ich wollte Sie nur ein bisschen schwitzen sehen, bevor ich Ihnen die Karten auf den Tisch lege.«

»Oh, danke.«

»Sie beide sind noch nie dort gewesen?«

Sophie und Langdon schüttelten die Köpfe.

»Das überrascht mich nicht. Heutzutage liegt die Kirche hinter wesentlich größeren Gebäuden versteckt. Kaum jemand weiß, dass sie existiert. Ein schauriger alter Ort. Die Architektur ist heidnisch bis ins Mark.«

»Heidnisch?«, sagte Sophie überrascht.

»Pantheonisch-heidnisch«, rief Teabing aus, »wie das Pantheon in Rom. Die Templer haben die traditionelle Kreuzform des Grundrisses christlicher Kirchen schlichtweg ignoriert und eine kreisrunde Kirche zu Ehren der Sonne gebaut. Keine nette Geste für die Jungs in Rom. Genauso gut hätten die Templer Stonehenge mitten in London wieder aufbauen können.«

»Und was ist mit dem Rest des Gedichts?«, fragte Sophie.

Teabing wurde wieder ernst. »Dazu kann ich jetzt noch nichts sagen. Diese Zeilen sind mir selbst noch ein Rätsel. Wir müssen erst einmal die zehn Grabplatten in der Temple Church sorgfältig untersuchen. Mit ein bisschen Glück finden wir eine, an der in auffälliger Weise ein Ball oder eine Kugel fehlt.«

Langdon wurde klar, wie nahe sie der Lösung inzwischen gekommen waren. Wenn sich mittels der »fehlenden Kugel« das Passwort ergab, konnten sie das zweite Kryptex öffnen. Und Gott allein wusste, was darin auf sie wartete.

Langdon betrachtete erneut das Gedicht. Es kam ihm vor wie ein simples Kreuzworträtsel. *Wort mit fünf Buchstaben, das vom Gral kündet.* Sie hatten bereits im Flugzeug alle möglichen Passwörter versucht – GRAAL, GRAIL, GREAL, VENUS, MARIA, JESUS, SARAH –, doch der Zylinder hatte sich nicht gerührt. *Alles viel zu offensichtlich.* Es musste ein anderes Bezugswort zum »samenschweren rosigen Leib« geben. Daraus, dass ein Gralsspezialist wie Teabing bisher nicht auf das Wort gekommen war, konnte Langdon nur schließen, dass es sich um keinen der üblichen Bezüge zum Gral handelte.

»Sir Leigh?«, rief Rémy über die Schulter. Im Innenspiegel hatte er seine Fahrgäste durch das geöffnete Fenster in der Trennwand zum Fahrerabteil beobachtet. »Die Fleet Street liegt in der Nähe der Blackfriars Bridge, sagten Sie?«

»Ja. Nehmen Sie das Victoria Embankment.«

»Ich weiß leider nicht, wo das ist, Sir. Normalerweise fahren wir immer direkt zur Klinik.«

Teabing sah Sophie und Langdon an und verdrehte die Augen. »Manchmal komme ich mir wie ein Babysitter vor. Einen Moment, bitte. Bedienen Sie sich inzwischen mit einem Drink oder etwas zum Knabbern.« Er arbeitete sich mühsam vor zum Fenster der Trennwand und redete auf Rémy ein.

Sophie wandte sich Langdon zu. »Robert, kein Mensch weiß, dass Sie und ich in England sind.«

Sie hatte Recht. Der Chefinspektor der Polizei von Kent würde Fache berichten, dass er das Flugzeug leer vorgefunden hatte, worauf Fache annehmen musste, dass Sophie und Langdon sich noch in Frankreich aufhielten. *Wir sind unsichtbar geworden*, dachte Langdon. Leigh Teabings dreister Coup hatte ihnen einen ordentlichen Vorsprung verschafft.

»Fache wird sich nicht so leicht geschlagen geben«, meinte Sophie. »Er hat sich für unsere Festnahme schon viel zu weit aus dem Fenster gelehnt.«

Langdon hatte versucht, möglichst nicht an Fache zu denken. Sophie hatte sich zwar dafür verbürgt, ihn zu entlasten, sobald die ganze Geschichte vorüber war, doch Langdon befürchtete allmählich, dass Fache in der Sache mit drinsteckte. Er konnte sich zwar nicht vorstellen, dass die französische Polizei an der Gralssuche beteiligt war, aber nach seinem Empfinden hatte es heute Nacht zu viele merkwürdige Zufälle gegeben. Bezu Fache musste als möglicher Komplize in Betracht gezogen werden. *Fache ist sehr religiös und gleichzeitig fest entschlossen, mir die Morde anzuhängen.* Andererseits lagen tatsächlich einige nicht unerhebliche Verdachtsmomente gegen Langdon vor: Saunière hatte Langdons Namen auf den Boden des Louvre geschrieben und in seinen Terminkalender eingetragen. Außerdem musste es für Fache so aussehen, dass Langdon ihn belogen hatte, was das Manuskript anging, und nicht zuletzt war er noch geflohen. *Auf Sophies Betreiben.*

»Es tut mir Leid, Robert, dass Sie so tief in diesem Schlamassel stecken«, sagte Sophie und legte ihm die Hand aufs Knie. »Aber ich bin froh, dass Sie hier sind.«

Auch wenn Sophies Bemerkung eher nüchtern als romantisch klang, fühlte Langdon sich in diesem Moment sehr zu ihr hingezogen. Er lächelte sie an. »Ausgeschlafen bin ich aber viel unterhaltsamer.«

Sophie sagte eine Zeit lang nichts. »Mein Großvater sagte mir, ich soll Ihnen vertrauen«, meinte sie dann. »Ich bin froh, dass ich wenigstens dieses eine Mal auf ihn gehört habe.«

»Ihr Großvater hat mich doch überhaupt nicht gekannt.«

»Trotzdem … ich glaube, Sie haben alles getan, was er sich von Ihnen erhofft hat. Sie haben mir geholfen, den Schlussstein zu finden, Sie haben mir das Rätsel des Sangreal erklärt und das Ritual damals im Keller des Châteaus.« Sie zögerte. »Irgendwie fühle ich mich Großvater heute so nahe wie seit Jahren nicht. Ich weiß, dass er sich darüber freuen würde.«

In der Ferne schälte sich allmählich die Skyline Londons aus dem morgendlichen Nieselregen. Hatten früher Big Ben und die Tower Bridge den Horizont beherrscht, so war es jetzt das Millennium Eye – ein kolossales ultramodernes Riesenrad von hundertfünfzig Metern Höhe, von dem man einen atemberaubenden Blick auf die Stadt genießen konnte. Langdon hatte einmal versucht, eine Fahrt zu unternehmen, doch die gläsernen, geschlossenen Aussichtsgondeln hatten ihn so unangenehm an seine Erfahrungen mit Aufzügen erinnert, dass er lieber auf dem Boden geblieben war und die Aussicht vom Ufer der Themse aus genossen hatte.

Sophie, die ihm die Hand aufs Knie gelegt hatte, holte ihn wieder in die Gegenwart zurück. »Was denken *Sie* denn, was wir mit den Sangreal-Dokumenten tun sollen, falls wir sie finden?«, fragte sie flüsternd.

»Was ich denke, spielt keine Rolle. Ihr Großvater hat *Ihnen* das Kryptex übergeben, und Sie sollten damit tun, was *er* Ihrem Gefühl nach damit getan hätte.«

»Ich möchte aber Ihre Meinung wissen. Sie haben in Ihrem Manuskript offenbar irgendetwas geschrieben, das Ihnen das Vertrauen meines Großvaters in Ihr Urteil eingetragen hat. Er hat sogar ein Treffen mit Ihnen arrangiert. Das ist bei ihm sehr selten vorgekommen.«

»Vielleicht wollte er mir sagen, dass ich Unsinn verzapft habe.«

»Ach was. Wieso hätte er mir aufgetragen, Sie zu suchen, wenn er Ihre Gedanken abgelehnt hätte? Haben Sie sich in Ihrem Manuskript für die Veröffentlichung der Dokumente ausgesprochen oder dafür, dass sie verborgen bleiben sollten?«

»Weder noch. Ich habe mich jeder Stellungnahme enthalten. Mein Manuskript beschäftigt sich mit der Symbolik des göttlich Weiblichen und verfolgt dessen Ikonographie durch den Lauf der Menschheitsgeschichte. Ich habe mich nicht darüber ausgelassen, wo der Gral versteckt sein könnte oder ob er je ans Licht der Öffentlichkeit gebracht werden sollte.«

»Aber Sie haben mal ein Buch darüber geschrieben, also *wollen* Sie mit Ihren Informationen an die Öffentlichkeit.«

»Es ist ein gewaltiger Unterschied, ob man die alternative Geschichte von Jesus Christus auf theoretischer Ebene diskutiert, oder ob man ...« Er zögerte.

»Ob man was?«

»Oder ob man die Welt mit Tausenden alter Dokumente konfrontiert, aus denen eindeutig hervorgeht, dass das Neue Testament eine Geschichtsklitterung ist.«

»Wollen Sie damit sagen, das Neue Testament beruht Ihrer Meinung nach auf Erfindungen?«

Langdon lächelte. »Sophie, in unserer Welt beruht jeder Glaube auf Erfindungen. Das ist ja gerade die Definition von *Glaube*: Etwas als wahr zu akzeptieren, das wir für wahr halten wollen ...

etwas, wofür es keinen wissenschaftlichen Beweis geben kann. Jede Religion beschreibt Gott durch Sinnbilder, Allegorien und Übersteigerungen, von den alten Ägyptern bis zu unserer heutigen Sonntagsschule. Metaphern ermöglichen es unserem Geist, mit dem Unvorstellbaren umzugehen. Kritisch wird es erst, wenn wir unsere Metaphern für die Wirklichkeit halten.«

»Dann sind Sie also dafür, dass die Sangreal-Dokumente für immer begraben bleiben?«

»Ich bin Historiker und Symbololge; deshalb bin ich gegen die Vernichtung von Dokumenten. Ich bin ganz und gar dafür, dass die Religionswissenschaft an neue Quellen herankommt, die es ermöglichen, sich mit dem ungewöhnlichen Leben Jesu zu beschäftigen.«

»Sie versuchen, sich um eine Stellungnahme zu drücken.«

»Tue ich das? Die Bibel bietet Millionen Menschen auf der ganzen Welt einen geistigen Rückhalt, genauso wie der Koran oder die Thora für die Menschen anderer Religionen. Angenommen, Sie und ich könnten Dokumente vorlegen, die dem Glauben der Mohammedaner, dem Glauben der Juden, dem der Buddhisten und dem aller anderen nichtchristlichen Völker entgegenlaufen – sollten wir das tun? Sollten wir den Buddhisten tatsächlich erzählen, wir hätten den wissenschaftlichen Beweis, dass Buddha *nicht* aus einer Lotosblüte hervorgegangen ist? Oder dass Jesus *nicht* von einer Jungfrau geboren wurde? Wer wirklich in seinem Glauben lebt, weiß ohnehin, dass diese Geschichten Metaphern sind.«

Sophie blickte Langdon skeptisch an. »Ich habe gläubige Katholiken in meinem Bekanntenkreis, die davon überzeugt sind, dass Jesus *wirklich* auf dem Wasser gewandelt ist, dass er *wirklich* Wasser in Wein verwandelt hat und dass er *wirklich* von einer Jungfrau geboren wurde.«

»Darauf will ich ja gerade hinaus«, sagte Langdon. »Die Allegorien der Religionen sind ins Alltagsbewusstsein eingegangen und helfen Millionen Menschen, mit ihrem Leben besser zurechtzukommen und tugendhafter, aufrichtiger und anständiger zu sein.«

»Aber die Menschen leben doch mehr oder weniger in einer falschen Wirklichkeit.«

Langdon lächelte leicht. »Nicht mehr als eine mathematisch geschulte Codeknackerin, die die imaginäre Zahl ›i‹ für real hält, weil diese ihr die Arbeit erleichtert.«

Sophie sah ihn böse an. »Das war jetzt aber nicht fair.«

Einige Sekunden verstrichen.

»Was war nochmal Ihre Frage?«, erkundigte sich Langdon.

»Weiß ich nicht mehr.«

Langdon lächelte. »Sehen Sie? Das klappt immer.«

83. KAPITEL

L angdons Uhr zeigte fast halb acht, als er in der Inner Temple Lane mit Sophie und Teabing aus dem Jaguar stieg. Durch ein verschachteltes Gewirr aus Gebäuden suchte das Trio sich den Weg zu dem kleinen Hof vor der Temple Church mit ihrem regennass glänzenden Mauerwerk aus roh behauenem Stein. In den Fensternischen gurrten Tauben.

Die alte Kirche der Tempelritter in London war ganz aus Kalkstein erbaut. Der von einem Mittelturm gekrönte, dramatisch wirkende Rundbau mit der einschüchternden Außenmauer und einem zur Seite herausragenden Schiff erinnerte eher an eine Festung als an einen Ort der Andacht. Die Kirche war am zehnten Februar 1185 von Heraklius geweiht worden, dem Patriarchen von Jerusalem, und hatte acht Jahrhunderte voller politischer Umstürze, das Große Feuer von London und den Ersten Weltkrieg unbeschadet überstanden, bis sie im Zweiten Weltkrieg, im Jahr 1940, von den Brandbomben der deutschen Luftwaffe schwer beschädigt worden war. Sie wurde wieder aufgebaut, wobei ihre herbe Erhabenheit gewahrt wurde.

Die Schlichtheit der Kreisform, überlegte Langdon, der das Gebäude zum ersten Mal bewundern konnte. Die einfache, beinahe schon primitive Architektur erinnerte eher an die klotzige Engelsburg in Rom als an den kunstvollen Kuppelbau des Pantheons. Der nach rechts herausragende kastenförmige Anbau, fast schon eine Beleidigung fürs Auge, tat der heidnischen Rundform des Baukörpers kaum Abbruch.

Teabing humpelte auf den Eingang zu. »Es ist früh am Samstagmorgen«, sagte er. »Vermutlich wird unser Vorhaben nicht durch einen Gottesdienst gestört.«

Der Eingang der Kirche lag in einer tief ins Mauerwerk eingezogenen Nische, die schützend das Holzportal umgab. Links neben dem Portal hing eine völlig deplatziert wirkende Anschlagtafel mit Ankündigungen von Gottesdiensten und Konzerten.

Teabing las stirnrunzelnd die Öffnungszeiten auf der Tafel. »Für Besichtigungen wird erst in ein paar Stunden aufgemacht.« Er probierte die Klinke. Die Tür bewegte sich keinen Millimeter. Er legte das Ohr ans Holz des Portals und lauschte. Nach ein paar Augenblicken trat er mit einem gerissenen Lächeln wieder zurück und deutete auf den Gottesdienstanzeiger. »Robert, stellen Sie doch mal fest, wie hier der Seelsorger heißt.«

Im Innern der Kirche war ein Messdiener damit beschäftigt, die Kniekissen der Kommunionbank mit dem Staubsauger zu bearbeiten. Er war fast fertig, als er jemand an die Tür pochen hörte. Der Junge achtete nicht darauf. Father Harvey Knowles hatte einen Schlüssel, und für sein Eintreffen war es noch ein paar Stunden zu früh. Wahrscheinlich stand ein neugieriger Tourist vor der Tür oder ein Penner, der um ein Almosen betteln wollte. Der Messdiener schwang unbeirrt seinen Staubsauger, aber das Pochen wollte nicht aufhören. *Können die Leute denn nicht lesen?* Draußen stand unmissverständlich angeschrieben, dass die Kirche samstags erst um halb zehn geöffnet wurde.

Unvermutet wurde aus dem Pochen ein lautes Hämmern, als würde jemand mit einer Metallstange gegen die Tür schlagen. Zornig stellte der Junge den Staubsauger ab, marschierte zur Tür, schob den Riegel zurück, riss das Portal auf und sah sich drei Leuten gegenüber. »Wir machen erst um halb zehn auf«, blaffte er die vermeintlichen Touristen an.

Der Korpulenteste der Gruppe, offenbar der Anführer, trat dem Jungen auf Krücken entgegen. »Ich bin Sir Leigh Teabing«, sagte er mit dem unverkennbaren Akzent der britischen Oberschicht.

»Junger Mann, wie dir kaum entgangen sein dürfte, befinden sich Mr und Mrs Christopher Wren der Vierte in meiner Begleitung.« Er trat einen Schritt beiseite und wies mit ausholender Geste auf das attraktive Paar, das hinter ihm stand. Die Dame hatte sehr feminine Gesichtszüge und üppiges burgunderrotes Haar. Der Mann war groß, dunkelhaarig und kam dem Messdiener irgendwie bekannt vor.

Der Junge hatte keine Ahnung, wie er sich verhalten sollte. Sir Christopher Wren war der bedeutendste Gönner der Temple Church und hatte nach dem Großen Brand von London sämtliche Reparaturen der Kirche vornehmen lassen. Außerdem war er seit mehr als dreihundert Jahren tot. »Äh … es ist mir eine Ehre, Ihre Bekanntschaft zu machen.«

Der Dicke mit den Krücken runzelte die Stirn. »Du hast Glück, junger Freund, dass du nicht als Verkäufer arbeitest. Deine Überzeugungskraft lässt sehr zu wünschen übrig. Wo ist Father Knowles?«

»Heute ist Samstag. Father Knowles kommt erst später.«

Die Furchen auf der Stirn des dicken Mannes wurden tiefer. »So was nennt man Dankbarkeit. Er hat uns versprochen, uns hier zu empfangen. Na, dann müssen wir wohl ohne ihn zurechtkommen. Es dauert ohnehin nicht lange.«

Der Messdiener stand immer noch im Türrahmen und versperrte den Durchgang. »Entschuldigung, aber was wird nicht lange dauern?«

Der Dicke bedachte ihn mit einem ungnädigen Blick und beugte sich vor. »Junger Mann, du bist offenbar neu hier«, sagte er im Flüsterton, doch unüberhörbar drohend, als wolle er seinen Begleitern die Peinlichkeit ersparen. »Um den testamentarisch verfügten letzten Willen von Sir Christopher nachzukommen, verstreuen seine Nachfahren jedes Jahr ein klein wenig Asche ihres berühmten Ahnherrn an diesem heiligen Ort. Sie müssen dafür eine weite Anreise auf sich nehmen, aber was will man machen?«

Der Junge war schon seit einigen Jahren Messdiener in der Temple Church, aber von diesem Brauch hatte er noch nie gehört.

»Es wäre besser, wenn Sie sich bis halb zehn gedulden. Die Kirche ist noch nicht geöffnet, und außerdem bin ich noch nicht mit Staubsaugen fertig.«

Der Mann mit den Krücken funkelte ihn zornig an. »Junger Freund, die Tatsache, dass es hier *überhaupt* noch etwas zu staubsaugen gibt, verdankst du dem Mann in der Tasche dieser Dame!«

»Äh … wem?«

»Mrs Wren«, sagte der Behinderte zu der Frau, »wären Sie so nett, diesem ungezogenen Bengel das Reliquiar mit der Asche zu zeigen?«

Die Dame zögerte einen Moment, um dann ein wenig geistesabwesend in ihre Tasche zu greifen, aus der sie einen kleinen Zylinder holte, der in eine Art steifes schützendes Tuch eingewickelt war.

»Bitte sehr!«, sagte der Mann mit den Krücken. »Jetzt liegt es an dir, ob du den letzten Wunsch deines Gönners erfüllen und uns die Asche in der Kirche verstreuen lässt oder ob ich Father Knowles berichten muss, wie wir hier behandelt wurden!«

Der Messdiener überlegte. Er wusste nur zu gut, wie streng Father Knowles sich an die herkömmlichen Sitten und Gebräuche seiner Kirche hielt … und noch besser kannte er dessen unangenehme Reaktionen, wenn sein geliebter altehrwürdiger Schrein in einem anderen als dem allerbesten Licht erschien. Vielleicht hatte Father Knowles schlichtweg vergessen, dass der Besuch der Stifterfamilie bevorstand, und in diesem Fall war es wesentlich riskanter, die Leute wieder fortzuschicken, als sie hereinzulassen. *Außerdem haben sie gesagt, es dauert nur einen Moment. Was ist schon dabei?*

Als der Messdiener beiseite trat, um die Besucher einzulassen, hätte er schwören können, dass Mr und Mrs Wren nicht weniger verblüfft dreinschauten als er selbst. Verunsichert machte er sich wieder an die Arbeit, allerdings nicht, ohne seine Besucher aus dem Augenwinkel zu beobachten.

Während sie sich in die Kirche begaben, musste Langdon lächeln. »Leigh«, flüsterte er, »als Lügner sind Sie ein Naturtalent.«

Teabing zwinkerte ihm zu. »Oxford Theatre Club. Mein Julius Cäsar ist heute noch in aller Munde. Ich bin sicher, die erste Szene im dritten Akt wurde nie wieder so überzeugend gegeben.«

Langdon sah ihn irritiert an. »Aber da ist Cäsar doch schon tot.«

Teabing grinste ihn schief an. »Ganz recht, aber als ich ermordet zu Boden fiel, ist an meiner Toga eine Naht geplatzt, und ich musste eine halbe Stunde mit heraushängendem Schwanz auf der Bühne liegen. Ich habe mit keiner Wimper gezuckt. Brillant, kann ich Ihnen sagen.«

Langdon drückte sich die Hand vor den Mund, um nicht vor Lachen herauszuplatzen.

Während sie durch den rechteckigen Anbau auf den Gewölbebogen zum Rundbau gingen, bemerkte Langdon erstaunt die Nüchternheit des beinahe kahlen Innenraums. Der Altar ähnelte zwar den Altären der in Kreuzform gebauten christlichen Kirchen, aber die sonstige Einrichtung war kalt und schmucklos, ohne jede Zier. »Trostlos«, murmelte er.

»Das ist die Kirche von England«, frotzelte Teabing. »Die Anglikaner bestehen darauf, ihre Religion pur zur Brust zu nehmen. Nichts soll sie von ihrem Elend ablenken.«

Sophie deutete durch den breiten Gewölbebogen, an den sich der runde Bauteil der Kirche anschloss. »Da drinnen sieht es aus wie in einer Festung«, raunte sie.

Langdon konnte ihr nur zustimmen.

»Die Tempelritter waren ja auch Krieger«, erinnerte Teabing. Das Klacken seiner Aluminiumkrücken hallte durch den kahlen Raum. »Eine Gemeinschaft von Kriegermönchen. Ihre Kirchen waren ihre Festungen und ihre Bankhäuser.«

»Bankhäuser?« Sophie blickte Teabing fragend an.

»Aber ja. Die Templer haben das moderne Bankwesen erfunden. Für den europäischen Adel war es sehr gefährlich, mit einer goldgefüllten Reisetruhe unterwegs zu sein. Die Templer boten dem Adel deshalb an, seine Goldwerte in der nächstgelegenen Templerkirche zu deponieren und sie nach Belieben an jeder anderen Templerkirche in Europa wieder zu entnehmen, vorausgesetzt, man konnte ein Berechtigungspapier vorweisen und«, er zwinkerte, »man bezahlte eine kleine Provision. Die Templer waren sozusagen die ersten Geldautomaten.« Teabing zeigte auf ein Fenster mit Glasmalereien, wo Sonnenstrahlen durch die Wolken fielen und einen weiß gekleideten Ritter auf einem rosa Pferd zum Leuchten brachten. »Alanus Marcel«, sagte Teabing, »Großmeister der Tempelritter zu Beginn des zwölften Jahrhunderts. Er und seine Nachfolger saßen als Primus Baro Angiae im Parlament.«

Langdon war überrascht. »Er war der erste Baron des Reiches?«

Teabing nickte. »Nach Ansicht mancher Historiker waren die Meister des Tempels mächtiger als der König.« Sie waren am Durchgang zum Rundbau angelangt. Teabing schaute über die Schulter zu dem Messdiener, der ein Stück abseits mit dem Staubsauger zugange war. »Als die Templer den Heiligen Gral von einem Versteck zum anderen schaffen mussten, soll er einmal über Nacht in dieser Kirche untergestellt worden sein«, flüsterte Teabing Sophie zu. »Stellen Sie sich das vor – die vier Truhen mit den Dokumenten und der Sarkophag Maria Magdalenas hier, mitten in dieser Kirche! Bei dem Gedanken läuft es mir kalt den Rücken herunter.«

Beim Eintritt in den Rundbau lief es auch Langdon eiskalt über den Rücken. Sein Blick folgte der Rundung der bleichen, steinernen Mauern und nahm die Skulpturen von Dämonen, Ungeheuern und verzerrten menschlichen Gesichtern in sich auf, die in den Innenraum starrten. Unter den Skulpturen verlief eine steinerne Sitzbank rings um den gesamten Raum. »Ein Rundtheater«, murmelte er.

Teabing wies mit einer Krücke erst rechts, dann links in den Hintergrund des Rundbaus. Langdon hatte bereits gesehen, was er meinte.

Zehn steinerne Ritter.

Fünf auf der linken Seite, fünf auf der rechten.

Auf dem Rücken ausgestreckt ruhten die aus Stein gehauenen Figuren in voller Rüstung mit Schwert und Schild friedlich auf dem Boden. Angesichts der Grabplatten beschlich Langdon das Gefühl, dass jemand die Ritter heimlich im Schlaf mit flüssigem Gips übergossen hatte. Die Gestalten waren vom Alter stark gezeichnet, dennoch in ihrer Individualität deutlich zu erkennen: an der Unterschiedlichkeit der Gesichtszüge, der Haltung, der jeweiligen Rüstung und der Wappen auf den Schilden.

In London liegt ein Ritter, den ein Papst begraben.

Langdon bekam weiche Knie, als er tiefer in den Rundbau trat.

Er musste am richtigen Ort sein.

84. KAPITEL

In einer schmutzigen Gasse unweit der Temple Church lenkte Rémy Legaludec die Jaguar-Limousine hinter einige Müllcontainer und hielt. Er stellte den Motor ab und überprüfte die Umgebung. Sie war völlig verlassen. Er stieg aus, um nach hinten zu gehen und in die Passagierkabine zu steigen, in der immer noch der Mönch lag.

Der Hüne schien in ein inbrünstiges Gebet versunken. Er erwachte wie aus einer Trance. Seine Augen blickten Rémy eher neugierig als ängstlich an. Rémy hatte die ganze Nacht schon die Beherrschtheit des Gefesselten bewundert. Nachdem der Mönch sich im Range Rover anfangs noch zur Wehr gesetzt hatte, schien er sich nun in sein Los ergeben und sein Schicksal in die Hände einer höheren Macht gelegt zu haben.

Rémy lockerte seine Fliege und knöpfte den Vatermörderkragen auf. Er hatte das Gefühl, seit Jahren zum ersten Mal richtig Luft zu bekommen. Er öffnete das Barfach der Limousine und schenkte sich einen Wodka ein, den er in einem Zug hinunterstürzte, um sich sogleich ein zweites Glas zu genehmigen.

Bald bist du aller Sorgen ledig.

Er suchte sich aus den Utensilien der Bar einen Kellnerkorkenzieher heraus und klappte die scharfe Klinge auf, die zum Aufschneiden der Zinnfolien teurer Weine diente. An diesem Morgen hatte er der Klinge eine weitaus dramatischere Verwendung zugedacht. Er drehte sich um und sah Silas an.

Angst schlich sich in die roten Augen. Der Mönch zuckte zurück und zerrte an seinen Fesseln.

»Ruhig Blut«, murmelte Rémy und hob die Klinge.

Silas konnte nicht fassen, dass Gott ihn verlassen hatte. Selbst die Qual der Fesselung hatte Silas in eine geistige Übung zu transformieren vermocht, indem er die Schmerzen seiner abgeschnürten Muskeln dem Leiden Christi geopfert hatte. *Die ganze Nacht hast du um deine Befreiung gebetet.* Silas presste die Lider zusammen, während die Klinge sich auf ihn herabsenkte.

Ein jäher Schmerz jagte durch seine Schulterblätter. Silas schrie auf, unfähig zu begreifen, dass er wehrlos im Heck dieser Limousine sterben sollte. *Du hast das Werk Gottes getan! Der Lehrer hat dir seinen Schutz versprochen!*

Stechende Hitze breitete sich über Silas' Schultern und Rücken aus. Vor seinem inneren Auge sah er sein Blut über den Rücken strömen. Ein zweiter stechender Schmerz jagte ihm durch Schenkel und Beine. Die Orientierungslosigkeit, mit der der Körper auf unerträgliche Schmerzen reagiert, setzte ein.

Die Qual hatte inzwischen sämtliche Muskeln erfasst. Silas presste die Lider noch heftiger zusammen. Das letzte Bild seines Lebens sollte nicht der Anblick seines Mörders sein. Er rief sich das Bild des jungen Bischofs Aringarosa vor Augen, wie er vor einer kleinen Kirche in Spanien stand... vor der Kirche, die der Bischof und Silas mit eigenen Händen erbaut hatten. *Der Beginn deines Lebens.*

Silas kam sich vor, als stünde sein Körper lichterloh in Flammen.

»Hier, trinken Sie das«, sagte der Mann im Smoking mit französischem Akzent. »Das bringt Ihren Kreislauf in Schwung.«

Silas riss erstaunt die Augen auf. Eine verschwommene Gestalt beugte sich über ihn und hielt ihm ein Glas entgegen, in dem eine klare Flüssigkeit schwappte. Auf dem Wagenboden lag zusammengeknülltes Klebeband, daneben das saubere Korkenmesser – ohne einen Tropfen Blut daran.

»Trinken Sie«, wiederholte der Mann. »Es ist sehr schmerzhaft, wenn die Durchblutung der Muskeln wieder einsetzt.«

Das glühende Pochen in Silas' Gliedern verwandelte sich in

Tausende feiner Nadelstiche. Der Wodka schmeckte scheußlich, doch Silas trank ihn trotzdem. Er empfand Dankbarkeit. Das Schicksal hatte ihm in dieser Nacht übel mitgespielt, doch Gott hatte allem eine wunderbare Wendung gegeben.

Der Herr hat dich nicht verlassen.

Silas wusste, wovon Bischof Aringarosa jetzt sprechen würde. *Ein göttliches Eingreifen.*

»Ich habe Sie schon die ganze Zeit befreien wollen«, sagte der Butler, »aber es war mir leider nicht möglich, nachdem mir zuerst im Château Villette und dann auf dem Flugplatz von Biggin Hill die Polizei dazwischengekommen ist. Das verstehen Sie doch, Silas?«

Silas fuhr erschrocken zusammen. »Sie kennen meinen Namen?«

Der Butler lächelte ihn an.

Silas setzte sich auf und massierte seine steifen Glieder. In seinem Innern herrschte ein heilloses Durcheinander: Fassungslosigkeit, Dankbarkeit, Verwirrung. »Sie sind doch nicht… der Lehrer?«

Rémy schüttelte lachend den Kopf. »Ich wollte, ich hätte so viel Macht. Nein, ich bin nicht der Lehrer, aber ich diene ihm, genau wie Sie. Der Lehrer hat eine hohe Meinung von Ihnen. Ich heiße Rémy.«

Silas konnte nur noch staunen. »Eines verstehe ich nicht. Wenn Sie für den Lehrer arbeiten, warum hat Langdon den Schlussstein dann zu Ihnen nach Hause gebracht?«

»Es ist ja nicht mein Zuhause, sondern das Heim des bedeutendsten Gralsforschers der Welt, Sir Leigh Teabing.«

»Aber Sie wohnen schließlich auch dort. Die Wahrscheinlichkeit, dass…«

Rémy überging lächelnd den Einwand. Der merkwürdige Zufall, dass Langdon ausgerechnet auf Château Villette Zuflucht gesucht hatte, schien ihn nicht zu beunruhigen. »Es war im Grunde fast schon vorhersehbar. Robert Langdon besaß den Schlussstein und brauchte Hilfe. Was lag da für ihn näher, als bei Leigh Teabing vorstellig zu werden? Dass auch ich dort wohne, ist der Hauptgrund, weshalb der Lehrer an mich herangetreten ist.« Er zögerte. »Was denken Sie denn, weshalb der Lehrer so gut über den Gral informiert ist?«

Silas staunte. Der Lehrer hatte einen Bediensteten rekrutiert, der sich zu sämtlichen Forschungsergebnissen Teabings Zutritt verschaffen konnte ... Das war genial!

»Ich muss Ihnen noch eine ganze Menge erzählen«, sagte Rémy und gab Silas die geladene Heckler & Koch zurück. Dann griff er durchs offene Fenster der Trennwand und nahm einen kleinen Revolver aus dem Handschuhfach. »Aber vorher müssen wir noch einen Job erledigen.«

Capitaine Fache war auf dem Flugplatz von Biggin Hill aus der Maschine gestiegen. Ungläubig hörte er sich den Bericht des Chefinspektors der Polizei von Kent über die Ereignisse in Teabings Hangar an.

»Aber ich habe die Maschine doch selbst durchsucht!«, beharrte der Chefinspektor. »Es war niemand drin! Und falls Sir Teabing mir die Gerichte auf den Hals hetzt, werde ich ...«

»Haben Sie den Piloten vernommen?«, unterbrach Fache.

»Natürlich nicht. Er ist schließlich Franzose, und nach unserem Gesetz ...«

»Bringen Sie mich zu dem Flugzeug!«

Kaum hatten sie den Hangar betreten, entdeckte Fache an der Stelle, an der zuvor die Limousine geparkt hatte, eine verschmierte Blutspur. Er ging zu Teabings Flugzeug und pochte ungestüm an den Rumpf. »Hier ist Capitaine Fache von der französischen Polizei! Sofort aufmachen!«

Der verängstigte Pilot öffnete die Tür und fuhr das Treppchen aus.

Fache zog die Waffe und stieg in die Maschine. In nicht einmal drei Minuten hatte er ein volles Geständnis des Piloten, einschließlich einer Beschreibung des gefesselten Albino-Mönchs. Außerdem hatte er erfahren, dass Langdon und Sophie irgendetwas im Safe des Flugzeugs zurückgelassen hatten, ein Holzkästchen oder etwas Ähnliches. Der Pilot verneinte zwar, den Inhalt zu kennen, gab jedoch zu, dass Langdons Aufmerksamkeit während des gesamten Flugs nach London dem Gegenstand im Safe gegolten hatte.

»Machen Sie den Safe auf«, verlangte Fache.

Der Pilot blickte ihn verschreckt an. »Ich kenne die Kombination nicht!«

»Das ist aber schade«, meinte Fache. »Ich wollte Ihnen eigentlich anbieten, dass Sie im Gegenzug Ihren Pilotenschein behalten können.«

Der Pilot rang die Hände. »Ich kenne hier ein paar von den Mechanikern. Vielleicht könnten die versuchen, das Ding aufzubohren.«

»Ich gebe Ihnen eine halbe Stunde.«

Der Pilot eilte an sein Funkgerät.

Fache schlenderte ins Heck der Kabine und genehmigte sich einen Drink. Es war zwar noch früh am Tag, aber da er noch nicht ins Bett gekommen war, konnte von Alkohol am Vormittag schwerlich die Rede sein. Fache ließ sich in einen üppig gepolsterten Sitz fallen und schloss die Augen, um Bilanz zu ziehen. Die Suche konzentrierte sich jetzt auf eine schwarze Jaguar-Limousine. *Die Stümperei der Polizei von Kent kann dich teuer zu stehen kommen…*

Faches Handy meldete sich und riss ihn aus seinen Gedanken. Er wünschte sich, er hätte einen Moment Ruhe gehabt. »Hallo?«

»Ich bin unterwegs nach London.« Es war Bischof Aringarosa. »Ich werde in einer Stunde dort sein.«

Fache setzte sich kerzengerade auf. »Ich dachte, Sie sind unterwegs nach Paris!«

»Ich habe meinen Plan geändert. Aus Besorgnis.«

»Das hätten Sie nicht tun sollen.«

»Haben Sie Silas?«

»Nein. Seine Entführer sind der hiesigen Polizei durch die Lappen gegangen, bevor ich hier sein konnte.«

»Aber Sie haben mir zugesichert, dass Sie dieses Flugzeug aufhalten!« Aringarosas Verärgerung war unüberhörbar.

Fache senkte die Stimme. »Exzellenz, in Anbetracht Ihrer Lage möchte ich Ihnen empfehlen, meine Geduld heute nicht auf die Probe zu stellen. Ich werde Silas und die anderen sehr bald aufspüren, seien Sie versichert. Wo werden Sie landen?«

»Einen Augenblick, bitte.« Aringarosa hielt die Hand auf die Sprechmuschel. Kurz darauf meldete er sich wieder. »Der Pilot bemüht sich um eine Landeerlaubnis für Heathrow. Ich bin der einzige Passagier, und wir haben außerplanmäßig das Ziel geändert.«

»Sagen Sie dem Piloten, er soll den Flugplatz Biggin Hill ansteuern. Ich besorge Ihnen eine Landeerlaubnis. Falls ich bei Ihrer Ankunft nicht mehr hier sein sollte, wartet ein Wagen auf Sie.«

»Vielen Dank.«

»Wie ich zuvor schon zum Ausdruck brachte, Exzellenz – Sie sind nicht der Einzige, dem die Felle davonzuschwimmen drohen.«

uch die Kugel, die auf dem Grab sollt' sein.
Die Steinfiguren der Ritter in der Temple Church lagen auf dem Rücken ausgestreckt. Ihre Köpfe ruhten auf rechteckigen Steinkissen. Sophie kroch es kalt über den Rücken. Die »Kugel«, von der im Vierzeiler die Rede war, beschwor Bilder jener düsteren Nacht im Keller des großväterlichen Anwesens herauf.

Hieros Gamos. Die Bälle.

Sophie fragte sich, ob das Fruchtbarkeitsritual auch in diesem Heiligtum vollzogen worden war. Der runde Raum war für die heidnische Zeremonie wie geschaffen. Eine steinerne Sitzbank lief rings um die große freie Fläche in der Mitte. *Ein Rundtheater*, hatte Langdon es genannt. Sophie versuchte sich die nächtliche Szenerie mit den im Fackelschein singenden, maskierten Gestalten vorzustellen, die eine *Heilige Kommunion* verfolgten, die in der Mitte des Raumes vollzogen wurde.

Sie verscheuchte die Bilder aus ihrem Kopf und schritt mit Langdon und Teabing zur ersten Gruppe der liegenden Ritter. Trotz Teabings Aufforderung, auf größte Sorgfalt zu achten, konnte Sophie dem Verlangen nicht widerstehen, den Männern vorauszueilen und die fünf Ritter zur Linken vorab in Augenschein zu nehmen.

Sie bemerkte die Ähnlichkeit, aber auch die Unterschiede der Grabplatten. Die vollplastischen Ritterfiguren befanden sich in Rückenlage, wobei drei von ihnen die Beine gerade ausstreckten, während zwei sie übereinander geschlagen hatten, was aber in keinerlei Beziehung zu einer fehlenden Kugel gebracht werden konnte. Sophie betrachtete die Kleidung. Zwei Ritter trugen einen Umhang über der Rüstung, die anderen knöchellange Mäntel. Auch das war wenig hilfreich. Ansonsten gab es nur noch einen Unterschied – die Handstellungen. Zwei Ritter hielten das Schwert umklammert, zwei hatten die Hände zum Gebet gefaltet, und beim fünften ruhten sie rechts und links neben dem Körper. Nachdem sie die Hände längere Zeit betrachtet hatte, wandte Sophie sich achselzuckend ab. Nirgends war auch nur die Spur einer »fehlenden Kugel« zu sehen.

Sophie schaute zu Langdon und Teabing. Die beiden Männer bewegten sich langsam voran und waren noch immer mit der dritten Grabplatte beschäftigt. Auch sie hatten bislang offensichtlich noch nichts entdeckt. Sophie war zu ungeduldig, um auf die beiden zu warten, und ging zu der zweiten Gruppe von Grabplatten hinüber, wobei sie im Kopf das Gedicht rezitierte, das ihr vom vielen Lesen inzwischen fest im Gedächtnis haftete.

In London liegt ein Ritter, den ein Papst begraben.
Sein' Werkes Frucht hat heil'gen Zorn ihm eingetragen.
Such die Kugel, die auf dem Grab sollt' sein.
Mit rosig Fleisch und samenschwerem Leib.

Als Sophie bei der zweiten Gruppe von Grabplatten anlangte, bot sich ihr das gleiche Bild wie bei der ersten. Auf sämtlichen Platten lagen steinerne Ritter mit Schwert und Rüstung in leicht unterschiedlichen Körperhaltungen – bis auf die zehnte und letzte Gestalt.

Sophie eilte dorthin und blickte auf die Grabplatte.

Kein Kissen. Keine Rüstung. Kein Umhang. Kein Schwert.

»Robert! Sir Leigh!«, rief sie. Das Rund ließ ihre Stimme widerhallen. »Hier fehlt etwas!«

Die beiden Männer sahen auf und eilten herbei.

»Eine Kugel?«, rief Teabing aufgeregt. Seine Krücken klackten durch das riesige Rund. »Die fehlende Kugel?«

»Nicht unbedingt.« Sophie betrachtete stirnrunzelnd die zehnte Grabplatte. »Es scheint eher der ganze Ritter zu fehlen.«

Die beiden Männer blickten verdutzt auf die zehnte Grabplatte. Die obenauf liegende Rittergestalt fehlte tatsächlich. Stattdessen befand sich hier ein versiegelter steinerner Sarkophag in Trapezform, der sich vom Kopf zu den Füßen hin verjüngte und dessen Deckel in der Mitte in einer Spitze auslief.

»Warum hat man hier auf die Gestalt des Ritters verzichtet?«, wollte Langdon wissen.

»Faszinierend, nicht wahr?« Teabing strich sich das Kinn. »Ich hatte diese seltsame Grabplatte ganz vergessen. Es ist Jahre her, seit ich das letzte Mal hier gewesen bin. Nun, der Ritter ist *im* Sarkophag, nicht darauf.«

»Der Sarkophag sieht aus, als wäre er zur gleichen Zeit und vom gleichen Bildhauer wie die anderen neun angefertigt worden«, sagte Sophie. »Aber warum befindet sich der Ritter hier *im* Grab, wie Sie sagen, und nicht wie die anderen auf der Steinplatte?«

Teabing schüttelte den Kopf. »Das gehört zu den Merkwürdigkeiten dieses Gotteshauses. Meines Wissens hat bislang niemand eine Erklärung dafür anbieten können.«

Der Messdiener näherte sich. Seinem Gesicht war abzulesen, wie peinlich es ihm war. »Entschuldigen Sie bitte die Störung, aber haben Sie nicht gesagt, Sie wollten hier Asche verstreuen? Ich habe eher den Eindruck, dass Sie hier eine Besichtigung machen.«

Teabing blickte den Jungen mit strenger Miene an. »Mr Wren«, wandte er sich dann an Langdon. »Offensichtlich vermag die Freigebigkeit Ihrer Familie Ihnen nicht mehr die gewohnte Muße zu garantieren. Aber gut, lassen Sie uns in Gottes Namen die Asche nehmen und die Sache hinter uns bringen.« Teabing wandte sich an Sophie. »Mrs Wren?«

Sophie ging auf das Spiel ein und holte das ins Pergament gewickelte Kryptex hervor.

»Junger Freund«, sagte Teabing zum Ministranten, »ist es zu viel verlangt, wenn wir jetzt um etwas Diskretion bitten?«

Der Ministrant gab keinen Zoll Boden preis. Er sah Langdon prüfend an. »Sie kommen mir bekannt vor.«

»Was Wunder!«, schnaubte Teabing. »Mr Wren kommt schließlich jedes Jahr hierher!«

Oder der Junge hat Langdon im Fernsehen gesehen, als letztes Jahr diese Geschichte im Vatikan passierte, dachte Sophie besorgt.

»Mr Wren ist mir noch nie persönlich begegnet«, erklärte der Messdiener.

»Da irrst du dich«, sagte Langdon höflich. »Wir haben uns nämlich letztes Jahr im Vorübergehen gesehen. Father Knowles hat sich damals leider nicht die Mühe gemacht, uns einander vorzustellen, aber vorhin beim Hereinkommen habe ich gleich dein Gesicht erkannt. Ich gebe ja zu, dass wir ein wenig ungelegen kommen, aber es wäre sehr freundlich, wenn du uns ein paar Minuten allein lassen könntest, bis wir die Asche über den Gräbern verstreut haben.«

Das Gesicht des Messdieners wurde noch misstrauischer. »Das sind doch gar keine Gräber.«

»Wie bitte?«, fragte Langdon verwirrt.

»Natürlich sind es Gräber«, fuhr Teabing auf. »Was willst du uns denn hier erzählen?«

Doch der Junge schüttelte den Kopf. »In Gräbern liegen die Leichen der Verstorbenen. Das hier sind nur ihre Abbilder, steinerne Abbilder von wirklichen Menschen. Unter den Figuren ist niemand begraben.«

»Das hier ist eine Grabstätte!«, beharrte Teabing.

»So steht es nur in alten Büchern«, gab der Junge störrisch zurück. »Das hat man früher mal geglaubt, aber bei der Renovierung im Jahr 1950 hat es sich als Irrtum herausgestellt.« Er sah wieder Langdon an. »Eigentlich müsste Mr Wren das wissen, zumal seine Familie es damals entdeckt hat.«

Lastende Stille breitete sich aus.

Draußen im Anbau schlug die Tür.

»Das wird Father Knowles sein«, sagte Teabing. »Du solltest nachsehen, mein Junge.«

Der Messdiener blickte ihn schief an, drehte sich um, schlenderte zurück in den Anbau und ließ Langdon, Sophie und Teabing allein.

»Sir Leigh«, flüsterte Langdon, »die Gräber sollen leer sein? Kenotaphe? Was redet der Junge da?«

Teabing sah ihn beunruhigt an. »Ich kann mir nicht vorstellen … ich dachte immer, das müsse der richtige Ort sein. Der Junge weiß bestimmt nicht, was er da redet. Es ergibt keinen Sinn.«

»Kann ich noch mal den Vierzeiler sehen?«, sagte Langdon.

Sophie reichte Langdon das Kryptex mit dem darumgewickelten Pergament.

Langdon studierte die Zeilen, während er in der anderen Hand das Kryptex hielt. »In dem Gedicht ist eindeutig von einem ›Grab‹ die Rede, nicht von einem Kenotaph für jemand, der anderswo bestattet liegt.«

»Könnte der Fehler vielleicht am Gedicht liegen?«, meinte Teabing. »Könnte Jacques Saunière der gleiche Fehler unterlaufen sein wie mir soeben?«

Nach kurzem Nachdenken schüttelte Langdon den Kopf. »Sie haben es doch selbst gesagt, Sir Leigh: Diese Kirche wurde von den Tempelrittern erbaut, dem militärischen Arm der *Prieuré*. Der Großmeister der *Prieuré* müsste doch wissen, ob hier Ritter bestattet sind oder nicht.«

»Aber ein besserer Ort als dieser ist gar nicht denkbar!«, stieß Teabing ratlos hervor und wandte sich wieder den steinernen Rittern zu. »Wir haben bestimmt etwas übersehen.«

Als der Messdiener den Anbau betrat, war niemand zu sehen. »Father Knowles?«, rief er. *Du hast doch die Tür gehört …* Er ging noch ein Stück, bis er das Portal im Blickfeld hatte.

Ein hagerer Mann im Smoking stand am Eingang und kratzte sich unschlüssig am Kopf. Der Messdiener schnaubte verärgert. Er hatte vergessen, die Tür abzuschließen. Jetzt war wieder so ein Irrer von der Straße hereingekommen. »Tut mir Leid«, rief der Junge, während er an einem gewaltigen Pfeiler vorbeiging, »wir haben noch geschlossen.«

Schweres Tuch rauschte hinter ihm auf. Bevor der Junge sich umdrehen konnte, wurde sein Kopf in den Nacken gerissen. Eine kräftige Hand legte sich auf seinen Mund und erstickte seinen Aufschrei. Die Hand war schneeweiß, und der Atem des Fremden roch nach Schnaps.

Der hagere Mann im Smoking zog seelenruhig einen kleinen Revolver und richtete ihn auf die Stirn des Jungen. Der Messdiener spürte, wie es in seiner Leistengegend warm und nass wurde. Er hatte sich in die Hose gemacht.

»Hör mir genau zu«, zischte der Mann im Smoking. »Du verschwindest jetzt ganz leise aus der Kirche, und dann rennst du, so schnell und so weit du kannst. Und bleib nicht stehen, kapiert?«

Der Messdiener nickte, so gut es ihm mit der Hand über dem Mund möglich war.

»Solltest du die Polizei rufen ...«, der Mann im Smoking drückte dem Jungen die Mündung der Pistole so fest gegen die Stirn, dass es wehtat, »... werde ich dich finden.«

Der Junge flitzte über den Vorplatz der Kirche auf die Straße hinaus, so schnell er konnte, und blieb erst stehen, als ihm die Puste ausging.

ilas hatte sich wie ein Gespenst hinter sein Opfer geschlichen. Sophie Neveu spürte ihn zu spät. Bevor sie sich umdrehen konnte, bohrte Silas ihr die Pistolenmündung in den Rücken, umschlang sie von hinten mit seinem muskulösen linken Arm und presste sie an seinen riesigen Körper. Entsetzt schrie Sophie auf. Teabing und Langdon fuhren herum. Sie erstarrten, und auf ihren Gesichtern spiegelte sich Angst.

»Was... haben Sie mit Rémy gemacht...?«, keuchte Teabing.

»Im Moment sollte Ihre einzige Sorge sein, dass ich mit dem Schlussstein von hier verschwinde«, sagte Silas gelassen. Die »Bergungsaktion«, wie Rémy sich ausgedrückt hatte, sollte glatt und reibungslos verlaufen. *Gehen Sie in die Kirche, schnappen Sie sich den Schlussstein, und dann nichts wie weg. Kein Kampf, keine Schießerei.*

Silas hielt Sophie fest an sich gepresst. Seine Hand glitt in ihre Tasche und wühlte darin. Trotz seines alkoholgeschwängerten Atems konnte er den Duft ihres Haares riechen. »Wo ist er?«, knurrte er. *Der Schlussstein hatte sich zuvor noch in ihrer Tasche befunden. Wo war er jetzt?*

»Was Sie suchen, ist hier«, klang Langdons dunkle Stimme wie ein Echo von der anderen Seite des Rundbaus herüber.

Silas fuhr herum. Langdon wedelte mit dem schwarzen Kryptex in der Luft wie ein Matador mit dem roten Tuch vor einem Stier.

»Stellen Sie es auf den Boden!«, brüllte Silas.

»Zuerst werden Miss Neveu und Sir Leigh die Kirche verlassen«, rief Langdon zurück. »Wir können die Sache unter uns ausmachen.«

Silas schob Sophie grob zur Seite. Die Waffe auf Langdon gerichtet, schritt er auf ihn zu.

»Keinen Schritt näher!«, rief Langdon. »Nicht, bevor die beiden die Kirche verlassen haben!«

»Sie sind nicht in der Position, Forderungen zu stellen.«

»O doch«, sagte Langdon und hob das Kryptex hoch über den Kopf. »Ich werde es fallen lassen, und die Phiole mit dem Essig im Innern wird zerbrechen.«

Silas tat die Drohung mit einem verächtlichen Schnauben ab, doch innerlich packte ihn die Angst. Er versuchte das Zittern der Hand, mit der er die Pistole auf Langdons Kopf gerichtet hielt, zu unterdrücken. »Das würden Sie niemals tun«, sagte er, doch seine Stimme bebte. »Sie würden *alles* dafür geben, das Geheimnis des Grals zu lüften....«

»Machen Sie sich nichts vor. Haben Sie nicht schon bewiesen, dass Ihnen viel mehr daran liegt als mir? Sie sind bereit, dafür zu töten!«

Zwölf Meter entfernt spähte Rémy Legaludec aus den Bänken im Anbau herüber. Er war beunruhigt, zitterte vor Anspannung. Das Manöver lief nicht nach Plan. Auf Anweisung des Lehrers hatte er Silas strikt verboten, von der Waffe Gebrauch zu machen, doch nun musste er beobachten, dass dem Albino die Situation immer mehr aus der Hand glitt.

»Lassen Sie die beiden gehen«, verlangte Langdon erneut. Die Hand mit dem Kryptex hoch über dem Kopf, blickte er furchtlos in die Mündung von Silas' Waffe.

In den Augen des Mönchs flammten Zorn und Enttäuschung auf. Rémy packte Entsetzen bei dem Gedanken, dass Silas tatsächlich abdrücken könnte, solange das Kryptex über Langdons Kopf in der Luft schwebte. *Es darf nicht zu Boden fallen!*

Das Kryptex sollte Rémys Fahrkarte zu Reichtum und Unabhängigkeit sein. Vor etwas mehr als einem Jahr war er lediglich ein fünfundfünfzigjähriger Butler gewesen, der auf Château Villette in Sir Leigh Teabings Diensten stand und sich die Launen dieses unerträglichen Krüppels gefallen lassen musste. Dann aber wurde ihm etwas Außergewöhnliches angetragen. Rémys Verbindung zu Teabing, dem bedeutendsten Gralsforscher der Welt, sollte ihm die Erfüllung all seiner Träume bringen. Von da an hatte ihn jede Minute, die er auf Château Villette verbrachte, dem großen Augenblick näher gebracht – und sehr viel Geld. Ein Drittel von zwanzig Millionen Euro. Genug, um für immer von der Bildfläche zu verschwinden.

Doch nun sah Rémy den Schlussstein in Langdons erhobener Hand im geweihten Rundbau der Temple Church. Wenn Langdon ihn fallen ließ, war alles dahin. *Du bist ganz nah dran! Sollst du dein Gesicht zeigen?* Rémy überlegte fieberhaft. Der Lehrer hatte es ihm streng untersagt. Und Rémy war der einzige Mensch, der die Identität des Lehrers kannte …

»Sind Sie sicher, dass Silas die Sache übernehmen soll?«, hatte Rémy erst vor einer halben Stunde den Lehrer gefragt, als dieser den Raub des Schlusssteins befohlen hatte. »Ich könnte das genauso gut.«

Doch der Lehrer war nicht umzustimmen gewesen. »Silas hat uns bei den vier Spitzenleuten der *Prieuré* gute Dienste geleistet. Er wird auch den Schlussstein an sich bringen. Sie bleiben im Hintergrund, verstanden? Wenn Sie sich sehen lassen, müssen die anderen ebenfalls eliminiert werden. Es wurde schon genug getötet. Zeigen Sie auf keinen Fall Ihr Gesicht.«

»Ist gut«, hatte Rémy den Lehrer beruhigt. »Ich werde im Hintergrund bleiben und Silas helfen.«

»Nur damit Sie im Bilde sind, Rémy«, hatte der Lehrer abschließend zu ihm gesagt, »das fragliche Grab befindet sich gar nicht in der Temple Church. Sie brauchen nichts zu befürchten. Diese Leute suchen ohnehin am falschen Ort.«

Rémy konnte es nicht fassen. »*Sie* wissen, wo das richtige Grab ist?«

»Natürlich. Sie werden es bald von mir erfahren. Aber jetzt los mit Ihnen! Wenn die anderen herausbekommen, wo sich das

Grabmal befindet und die Temple Church verlassen, bevor Sie das Kryptex an sich gebracht haben, ist der Gral für uns verloren.«

Der Gral war Rémy im Grunde herzlich egal, aber der Lehrer würde keinen roten Heller herausrücken, solange er den Gral nicht gefunden hatte. Und Langdon war zuzutrauen, dass er hier in der Temple Church den Schlussstein zerschmetterte – und damit Rémys Zukunftspläne. Eine unerträgliche Vorstellung.

Rémy entschloss sich zum Eingreifen. Die Waffe in seiner Hand war nur ein kleinkalibriger Medusa-Revolver, aber auf kurze Entfernung war er nicht weniger tödlich als eine größere Waffe.

Er trat aus der Deckung, stürmte in die Rotunde und richtete die Waffe auf Teabings Kopf. »Auf dieses Vergnügen habe ich schon lange gewartet, *Sir* Leigh!«

Leigh Teabing blieb beinahe das Herz stehen, als Rémy die Waffe auf ihn richtete. *Was tut der Kerl?* Teabing erkannte den kleinen Medusa-Revolver, den er zum eigenen Schutz im Handschuhfach seiner Limousine aufbewahrte.

Rémy trat hinter Teabing und stieß ihm den Lauf der Waffe in Höhe des Herzens von hinten ins Kreuz.

Teabings Muskeln verkrampften sich vor Entsetzen. »Rémy, was soll...«

»Ich will's ganz einfach machen«, zischte Rémy und starrte Langdon über Teabings Schulter hinweg an. »Stellen Sie das Kryptex auf den Boden, oder ich drücke ab.«

Langdon war wie gelähmt. »Das Kryptex ist für Sie doch wertlos«, stieß er hervor. »Sie werden es niemals aufbekommen.«

»Ihr eingebildeten Idioten!«, höhnte Rémy. »Habt ihr nicht gemerkt, dass ich eure Unterhaltung über den verdammten Vierzeiler mitbekommen habe? Es gibt andere, die mehr wissen als ihr – und denen habe ich alles berichtet, was ich gehört habe. Ihr sucht ja nicht mal am richtigen Ort, ihr Trottel. Das Grab, das ihr sucht, ist ganz woanders!«

Teabing war der Panik nahe. *Was sagt er da?*

»Wozu wollen Sie den Gral überhaupt haben?«, herrschte Langdon Rémy an. »Wollen Sie ihn vernichten? Noch vor dem Ende der Zeit?«

»Silas, nimm Mr Langdon das Kryptex aus der Hand!«, rief Rémy dem Mönch zu.

Langdon wich vor dem Mönch zurück, der mit entschlossenen Schritten näher kam, und hielt das Kryptex in der ausgestreckten Hand. »Ich werfe es eher auf den Boden, als dass ich es in die falschen Hände geraten lasse!«

Eine Woge der Panik schwemmte über Teabing hinweg. Er sah sein Lebenswerk zerstört, seinen Lebenstraum gescheitert. »Robert, nicht!«, rief er. »Tun Sie's nicht! Rémy wird mich niemals erschießen. Wir kennen uns seit zehn ...«

Rémy feuerte einen Schuss in die Decke. Der Knall hallte wie ein Donnerschlag in dem steinernen Rundbau wider.

Langdon streckte zaudernd die Hand mit dem Kryptex vor. Silas war mit zwei schnellen Schritten bei ihm und nahm es ihm ab. In seinen roten Augen spiegelte sich Genugtuung. Die Waffe immer noch auf Langdon und Sophie gerichtet, ließ er das Kryptex in die Tasche seiner Kutte gleiten und trat zurück.

»Sie können Sir Leigh jetzt gehen lassen«, forderte Langdon Rémy auf.

»Mr Teabing kommt mit uns. Silas und ich werden ein bisschen mit ihm spazieren fahren«, sagte Rémy, der die Waffe keinen Zentimeter sinken ließ. »Wenn Sie die Polizei rufen oder uns irgendwie in die Quere kommen, ist Teabing ein toter Mann. Ist das klar?«

»Nehmen Sie mich mit«, sagte Langdon. »Lassen Sie Sir Leigh gehen.«

Rémy lachte auf. »Ich glaube nicht, dass ich mich von dem Alten trennen werde. Mit Mr Teabing verbindet mich eine schöne gemeinsame Zeit. Außerdem könnte er sich noch als nützlich erweisen.«

Rémy zerrte Teabing, dessen Krücken klappernd hinter ihm herschleiften, zum Ausgang. Die Waffe immer noch auf Sophie und Langdon gerichtet, deckte Silas den Rückzug.

»Für wen arbeiten Sie, Rémy?«, fragte Sophie mit fester Stimme.

Rémy verzog grinsend das Gesicht. »Sie würden staunen, Mademoiselle Neveu!«

87. KAPITEL

Leutnant Collet ging im Salon des Château Villette vor dem inzwischen erloschenen Kamin auf und ab und studierte die Telefaxe von Interpol.

Sie entsprachen in keiner Weise dem, was er erwartet hatte.

Nach Aktenlage war André Vernet ein vorbildlicher Bürger, der nicht das Geringste auf dem Kerbholz hatte; nicht einmal einen Strafzettel wegen Falschparkens hatte er sich bislang eingehandelt. Er hatte eine Privatschule besucht und sein Studium der Wirtschaftswissenschaft an der Sorbonne mit *summa cum laude* abgeschlossen. Interpol zufolge erschien sein Name gelegentlich in der Presse, jedoch stets in positivem Zusammenhang. Offenbar hatte Vernet maßgeblichen Anteil an der Entwicklung und Installation der elektronischen Sicherheitsgeräte, die sein Bankunternehmen zum führenden Haus auf dem Gebiet der digitalen Sicherheitstechnik gemacht hatten. Vernets Kreditkartenumsätze ließen auf einen Hang zu Kunstbänden, teuren Weinen und CDs mit klassischer Musik schließen – vorzugsweise Brahms –, die er sich offenbar auf einer vor einigen Jahren erworbenen Stereoanlage der obersten Güteklasse zu Gemüte führte.

Collet seufzte. *Fehlanzeige.*

Die einzige Treffermeldung von Interpol bezog sich auf Fingerabdrücke, die offenbar von Teabings Butler stammten. Der Leiter des Spurensicherungsteams hatte es sich auf der anderen Seite des Salons in einem Sessel bequem gemacht und las den Bericht.

Collet blickte zu ihm hinüber. »Steht was Interessantes drin*!*«

Der Beamte sah auf. »Die Abdrücke gehören einem gewissen Rémy Legaludec. Kleinkram. Nichts Besonderes. Von der Uni geflogen, weil er im Studentenheim die Telefonlitzen umgeklemmt hat, damit er kostenlos telefonieren kann … später ein paar Diebstähle und Einbrüche. Hat für eine Notoperation die Klinikrechnung nicht bezahlt. Es war ein Luftröhrenschnitt.« Der Beamte blickte auf. »Der Mann hat eine Erdnussallergie. Was es nicht alles gibt!«

Collet nickte. Er erinnerte sich an einen Fall, wo ein Restaurant es versäumt hatte, auf der Speisekarte anzugeben, dass ein Chiligericht Erdnussöl enthielt. Ein argloser Gast mit Erdnussallergie war noch am Tisch an einem allergischen Schock gestorben.

»Legaludec ist hier vermutlich als Hausangestellter untergekrochen, um sich der Verhaftung zu entziehen.« Der Beamte grinste schadenfroh. »Einmal erwischt es jeden.«

»Na gut.« Collet seufzte. »Setzen Sie Capitaine Fache ins Bild.«

Der Ermittler war noch nicht draußen, als ein anderer Beamter hereingestürmt kam. »Im Nebengebäude haben wir etwas entdeckt, Leutnant, das Sie sich mal anschauen sollten.«

Nach der Aufregung des Beamten zu schließen, musste es etwas Schlimmes sein. »Eine Leiche?«

»Nein, Chef. Es ist eher …« Er zögerte. »Mit so was haben wir ehrlich nicht gerechnet.«

Collet rieb sich die Augen und folgte dem Beamten hinaus. Als sie das muffige, weitläufige Nebengebäude betraten, deutete der Mann auf eine hölzerne Leiter in der Mitte des Raums. Sie war in schwindelnder Höhe an der Kante eines Heubodens angestellt und schien bis zu den Dachsparren hinaufzuführen.

»Die Leiter ist anfangs noch nicht da gewesen«, sagte Collet.

»Stimmt, Chef. Wir haben sie aufgestellt. Als wir am Rolls Royce Abdrücke genommen haben, habe ich sie in der Ecke auf dem Boden liegen sehen. Ich hätte ihr keine weitere Beachtung geschenkt, aber die Sprossen waren stark ausgetreten, und es klebte frischer Schmutz daran. Diese Leiter wird regelmäßig benutzt. Ihre Länge entspricht der Höhe des Heubodens, also hab ich sie aufgestellt und bin hinaufgeklettert, um mich da oben umzusehen.«

Collet blickte die steile Leiter hinauf. *Da steigt regelmäßig jemand rauf?* Der Heuboden wirkte zwar vollkommen leer, war von unten aber kaum einzusehen.

Ein höherrangiger Ermittler erschien oben am Ende der Leiter. »Das sollten Sie sich nicht entgehen lassen, Herr Kollege!«, rief er herunter und winkte Collet zu sich herauf.

Collet nickte müde, ging zur Leiter und griff in die Sprossen des altertümlichen hölzernen Geräts, das nach oben hin immer schmaler wurde. Im oberen Drittel verlor er auf einer engen Sprosse beinahe den Halt. Der Betonboden unter ihm drehte sich. Collet fing sich wieder und stieg weiter, doppelt vorsichtig geworden. Als er endlich oben war, streckte der Beamte ihm die Hand entgegen und half ihm beim letzten Schritt von der Leiter.

»Da drüben«, sagte der Ermittler und deutete zur Giebelwand des tadellos sauberen Heubodens. »Hier oben gibt es nur eine Art von Abdrücken. Ich habe die Auswertung in Kürze vorliegen.«

Collet spähte hinüber zur Giebelwand. *Schau mal einer an!* Vor der Wand war ein hochmoderner und hervorragend ausgerüsteter Computer-Arbeitsplatz aufgebaut – zwei Towerrechner, ein Flachbildschirm mit Lautsprechern, einige externe Festplatten und ein Mehrkanalmischpult, das über einen Netzanschluss mit Trenntrafo zu verfügen schien.

Wozu, in aller Welt, richtet jemand sich hier oben einen Computerarbeitsplatz mit allen Schikanen ein? Collet trat näher. »Haben Sie die Anlage schon ausprobiert?«

»Das ist eine Abhörstation.«

Collet fuhr herum. »Ein Horchposten?«

Der Beamte nickte. »Mit modernster Technologie.« Er deutete auf eine lange Arbeitsplatte, auf der elektronische Bauteile, Handbücher, Feinmechanikerwerkzeug, ein Lötkolben, Drähte und sonstiges elektronisches Zubehör lagen. »Wer hier arbeitet, kennt sich aus. Vieles hier ist mindestens so ausgeklügelt wie unsere eigenen Geräte. Der Benutzer verwendet Mini-Mikrofone, fotoelektrisch ladbare Akkus, Speicherchips mit höchster Informationsdichte und so weiter. Er hat sogar ein paar von diesen neuen Nano-Laufwerken.«

Collet war beeindruckt.

»Das hier ist ein komplettes System«, sagte der Beamte und gab Collet ein Gerät in die Hand, das nicht viel größer war als ein Taschenrechner. Aus dem Gehäuse hing ein dünner, etwa dreißig Zentimeter langer Draht mit einem briefmarkengroßen, hauchdünnen Stück Folie am Ende. »Der Kern des Ganzen ist ein Audio-Aufnahmesystem mit Festplattenspeicher und einem wiederaufladbaren Akku. Die kleine Folie an dem Draht ist eine Kombination von Mikrofon und Fotozelle zum Aufladen des Akkus.«

Collet kannte diese Geräte. Die folienartigen Fotozellenmikrofone hatten vor ein paar Jahren für eine Sensation gesorgt. Man konnte ein solches Aufnahmegerät beispielsweise hinter einer Stehlampe verstecken und das entsprechend eingefärbte Folienmikrofon in den Ornamenten des Lampenfußes verschwinden lassen. Solange das Mikrofon täglich ein paar Stunden Licht bekam, luden die Fotozellen den Akku immer wieder auf. Solche Wanzen konnten theoretisch unbegrenzt lange arbeiten.

»Wie funktioniert die Datenübertragung?«, erkundigte sich Collet.

Der Beamte wies auf ein abgeschirmtes Kabel, das hinten aus dem Computergehäuse trat, die Wand hinaufführte und durch ein kleines Loch im Dach verschwand. »Ganz einfach per Funk. Auf dem Dach steht eine kleine Antenne.«

Collet wusste, dass diese Aufnahmesysteme üblicherweise in Büros platziert wurden. Sie waren stimmaktiviert, um Speicherplatz zu sparen, und nahmen tagsüber jede Menge Gesprächsschnipsel auf, die nachts als komprimierte Audiodatei übertragen wurden, um das Risiko der Entdeckung so klein wie möglich zu halten. Nach der Übertragung wurde der Speicher selbsttätig gelöscht, und das System war für einen neuen Einsatz am nächsten Tag bereit.

Collets Blick fiel auf ein Regal, in dem einige Hundert Audiocassetten aufgereiht standen, alle fein säuberlich nummeriert und mit Datum versehen. *Hier war jemand aber sehr fleißig.* »Können Sie schon sagen, wer hier ausgeforscht werden soll?«, erkundigte er sich bei dem Kollegen.

»Ja, Leutnant«, sagte der Mann, während er zum Computer ging und ein Programm hochfuhr. »Und das ist der Hammer.«

88. KAPITEL

Es hatte wieder zu regnen begonnen.

Langdon war völlig erschöpft, als er an der U-Bahnstation das Drehgitter betätigte und mit Sophie in das schmutzige Labyrinth der unterirdischen Gänge und Bahnsteige eintauchte. Quälende Gewissensbisse nagten an ihm.

Hättest du Leigh Teabing bloß nicht in die Sache hineingezogen! Jetzt schwebt er in höchster Gefahr.

Rémys Auftauchen war ein Schock gewesen, doch es ergab durchaus Sinn: Der große Unbekannte, der hinter dem Gral her war, hatte sich einen Helfer aus dem inneren Kreis beschafft. Dass Teabing auch ohne ihn von Anfang an im Visier der Dunkelmänner gestanden haben musste, hätte Langdons Schuldgefühle zwar besänftigen können, tat es aber nicht.

Wir müssen Leigh aufspüren und ihm helfen – sofort.

Langdon folgte Sophie zum Bahnsteig, an dem die Circle Line und die Züge in die westlichen Stadtbezirke abfuhren. Sophie ging zu einem öffentlichen Telefon, um trotz Rémys Drohung die Polizei anzurufen. Langdon setzte sich, von Reue geplagt, auf eine schmuddelige Bank ganz in der Nähe.

»Wenn wir sofort die Londoner Polizei anrufen, Robert, ist Sir Leigh am besten geholfen«, sagte Sophie beim Wählen. »Glauben Sie mir.«

Langdon war anfangs dagegen gewesen, doch je eingehender er darüber nachdachte, desto überzeugender fand er Sophies Argumente. Teabing war im Moment sicher. Selbst wenn Rémy und seine Hintermänner wussten, wo sich der Sarkophag oder das Grabmal befand, waren sie wegen des Rätsels um die mysteriöse Kugel auf das Öffnen des Kryptex und auf Teabings Hilfe angewiesen. Langdons Hauptsorge galt der Frage, was geschehen würde, *nachdem* das Kryptex geöffnet und der Wegweiser zum Gral geborgen war. Dann nämlich war Leigh Teabing in größter Gefahr.

Um Sir Leigh zu helfen oder das Kryptex zurückzubekommen, kam es für Langdon entscheidend darauf an, den Sarkophag als Erster aufzuspüren. Doch Rémy hatte leider einen beträchtlichen Vorsprung.

Langdons Aufgabe war es, den richtigen Sarkophag zu finden. Sophie bemühte sich indessen, Rémy Knüppel zwischen die Beine zu werfen, indem sie ihm und Silas die Londoner Polizei auf den Hals hetzte, sodass die beiden zumindest zum Abtauchen gezwungen wurden.

Langdons Plan war weniger genau umrissen. Er wollte mit der U-Bahn erst einmal ins nahe King's College mit seiner weltberühmten religionswissenschaftlichen Datenbank fahren. *Das beste Hilfsmittel der Forschung überhaupt*, hieß es in Fachkreisen. *Die Antwort auf jede religionsgeschichtliche Frage*. Langdon war gespannt, was dem Supercomputer des King's College zu der Zeile »ein Ritter, den ein Papst begraben« einfallen würde.

Er hielt es auf der Bank nicht mehr aus, stand auf und ging nervös auf dem Bahnsteig auf und ab. Wenn doch nur endlich die U-Bahn käme!

Sophies Verbindung zur Londoner Polizei kam endlich zustande.

»Snow Hill Division«, meldete sich die Vermittlung. »Mit welcher Dienststelle möchten Sie sprechen?«

»Ich möchte eine Entführung anzeigen.« Sophie fasste sich kurz.

»Ihr Name, bitte.«

Sophie zögerte. »Agentin Sophie Neveu, französische Staatspolizei.«

Die Nennung ihres Titels zeitigte die gewünschte Wirkung.

»Augenblick, Ma'am. Ich werde Sie sofort mit einem zuständigen Detective verbinden.«

Während Sophie auf die Verbindung wartete, fragte sie sich, wie der Beamte die Beschreibung von Teabings Entführern aufnehmen würde. *Ein Mann im Smoking.* Schlichter war ein Verdächtiger wohl kaum zu beschreiben. Doch selbst wenn Rémy die Kleidung wechselte, war er immer noch in Begleitung eines Albinos im Mönchsgewand. *Und den konnte man nun wirklich nicht übersehen.* Außerdem hatten sie einen Gefangenen bei sich, sodass sie keine öffentlichen Verkehrsmittel benutzen konnten. Und allzu viele schwarze Jaguar-Stretchlimousinen gab es in London wohl auch nicht.

Das Durchstellen schien ewig zu dauern. *Nun macht schon!* Sophie hörte es klicken und summen, als müsste man extra für sie eine Funkverbindung aufbauen.

Weitere fünfzehn Sekunden verstrichen.

Plötzlich meldete sich eine barsche Männerstimme. »Agentin Neveu?«

Sophie wusste sofort, wer am anderen Ende der Leitung war.

»Agentin Neveu«, herrschte Fache sie an, »wo stecken Sie?«

Sophie war sprachlos. Fache hatte offensichtlich die Vermittlung der Londoner Polizei instruiert, ihren Anruf zu ihm weiterzuleiten, falls sie sich meldete.

»Hören Sie zu«, sagte Fache in knappem Französisch, »ich habe mich schrecklich geirrt. Robert Langdon ist unschuldig. Wir haben sämtliche Vorwürfe gegen ihn fallen lassen. Trotzdem sind Sie beide in Gefahr. Sie müssen sich sofort der Polizei stellen.«

Sophie blieb der Mund offen stehen. Wie sie *darauf* antworten sollte, wusste sie nun wirklich nicht. Fache hatte noch nie einen Fehler eingestanden.

»Sie haben mir nicht gesagt, dass Jacques Saunière Ihr Großvater war«, fuhr er fort. »Ich werde Ihre Insubordination von gestern Nacht vergessen, da Sie derzeit unter großem seelischen Druck stehen. Aber im Moment ist es unerlässlich, dass Sie sich zu Ihrer eigenen Sicherheit sofort zur nächsten Londoner Polizeidienststelle begeben.«

Er weiß, dass ich in London bin? Was weiß er sonst noch? Sophie hörte im Hintergrund Geräusche, die wie Bohren und Werkzeuggeklapper klangen. Außerdem hörte sie ein verdächtiges Klicken in der Leitung. »Sie lassen diesen Anruf doch nicht etwa zurückverfolgen, Capitaine?«

»Agentin Neveu«, sagte Fache, »wir müssen jetzt zusammenarbeiten, Sie und ich. Wir haben beide eine ganze Menge zu verlieren. Jetzt ist Schadensbegrenzung angesagt. Ich habe letzte Nacht Fehler bei der Beurteilung der Lage gemacht, und wenn diese Fehler den Tod eines amerikanischen Professors und einer Kryptologin der französischen Staatspolizei zur Folge haben, ist meine Karriere im Eimer. Ich habe während der vergangenen Stunden verzweifelt versucht, Sie auf sicheres Terrain zu ziehen.«

Ein Schwall warmer Luft wehte über den Bahnsteig. Im Tunnel polterten dumpf die Räder einer sich nähernden U-Bahn. Sophie hatte nicht vor, diese Bahn zu verpassen – ebenso wenig wie Langdon, der sich zusammengerissen hatte und auf Sophie zukam.

»Ihr Mann heißt Rémy Legaloudec«, sagte Sophie rasch. »Teabings Butler. Er hat Teabing vor ein paar Minuten in der Temple Church gekidnappt und ...«

»Agentin Neveu«, rief Fache, während die U-Bahn mit lautem Getöse in die Station einfuhr, »so etwas bespricht man nicht am öffentlichen Telefon! Sie und Langdon werden sich jetzt unverzüglich stellen, Ihrer eigenen Sicherheit zuliebe. Das ist ein Befehl!«

Sophie knallte den Hörer auf die Gabel und rannte mit Langdon zur U-Bahn.

89. KAPITEL

I n der zuvor so piekfeinen Kabine der Hawker roch es nach Azetylen und öligem Rauch. Überall lagen Bohrspäne herum. Bezu Fache hatte alle Beamten fortgeschickt und saß nun mit einem Drink und dem schweren Holzkästchen, das er in Teabings Flugzeugsafe gefunden hatte, allein in einem Sessel.

Er ließ den Finger über die eingelegte Rose gleiten; dann hob er den Deckel. Im Innern des Kästchens befand sich ein Steinzylinder aus gegeneinander drehbaren Segmenten mit Buchstabenmarkierungen. Die Einstellung der fünf Drehsegmente ergab das Wort SOFIA. Nachdenklich betrachtete Fache eine Zeit lang das Wort; dann nahm er den Zylinder aus seiner gepolsterten Höhlung, um ihn Zentimeter für Zentimeter sorgfältig zu überprüfen. Schließlich zog er vorsichtig an den beiden Enden. Eine Verschlusskappe löste sich. Der Zylinder war leer.

Fache legte ihn ins Kästchen zurück und schaute durch das Bullauge in den Hangar. Er dachte über sein Gespräch mit Sophie nach und über die Informationen, die ihm die Spurensicherung aus Château Villette hatte zukommen lassen. Das Piepsen seines Mobiltelefons riss ihn aus seinen Gedanken.

Es war die Telefonzentrale der DCPJ in Paris. Der Beamte in der Vermittlung entschuldigte sich für die Störung, doch der Pariser Filialdirektor der Zürcher Depositenbank habe sich wiederholt gemeldet. Man habe ihm zwar jedes Mal gesagt, dass Capitaine Fache sich in London befände, aber er habe trotzdem immer wieder angerufen.

Mürrisch wies Fache den Beamten an, den Anruf durchzustellen.

»Monsieur Vernet«, kam Fache dem Banker zuvor, »tut mir Leid, dass ich noch nicht dazu gekommen bin, mich bei Ihnen zu melden, aber ich bin im Moment sehr beschäftigt. Der Name Ihrer Bank wurde wie versprochen aus den Medien herausgehalten. Wo drückt Sie sonst noch der Schuh?«

Vernet erklärte besorgt, dass Langdon und Sophie ein Holzkästchen aus seiner Bank entwendet und ihn dann gezwungen hätten, ihnen zur Flucht zu verhelfen. »Als ich aus dem Radio erfuhr, dass die beiden Kriminelle sind, habe ich angehalten und das Kästchen zurückverlangt, aber sie haben mich angegriffen und meinen Transporter gestohlen.«

»Sie machen sich also Sorgen wegen eines hölzernen Kästchens«, sagte Fache, wobei er die Einlegearbeit mit der Rose betrachtete. Er klappte den Deckel auf und nahm den weißen Steinzylinder heraus. »Können Sie mir sagen, was in dem Kästchen gewesen ist?«

»Der Inhalt ist doch völlig unerheblich«, brauste Vernet auf. »Was mir Sorgen macht, ist der Ruf meiner Bank! Bei uns ist noch nie etwas abhanden gekommen. Noch nie! Wenn ich meinem Kunden sein Eigentum nicht zurückerstatten kann, können wir einpacken!«

»Sagten Sie nicht, Agentin Neveu und Robert Langdon hätten sich im Besitz eines Schlüssels und des Passworts befunden? Wie kommen Sie darauf, dass es sich um einen Diebstahl gehandelt hat?«

»Aber die beiden haben doch heute Nacht mehrere Menschen umgebracht, darunter Sophie Neveus Großvater! Da liegt es doch wohl auf der Hand, dass sie sich den Schlüssel und das Passwort auf gesetzwidrige Weise verschafft haben!«

»Monsieur Vernet, meine Mitarbeiter haben sich ein wenig mit Ihrem Hintergrund und Ihren Interessen befasst. Sie sind offenbar ein sehr vornehmer und kultivierter Zeitgenosse, wobei ich selbstredend davon ausgehe, dass Sie ein Ehrenmann sind – wie ich übrigens auch. Nachdem wir das nun festgestellt haben, haben Sie von mir als leitendem Beamten der *Police Judiciaire* das Wort, dass sich Ihr Kästchen und der Ruf Ihrer Bank in besten Händen befinden.«

90. KAPITEL

L eutnant Collet fielen fast die Augen aus dem Kopf, als er hoch oben auf dem Heuboden des Nebengebäudes von Château Villette die Liste auf dem Bildschirm des Computers sah. »Und das System kann alle diese Leute abhören?«

»Ja«, bestätigte der Ermittlungsbeamte. »Anscheinend schon seit über einem Jahr.«

Collet las die Auflistung auf dem Bildschirm. Er war sprachlos.

COLBERT SOSTAQUE – Präsident des Verfassungsrats
JEAN CHAFFÉE – Direktor des Musée du Jeu de Paume
EDOUARD DESROCHES – Direktor des Archivs der Mitterand-Bibliothek
JACQUES SAUNIÈRE – Direktor des Louvre
MICHEL BRETON – Geheimdienstchef der DAS

Der Beamte deutete auf den Bildschirm. »Bei Nummer vier müssen uns natürlich die Ohren klingeln.«

Collet konnte nur nicken. Der Name war ihm sofort aufgefallen. *Jacques Saunière ist abgehört worden.* Abermals überflog er die Namen. *Wie hat jemand diesen prominenten Leuten eine Wanze unterjubeln können?* »Haben Sie schon in die Mitschnitte hineingehört?«

»In einige. Hier ist einer der letzten.« Der Agent drückte auf ein paar Tasten des Computers. Es knisterte in den Lautsprechern. »*Capitaine, un agent du Departement de Cryptographie est arrivé.*«

Collet wollte seinen Ohren nicht trauen. »Das bin ja ich! Das ist meine Stimme!« Er erinnerte sich, wie er an Saunières Schreibtisch gesessen und Fache über Funk das Eintreffen Sophie Neveus angekündigt hatte.

Der Ermittlungsbeamte nickte. »Falls jemand zugehört haben sollte, konnte er den Großteil unserer nächtlichen Fahndung im Louvre mitverfolgen.«

»Haben Sie schon jemand zum Aufspüren der Wanze losgeschickt?«

»Nicht nötig. Ich weiß genau, wo sie sitzt.« Der Beamte zog ein Blatt aus einem Stapel alter Notizen und Konstruktionszeichnungen auf dem Arbeitstisch und reichte es Collet. »Kommt Ihnen das bekannt vor?«

Collet kam aus dem Staunen nicht heraus. Er hielt die Fotokopie einer alten schematischen Konstruktionszeichnung einer einfachen Maschinerie in Händen. Er konnte zwar nicht die handschriftlichen italienischen Bemerkungen zu den einzelnen Teilen lesen, wusste aber sofort, was er da betrachtete: das Modell eines voll beweglichen mittelalterlichen französischen Ritters.

Der Ritter auf Saunières Schreibtisch!

Collets Blick fiel auf den Rand des Blattes, wo jemand mit rotem Filzschreiber in französischer Sprache Anmerkungen hinterlassen hatte – Anmerkungen, wie in dem Ritter am besten ein digitales Abhörgerät unterzubringen sei.

ilas saß auf dem Beifahrersitz des Jaguar, der in der Nähe der Temple Church geparkt war. Die feuchten Hände um den Schlussstein gekrampft, wartete er auf Rémy, der damit beschäftigt war, Teabing auf der Rückbank mit einem Seil und einem Lappen, die er im Kofferraum entdeckt hatte, zu fesseln und zu knebeln.

Schließlich stieg Rémy hinten aus, ging um den Wagen herum und glitt neben Silas ans Steuer.

»Gut verschnürt?«, fragte Silas.

Rémy lachte in sich hinein, klopfte sich die Regentropfen vom Anzug und blickte über die Schulter durch die offene Trennscheibe nach hinten, wo – im Halbdunkel kaum auszumachen – die zusammengekrümmte Gestalt Leigh Teabings auf dem Boden lag. »Der läuft uns nicht mehr weg.«

Silas hörte Teabings erstickte, dumpfe Proteste. Rémy hatte ein Stück Klebeband von Silas' Fesseln als Knebel wieder verwendet.

»Halt's Maul«, giftete Rémy und hieb auf einen Knopf am aufwändigen Armaturenbrett, worauf sich summend eine Trennscheibe vor die Öffnung zur Passagierkabine schob. Teabing verschwand aus dem Blickfeld, seine Stimme verstummte. »Ich habe mir dieses verdammte Gewinsel lange genug anhören müssen«, höhnte Rémy und schaute Silas Beifall heischend an.

Als die schwere Limousine wenige Minuten später durch die Straßen rollte, meldete sich Silas' Handy. *Der Lehrer.* Silas meldete sich aufgeregt. »Hallo?«

»Silas«, hörte er den Lehrer in seinem vertrauten, französisch gefärbten Englisch sagen, »ich bin erleichtert, Ihre Stimme zu hören, denn das bedeutet, dass Sie in Sicherheit sind.«

Silas war nicht minder erleichtert, dass der Lehrer sich meldete. In den Stunden seit ihrem letzten Kontakt hatten die Ereignisse sich überschlagen, doch die Aktion lief jetzt endlich wieder auf dem richtigen Gleis. »Ich habe den Schlussstein.«

»Das sind ja wundervolle Neuigkeiten. Ist Rémy bei Ihnen?«

Überrascht nahm Silas zur Kenntnis, dass der Lehrer Rémys Namen nannte. »Ja. Rémy hat mich befreit.«

»Wie von mir angeordnet. Ich bin untröstlich, dass Sie eine so lange Gefangenschaft auf sich nehmen mussten.«

»Die Leiden des Körpers sind unerheblich. Wichtig ist allein, dass wir nun im Besitz des Schlusssteins sind.«

»Ja, und ich möchte ihn unverzüglich in Händen haben. Jede Minute zählt.«

»Gewiss. Es wird mir eine Ehre sein, ihn persönlich bei Ihnen abzuliefern.« Silas brannte darauf, den Lehrer von Angesicht zu Angesicht kennen zu lernen.

»Ich möchte, dass Rémy ihn mir bringt.«

Silas konnte es nicht fassen. Nach allem, was er für den Lehrer auf sich genommen hatte, war er sicher gewesen, dass nun *ihm* die Ehre zukam, den Preis zu überreichen. *Der Lehrer gibt Rémy den Vorzug?*

»Ich spüre, dass Sie jetzt enttäuscht sind«, sagte der Lehrer, »und ich schließe daraus, dass Sie meine Absichten nicht begriffen haben.« Er senkte die Stimme zu einem verschwörerischen Flüstern. »Sie dürfen mir glauben, dass es mir wesentlich lieber wäre, den Schlussstein von Ihnen entgegenzunehmen, einem Mann Gottes, und nicht aus den Händen eines Kriminellen, aber ich habe mit Rémy noch ein Hühnchen zu rupfen. Er hat meine Anordnungen nicht befolgt und einen schweren Fehler begangen, der unsere ganze Mission zum Scheitern hätte bringen können.«

Silas fröstelte. Er schaute zu Rémy. Teabings Entführung war im Plan nicht vorgesehen gewesen, und die Entscheidung, was man nun mit ihm anfangen sollte, warf neue Probleme auf.

»Sie und ich sind Männer Gottes«, flüsterte der Lehrer. »Wir lassen uns nicht von unserem Ziel abbringen.« Eine bedeutungsschwere Pause folgte. »Einzig aus diesem Grund möchte ich, dass Rémy mir den Schlussstein bringt, begreifen Sie?«

Silas hörte den Zorn, der in der Stimme des Lehrers mitschwang. Es wunderte ihn, dass dieser Mann nicht mehr Verständnis aufbrachte. *Rémy hat sein Gesicht gezeigt, doch es war unumgänglich,* dachte Silas. *Rémy musste es tun, um den Schlussstein zu retten.* »Ja, ich verstehe«, brachte Silas mühsam hervor.

»Gut. Zu Ihrer eigenen Sicherheit müssen Sie von der Straße verschwinden. Die Polizei wird in Kürze nach der Limousine fahnden, und ich möchte nicht, dass Sie verhaftet werden. Unterhält Opus Dei in London ein Ordenshaus?«

»Ja.«

»Werden Sie dort willkommen sein?«

»Wie ein Bruder.«

»Dann begeben Sie sich vorerst dorthin und halten sich dort versteckt. Sobald ich den Schlussstein in Händen habe und mein derzeitiges Problem gelöst ist, melde ich mich wieder bei Ihnen.«

»Sie sind in London?«

»Tun Sie, was ich Ihnen sage, dann kann nichts schief gehen.«

»Jawohl.«

Der Lehrer seufzte, als würde er seinen nächsten Schritt zutiefst bedauern. »Jetzt ist es an der Zeit, dass ich mit Rémy spreche.«

Silas reichte ihm das Handy. Er hatte das Gefühl, dass es Rémy Legaludecs letztes Telefonat sein würde.

Während Rémy das Handy nahm, bedauerte er den armen dummen Mönch, der keine Ahnung hatte, was ihm bevorstand: Der Mohr hatte seine Schuldigkeit getan ...

Mein lieber Silas, der Lehrer hat dich nur benutzt.

Und dein Bischof ist auch nur eine Schachfigur.

Rémy konnte immer wieder nur staunen, welche Überredungskunst der Lehrer besaß. Sogar Bischof Aringarosa hatte dem Lehrer aus der Hand gefressen. Seine verzweifelte Lage hatte ihn blind gemacht. *Aringarosa war viel zu gutgläubig.* Rémy mochte den Lehrer zwar nicht besonders, aber er war stolz darauf, sich das Vertrauen dieses Mannes erworben und ihm bei wichtigen Dingen geholfen zu haben. *Du hast dir deinen Zahltag redlich verdient.*

»Hören Sie gut zu«, sagte der Lehrer. »Bringen Sie Silas zum Ordenshaus von Opus Dei, aber lassen Sie ihn schon ein Stück vorher aussteigen. Fahren Sie anschließend zum St. James's Park, direkt hinter Big Ben und dem Parlamentsgebäude. Parken Sie an der Horse Guards Parade. Dort unterhalten wir uns weiter.«

Die Verbindung brach ab.

92. KAPITEL

King's College war im Jahr 1829 von König George IV. gegründet worden. Die Abteilung für Theologie und Religionswissenschaften befindet sich auf einem Gelände, das ans Parlamentsgebäude anschließt und von der englischen Krone zur Verfügung gestellt worden ist. Das Institut, das stolz auf eine hundertfünfzigjährige Tradition der Lehre und Forschung zurückblicken kann, besitzt mit der im Jahr 1982 erfolgten Gründung des Forschungsinstituts für systematische Theologie eine der vollständigsten und datentechnisch modernsten digitalen Bibliotheken der Religionswissenschaften.

Langdon war immer noch ein wenig angeschlagen, als er mit Sophie aus dem Regen kam und den Lesesaal der Bibliothek betrat. In dem markanten achteckigen Raum, der von einem riesigen runden Tisch beherrscht wurde, hätten sich auch König Artus und die Ritter der Tafelrunde wohl gefühlt, wären da nicht die zwölf Computerarbeitsplätze mit Flachbildschirmen gewesen. In einer Ecke des Saales war eine Bibliothekarin damit beschäftigt, einen Tee aufzubrühen und sich auf den bevorstehenden Arbeitstag einzurichten.

»Ein wunderbarer Tag heute«, rief sie zur Begrüßung mit munterem britischen Akzent, ließ den Tee stehen und kam herbei. »Kann ich Ihnen helfen?«

»Ich hoffe«, sagte Langdon. »Mein Name ist...«

»Robert Langdon.« Die Bibliothekarin lächelte ihn an. »Ich weiß, wer Sie sind.«

Langdon durchfuhr der beängstigende Gedanke, Fache könne

sein Bild auch an das britische Fernsehen weitergegeben haben, doch das Lächeln der Bibliothekarin belehrte ihn eines Besseren: Langdon hatte sich an diese Augenblicke der unerwarteten Prominenz noch nicht gewöhnt. Andererseits – falls überhaupt jemand sein Gesicht auf Anhieb erkannte, dann wohl eine Bibliothekarin in der Datenbank des Instituts für Religionswissenschaften am King's College.

»Pamela Gettum«, stellte sie sich vor und hielt Langdon die Hand hin. Sie hatte ein freundliches, kluges Gesicht und eine angenehm fließende Sprechweise. Am Brillenkettchen um ihren Hals hing eine Hornbrille mit dicken Gläsern.

»Erfreut, Sie kennen zu lernen«, sagte Langdon. »Darf ich Ihnen Miss Sophie Neveu vorstellen?«

Nach kurzer Begrüßung wandte die Bibliothekarin sich wieder an Langdon. »Ich habe leider nicht gewusst, dass Sie kommen.«

»Wir wussten es auch nicht. Fall es Ihre Zeit nicht zu sehr in Anspruch nimmt, würden wir uns sehr freuen, wenn Sie uns beim Aufspüren einer Information behilflich sein könnten.«

Pamela Gettum trat von einem Fuß auf den anderen. »Normalerweise bieten wir unseren Service auf Antrag und nach Terminabsprache – es sei denn, natürlich, Sie sind Gast eines unserer Dozenten.«

Langdon schüttelte den Kopf. »Ich fürchte, wir kommen völlig unangemeldet. Ein guter Bekannter von uns, Sir Leigh Teabing, hat eine sehr hohe Meinung von Ihrem Institut.« Langdon spürte wieder sein schlechtes Gewissen. »Der Historiker von der Royal Society.«

Miss Gettums Züge hellten sich auf. »Du lieber Himmel, ja.« Sie lachte. »Was für ein Sonderling! Ein Besessener! Er kennt nur ein einziges Suchwort: Gral, Gral, Gral. Ich wette, seine Gralssuche bringt ihn noch ins Grab!« Sie sah Langdon an. »Aber wer genügend Zeit und Geld hat, kann sich solche Extravaganzen leisten, nicht wahr? Ein richtiger Don Quichotte, dieser Mann.«

»Besteht denn auch ohne Anmeldung die Möglichkeit, dass Sie uns helfen?«, fragte Sophie. »Es ist sehr dringend.«

Pamela Gettums Blick schweifte durch die leere Bibliothek. »Ich kann schwerlich behaupten, dass ich im Moment überlastet bin«, sagte sie und zwinkerte Langdon und Sophie zu. »Wenn Sie sich in die Benutzerliste eintragen, dürfte niemand etwas dagegen haben. Um was handelt es sich denn?«

»Wir sind auf der Suche nach einem Sarkophag, einer historischen Grabstätte in London.«

»Davon gibt es in dieser Stadt mehr als zwanzigtausend«, meinte Miss Gettum sorgenvoll. »Wissen Sie nichts Konkreteres?«

»Es ist die Grabstätte eines Ritters. Den Namen kennen wir leider nicht.«

»Ein Ritter. Das macht die Sache schon übersichtlicher.«

»Wir haben über diesen Ritter leider nur sehr wenig Informationen«, sagte Sophie. »Hier steht alles, was wir wissen.« Sie hielt der Bibliothekarin einen Zettel hin, auf dem sie die ersten beiden Zeilen des Vierzeilers notiert hatte.

Um nicht das ganze Gedicht preiszugeben, hatten Sophie und Langdon beschlossen, Außenstehenden nur die beiden Zeilen vorzuzeigen, in denen vom Ritter die Rede war. *Segmentierte Kryptographie*, hatte Sophie es genannt. Wenn ein Geheimdienst eine verschlüsselte Nachricht mit möglicherweise sehr sensiblen Informationen abfing, wurde diese Information stückchenweise von mehreren Sachbearbeitern dechiffriert. Auf diese Weise verhinderte man, dass eine einzelne Person die gesamte entschlüsselte Nachricht zu Gesicht bekam.

Pamela Gettum spürte die Ungeduld Langdons; für ihn schien es beinahe eine Sache von Leben und Tod zu sein. Auch der Frau mit den grünen Augen, die ihn begleitete, war die Nervosität anzumerken.

Die Bibliothekarin setzte sich die Brille auf und studierte das Zettelchen, das sie soeben bekommen hatte.

In London liegt ein Ritter, den ein Papst begraben.
Sein' Werkes Frucht hat heil'gen Zorn ihm eingetragen.

Sie sah die Besucher an. »Was ist das? Eine Schnitzeljagd für Harvarddozenten?«

Langdon lachte ein wenig gekünstelt. »In der Art.«

Miss Gettum zögerte. Sie spürte zwar, dass ihre Besucher sich bedeckt hielten, doch ihr Interesse war geweckt. »Den Versen zufolge hat unser Ritter etwas getan, womit er das Missfallen Gottes erregte. Dennoch hat es einen Papst gegeben, der so freundlich war, ihn hier in London zu begraben.«

Langdon nickte. »Können Sie damit etwas anfangen?«

Miss Gettum ging zu einem der Computerterminals. »Nicht auf Anhieb, aber wir wollen mal sehen, was unser Datenspeicher zu bieten hat.«

In den vergangenen zwanzig Jahren hatte das Forschungsinstitut für Systematische Theologie am King's College mit Hilfe von Schrifterkennungsprogrammen in Verbindung mit einer Übersetzungssoftware eine riesige Sammlung von Texten digitalisiert und katalogisiert – religionswissenschaftliche Enzyklopädien, religiöse Biographien, Heilige Schriften in Dutzenden Sprachen, Historiographien, päpstliche Bullen, Enzykliken, Tagebücher von religiösen Amtspersonen, einfach alles, was unter den Oberbegriff des Schrifttums zur Spiritualität des Menschen zu fassen war. Mit Umwandlung der Papierform in Bits und Bytes hatte sich die Verfügbarkeit der riesigen Materialsammlung unglaublich verbessert.

Miss Gettum nahm vor dem Computer Platz und studierte noch einmal das Zettelchen. »Lassen Sie uns mit einer Boole'schen Suchfunktion beginnen. Wollen doch mal sehen, was passiert, wenn wir die nahe liegenden Suchbegriffe eingeben.« Sie tippte:

LONDON, KNIGHT, POPE

Als sie die Suchfunktion mit der ENTER-Taste startete, durchkämmte der riesige Rechner im Untergeschoss mit einer Geschwindigkeit von 500 Megabyte pro Sekunde das gesamte gespeicherte Datenmaterial. »Ich habe dem System aufgetragen, uns sämtliche Dokumente anzuzeigen, in deren Text diese drei Suchbegriffe auftauchen. Wir werden vermutlich eine Flut von Meldungen bekommen, aber es ist immerhin ein Anfang.«

Der Bildschirm zeigte die ersten Meldungen.

Der Papst wird gemalt. Die gesammelten Porträts von
Sir Joshua Reynolds. London University Press.

Miss Gettum schüttelte den Kopf. »Das ist offensichtlich nicht, wonach wir suchen.« Sie rief die nächste Meldung auf.

Die Londoner Schriften von Alexander Pope,
von G. Wilson Knight.

Erneutes Kopfschütteln. Die Meldungen kamen jetzt schneller. Dutzende von Texten wurden angezeigt, oft mit Bezug zum englischen Schriftsteller Alexander Pope, der im achtzehnten Jahrhundert in spöttisch überhöhter Sprache eine große Zahl religionskritischer Texte verfasst hatte, in denen offenbar zuhauf Ritter in London vorkamen.

Pamela Gettum schaute auf die numerische Anzeigenleiste am unteren Bildrand. Der Computer ermittelte durch eine Hochrechnung der bereits erzielten Treffer im Verhältnis zur Gesamtmenge der zu durchsuchenden Daten eine Schätzung der zu erwartenden Informationsmenge. Der eingeschlagene Suchpfad schien auf eine schier unüberschaubare Datenmenge hinauszulaufen.

Geschätzte Trefferquote: 2.692

»Wir müssen unsere Parameter verfeinern«, sagte Miss Gettum und stoppte den Suchprozess. »Haben Sie keine weiteren Informationen über das Grabmal? Irgendetwas, womit wir die Suche eingrenzen könnten?«

Langdon streifte Sophie mit einem unsicheren Blick.

Also doch keine Schnitzeljagd, dachte Miss Gettum. Sie hatte von Langdons Erfolg in Rom im letzten Jahr munkeln hören.

Dem Amerikaner war der Zutritt zur geheimnisvollsten und am konsequentesten abgeschotteten Bibliothek der Welt gewährt worden – dem Geheimarchiv des Vatikans. Zu gern hätte Pamela gewusst, welche Geheimnisse Langdon dort aufgespürt hatte und ob seine jetzige, offenbar verzweifelte Suche nach einem rätselhaften Londoner Grabmal gar etwas mit seiner Geheimnissuche im Vatikan zu tun hatte. Pam Gettum war lange genug Bibliothekarin, um zu wissen, wonach Leuten, die in London nach Rittern suchten, üblicherweise der Sinn stand. *Der Gral.*

Sie lächelte und rückte die Brille zurecht. »Sie sind gute Bekannte von Sir Leigh Teabing, Sie sind in England, und Sie suchen nach einem Ritter.« Sie faltete die Hände. »Gehe ich recht in der Annahme, dass Sie sich auf der Suche nach dem Gral befinden?«

Sophie und Langdon wechselten einen erstaunten Blick.

»Diese Bibliothek ist ein Tummelplatz für Gralssucher«, sagte Pam Gettum lächelnd, »allen voran Sir Leigh Teabing. Ich wünschte, ich bekäme einen Shilling für jede Suche nach der Rose, nach Maria Magdalena, dem Sangreal, den Merowingern, der *Prieuré de Sion* und so weiter und so fort. Eine Verschwörung ist doch immer noch das Schönste.« Sie nahm die Brille ab und sah ihre Besucher an. »Tja, ich brauche weitere Informationen.«

Sophie borgte sich bei Langdon einen Stift und schrieb die beiden anderen Zeilen auf den Zettel. »Hier, bitte, das ist alles. Mehr wissen wir wirklich nicht«, sagte sie und reichte Miss Gettum den Zettel.

Such die Kugel, die auf dem Grab sollt' sein.
Mit rosig Fleisch und samenschwerem Leib.

Pamela Gettum lächelte in sich hinein. *Na bitte. Der Gral*, dachte sie angesichts der Zeile vom rosigen Fleisch und dem samenschweren Leib. »Ich glaube, dass ich Ihnen jetzt besser helfen kann«, sagte sie. »Darf ich fragen, woher diese Verse stammen? Und weshalb sind Sie auf der Suche nach dieser Kugel?«

»Sie dürfen gern fragen«, meinte Langdon und lächelte freundlich, »aber das ist eine lange Geschichte, und wir haben nur sehr wenig Zeit.«

»Das klingt wie eine höfliche Abfuhr.«

»Miss Gettum, wir wären Ihnen unendlich dankbar, wenn Sie herausfinden könnten, wer dieser Ritter ist und wo er begraben liegt«, sagte Langdon.

»Also gut, ich werde Ihnen helfen. Wenn es sich hier um ein Thema handelt, das mit dem Gral zu tun hat, sollten wir eine Verknüpfung mit Gral-Schlüsselwörtern herstellen. Ich werde einen Umfeldparameter eingeben und die Titelgewichtung auf null stellen. Damit grenzen wir unsere Treffer auf jene Stellen ein, wo unsere Suchwörter in der Nähe von Wörtern mit Bezug zum Gral auftauchen – das Ganze natürlich wieder auf Englisch.«

Suche
KNIGHT, LONDON, POPE, TOMB

im Umfeld von 100 Wörtern von
GRAIL, ROSE, SANGREAL, CHALICE [11]

»Wie lange wird das dauern?«, erkundigte sich Sophie.

»Ein paar Hundert Treabytes mit multipler Abgleichung von Querverweisen?« Miss Gettum drückte auf die ENTER-Taste. »Lächerliche fünfzehn Minuten.«

Langdon und Sophie nahmen es schweigend zur Kenntnis. Pam Gettum hatte das Gefühl, dass für diese beiden fünfzehn Minuten eine Ewigkeit waren.

»Tee?«, fragte sie, erhob sich und ging zu der Kanne, die sie zuvor aufgebrüht hatte. »Sir Leigh war von meinem Tee immer begeistert.«

---

[11] TOMB: Grabmal. GRAIL: Gral. CHALICE: Kelch.

93. KAPITEL

Das Londoner Ordenshaus des Opus Dei ist ein bescheidener Ziegelbau am Orme Court Nummer fünf mit Blick auf Kensington Gardens. Silas war noch nie dort gewesen, aber je mehr er sich dem Haus näherte, desto größer wurde seine Vorfreude auf den Schutz und die Geborgenheit, die ihn dort erwarteten. Er war zu Fuß. Ungeachtet des Regens hatte Rémy ihn etwas abseits in einer Seitenstraße abgesetzt, um mit der auffälligen Limousine nicht die Hauptstraßen benutzen zu müssen. Silas hatte nichts gegen einen kleinen Fußmarsch. Er empfand den Gang durch den Regen als Reinigung.

Auf Rémys Vorschlag hatte Silas die Pistole abgewischt und in einen Gully fallen lassen. Er war froh, die Waffe los zu sein. Jetzt fühlte er sich erleichtert. Seine Beine schmerzten noch von der langen Fesselung, aber er hatte schon ganz andere Schmerzen ausgestanden. Er fragte sich, was wohl mit Teabing geschehen würde, den Rémy immer noch gefesselt hinten in der Limousine herumkutschierte. Der alte Mann musste längst mit unerträglichen Schmerzen zu kämpfen haben.

»Was werden Sie mit ihm machen?«, hatte Silas Rémy auf der Hinfahrt gefragt.

»Das wird der Lehrer entscheiden«, lautete Rémys Antwort, und seine Stimme klang düster und endgültig.

Der Regen wurde stärker. Silas' schwere Kutte saugte sich allmählich voll. Die Wunden vom Vortag machten sich unangenehm bemerkbar, doch Silas war im Begriff, für die Sünden der vergangenen vierundzwanzig Stunden Buße zu tun und seine Seele zu läutern. Sein Werk war vollbracht.

Am Ordenshaus angekommen, durchquerte er einen kleinen Vorhof. Es überraschte ihn nicht, die Tür unverschlossen zu finden. Als er den teppichbelegten Eingangsflur betrat, hörte er im ersten Stock ein leises elektronisches Türsignal. In Ordenshäusern war eine solche Klingel häufig anzutreffen, nachdem ihre Bewohner den größten Teil des Tages im Gebet auf dem Zimmer verbrachten. Silas hörte oben die Dielen knarren.

Ein Ordensbruder in Kutte kam die Treppe herunter. »Kann ich Ihnen helfen?« Der Mann hatte gütige Augen und schien Silas' ungewöhnliches Äußeres gar nicht zu bemerken.

»Vielen Dank. Ich heiße Silas und bin Numerarier unseres Ordens.«

»Sind Sie Amerikaner?«

Silas nickte. »Ich bin nur einen Tag in dieser Stadt. Darf ich mich hier ein wenig ausruhen?«

»Aber natürlich. Im dritten Stock sind zwei Zimmer frei. Kann ich Ihnen Tee und ein paar belegte Brote bringen?«

»O ja, gern, danke.« Silas war ausgehungert.

Er ging nach oben und begab sich in ein kleines Zimmer, wo er die durchnässte Kutte auszog und im Unterzeug zum Gebet niederkniete. Er hörte den Mönch von der Pforte heraufkommen und ein Tablett vor seiner Tür abstellen. Silas beendete sein Gebet, verzehrte den Imbiss und legte sich schlafen.

Drei Etagen tiefer klingelte das Telefon. Der Mönch, der Silas empfangen hatte, meldete sich.

»Hier spricht die Londoner Polizei«, sagte der Anrufer. »Wir fahnden nach einem Mönch, ein Albino. Wir haben einen Hinweis bekommen, dass er sich in Ihrem Ordenshaus aufhält. Ist der Verdächtige bei Ihnen?«

»Ja«, sagte der Bruder von der Pforte, hörbar aufgeschreckt. »Was liegt denn gegen ihn vor?«

»Ist der Mann *jetzt* bei Ihnen?«

»Er ist oben und betet. Was ist denn los?

»Sorgen Sie dafür, dass er bleibt, wo er ist«, sagte der Anrufer mit Nachdruck. »Und zu niemandem ein Wort! Ich schicke sofort ein paar Beamte vorbei.«

94. KAPITEL

St. James's Park ist eine grüne Oase mitten im Herzen von London, ein öffentlicher Park, der an die Paläste von Buckingham, Westminster und St. James angrenzt. Das einstige Tiergehege, das König Henry VIII. zu seinem Jagdvergnügen hatte anlegen lassen, ist heute für jedermann geöffnet. An sonnigen Nachmittagen machen die Londoner unter den Weidenbäumen Picknick und füttern an den Teichen Pelikane, deren Stammväter ein Geschenk des russischen Botschafters an König Charles II. gewesen waren.

Der Lehrer bekam heute keine Pelikane zu Gesicht. Das stürmische Wetter hatte für einen Zustrom von Seemöwen gesorgt, die vom Meer gekommen waren. Sie saßen zu Hunderten auf den Rasenflächen, alle in der gleichen Richtung, und trotzten mit dem Schnabel im Wind den feuchten Böen. Trotz des morgendlichen Dunstes hatte man vom Park aus einen phantastischen Blick auf die beiden Häuser des Parlaments und auf Big Ben.

Der Blick des Lehrers glitt die sanft abfallenden Rasenflächen hinab und am Ententeich mit den eleganten Silhouetten der Trauerweiden vorbei zu dem turmgeschmückten Bau, der das Grabmal des Ritters beherbergte – der eigentliche Grund, weshalb er Rémy hierher beordert hatte.

Als der Lehrer an die Beifahrertür der geparkten Luxuslimousine trat, beugte Rémy sich hinüber und öffnete von innen, doch der Lehrer hielt im Türschlag inne und genehmigte sich einen Schluck Cognac aus seinem Flachmann. Er tupfte sich den Mund ab, ließ sich neben Rémy auf den Beifahrersitz nieder und schlug die Wagentür zu.

Rémy hielt das Kryptex wie eine Trophäe in die Höhe. »Um ein Haar hätten wir das Nachsehen gehabt!«

»Sie haben Ihre Sache sehr gut gemacht«, sagte der Lehrer anerkennend.

»*Wir* haben unsere Sache gut gemacht«, gab Rémy zurück, während er dem Lehrer das Kryptex in die begierig zugreifenden Hände legte.

Der Lehrer lächelte. Er wog den schwarzen Steinzylinder eine Zeit lang bewundernd in der Hand. »Und die Waffe?«

»Wieder im Handschuhfach, wie zuvor.«

»Ausgezeichnet.« Der Lehrer nahm noch einen Schluck Cognac; dann bot er Rémy den Flachmann an. »Stoßen wir auf unseren Erfolg an. Das Ende ist zum Greifen nahe.«

Dankbar nahm Rémy den Flachmann entgegen. Der Cognac hatte einen leicht salzigen Beigeschmack, doch Rémy achtete nicht darauf. Jetzt waren er und der Lehrer richtige Partner. Er fühlte sich auf dem Weg zu höheren Ebenen der Existenz. *Du wirst nie wieder jemandem dienen!*

Rémy schaute den Hang hinunter zum Ententeich. Château Villette schien Lichtjahre entfernt. Er nahm noch einen Schluck aus der kleinen Flasche. Der Cognac wärmte ihn, doch zu der Wärme in seinem Schlund gesellte sich ein unangenehmes Brennen, das sich zu dem Gefühl auswuchs, als würde ihm die Kehle zugeschnürt. Er lockerte die Fliege. »Ich glaube, ich habe genug«, sagte er heiser und reichte dem Lehrer den Flachmann zurück.

»Wissen Sie eigentlich, Rémy, dass Sie der Einzige sind, der mein Gesicht kennt?«, sagte der Lehrer, als er die silberne Flasche entgegennahm. »Ich habe größtes Vertrauen in Sie gesetzt.«

»Ja«, krächzte Rémy und löste die Fliege nun ganz. Er fühlte sich fiebrig. »Ich werde Ihre Identität mit ins Grab nehmen.«

Der Lehrer schwieg eine Zeit lang. »O ja, das werden Sie.« Er steckte den Flachmann und das Kryptex ein, griff ins Handschuhfach und holte den Medusa-Revolver heraus. Einen Moment lang bekam Rémy es mit der Angst zu tun. Der Lehrer schob die Waffe in die Hosentasche.

Was hat er vor? Rémy spürte, wie ihm der Schweiß ausbrach.

»Ich weiß, dass ich Ihnen die Freiheit versprochen habe«, sagte der Lehrer, und in seiner Stimme schien Bedauern mitzuschwingen. »Doch angesichts der Umstände ist es wohl am besten so.«

Die Schwellung in Rémys Schlund wuchs unaufhörlich. Er fiel gegen das Lenkrad und fuhr sich mit den Händen an den Hals. In seinem anschwellenden Rachen brannte der ätzende Geschmack von Magensäure. Ein kläglicher Schrei entrang sich seiner Kehle, nicht einmal laut genug, um aus dem Wagen zu dringen.

Rémy begriff, warum der Cognac so salzig geschmeckt hatte.

Er will dich umbringen! Ob der Lehrer ihn von Anfang an beseitigen wollte oder ob die Ereignisse in der Temple Church ihn sein Vertrauen gekostet hatten, sollte Rémy nie erfahren.

Er drehte sich halb nach links. Fassungslos starrte er den Lehrer an, der unbeteiligt neben ihm saß und durch die Windschutzscheibe gelassen nach vorn aus dem Wagen blickte. Rémy rang röchelnd nach Luft. Sein Blick trübte sich. *Wie kann er mir das antun? Warst nicht du es, der ihm diesen Erfolg erst ermöglicht hat? Und diesem Mann hast du rückhaltlos vertraut…* Mit wütender Verzweiflung versuchte er sich aufzubäumen und dem Lehrer an die Gurgel zu gehen, doch sein kraftloser Körper versagte ihm den Dienst.

Rémy versuchte, die verkrampften Fäuste auf die Hupe zu pressen, doch sie glitten ab, und er kippte zur Seite. Vor seinen Augen wurde es schwarz. Die Hände um die Kehle gekrampft, lag er zuckend neben dem Lehrer im Sitz und rang verzweifelt nach Luft.

Draußen begann es in Strömen zu regnen. Rémy Legaludecs nach Sauerstoff lechzendes Hirn klammerte sich an das letzte Fünkchen Bewusstsein. Während in seiner Welt allmählich das Licht für immer verlosch, hätte er schwören können, den sanften Schlag der Wellen am Strand der Riviera zu hören…

Als der Lehrer aus der Limousine stieg, stellte er zufrieden fest, dass weit und breit kein Mensch zu sehen war. *Du hattest keine andere*

Wahl, sagte er sich und war erstaunt, wie wenig es ihm zu schaffen machte, was er gerade getan hatte. *Rémy hat sein Schicksal selbst besiegelt.* Der Lehrer hatte von Anfang an befürchtet, dass er nach Beendigung der Aktion nicht umhinkommen würde, sich Rémys zu entledigen. Die im Schlepptau Langdons auftauchende Polizei konnte dem Lehrer nichts anhaben, es sei denn, Rémy hätte ausgepackt. Aber diese Sorge war er jetzt los.

Du brauchst nur noch die Spuren zu beseitigen, dachte der Lehrer, während er zur hinteren Tür der Limousine ging. *Die Polizei wird völlig im Dunkeln tappen, was vorgefallen ist ... und einen Zeugen, der ihr auf die Sprünge helfen könnte, gibt es nicht mehr.* Er blickte sich um. Niemand beobachtete ihn. Er zog die Tür auf und stieg ins geräumige Passagierabteil.

Minuten später durchquerte der Lehrer den St. James's Park. *Jetzt sind nur noch zwei übrig. Langdon und Neveu.* Hier lag der Fall ein wenig schwieriger, aber auch das ließ sich in den Griff bekommen. Im Moment jedoch war das Kryptex das vorrangige Problem.

Mit einem triumphierenden Blick durch den Park fasste der Lehrer sein Ziel ins Auge. *In London liegt ein Ritter, den ein Papst begraben.* Der Lehrer hatte schon beim ersten Hören des Gedichts die Lösung gewusst. Dass die anderen nicht darauf gekommen waren, war so erstaunlich nicht. *Du hast nun mal einen Wissensvorsprung.* Beim monatelangen Abhören von Saunières Gesprächen hatte der Lehrer den Großmeister mehrere Male den fraglichen Ritter erwähnen hören – stets mit einer Wertschätzung, die seiner Achtung vor Leonardo da Vinci kaum nachstand. Der Bezug des Vierzeilers auf den Ritter war fast schon zu einfach, wenn man erst einmal dahinter gekommen war – eine Meisterleistung Saunières –, aber wie man über das Grabmal zum fehlenden letzten Passwort kommen sollte, war noch ein völlig ungelöstes Rätsel.

Such die Kugel, die auf dem Grab sollt' sein.

Der Lehrer erinnerte sich vage an Fotos dieses berühmten Monuments, insbesondere an sein auffälligstes Merkmal. *Eine großartige Kugel.* Die auf dem Sarkophag befindliche riesige Kugel war fast so groß wie der Sarkophag selbst. Für den Lehrer war ihr Vorhandensein ermutigend und beunruhigend zugleich. Einerseits wirkte sie wie ein Wegweiser; andererseits bestand dem Gedicht zufolge das fehlende Stück des Rätsels aus einer Kugel oder einem Ball, die auf dem Grab sein *sollten*, sich aber nicht schon dort *befanden*. Der Lehrer hoffte, bei näherer Betrachtung des Grabmals der Antwort näher zu kommen.

Der Regen wurde stärker. Der Lehrer schob das Kryptex zum Schutz vor der Nässe noch tiefer in seine rechte Tasche. In der linken steckte der Medusa-Revolver. Minuten später trat er aus dem Regen in Londons bedeutendstes, neunhundert Jahre altes Bauwerk.

In dem Moment, als der Lehrer ins Trockene trat, trat Bischof Aringarosa in die Nässe. Auf dem Rollfeld des Flughafens Biggin Hill stieg er aus der engen Kabine des Flugzeugs hinaus in den Regen und schlug die Schöße der Soutane schützend um sich. Er hatte gehofft, von Capitaine Fache empfangen zu werden; stattdessen kam ein junger britischer Polizist mit einem Regenschirm herbeigelaufen.

»Bischof Aringarosa? Capitaine Fache konnte leider nicht so lange bleiben. Er hat mir den Auftrag erteilt, mich um Sie zu kümmern. Er möchte, dass ich Sie zu Scotland Yard bringe. Das ist seiner Meinung nach die sicherste Lösung.«

Die sicherste Lösung? Aringarosa wurde sich des schweren Aktenkoffers in seiner Hand bewusst, der mit Inhaberobligationen der Vatikanbank voll gestopft war. Er hatte ihn schon fast vergessen. »Ja, gewiss, vielen Dank.«

Als Aringarosa ins Polizeifahrzeug stieg, fragte er sich, wo Silas stecken mochte. Minuten später kam die Antwort knisternd aus dem Polizeifunk des Fahrzeugs.

Orme Court Nummer fünf.

Aringarosa kannte die Adresse.

Das Ordenshaus des Opus Dei in London.

Er tippte dem Fahrer auf die Schulter. »Bringen Sie mich bitte sofort dorthin!«

95. KAPITEL

L angdon hatte den Monitor seit Beginn des Suchvorgangs nicht aus den Augen gelassen.

Fünf Minuten. Bislang nur zwei Übereinstimmungen und beides Nieten.

Er wurde allmählich unruhig.

Pamela Gettum war im Nebenraum damit beschäftigt, warme Getränke zuzubereiten. Langdon und Sophie hatten sie leichtsinnigerweise gefragt, ob sie statt Tee eine Tasse Kaffee haben könnten. Das Piepen aus dem Nebenraum ließ auf die Inbetriebnahme einer Mikrowelle schließen, was wiederum hieß, dass Miss Gettum der unzivilisierten Bitte nach Pulverkaffee nachzukommen versuchte.

Schließlich gab der Computer einen leisen Klingelton von sich.

»Hört sich nach einem weiteren Treffer an«, rief die Bibliothekarin aus dem Nebenraum.

Langdon las die Meldung.

Gral-Allegorien in der mittelalterlichen Literatur.
Eine Abhandlung über Sir Gawain und den Grünen Ritter.

»Allegorien über den Grünen Ritter«, rief Langdon.

»Nicht zu gebrauchen«, rief Pam Gettum zurück. »Mythische grüne Riesen sind in London nicht begraben.«

Langdon und Sophie saßen zwei weitere unergiebige Meldungen lang geduldig vor dem Monitor. Dann erklang erneut das akustische Signal. Die Meldung war höchst unerwartet.

Die Opern von Richard Wagner

»Die Wagneropern?«, fragte Sophie irritiert.

Pam Gettum schaute aus dem Nebenraum herein, ein Glas Nescafé in der Hand. »Das ist aber ein merkwürdiger Abgleich. Richard Wagner?«

»Er war Freimaurer«, sagte Langdon mit plötzlich erwachender Neugier. *So wie Mozart, Beethoven und Shakespeare, wie Gershwin, Houdini und Walt Disney.* Mit den Büchern über die Querverbindung zwischen den Freimaurern, den Tempelrittern, der *Prieuré de Sion* und dem Heiligen Gral konnte man Bibliotheken füllen. »Das möchte ich mir gern ansehen. Wie komme ich an den vollständigen Text?«

»Sie brauchen nicht den ganzen Text durchzusuchen«, rief Pam Gettum herüber. »Klicken Sie auf den Hyperlink, dann liefert der Computer Ihnen das Suchwort mit einem Wort Prolog und drei Wörtern Postlog für den Textzusammenhang.«

Langdon war gespannt, was das nun wieder heißen sollte. Nach dem Mausklick erschien ein neues Bildfenster.

… mythologischer RITTER namens Parsival, der …
… methaphorische GRAL-Suche, die wahrscheinlich …
… das LONDON Philharmonic Orchestra …
… Wagners GRABMAL in Bayreuth, das …

»Das falsche Grabmal.« Langdon winkte enttäuscht ab, obwohl er zugeben musste, dass das System sich unglaublich leicht handhaben ließ.

»Haben Sie Geduld«, sagte Miss Gettum ermunternd. »Das ist ein reines Zahlenspiel. Sie bekommen schon noch Ergebnisse.«

Während der nächsten Minuten warf der Computer weitere Referenzen zum Heiligen Gral aus. Die letzte Meldung lautete:

Ritter, Knappen, Päpste und Pentakel:
Die Geschichte des Heiligen Gral im Tarot

»Das ist nicht weiter überraschend«, sagte Langdon zu Sophie. »Einige unserer Suchworte sind gleich lautend mit der Bezeichnung von Karten aus dem Tarotspiel.« Er griff zur Maus, um den Hyperlink anzuklicken. »Ich weiß nicht, ob Ihr Großvater, wenn Sie mit ihm Tarot gespielt haben, Ihnen jemals erzählt hat, dass dieses Spiel eine Art Bilderkatechismus über die Geschichte von der ›verlorenen Braut‹ und ihrer Unterwerfung durch die böse Mutter Kirche ist.«

Vier Minuten später – Langdon befürchtete bereits, vergeblich gekommen zu sein – lieferte der Computer einen weiteren Treffer.

Die Schwerkraft des Genies.
Biographie eines modernen Ritters.

»Die Schwerkraft des Genies«, rief Langdon zu Pam Gettum hinüber. »Biographie eines modernen Ritters.«

Miss Gettum streckte den Kopf aus ihren Gemächern. »Wie modern ist er denn?«

Langdon rief das Hyperlink auf.

… ehrenhafte RITTER Sir Isaac Newton …
… in LONDON im Jahr 1727 …
… sein GRABMAL in Westminster Abbey …
… Alexander POPE, Freund und Gefährte …

»Ich würde sagen, ›modern‹ ist ein relativer Begriff«, rief Sophie Miss Gettum zu. »Es ist ein altes Buch über Sir Isaac Newton.«

Miss Gettum erschien kopfschüttelnd in der Tür. »Das passt nicht. Newton ist in der Westminster Abbey begraben, einem Hort des englischen Protestantismus. Völlig ausgeschlossen, dass sich dorthin ein Papst verirrt hätte. Milch und Zucker?«

Sophie nickte.

Pam Gettum stand wartend in der Tür. »Robert?«

Langdons Herz hämmerte. Er nahm den Blick vom Bildschirm und stand auf. »Sir Isaac Newton *ist* unser Ritter.«

»Aber das kann nicht sein«, sagte Sophie.

»Newton ist in London begraben«, sagte Langdon. »Sein Werk brachte neue wissenschaftliche Erkenntnisse, die von der Kirche jedoch zornig zurückgewiesen wurden. Außerdem war Newton ein Großmeister der *Prieuré de Sion.* Was wollen Sie noch mehr?«

Sophie zeigte auf den Vierzeiler. »Was ist mit dem ›Ritter, den ein Papst begraben‹? Haben Sie nicht gehört, was Miss Gettum gesagt hat? Newton wurde nicht von einem Papst begraben.«

Langdon griff nach der Maus. »Wo ist denn von einem *Papst* die Rede?« Er klickte auf das Hyperlink »Pope« für englisch »Papst«. Der vollständige Textabschnitt erschien.

Sir Isaac Newtons Begräbnisfeier, der Könige und Adelsmänner beiwohnten, wurde von Alexander Pope geleitet, einem Freund und Weggefährten, der den Verstorbenen in einer bewegenden Rede pries, bevor er eine Hand voll Erde auf den Sarg streute.

Langdon blickte Sophie an. »Wir hatten den richtigen ›Pope‹ schon bei unserer zweiten Meldung – Alexander Pope.« Er machte eine effektvolle Pause. »*Newton – a knight A. Pope interred!*«

»Natürlich!« Sophie sprang auf.

Jacques Saunière hatte sich wieder einmal als Meister der Doppeldeutigkeit erwiesen.

96. KAPITEL

Silas fuhr aus dem Schlaf hoch.

Er wusste nicht, wovon er wach geworden war, noch, wie lange er geschlafen hatte. *Hast du geträumt?* Er setzte sich auf seiner Schlafmatte auf und lauschte dem ruhigen Atem des Ordenshauses, dessen Stille durch das leise heraufklingende Beten aus dem Zimmer unter ihm noch unterstrichen wurde. Die leisen, vertrauten Klänge hätten Silas eigentlich beruhigen müssen.

Doch er spürte eine jähe Anspannung.

Er stand auf und ging zum Fenster, nur mit der Unterhose bekleidet. *Ist jemand dir gefolgt?* Der Hof unten war verlassen, so, wie er ihn vorgefunden hatte, als er gekommen war. Er lauschte. Stille. *Was macht dich so unruhig?* Silas hatte vor langer Zeit gelernt, auf seine innere Stimme zu achten. Ohne sie hätte er in den Straßen von Marseille als Halbwüchsiger nicht überlebt. Das war lange, bevor man ihn ins Gefängnis gesteckt hatte ... lange, bevor er von Bischof Aringarosa wieder geboren worden war. Erneut spähte er zum Fenster hinaus. Er sah einen Wagen, der vor dem Gebäude stand, von einer Hecke fast völlig verdeckt. Auf dem Dach des Wagens war ein Blaulicht montiert. Draußen auf dem Flur knarrte eine Diele. Ein Riegel wurde zurückgeschoben.

Silas reagierte instinktiv. Er huschte durchs Zimmer in den toten Winkel hinter der Tür, die im selben Moment auch schon aufgestoßen wurde. Die Pistole im Anschlag, stürmte ein Polizist herein und zielte mit der Waffe nach rechts und links in das scheinbar leere Zimmer. Ein zweiter Polizist folgte. Bevor einer der beiden begriffen hatte, wo Silas steckte, warf der riesige Mönch sich von hinten mit der Schulter gegen die Tür und schmetterte sie dem zweiten Polizisten ins Gesicht. Während der erste herumfuhr, die Waffe im Anschlag, hechtete Silas schon nach seinen Knien. Als der Schuss krachte und die Kugel über Silas hinwegpfiff, riss er den Polizisten von den Beinen. Der Mann schlug mit dem Kopf auf den Boden. Beim Hinausrennen rammte Silas dem zweiten Beamten, der sich im Türrahmen aufzurappeln versuchte, das Knie zwischen die Beine und sprang über den sich in Schmerzen windenden Mann in den Flur.

Silas rannte die Treppe hinunter. Jemand musste ihn verraten haben, aber wer? Als er das Erdgeschoss erreichte, stürmten weitere Polizisten durch die Haustür in den Eingangsflur. Silas machte kehrt und rannte halb nackt tiefer ins Gebäude hinein. *Der Fraueneingang! Jedes Gebäude des Opus Dei hat einen separaten Fraueneingang!* Nachdem er mehrere verwinkelte Gänge passiert hatte, stürmte Silas durch eine Küche, an entsetzt kreischendem Küchenpersonal vorbei, das erschrocken vor dem nackten, riesigen Albino zurückprallte, während Töpfe, Schüsseln und Besteck auf den Boden schepperten. Silas rannte am Heizungsraum vorbei durch einen dunklen Gang. Ganz hinten sah er die gesuchte Tür. Ein Fluchtweglämpchen wies ihm den Weg.

Silas sprang durch die Tür hinaus in den Regen – und prallte mit einem Polizisten zusammen, der herangestürmt kam. Silas' nackte Schulter rammte mit voller Wucht die Brust des Beamten. Der Polizist schlug rückwärts aufs Pflaster. Seine Dienstpistole schlitterte klappernd davon. Silas, der auf den Polizisten gestürzt war, hörte Geschrei im Haus; dann kamen Männer herbeigerannt. Silas rollte sich zur Seite und griff nach der herrenlosen Waffe, als vom Türabsatz auch schon ein Schuss knallte. Silas spürte einen stechenden Schmerz unterhalb der Rippen. Brüllend vor Zorn und Schmerz feuerte er zurück. Drei Beamte gingen blutend zu Boden.

Plötzlich ragte ein dunkler Schatten wie aus dem Nichts drohend hinter ihm auf. Die Hände, die Silas' nackte Schultern packten und wütend schüttelten, fühlten sich wie die Klauen des

Teufels an. Der finstere Schatten schrie Silas ins Ohr. NEIN!
SILAS, NICHT!

Silas fuhr herum und feuerte. Sein Blick traf sich mit dem des
Mannes hinter ihm. Kreischend vor Entsetzen sah Silas, wie Bischof Aringarosa zusammenbrach.

97. KAPITEL

Die Westminster Abbey beherbergt mehr als dreitausend Grab-stätten und Sarkophage. Der kolossale Innenraum platzt förm-lich aus den Nähten von den sterblichen Überresten berühmter Könige und Staatsmänner, Wissenschaftler und Forscher, Dichter und Musiker. Kapellen und Wandnischen sind bis in den letzten Winkel mit Grabstätten belegt, angefangen vom königlichen Mau-soleum Elisabeth der Ersten, die in einem Sarkophag mit Balda-chin in einer eigenen Apsis-Kapelle ruht, bis zu den bescheidenen Grabplatten im Fußboden, deren Inschriften von den Füßen der seit Jahrhunderten darüber hinwegschreitenden Gläubigen bis zur Unleserlichkeit abgewetzt sind, sodass es der Phantasie des Betrachters überlassen bleibt, sich auszumalen, wessen Gebeine in den darunter eingelassenen Grabkammern liegen.

Die im gotischen Stile der großen Kathedralen von Amiens, Chartres und Canterbury erbaute Westminster Abbey ist un-mittelbar dem Souverän unterstellt. Seit dem Weihnachtstag des Jahres 1066, als das Gotteshaus Schauplatz der Krönung von Wilhelm dem Eroberer war, hat es eine endlose Reihe königlicher Zeremonien und prachtvoller Staatsakte erlebt – von der Kanoni-sierung Edwards des Bekenners, den Begräbnisfeierlichkeiten für Heinrich den Fünften und Elisabeth die Erste bis hin zur Hoch-zeit von Prinz Andrew mit Sarah Ferguson und der Trauerfeier für Lady Diana.

Robert Langdon war an der glänzenden Geschichte von West-minster Abbey allerdings kaum interessiert – mit Ausnahme eines

Ereignisses: das Begräbnis des zum Ritter geschlagenen genialen Physikers und Mathematikers Sir Isaac Newton.

In London lies a knight a Pope interred.

Langdon und Sophie eilten durch den Portikus am nördlichen Querschiff. Wachleute komplimentierten sie höflich durch die letzte Neuerwerbung der Abbey – einen türrahmengroßen Metalldetektor, wie er neuerdings vor sämtlichen historischen Gebäuden Londons anzutreffen war. Sie nahmen die Hürde ohne Schwierigkeiten und begaben sich zum eigentlichen Eingang.

Als Langdon über die Schwelle der Westminster Abbey trat, verstummten hinter ihm jäh die Geräusche der Außenwelt. Kein Verkehrslärm mehr, kein Rauschen des Regens, nur eine beklemmende Stille, die durch den Kirchenbau wogte, als läge das alte Gemäuer im Gespräch mit sich selbst.

Langdon und Sophie ging es nicht anders als fast allen Besuchern, deren Blick sofort himmelwärts gezogen wird, wo die großen Gewölbebögen förmlich in die Höhe des Raums zu explodieren scheinen. Wie die Stämme riesiger Mammutbäume streben steinerne graue Pfeiler in luftige Schattenwelten empor, wo sie sich elegant über Schwindel erregende Weiten wölben, um auf der anderen Seite wieder zum steinernen Boden herabzufließen. Die breite Quertrasse des nördlichen Seitenschiffs erstreckte sich vor ihnen wie eine Schlucht, rechts und links von Klippen aus buntem Glas flankiert. An sonnigen Tagen war der Boden der Kathedrale ein bunter Flickenteppich aus farbenfrohen Lichtreflexen. Heute jedoch verliehen der Regen und das trübe Licht dem riesigen Gewölbe die gespenstische Aura eines Mausoleums – das dieser Ort in Wahrheit ja auch war.

»Es ist fast niemand hier«, flüsterte Sophie.

Langdon sah seine Erwartungen enttäuscht. Er hatte auf eine große Zahl von Besuchern gehofft. Das Erlebnis in der menschenleeren Temple Church hatte ihm gereicht. Er hatte damit gerechnet, im Gedränge der Touristen eine gewisse Sicherheit zu finden. Doch seine Erinnerung an Menschentrauben in einer lichtdurchfluteten Kathedrale stammten aus der Hauptsaison im Hochsommer. Heute war ein regnerischer Morgen im April. Statt Menschengewimmel und leuchtenden Glasmalereien sah Langdon nur die endlose Weite eines Steinbodens und düstere Nischen ringsum.

»Man hat uns durch einen Metalldetektor geschickt«, meinte Sophie, die Langdons Anspannung spürte. »Hier kommt keiner mit einer Waffe herein.«

Langdon nickte, war aber keineswegs beruhigt. Er hätte lieber die Londoner Polizei bei sich gewusst, doch Sophies Einwand, dass nicht abzusehen sei, wer die Hintermänner waren, hatte ihn davon abgehalten, die Behörden zu informieren.

Sophie hatte natürlich Recht gehabt. »Wir müssen uns das Kryptex zurückholen«, hatte sie Langdon eindringlich ermahnt. »Es ist der Schlüssel für alles Weitere.«

Es ist der Schlüssel zur Rettung von Leigh Teabing.

Es ist der Schlüssel, den Heiligen Gral zu finden.

Es ist der Schlüssel, um herauszufinden, wer hinter alledem steckt.

Um das Kryptex wieder in die Hand zu bekommen, war das Stelldichein am Grab Isaac Newtons unerlässlich. Wer immer das Kryptex besaß – ohne einen Besuch an diesem Grabmal war das letzte Codewort nicht zu knacken. Sophie und Langdon hatten vor, den Räuber des Kryptex hier zu stellen, falls der Betreffende nicht schon hier gewesen und inzwischen über alle Berge war.

Um aus dem ungedeckten Freiraum des Querschiffs herauszukommen, gingen sie in das von Pfeilern abgetrennte düstere Seitenschiff. Langdon konnte das Bild des entführten Leigh Teabing nicht abschütteln, der jetzt vermutlich in seiner eigenen Limousine gefesselt auf dem Boden lag. Wer die Ermordung der Führungsriege der *Prieuré* angeordnet hatte, war sicher skrupellos genug, jeden eliminieren zu lassen, der ihm im Weg stand. Es erschien Langdon wie eine bittere Ironie des Schicksals, dass Sir Leigh Teabing – ein geadelter Ritter des modernen England – auf der Suche nach einem Geheimnis seines eigenen Landsmanns und Standesgenossen Sir Isaac Newton als Geisel herhalten musste.

»Wo ist es?«, fragte Sophie.

Das Grabmal! Langdon wusste es nicht. »Wir müssen einen Führer fragen.«

Es hatte keinen Sinn, ziellos auf eigene Faust zu suchen. Westminster Abbey war wie ein Labyrinth aus Mausoleen, Seitenkapellen und in die Wände eingelassenen begehbaren Grabnischen. Wie die *Grande Galerie* des Louvre hatte sie nur einen einzigen Eingang – das Portal, durch das Langdon und Sophie soeben hereingekommen waren. Es war leicht, in diese Kirche hineinzukommen, aber fast unmöglich, allein wieder herauszufinden. *Eine veritable Mausefalle für Touristen*, hatte einer von Langdons Kollegen die Kirche nach einem entsprechenden Abenteuer einmal genannt. Der Grundriss der Kathedrale entsprach traditionsgemäß einem gewaltigen lateinischen Kreuz, doch anders als die meisten Kirchen betrat man sie an der Nordseite, nicht durch das Westportal am Ende des Langhauses; obendrein war außen ein weitläufiger Kreuzgang angebaut. Ein falscher Schritt in den falschen Gewölbegang, und der Besucher fand sich im Labyrinth überdachter und von hohen Mauern umgebener Gänge im Freien nicht mehr zurecht.

»Die Fremdenführer tragen rote Roben«, sagte Langdon, während sie sich der Mitte der Kirche näherten. Als er unauffällig um den aufragenden, reich vergoldeten Hochaltar herum ins südliche Querschiff spähte, sah er ein paar Leute auf Händen und Knien herumrutschen. Diese Prozession auf allen vieren war in der dortigen »Poet's Corner«, der Dichterecke, eine gängige Übung – und weitaus weniger fromm, als den meisten bewusst war.

Die Touristen rubbeln auf den Gräbern herum.

»Ich kann nirgends einen Führer sehen«, sagte Sophie. »Können wir das Grabmal nicht selber suchen?«

Langdon zog Sophie noch ein paar Schritte weiter ins Kircheninnere und deutete nach rechts.

Als Sophie sich beim Blick ins Mittelschiff die immense Größe und Weitläufigkeit der Kathedrale erschloss, stockte ihr der Atem. »Also gut. Suchen wir einen Führer.«

Zur gleichen Zeit hatte das dreißig Meter weiter hinten in die Seitenwand des Retrochors eingelassene, prunkvolle Grabmal Sir Isaac Newtons einen einsamen Besucher. Der Lehrer hatte das Monument nun schon seit zehn Minuten eingehend betrachtet.

Newtons Grabmal bestand aus einem mächtigen schwarzen Marmorsarkophag mit einer auf dem Deckel liegenden Figur des Verstorbenen, der sich selbstbewusst auf vier Folianten mit seinen eigenen Werken stützt – *Divinity*, *Chronology*, *Opticks* und *Philosophiae Naturalis Principia Mathematica*. Zwei geflügelte Putten mit Schriftrollen standen zu Newtons Füßen. Hinter der ernsten Gestalt des Meisters erhob sich eine Pyramide. Obwohl sie als solche überaus auffällig war, erregte weniger die Pyramide selbst als vielmehr ein auf halber Höhe angebrachter Gegenstand die Aufmerksamkeit des Lehrers.

Eine große Kugel.

Der Lehrer sann über Saunières Rätsel nach. *Such die Kugel, die auf dem Grab sollt' sein.* Die dicke Kugel, die aus der Frontseite der Pyramide ragte, war im Halbrelief ausgeführt und zeigte Darstellungen astronomischer Erscheinungen – Sternbilder, Tierkreiszeichen, Kometen, Sterne und Planeten, darüber die Göttin der Astronomie unter einer Sternenkuppel.

Kugeln über Kugeln.

Der Lehrer hatte erwartet, dass es nicht schwierig sein würde, die »Kugel, die auf dem Grab sollt' sein«, zu identifizieren, wenn erst das richtige Grabmal gefunden war, doch angesichts der komplizierten Himmelskarte zerbröckelte seine Zuversicht. Fehlte vielleicht irgendwo ein Stern? War eines der Sternbilder unvollständig? Er war ratlos. Dennoch war er sicher, dass die Lösung ganz einfach und augenfällig sein musste – ähnlich dem *A. Pope*, der den Ritter begraben hatte. *Nach was für einer Kugel musste er suchen?* Die Gralssuche konnte schwerlich profunde Kenntnisse der Astronomie voraussetzen, oder doch?

Mit rosig Fleisch und samenschwerem Leib…

Mehrere Touristen rissen den Lehrer aus seinen Betrachtungen. Er steckte das Kryptex wieder in die Tasche und beobachtete die Besucher, die zu einem Tisch in der Nähe gingen, wo sie sich für eine Spende mit Utensilien für das Gräberrubbeln ausrüsten konnten, die von der Kirchenverwaltung angeboten wurden. Mit neuen Holzkohlestiften und großen Bögen Zeichenpapier bewaffnet, strebten sie dem vorderen Bereich der Kirche zu, vor allem der populären Poet's Corner, um Chaucer, Tennyson und Charles Dickens ihre Reverenz zu erweisen, indem sie inbrünstig deren Grabplatten abrubbelten.

Wieder allein, trat der Lehrer näher an das Grabmal heran, um es einer eingehenden Betrachtung zu unterziehen. Er begann ganz unten bei den krallenbewehrten Prankenfüßen des Sarkophags; dann wanderte sein prüfender Blick über die Gestalt Newtons hinweg nach oben, vorbei an den wissenschaftlichen Folianten und den beiden Putten mit den Schriftrollen, die mathematische Formeln enthielten, und die Pyramide hinauf zu der großen Kugel mit den Sternbildern und schließlich hoch zum sternenübersäten Baldachin der Grabnische.

Was für eine Kugel müsste hier sein … und fehlt dennoch? Der Lehrer berührte das Kryptex in seiner Tasche, als könne der von Saunière so geschickt bearbeitete Marmor durch pure Zauberkraft das Rätsel lösen. *Nur noch fünf Buchstaben stehen zwischen dir und dem Gral.*

Er holte tief Luft und ging am Ende der Chorumwandlung auf und ab. Sein Blick glitt das Langhaus hinauf zum goldglänzenden Hauptaltar und von dort zu einem in leuchtendes Rot gekleideten Kirchenführer, der soeben von zwei Personen herbeigewunken wurde, die dem Lehrer gut bekannt waren.

Langdon und Sophie Neveu.

Das ging aber schnell. Ohne Hast trat der Lehrer zwei Schritte hinter den Retrochor. Er hatte zwar damit gerechnet, dass Langdon und Neveu früher oder später darauf kommen würden, dass in der Verszeile über Newtons Grabmal die Lösung des Rätsels steckte, aber es war doch wesentlich schneller gegangen als erwartet. Der Lehrer dachte darüber nach, welche Möglichkeiten ihm nun blieben. Er hatte inzwischen gelernt, Überraschungen zu begegnen.

Das Kryptex hast immer noch du.

Er griff in die Tasche und tastete nach dem zweiten Gegenstand, der ihm Zuversicht gab: der Medusa-Revolver. Als der Lehrer mit der Waffe in der Tasche durch den Metalldetektor am Eingang gegangen war, hatte das Gerät erwartungsgemäß losgeheult – und ebenso erwartungsgemäß hatten die Wachbeamten sich eiligst entschuldigt, als der Lehrer ihnen mit ungnädigem Blick seinen Ausweis unter die Nase gehalten hatte.

Ursprünglich hatte der Lehrer gehofft, das Passwort für das Kryptex allein finden und weitere Komplikationen vermeiden zu können, doch das Erscheinen von Langdon und Sophie Neveu kam ihm gar nicht so ungelegen. Angesichts der bisherigen Erfolglosigkeit mit dem Problem der »Kugel, die auf dem Grab sein sollte«, konnte er sich möglicherweise die Sachkenntnis und das Geschick der beiden zunutze machen. Nachdem sie das Grabmal verhältnismäßig schnell gefunden hatten, war nicht ausgeschlossen, dass sie auch das Rätsel mit der Kugel lösten. Und sobald Langdon das Passwort gefunden hatte, war der Rest nur noch eine Frage des wohldosierten Drucks.

Natürlich nicht hier.

Irgendwo, wo man seine Ruhe hat.

Der Lehrer musste an eine kleine Hinweistafel denken, die er beim Hereinkommen gesehen hatte – und wusste mit einem Mal, wohin er die beiden locken würde.

Blieb nur noch die Frage, *womit*.

98. KAPITEL

L angdon und Sophie gingen langsam das nördliche Seitenschiff hinunter und hielten sich im Schatten der riesigen Pfeiler, hinter denen sich das gewaltige Mittelschiff befand. Obwohl sie bereits die Hälfte der Länge des Seitenschiffs hinter sich hatten, war Newtons Grabmal immer noch nicht im Blickfeld. Der Sarkophag stand in einer tiefen Nische, die man aus diesem Winkel nicht einsehen konnte.

»Zumindest ist dort niemand«, flüsterte Sophie.

Langdon nickte erleichtert. Um Newtons Grabmal herum war das Mittelschiff menschenleer. »Ich werde jetzt hinübergehen«, flüsterte er Sophie zu. »Sie sollten sich hier versteckt halten, falls jemand…«

Sophie war schon unterwegs.

»…uns beobachtet.« Langdon seufzte und folgte ihr.

Während sie sich durch das geräumige Mittelschiff dem prächtigen Grabmal näherten, nahmen sie schweigend die kunstvollen Details in sich auf: den schwarzen Marmorsarkophag, Newtons Gestalt, die beiden geflügelten Putten, die große Pyramide… und eine gewaltige Kugelform.

»Haben Sie das gewusst?«, fragte Sophie erstaunt.

Langdon schüttelte den Kopf, nicht minder verwundert.

»Da scheinen Sternbilder eingraviert zu sein«, sagte Sophie.

Je näher sie der Grabnische kamen, desto mehr schwanden Langdons Hoffnungen. Auf Newtons Grabmal wimmelte es geradezu von kugelförmigen Gebilden – Sterne, Kometen, Planeten.

Such die Kugel, die auf dem Grab sollt' sein? Das konnte sich zur Suche nach einem fehlenden Grashalm auf einem Golfplatz auswachsen.

»Dutzende Himmelskörper«, meinte Sophie besorgt.

Langdon nickte. Die einzige Verbindung zwischen dem Gral und Himmelskörpern, die er sich denken konnte, war der Planet Venus – und das Passwort »Venus« hatte er bereits auf dem Weg zur Temple Church erfolglos versucht.

Sophie trat dichter an den Sarkophag heran. Langdon hielt sich ein, zwei Meter hinter ihr, um das Umfeld im Auge zu behalten.

»*Divinity*«, zitierte Sophie, die mit schräg gelegtem Kopf die Titel der Folianten las, auf die Newtons Gestalt sich stützte. »*Chronology, Opticks, Philosophiae Naturalis Principia Mathematica.* Läutet es da bei Ihnen?«

Langdon trat näher. »Die *Principia Mathematica*«, sagte er nachdenklich, »befasst sich mit der Gravitation der Planeten – die zugegebenermaßen Kugeln sind, aber das erscheint mir doch ein bisschen zu weit hergeholt.«

»Und was ist mit den Tierkreiszeichen?«, erkundigte sich Sophie und deutete auf die Sternbilder. »Sie haben mir doch etwas von den Fischen und vom Wassermann erzählt.«

Das Ende der Zeit, dachte Langdon. »Das Ende des Zeitalters der Fische und der Beginn der Epoche des Wassermanns ist angeblich der historische Wendepunkt, an dem die *Prieuré de Sion* die Sangreal-Dokumente der Welt zugänglich machen will.« *Aber die Jahrtausendwende ist vorbei, und nichts ist geschehen. Die Historiker fragen sich inzwischen, ob die Wahrheit überhaupt noch ans Licht kommen wird.*

»Kann es sein, dass die Pläne der *Prieuré* zur Bekanntgabe der Wahrheit mit der letzten Zeile des Gedichts zu tun haben?«, fragte Sophie.

... rosig Fleisch und samenschwerer Leib. Langdon hatte diese Möglichkeit noch nicht ins Auge gefasst. Er fröstelte.

»Sie haben auch gesagt, dass der Zeitpunkt, da die *Prieuré* die

Wahrheit über die ›Rose‹ und ihren fruchtbaren Schoß bekannt geben will, unmittelbar an die Position der Planeten gekoppelt ist – der Kugeln.«

Langdon nickte. Zum ersten Mal sah er eine entfernte Möglichkeit heraufdämmern, doch sein Instinkt sagte ihm, dass der Schlüssel nicht in der Astronomie zu suchen war. Sämtliche bisherigen Lösungen der von Großmeister Saunière aufgegebenen Rätsel hatten eine überzeugende, auf das Thema bezogene Bedeutung gehabt – die *Mona Lisa*, die *Felsgrottenmadonna*, *SOFIA*. Diesen unmittelbaren Zusammenhang ließ das Konzept der Himmelskörper, Planeten und Tierkreiszeichen vermissen. Bisher hatte Saunière sich als Meister der Verschlüsselung erwiesen. Langdon war überzeugt, dass Saunières letztes Passwort – die fünf Buchstaben, die den Zugang zum letzten Geheimnis der *Prieuré de Sion* freigaben – sich nicht nur als besonders symbolträchtig, sondern auch als besonders nahe liegend erweisen würden. Wenn die Lösung sich in die Reihe der vorherigen einfügen sollte, musste sie auf geradezu peinliche Weise offensichtlich sein – wenn man sie erst einmal gefunden hatte …

»Da, sehen Sie!«, stieß Sophie plötzlich hervor und packte erschrocken Langdons Arm, der aber niemanden in der Nähe bemerkte. Dann erst sah er, dass Sophie fassungslos auf den schwarzen Marmordeckel des Sarkophags starrte. »Jemand ist hier gewesen«, flüsterte sie und deutete auf eine Stelle neben Newtons ausgestrecktem rechtem Fuß.

Langdon verstand nicht, was Sophie so sehr aus der Fassung brachte. Ein nachlässiger Tourist hatte auf dem Sarkophag einen Holzkohlestift liegen lassen. *Das hat doch gar nichts zu bedeuten.* Langdon streckte den Arm aus, um nach dem Stift zu greifen. Als er sich vorbeugte, huschte ein Lichtreflex über den polierten Marmor, und in diesem Moment erkannte auch Langdon, worüber Sophie so erschrocken war.

Neben Newtons Fuß hatte jemand mit Kohlestift eine kaum sichtbare Nachricht auf den Deckel des Sarkophags geschrieben:

Ich habe Teabing.
Gehen Sie durchs Kapitelhaus,
durch den Südausgang in den öffentlichen Garten.

Langdons Herz pochte wild. Er las die Botschaft noch einmal. Bei aller plötzlich einsetzenden Beklommenheit sagte er sich, dass die Nachricht auch etwas Gutes hatte. *Leigh Teabing ist noch am Leben.* Und das war noch nicht alles. »Sie haben das Passwort noch nicht herausbekommen«, flüsterte er Sophie zu.

Sophie hatte sich umgedreht und den Blick durchs Kirchenschiff schweifen lassen. Nun wandte sie sich Langdon zu und nickte. Langdon hatte Recht: Weshalb hätten die Entführer sonst auf sich aufmerksam machen sollen?

»Wahrscheinlich wollen sie einen Handel machen: Leigh gegen das Passwort«, meinte Langdon.

»Oder es ist eine Falle.«

Langdon schüttelte den Kopf. »Das glaube ich nicht. Der Garten ist *außerhalb* der Kathedrale und ein belebter Ort.« Langdon war schon einmal im berühmten College Garden der Abtei gewesen, einem kleinen Obst- und Kräutergarten aus der Zeit, als hier Mönche noch Heilkräuter zogen. Der College Garden, in dem die ältesten Obstbäume Englands wuchsen, wurde auch deshalb gern von Touristen aufgesucht, weil er ohne Besuch der Kathedrale zugänglich war. »Ich glaube, man schickt uns sozusagen als vertrauensbildende Maßnahme nach draußen. Wir sollen uns sicher fühlen.«

Sophie blickte Langdon skeptisch an. »Sie meinen, weil man draußen nicht durch einen Metalldetektor muss.«

Langdon wurde nachdenklich. *Da war was dran.*

Er betrachtete wieder das mit kugelförmigen Körpern überladene Grabmal Newtons. Wenn er nur irgendeine Idee gehabt hätte, wie das Passwort lautete! Irgendetwas, das er anbieten konnte! *Du hast Leigh in den Schlamassel hineingezogen. Nun wirst du ihn auch rauspauken – koste es, was es wolle.*

»Die Nachricht besagt, wir sollen durchs Kapitelhaus zum

Südeingang«, sagte Sophie nachdenklich. »Vielleicht haben wir von dort einen guten Blick über den Garten und können uns ein Bild von der Lage machen, bevor wir uns womöglich in eine gefährliche Situation begeben.«

Langdon nickte. »Gute Idee.« Er hatte das Kapitelhaus als achteckigen Saal in Erinnerung, in dem das britische Parlament zusammengetreten war, als es das moderne Parlamentsgebäude an der Themse noch nicht gegeben hatte. Doch es war Jahre her, dass Langdon das letzte Mal dort gewesen war; er wusste nur noch, dass man über den Kreuzgang dorthin kam. Er trat ein paar Schritte zurück und schaute an der Wand des Chors vorbei ins südliche Seitenschiff, wo sich ein hoher Gewölbegang öffnete, über dem ein großes Schild hing:

ZUGANG ZU:

Kreuzgang

Dekanei

College Hall

Museum

Pyx-Kammer

St. Faith's Kapelle

Kapitelhaus

Als Langdon und Sophie unter dem Schild hindurcheilten, entging ihnen in der Hast die kleine Tafel mit dem Hinweis, dass einige Bereiche wegen Renovierungsarbeiten zurzeit nicht zugänglich waren.

Sie gelangten auf einen von hohen Mauern umgebenen Hof, auf dem der morgendliche Regen rauschend niederging. Über das Gemäuer heulte hohl der Wind wie über einem Flaschenhals. Als Langdon den niedrigen, engen Kreuzgang betrat, der längs der Begrenzungsmauern des Hofes verlief, überkam ihn der vertraute Anflug von Klaustrophobie.

Auf das Ende des Tunnels konzentriert, folgte er den Schildern zum Kapitelhaus. Aus dem Regen war inzwischen ein Wolkenbruch geworden, der nasskalt durch die offenen Säulenarkaden sprühte, durch die das Licht in den Kreuzgang fiel. Ein Paar, das vor dem miesen Wetter flüchtete, kam ihnen entgegen. Der Kreuzgang – der letzte Rest der vormaligen Klosteranlage – lag einsam und verlassen in Wind und Wetter.

Vierzig Meter den östlichen Teil des Kreuzgangs hinunter öffnete sich ein überwölbter Gang nach links in eine Eingangshalle, den gesuchten Zugang zum Kapitelsaal. Er war mit Absperrband und einem offiziell aussehenden Schild versperrt:

Pyx-Kammer
St. Faith's Kapelle
Kapitelhaus
WEGEN RENOVIERUNG GESCHLOSSEN

Der lange, verlassene Gang hinter dem Absperrband war mit Gerüsten voll gestellt. Überall hingen Schutzfolien. Nach rechts und links gingen die Eingänge zur Pyx-Kammer und der St. Faith's Kapelle ab. Der Eingang zum Kapitelhaus lag am Ende des Ganges. Selbst von seinem Standort aus konnte Langdon erkennen, dass das schwere Holzportal weit offen stand. Der großräumige achteckige Saal war in hellgraues Licht getaucht, das durch die riesigen Fenster vom College Garten fiel. *Gehen Sie durchs Kapitelhaus, durch den Südausgang in den öffentlichen Garten.*

»Wir sind durch den Ostteil des Kreuzgangs gekommen«, sagte Langdon, »also geht es zum Südausgang in den Garten hier lang und dann nach rechts.«

Sophie war bereits über das Absperrband geklettert und eilte den schummrigen Gang hinunter. Langdon folgte ihr. Je weiter sie vordrangen, desto mehr verloren sich die Geräusche von Wind und Wetter, die aus dem offenen Kreuzgang wehten. Das Kapitelhaus war eine Art frei stehender, achteckiger Anbau der Kirche am Ende des langen Gangs, der vor langer Zeit bei den Tagungen des Parlaments für Ungestörtheit gesorgt hatte.

»Der Saal ist ja riesig«, flüsterte Sophie, als sie näher kamen.

Auch Langdon staunte: Er hatte ganz vergessen, welche Ausmaße das Oktogon besaß. Vom Gang aus glitt sein Blick über die weite Bodenfläche zu den Spitzbogenfenstern, deren Rippen fünf Stockwerke in die Höhe strebten, bis das Maßwerk hoch oben an das Deckengewölbe stieß. Von dort drinnen hatte man zweifelsohne einen umfassenden Ausblick auf den Garten.

Als Sophie und Langdon über die Schwelle traten, mussten sie in der plötzlichen Helligkeit blinzeln. Als ihre Augen sich nach dem schummrigen Licht in den Gängen daran gewöhnt hatten, näherten sie sich der Südwand und suchten sie nach dem Ausgang ab.

Es gab keinen.

Sie standen im bauchigen Ende einer Sackgasse.

Hinter ihnen knarrte die Tür. Als sie herumfuhren, sahen sie das gewaltige Portal ins Schloss fallen. Der Riegel schnappte ein.

Im toten Winkel hinter der Tür stand ein korpulenter Mann, auf Krücken aus Aluminium gestützt, und hielt in aller Ruhe einen kleinen Revolver auf sie gerichtet.

Sir Leigh Teabing.

99. KAPITEL

M eine lieben Freunde«, sagte Teabing mit dem Beiklang des
Bedauerns, während er Sophie und Langdon ins Visier nahm,
»seit Sie gestern Nacht in mein Haus gekommen sind, habe ich
alles versucht, um Sie aus der Schusslinie zu halten. Aber nun hat
Ihre Hartnäckigkeit mich in eine schwierige Lage gebracht.«

Teabing sah den Schock und die Enttäuschung auf Sophies und
Langdons Gesichtern.

Du musst ihnen noch sehr viel erklären ... es gibt viele Dinge, die
sie noch nicht wissen.

»Sie müssen mir glauben, dass es nie meine Absicht war, Sie in
diese Geschehnisse zu verwickeln. Aber dann sind Sie bei mir im
Château aufgetaucht, und ...«

»Wir dachten, Sie seien in Gefahr!«, unterbrach Langdon ihn
zornig, als er sich halbwegs gefasst hatte. »Wir sind hergekommen,
um Ihnen zu helfen!«

»Genau darauf habe ich mich verlassen«, gab Teabing zurück.
»Wir haben viel zu bereden.«

Langdon und Sophie starrten in die Mündung des Revolvers,
der drohend auf sie gerichtet war.

»Nur, damit ich Ihre ungeteilte Aufmerksamkeit habe«, sagte
Teabing. »Hätte ich vorgehabt, Ihnen etwas anzutun, wären Sie
längst tot. Als Sie gestern Nacht in mein Haus kamen, habe ich alles riskiert, um Ihr Leben zu retten. Ich bin ein ehrenhafter Mann.
Ich habe auf Ehre und Gewissen geschworen, niemand zu opfern,
es sei denn, er hat sich des Verrats am Sangreal schuldig gemacht.«

»Was reden Sie da?«, sagte Langdon. »Wie kann man den Sangreal *verraten?*«

»Ich habe eine schreckliche Wahrheit entdeckt«, sagte Teabing und seufzte. »Ich weiß, warum die Sangreal-Dokumente der Welt nicht zugänglich gemacht worden sind. Die *Prieuré* hat beschlossen, die Wahrheit im Verborgenen schlummern zu lassen. Deshalb konnte die Jahrtausendwende verstreichen und das Ende der Zeit anbrechen, ohne dass es zu einer Offenbarung kam.«

Langdon wollte widersprechen, doch Teabing ließ ihn gar nicht erst zu Wort kommen. »Die *Prieuré* hat einen heiligen Auftrag erhalten, am Ende der Zeit die Wahrheit ans Licht zu bringen und der Welt die Sangreal-Dokumente zu offenbaren. Männer wie Leonardo da Vinci, Sandro Botticelli und Isaac Newton haben im Laufe der Jahrhunderte die größten Risiken auf sich genommen, um diesem Auftrag gerecht zu werden. Und nun kommt im letzten Moment ein Jacques Saunière daher und überlegt es sich anders! Der Mann, dem die unverdiente Ehre zugefallen ist, die größte Verantwortung in der Geschichte des Christentums zu tragen, hat sich davor gedrückt und kurzerhand erklärt, die Zeit sei noch nicht reif!« Teabing starrte Sophie an. »Er hat den Gral verraten. Er hat die *Prieuré* verraten. Und er hat die ungezählten Generationen verraten, die sich dafür eingesetzt haben, dass eines Tages die Wahrheit offenbart werden kann.«

»*Sie* also!«, rief Sophie, und ihre grünen Augen funkelten. »Sie sind der Drahtzieher des Mordes an meinem Großvater!«

»Ihr Großvater und seine Seneschalle waren Verräter am Gral«, spie Teabing verächtlich hervor.

Sophie spürte, wie heißer Zorn in ihr aufloderte. *Er lügt!*

»Ihr Großvater hat sich bei der Kirche angebiedert«, sagte Teabing kalt. »Es liegt doch auf der Hand, dass er dem Druck der Kirche nicht standgehalten und die Wahrheit zurückgehalten hat.«

Sophie schüttelte heftig den Kopf. »Die Kirche hatte nicht den geringsten Einfluss auf meinen Großvater!«

Teabing lachte höhnisch auf. »Meine Liebe, die Kirche hat zweitausend Jahre Erfahrung darin, Menschen unter Druck zu setzen, die das Lügengewebe der Kurie gefährden. Seit den Tagen Kaiser Konstantins hat sie erfolgreich die Wahrheit über Jesus und Maria Magdalena verbergen können. Also darf man getrost davon ausgehen, dass die Kirche auch diesmal wieder einen Weg gefunden hat, die Welt im Ungewissen zu lassen. Sie schickt zwar keine Kreuzritter mehr aus, um Ungläubige abzuschlachten, aber ihre Möglichkeiten der Einflussnahme haben keineswegs gelitten. Sie sind so wirksam wie eh und je – und genauso heimtückisch.« Er machte eine wirkungsvolle Pause. »Miss Neveu, hat Ihr Großvater nicht schon seit geraumer Zeit versucht, Sie in die Wahrheit über Ihre Familie einzuweihen?«

»Woher wissen Sie das?«, fragte Sophie verwundert.

»Das ist im Moment unwichtig. Wichtig ist allein, dass Sie etwas darüber erfahren.« Er holte tief Luft. »Der Tod Ihrer Mutter und Großmutter, Ihres Vaters und Ihres Bruders war kein normaler Unfall.«

Sophies Gedanken rasten. Sie öffnete den Mund, um etwas zu sagen, brachte aber keinen Laut hervor.

Langdon schüttelte den Kopf. »Was behaupten Sie da?«, herrschte er Teabing an.

»Ist das denn nicht die Erklärung, Robert? Passt denn nicht alles genau zusammen? Die Geschichte hat sich wiederholt. Die Kirche hat noch nie vor Mord und Totschlag zurückgeschreckt, zumal, wenn es um den Gral ging. Als das Ende der Zeit nahte, wurden die Angehörigen des Großmeisters der *Prieuré* getötet, um ihm eine unmissverständliche Botschaft zu übermitteln: Bewahre Stillschweigen, oder du selbst und deine Enkelin sind die Nächsten!«

»Es war ... ein Verkehrsunfall«, sagte Sophie stockend. Die Qualen der Kindheit stiegen wieder in ihr auf. »Ein *Unfall*!«

»Das sind Gutenachtgeschichten, die man Ihnen aufgetischt hat!«, stieß Teabing hervor. »Fällt Ihnen denn nicht auf, dass nur zwei Mitglieder Ihrer Familie bisher mit dem Leben davongekommen sind? Jacques Saunière, Großmeister der *Prieuré de Sion*, und Sie selbst, seine Enkelin? Ein besseres Druckmittel zur Kontrolle der *Prieuré* konnte es für die Kirche gar nicht geben. Ihr Großvater muss in den vergangenen Jahrzehnten unter furchtbarem Druck gestanden haben! Ihm saß die Drohung der Kirche im Nacken, dass man ihn abschlachtete und dass auch *Sie* getötet würden, falls er die *Prieuré* nicht dazu brachte, dem uralten Gelübde abzuschwören, das Geheimnis des Sangreal zu lüften.«

»Unsinn«, sagte Langdon verärgert. »Ihnen fehlt jeder Beweis, dass die Kirche etwas mit diesem Unfall zu tun hatte oder dass sie die *Prieuré* zum Schweigen gezwungen hat.«

»Beweis?«, rief Teabing. »Sie wollen einen Beweis, dass die *Prieuré* unter Druck gesetzt wurde? Das neue Jahrtausend ist angebrochen, und die Welt verharrt immer noch in Unkenntnis! Ist das nicht Beweis genug?«

Sophie hörte eine Stimme tief in ihrem Innern: *Ich muss dir die Wahrheit über deine Familie erzählen, Sophie…* Sie zitterte am ganzen Leib. War das die Wahrheit, die der Großvater ihr die ganze Zeit erzählen wollte? Dass ihre Familie *ermordet* worden war? Was wusste sie eigentlich über den Unfall? Nur ein paar verschwommene Einzelheiten. Sogar die Berichte in den Zeitungen waren nebulös gewesen.

Ein Verkehrsunfall? Oder eine Gutenachtgeschichte, wie Teabing behauptete?

Auf einmal erinnerte Sophie sich wieder an die übertriebene Besorgtheit ihres Großvaters, der sie als Kind nie allein lassen wollte. Selbst während ihrer Studienzeit hatte Sophie noch das Gefühl gehabt, vom Großvater genauestens beobachtet zu werden. Hatte die *Prieuré* tatsächlich die schützende Hand über sie gehalten, solange sie lebte, und sie aus dem Hintergrund beobachtet?

Langdon blickte Teabing ungläubig an. »Und weil Sie den Verdacht hatten, dass Saunière beeinflusst worden ist, haben Sie ihn kurzerhand umgebracht.«

»*Ich* habe den Abzug nicht betätigt«, sagte Teabing. »Saunière war schon seit Jahren ein toter Mann – von dem Moment an, als die Kirche ihn seiner Familie beraubte. Damit war er kompromittiert. Jetzt ist er von dieser Qual erlöst und von der Schande befreit, seiner heiligen Pflicht nicht gewachsen gewesen zu sein.

Saunière *musste* sterben. Bedenken Sie doch die Alternative! Es musste etwas geschehen. Oder soll die Welt auf ewig unwissend bleiben? Sollen die Lügenmärchen der Kirche für alle Ewigkeit in unseren Geschichtsbüchern stehen? Soll die Kirche auf ewig mit Mord und Nötigung ihren Einfluss sichern können? Nein, es war an der Zeit, dass etwas geschah. Und jetzt sind wir im Begriff, Saunières Vermächtnis zu erfüllen und ein schreckliches Unrecht wieder gutzumachen.« Teabing hielt inne. »Wir drei.«

Sophie konnte es nicht fassen. »Wie kommen Sie auf die Idee, dass wir Ihnen helfen?«

»Weil *Sie* der Grund dafür sind, dass die *Prieuré* die geheimen Dokumente nicht veröffentlicht hat. Die Liebe Ihres Großvaters zu seiner Enkelin war der Grund dafür, dass er die Kirche nicht bloßgestellt hat. Die Angst vor Repressalien gegen die letzte Überlebende seiner Familie. Saunière war handlungsunfähig! Weil Sie ihn abgewiesen haben, Sophie, haben Sie ihm jede Chance genommen, Sie in die Wahrheit einzuweihen! Sie haben ihm die Hände gebunden, haben ihn warten lassen. Jetzt sind *Sie* an der Reihe. *Sie* schulden der Welt die Wahrheit. Sie sind es dem Andenken Ihres Großvaters schuldig!«

Ungeachtet des Gewitters ungelöster Fragen, das in seinem Kopf tobte, war für Langdon jetzt nur noch eines wichtig – er musste Sophie lebend hier herausbekommen. Die Schuldgefühle, die er zuvor an Teabing verschwendet hatte, galten nun Sophie Neveu.

Du hast sie nach Château Villette gebracht. Du bist für alles verantwortlich.

Langdon konnte sich eigentlich nicht vorstellen, dass Teabing imstande war, ihn und Sophie hier im Kapitelhaus kaltblütig zu töten. Andererseits war er offensichtlich in die vielen Morde verwickelt, zu denen es bei dieser unglückseligen Schatzsuche gekommen war. Langdon hatte das bedrückende Gefühl, dass in diesem abgeschiedenen Saal ein paar Schüsse nicht auffallen würden, zumal bei diesem Regen. Außerdem hatte Teabing soeben ein Geständnis vor ihnen abgelegt.

Langdon blickte Sophie an, die totenblass geworden war. *Die Kirche soll ihre Familie ermordet haben, um das Schweigen der* Prieuré *zu erzwingen?* Langdon schüttelte den Kopf. Es musste eine andere Erklärung geben.

»Lassen Sie Sophie gehen«, forderte er Teabing auf und blickte ihn fest an. »Wir sollten diese Sache unter uns ausmachen.«

Teabing lachte leise. »Ich fürchte, zu diesem Vertrauensbeweis bin ich nicht in der Lage. Aber ich bin bereit, Ihnen dafür etwas anderes anzubieten.« Auf die Krücken gestützt, hielt er die Waffe auf Sophie gerichtet, während er in die Tasche griff, das Kryptex hervorzog und es Langdon hinhielt. »Als Beweis meines Vertrauens, Robert.«

Langdon verharrte argwöhnisch. *Weshalb gibt er uns das Kryptex zurück?*

»Nun nehmen Sie schon«, sagte Teabing und hielt es Langdon hin.

Langdon hatte nur eine Erklärung für Teabings Verhalten. »Sie haben das Kryptex bereits geöffnet. Der Wegweiser ist nicht mehr drin.«

Teabing schüttelte den Kopf. »Wenn ich das Passwort gefunden hätte, Robert, wäre ich längst verschwunden, um den Gral allein zu finden. Aber ich kenne das Passwort nicht – und das gebe ich offen zu. Angesichts des Grals lernt ein echter Ritter Bescheidenheit. Und er lernt, auf Zeichen zu achten. Als ich Sie und Miss Neveu diese Kirche betreten sah, habe ich begriffen. Sie sind gekommen, weil irgendetwas Sie hierher getrieben hat. Mir geht es nicht um persönlichen Ruhm. Ich diene einem viel höheren Herrn als meiner eigenen Eitelkeit. Ich diene der *Wahrheit*. Die Menschheit hat ein Anrecht darauf. Der Gral hat uns gefunden, und nun bittet er uns, dass wir ihn der Menschheit enthüllen. Wir müssen dieses Werk gemeinsam vollbringen.«

Trotz der Bitte um Zusammenarbeit und Vertrauen hielt Teabing die Waffe unverwandt auf Sophie gerichtet, während Langdon ihm den kalten Marmorzylinder aus der Hand nahm. Als er ihn ergriff und einen Schritt zurücktrat, gluckerte im Innern der

Essig. Die Segmente befanden sich noch in einer zufälligen Anordnung – das Kryptex war fest verschlossen.

Langdon sah Teabing an. »Wie können Sie sicher sein, dass ich das Kryptex nicht zertrümmere?«

Teabing lachte gespenstisch in sich hinein. »Ich hätte schon in der Temple Church erkennen müssen, dass das eine leere Drohung war. Ein Robert Langdon würde den Schlussstein niemals zerstören – dafür sind Sie ein viel zu besessener Historiker. Robert, Sie halten den Schlüssel zu zweitausend Jahren Geschichte in der Hand – den verlorenen Schlüssel zum Sangreal. Hören Sie denn nicht die Schreie der gequälten Seelen jener Ritter, die sich zur Wahrung des Geheimnisses auf den Scheiterhaufen zerren und verbrennen ließen? Wollen Sie, dass diese Männer vergeblich gestorben sind? Sie, Robert, werden sich mit den großen Geistern, denen Ihre Bewunderung gilt, in eine Reihe stellen können – mit da Vinci, Botticelli, Newton. Jeder dieser Großen hätte es als Ehre empfunden, jetzt Ihren Platz einnehmen zu dürfen. Der Inhalt des Kryptex muss endlich offenbart werden. Die Zeit ist gekommen, Robert, und das Schicksal hat diesen Augenblick erwählt!«

»Aber ich *kann* Ihnen nicht helfen, Leigh. Ich habe keine Ahnung, wie ich das Kryptex aufbekommen soll. Ich konnte Newtons Grab nur kurz in Augenschein nehmen, und selbst wenn ich das Passwort wüsste...« Langdon verstummte. Er hatte schon zu viel gesagt.

»...dann würden Sie es mir nicht verraten?« Teabing seufzte. »Robert, ich bin sehr enttäuscht, dass Sie anscheinend nicht begreifen, wie tief Sie in meiner Schuld stehen. Meine Aufgabe wäre viel einfacher gewesen, hätten Rémy und ich Sie bereits in dem Moment ausgeschaltet, als Sie auf Château Villette erschienen sind. Stattdessen habe ich alles aufs Spiel gesetzt, um einen achtbareren Weg zu beschreiten.«

Langdon blickte auf die Waffe in Teabings Hand. »Das soll achtbar sein?«, rief er aus.

»Es ist Saunières Schuld«, verteidigte sich Teabing. »Hätten er und seine Seneschalle Silas nicht in die Irre geführt, hätte ich ohne

Schwierigkeiten in den Besitz des Schlusssteins gelangen können. Wie hätte ich denn ahnen sollen, dass der Großmeister der *Prieuré* so gewaltige Anstrengungen unternimmt, um mich zu täuschen und den Schlussstein seiner Enkelin zu vermachen – einer Außenstehenden?« Teabing musterte Sophie verächtlich. »Einer Person, deren Wissen so beschränkt ist, dass sie einen Symbolkundler als Babysitter braucht.« Teabings Blick glitt zurück zu Langdon. »Ihr Eingreifen hat sich für mich allerdings als Glücksfall erwiesen. Ihnen ist es zu verdanken, dass der Schlussstein nicht auf ewig in einem Schließfach eingesperrt geblieben ist. Sie haben ihn befreit und sind mit ihm schnurstracks in mein Haus spaziert.«

Wohin sonst hätten wir uns wenden sollen?, dachte Langdon. *Die Gemeinde der Gralshistoriker ist klein, und mit Leigh Teabing verbindet mich eine gemeinsame Geschichte.*

Teabing blickte selbstgefällig drein. »Als ich hörte, dass der sterbende Saunière Ihnen eine Botschaft hinterlassen hatte, war mir sofort klar, dass Sie in den Besitz einer wertvollen Information der *Prieuré* gekommen waren. Ich wusste zwar nicht, ob es sich um den Schlussstein selbst oder nur um die Anweisung handelte, wie er zu finden sei, aber da Ihnen die Polizei auf den Fersen war, konnte ich mir ausrechnen, dass Sie früher oder später vor meiner Haustür auftauchen würden.«

Langdon blickte Teabing finster an. »Und wenn wir nicht gekommen wären?«

»Ich hatte mir bereits einen Plan zurechtgelegt, um Ihnen eine hilfreiche Hand entgegenzustrecken. Wie auch immer, der Schlussstein war auf dem Weg zum Château Villette. Dass Sie ihn selbst bei mir abgeliefert haben, macht nur umso deutlicher, dass meine Sache gerecht ist.«

Langdon verschlug es beinahe die Sprache. »Wie bitte?«

»Silas sollte ins Château Villette einbrechen und Ihnen den Schlussstein rauben – womit Sie unbeschadet aus dem Spiel gewesen wären, und mir hätte niemand eine Komplizenschaft nachsagen können. Doch als ich erkannte, wie kompliziert Saunières Verschlüsselungen waren, habe ich beschlossen, Sie noch ein bisschen länger in meine Suche einzubinden. Später, wenn mein Wissen ausreichte, die Suche allein weiterzuführen, konnte Silas den Schlussstein immer noch an sich bringen.«

»In der Temple Church«, sagte Sophie, und ihre Stimme bebte vor Enttäuschung.

Die Temple Church war tatsächlich der perfekte Ort gewesen, um Langdon und Sophie den Schlussstein abzunehmen. Die scheinbar offensichtliche Beziehung dieser Kirche zu dem rätselhaften Vierzeiler machte sie zu einem plausiblen Ziel – und einer perfekten Falle. Rémys Anweisung war eindeutig gewesen: aus dem Blickfeld bleiben, bis Silas den Schlussstein an sich gebracht hatte. Leider hatte Langdons Drohung, das Kryptex auf dem Boden zu zerschmettern, Rémy in Panik geraten lassen. Mit Bedauern dachte Teabing an seine vorgetäuschte Entführung. *Wäre Rémy doch in der Versenkung geblieben! Er war die einzige Verbindung zu dir, und dieser Narr hat sein Gesicht gezeigt!*

Silas hingegen war zum Glück verborgen geblieben, dass Teabing der geheimnisvolle »Lehrer« war; deshalb war es ein Leichtes gewesen, mit Silas' Hilfe Teabings Entführung zu inszenieren und ihn in ahnungsloser Unschuld zusehen zu lassen, wie Rémy den »Entführten« hinten in der Limousine »in Fesseln« legte. Nachdem die schalldichte Trennscheibe hochgefahren war, konnte Teabing in aller Ruhe Silas vorn auf dem Beifahrersitz anrufen und ihn mit dem gespielten französischen Akzent des Lehrers ins Ordenshaus von Opus Dei schicken. Ein anonymer Anruf bei der Polizei hatte genügt, Silas kaltzustellen.

Damit war dieses Problem gelöst.

Das nächste Problem war kniffliger gewesen: Rémy.

Die Entscheidung war Teabing schwer gefallen, doch Rémy hatte sich nun einmal als Risikofaktor erwiesen. *Die Gralssuche verlangt Opfer.* Die sauberste Lösung hatte Teabing in der Bar der Limousine entdeckt – einen Flachmann mit Cognac und eine Dose Erdnüsse. Der salzige Bodensatz der Dose hatte ausgereicht, um bei Rémy einen tödlichen Allergieschock auszulösen. Als Rémy den

Wagen auf Horse Guards Parade geparkt hatte, war Teabing hinten ausgestiegen, nach vorn zur Beifahrertür gegangen und hatte sich neben Rémy gesetzt. Kurze Zeit später war er wieder ausgestiegen, hatte hinten im Wagen sämtliche Spuren beseitigt und sich dann aufgemacht, den letzten Teil seiner Mission zu erfüllen.

Westminster Abbey war nur ein kurzes Stück zu Fuß entfernt. Teabings Beinschienen, Krücken und der Revolver hatten natürlich den Metalldetektor ausgelöst, aber die Amateurpolizisten am Eingang waren mit der Situation heillos überfordert. *Man kann den Mann doch nicht bitten, die Beinschienen abzulegen und auf allen vieren durch die Schleuse zu kriechen. Und einen Behinderten abtasten geht ja wohl auch nicht.* Teabing lieferte den hilflosen Wachmännern die einfachste Lösung – eine Kennkarte mit geprägtem Wappen, mit der er sich als Angehöriger des britischen Adels auswies. In ihrem Eifer, Teabing zu helfen, waren die armen Kerle sich gegenseitig beinahe auf die Füße getreten.

Nun richtete Teabing den Blick auf Sophie und Langdon. Nur mit Mühe widerstand er der Versuchung, sie in die geniale Finte einzuweihen, mit der er Opus Dei ins Geschehen mit einbezogen hatte und wie er der katholischen Kirche in Kürze eine Katastrophe bescheren würde. Aber das musste noch warten. Im Moment hatten andere Dinge Vorrang.

»Mes amis«, sagte Teabing in tadellosem Französisch, »*vous ne trouvez pas le Saint-Graal, c'est le Saint-Graal qui vous trouve.*« Du wirst den heiligen Gral nicht finden, der Heilige Gral findet dich. Er lächelte. »Der Weg, den wir von nun an gemeinsam gehen werden, könnte klarer nicht sein. Der Gral hat uns gefunden.«

Stille.

Teabing senkte die Stimme zu einem Flüstern. »Können Sie es hören? Hören Sie es? Der Gral spricht zu uns, über die Jahrhunderte hinweg. Er fleht uns an, ihn vor der Torheit der *Prieuré* zu retten. Und *ich* flehe Sie an, diese Gelegenheit nicht ungenutzt verstreichen zu lassen. Hier und jetzt sind jene drei Menschen beisammen, die am ehesten fähig sind, das letzte Codewort zu knacken und das Kryptex zu öffnen.« Teabing hielt inne. Seine Augen leuchteten. »Wir müssen einen Schwur ablegen und uns gegenseitiges Vertrauen geloben. Wir müssen ein ritterliches Bündnis schließen, die Wahrheit zu enthüllen und zu verbreiten.«

Sophie starrte Teabing unversöhnlich in die Augen. »Ich werde dem Mörder meines Großvaters niemals etwas schwören«, stieß sie hervor, »es sei denn, ihn hinter Gitter zu bringen.«

»Mademoiselle, ich bedaure Ihre Entscheidung.« Teabing wandte sich von Sophie ab und richtete die Waffe auf Langdon. »Und Sie, Robert? Sind Sie für oder gegen mich?«

100. KAPITEL

Bischof Manuel Aringarosa musste nicht zum ersten Mal schlimme Schmerzen erdulden, doch das Brennen und Pochen der Schusswunde in seiner Brust war anders, weniger der Schmerz einer fleischlichen Wunde ... mehr einer Wunde der Seele.

Er öffnete die Augen und versuchte sich zu orientieren, doch der Regen, der ihm ins Gesicht peitschte, nahm ihm die Sicht. *Wo bist du?* Er fühlte kräftige Arme, die seinen von der schwarzen Soutane umflatterten schlaffen Körper wie eine Gliederpuppe trugen.

Aringarosa hob den kraftlosen Arm und fuhr sich über die Augen. Der Mann, der ihn trug, war Silas. Der riesige Albino taumelte mit ihm ein nasses Trottoir entlang und rief nach einem Krankenwagen. Der Blick seiner roten Augen war starr nach vorn gerichtet, und Tränen strömten über sein blutverschmiertes bleiches Gesicht.

»Mein Sohn«, flüsterte Aringarosa, »du bist verletzt.«

Silas richtete den Blick auf den Bischof. Sein Gesicht war vor Trauer und Leid verzerrt. »Vater ... es tut mir unendlich Leid.« Vom Schmerz übermannt, brachte er die Worte nur mühsam hervor.

»Nein, Silas«, sagte Aringarosa, »ich bin es, dem es Leid tun muss ... dem alles Leid tun muss. Es ist meine Schuld ...« *Der Lehrer hat versprochen, dass es kein Blutvergießen geben wird, und du hast Silas aufgefordert, ihm aufs Wort zu gehorchen!* »Ich wollte zu hoch hinaus. Wir haben uns täuschen lassen.« *Der Lehrer hatte nie die Absicht, uns den Gral zu übergeben.*

In den Armen des Mannes, den er vor so vielen Jahren bei

sich aufgenommen hatte, schweiften Aringarosas Gedanken in die Vergangenheit ... nach Spanien und seinen bescheidenen Anfängen, als er mit Silas zusammen die kleine katholische Kirche in Oviedo gebaut hatte, und dann nach New York, wo er mit dem Bau der turmhohen Opus-Dei-Zentrale an der Lexington Avenue aller Welt die Größe und den Ruhm Gottes verkündet hatte.

Vor fünf Monaten jedoch hatte Aringarosa eine vernichtende Nachricht erhalten. Sein Lebenswerk war in Gefahr. Er erinnerte sich noch lebhaft an das Treffen im Castel Gandolfo, das sein Leben von Grund auf verändert hatte ... und an die Nachricht, die der Auslöser der ganzen Misere gewesen war.

Aringarosa war hoch erhobenen Hauptes in die astronomische Bibliothek von Castel Gandolfo geschritten, beflügelt von der Erwartung, dass sich ihm Hände entgegenstreckten, dass man ihm auf die Schulter klopfte und zu seiner hervorragenden Leistung für die Sache des Katholizismus in den Vereinigten Staaten beglückwünschte.

Doch es waren nur drei Leute anwesend.

Der fette, mürrische Kardinalstaatssekretär sowie zwei hochrangige italienische Kardinäle, süffisant, scheinheilig und überheblich.

Der korpulente Gebieter über die rechtlichen Angelegenheiten des Vatikans hatte Aringarosa begrüßt und ihn mit einer knappen Bewegung der teigigen Hand aufgefordert, ihm gegenüber Platz zu nehmen. »Bitte, lieber Mitbruder, machen Sie es sich bequem.«

Aringarosa hatte sich gesetzt, von dem bangen Gefühl erfüllt, dass irgendetwas in der Luft lag.

»Lieber Bruder, im Smalltalk bin ich leider ungeübt«, hatte der Sekretär das Gespräch eröffnet. »Gestatten Sie mir daher, dass ich ohne Umschweife auf den Grund Ihres Besuchs bei uns zu sprechen komme.«

»Bitte, sprechen Sie ganz offen.« Aringarosa hatte zu den Kardinälen hinübergeschaut, die ihn taxierten – in selbstgerechter Erwartung dessen, was da nun folgen würde.

»Wie Ihnen sicher bekannt ist«, fuhr der Sekretär fort, »haben Seine Heiligkeit und andere hochrangige Würdenträger Roms in jüngster Zeit mit tiefer Besorgnis den politischen Wellenschlag verfolgt, den Opus Dei mit seinen umstrittenen Praktiken ausgelöst hat.«

Aringarosa spürte, wie sich ihm die Nackenhaare aufstellten. Er hatte dieses Thema schon mehrere Male mit dem neuen Papst erörtert, der sich zu Aringarosas Entsetzen als lautstarker Fürsprecher eines liberalen Kurswechsels der Kirche erwiesen hatte.

»Seien Sie versichert«, hatte der Sekretär rasch hinzugefügt, »dass Seine Heiligkeit Ihnen in keiner Weise in Ihre Amtsführung hineinreden möchte.«

Das will ich auch hoffen. »Weshalb hat man mich dann herbestellt?«

Der Sekretär seufzte. »Lieber Mitbruder, da ich nicht weiß, wie ich es Ihnen schonend beibringen soll, werde ich keine Umschweife machen. Vor zwei Tagen hat der Rat der Kurie einstimmig beschlossen, Opus Dei die vatikanische Prälatur zu entziehen.«

Aringarosa glaubte, sich verhört zu haben. »Würden Sie das bitte wiederholen?«

»In schlichten Worten bedeutet es, dass Opus Dei nach Ablauf von sechs Monaten nicht mehr als Prälatur des Heiligen Stuhls zu betrachten ist. Der Heilige Stuhl wird sich von Ihnen distanzieren. Sie werden wieder zu einer normalen religiösen Organisation. Seine Heiligkeit hat sich dieser Auffassung angeschlossen. Die entsprechenden Papiere werden derzeit ausgefertigt.«

»Aber ... das ist doch nicht möglich!«

»Ganz im Gegenteil. Es ist sehr wohl möglich. Und notwendig. Ihre aggressiven Rekrutierungspraktiken und Ihre Praxis der körperlichen Selbstkasteiung haben den Unwillen Seiner Heiligkeit erregt.« Er hielt kurz inne. »Und was Ihre Haltung in der Frauenfrage betrifft, muss ich ganz offen sagen, dass Opus Dei zu einer Belastung und einem Ärgernis geworden ist.«

Bischof Aringarosa war sprachlos. »Ein *Ärgernis?*«

»Dass es so weit gekommen ist, kann Sie doch nicht überraschen.«

»Opus Dei ist die einzige katholische Organisation mit wachsenden Mitgliederzahlen! Wir haben mittlerweile über elfhundert Priester!«

»Gewiss. Es ist ein betrübliches Thema für uns alle.«

Aringarosa sprang auf. »Fragen Sie doch Seine Heiligkeit, ob Opus Dei auch ein Ärgernis war, als wir 1982 der Vatikanbank aus der Klemme geholfen haben!«

»Das wird der Vatikan Ihnen nie vergessen«, sagte der Kuriensekretär begütigend. »Gleichwohl sind viele der Meinung, dass Ihnen vor allem Ihr großzügiges Finanzgebaren im Jahr 1982 die päpstliche Prälatur eingetragen hat.«

»Das ist nicht wahr!«, brach es aus Aringarosa heraus. Die Unterstellung kränkte ihn tief.

»Wie dem auch sei, wir haben die Absicht, eine saubere Lösung zu finden. Wir werden eine Abfindungsvereinbarung mit Ihnen treffen, die auch die Erstattung der damaligen Gelder umfasst. Die Zahlung wird in fünf Raten erfolgen.«

»Sie wollen mich auszahlen?«, rief Aringarosa empört. »Sie wollen mein Schweigen erkaufen? Ich soll mich lautlos aus dem Staub machen? Und das, obwohl Opus Dei die einzige noch verbliebene Stimme der Vernunft innerhalb der katholischen Kirche ist?«

Einer der Kardinäle hob den Blick. »Wie bitte? Sagten Sie Vernunft?«

Aringarosa beugte sich weit über den Tisch. Seine Stimme wurde schneidend. »Ist es für Sie wirklich eine so große Überraschung, lieber Mitbruder, dass der katholischen Kirche die Gläubigen in Scharen davonlaufen? Schauen Sie sich doch einmal um! Die Menschen haben die Achtung vor der Kirche verloren. Der Glaube hat keinen Anreiz mehr für sie. Die Lehre ist zum Partygespräch verkommen. Die voreheliche Enthaltsamkeit, die Beichte, die Kommunion, die Taufe, die heilige Messe – was bedeutet es den Menschen noch? Was hat die Kirche an geistiger Führung denn noch anzubieten?«

»Das Kirchengesetz des dritten Jahrhunderts taugt nicht für das moderne Christentum«, sagte der zweite Kardinal. »Die Regeln von damals funktionieren in der modernen Gesellschaft nicht mehr.«

»Bei Opus Dei funktionieren sie sehr gut!«

»Bruder Aringarosa«, sagte der Kuriensekretär, und es klang endgültig, »aus Respekt vor dem guten Einvernehmen Ihrer Organisation mit unserem letzten Papst möchte Seine Heiligkeit Ihnen eine Frist von sechs Monaten für eine freiwillige Trennung vom Vatikan einräumen, die von Ihrer Seite aus erfolgen muss. Ich würde vorschlagen, dass Sie unter Berufung auf die Meinungsverschiedenheiten zwischen Ihnen und dem Heiligen Stuhl von diesem Angebot Gebrauch machen und sich wieder als eigenständige christliche Vereinigung etablieren.«

»Das kommt gar nicht in Frage!«, erklärte Aringarosa kategorisch. »Und das werde ich Seiner Heiligkeit persönlich mitteilen!«

»Ich befürchte, Seine Heiligkeit legt auf eine persönliche Aussprache keinen Wert mehr.«

Aringarosa erhob sich. »Er wird es nicht wagen, eine von seinem Vorgänger eingerichtete persönliche Prälatur aufzukündigen!«

»Tut mir Leid«, sagte der Kardinal Staatssekretär leidenschaftslos. »Der Herr hat's gegeben, der Herr hat's genommen.«

Bestürzt war Aringarosa nach New York zurückgekehrt.

Einige Wochen später bekam er den Anruf, der alles verändert hatte. Der Anrufer schien ein Franzose zu sein und stellte sich als *der Lehrer* vor – ein gängiger Titel in der Prälatur. Er sagte, er habe davon erfahren, dass der Vatikan Opus Dei die Unterstützung aufkündigen wolle.

Wie hat er das erfahren?, hatte Aringarosa sich gefragt. Er hatte gehofft, dass nur ein paar Männer an den wichtigsten Schaltstellen des Vatikans über die drohende Aufkündigung der Prälatur im Bilde seien, doch die Neuigkeit hatte offensichtlich schon die Runde gemacht. Was Klatsch anbelangte, gab es keine pröseren Mauern als die des Vatikans.

»Exzellenz, ich habe meine Ohren überall«, hatte der Lehrer geflüstert, »und die haben mir gewisse Neuigkeiten zugetragen. Mit Ihrer Hilfe wird es mir möglich sein, das Versteck einer heiligen Reliquie aufzuspüren, die Ihnen unvorstellbare Macht verschaffen wird ... so viel Macht, dass selbst der Vatikan das Haupt vor Ihnen wird beugen müssen.« Der Anrufer zögerte. »Nicht nur vor Opus Dei. Vor uns allen.«

Der Herr hat's genommen, der Herr hat's gegeben. Aringarosa hatte einen wärmenden Sonnenstrahl der Hoffnung verspürt. »Erklären Sie mir Ihren Plan.«

Bischof Aringarosa war bewusstlos, als die automatischen Türen des St. Mary's Hospitals sich zischend vor ihm öffneten. Halb ohnmächtig vor Erschöpfung taumelte Silas herein, brach in die Knie und rief um Hilfe. Im Empfangsbereich fuhren alle herum und starrten entsetzt auf den halb nackten, riesenhaften Albino und den blutverschmierten Geistlichen, den der Hüne hereingeschleppt hatte.

Der herbeigeeilte Arzt machte ein bedenkliches Gesicht, nachdem Silas ihm geholfen hatte, den halb bewusstlosen Aringarosa auf die Rollbahre zu legen. »Der Verletzte hat schon sehr viel Blut verloren. Ich kann Ihnen keine großen Hoffnungen machen.«

Aringarosas Lider zuckten. Für einen Moment richtete sein Blick sich auf Silas' Gesicht. »Mein Sohn …«

In Silas' Innerm fochten Reue und Wut einen erbitterten Kampf aus. »Vater, ich werde den Betrüger finden und zur Strecke bringen – und wenn es Jahre dauert!«

Aringarosa schüttelte matt den Kopf. »Silas, bitte«, sagte er mit traurigem Blick, »wenn du sonst nichts von mir gelernt hast, beherzige wenigstens diesen einen Grundsatz.« Er nahm Silas' Hand und drückte sie fest. »Gottes größtes Geschenk ist die Vergebung.«

»Aber Vater …«

Aringarosa schloss die Augen. »Du musst beten, Silas.«

101. KAPITEL

Robert Langdon stand unter der hohen Kuppel des verlassenen Kapitelhauses und starrte in die Mündung von Leigh Teabings Revolver.

Sind Sie für oder gegen mich, Robert? Teabings Frage hallte in Langdons Kopf wider.

Eine vertretbare Antwort darauf gab es nicht. Sagte er ja, war Sophie aus dem Spiel, sagte er nein, hatte Teabing keine andere Wahl, als sie beide zu töten.

Langdons langjährige Erfahrung im Hörsaal hatte ihn zwar nicht darauf vorbereitet, wie man sich verhält, wenn man mit einer Waffe bedroht wird, aber er hatte gelernt, mit paradoxen Fragen fertig zu werden. *Wenn eine Frage keine richtige Antwort zulässt, gibt es nur eine Lösung.*

Die Grauzone zwischen ja und nein.

Stille.

Den Blick fest auf das Kryptex in seiner Hand geheftet, trat er ein paar Schritte nach hinten auf die freie Fläche des riesigen Saals. *Neutraler Boden.* Langdon spekulierte darauf, dass Teabing seine Konzentration auf das Kryptex als Zeichen der Bereitschaft zur Zusammenarbeit interpretierte. Der britische Gralsforscher rechnete offenbar damit, die Berührung des marmornen Kryptex werde Langdon die Erhabenheit und Einzigartigkeit des Inhalts spüren lassen und seine wissenschaftliche Neugier auf eine Weise herausfordern, dass er alles andere darüber vergaß. Langdon sollte erkennen, dass ein bedeutendes Stück Geschichte für immer verloren ging, wenn es ihm nicht gelang, das Kryptex zu öffnen.

Langdon sah Sophie wie erstarrt vor der vorgehaltenen Waffe stehen. Die Entschlüsselung des Passworts für das Kryptex bot die wohl einzige Chance, Sophies Leben zu retten. *Wenn du den Wegweiser in die Hand bekommst, wird Teabing verhandeln müssen.* Langdon zwang sich zur Konzentration. In tiefes Nachdenken versunken, ging er zu den großen Fenstern hinüber. Die astronomischen Abbildungen auf Newtons Grabmal gingen ihm durch den Kopf.

Such die Kugel, die auf dem Grab sollt' sein.
Mit rosig Fleisch und samenschwerem Leib.

Den anderen den Rücken zugewandt, trat Langdon an die hohen Fenster und versuchte, deren Glasmalereien irgendeine Anregung zu entnehmen.

Es gab keine.

Du musst dich in Saunières Lage versetzen, ermahnte er sich und schaute hinaus in den College Garden. *Was für eine Kugel müsste seiner Meinung nach auf Newtons Grab sein?* Bilder von Sternen, Planeten und Kometen zogen vor Langdons geistigem Auge vorüber, während draußen der Regen rauschte. Saunière war kein Mann der Naturwissenschaften gewesen. Er war ein Mann, dem das Geschick der Menschen, die Kunst und die Geschichte am Herzen lagen. *Das göttlich Weibliche ... der Kelch ... die Rose ... die Verleugnung Maria Magdalenas ... der Sturz der Göttinnen ... der Heilige Gral ...*

In den Legenden tauchte die Gralserscheinung immer wieder in Gestalt einer herzlosen Verführerin auf, die im Zwielicht aufreizend vor ihrem Verfolger hertanzt und ihn flüsternd ins Ungewisse lockt, um sich unversehens in Nebelschwaden aufzulösen.

Langdon betrachtete das schaukelnde Geäst der Obstbäume im College Garden. Er spürte die Anwesenheit der verspielten Verführerin. Ihre Zeichen waren allgegenwärtig. Im feuchten Dunst fiel Langdons Blick auf die geisterhaften Silhouetten der ältesten Apfelbäume Englands und ihre feuchten, fünfblättrigen Blüten, schimmernd wie die Venus. Die Göttin hatte sich im Garten eingefunden, tanzte im Regen, sang die uralten Lieder und lugte spitzbübisch hinter den knorrigen, knospentragenden Ästen hervor – wie zum Zeichen für Langdon, dass die Frucht der Erkenntnis nur eine Armeslänge von ihm entfernt wuchs.

Zufrieden verfolgte Teabing von der anderen Seite des Saales, wie Langdon gleichsam unter einem Bann aus dem Fenster starrte.

Genau wie ich es erhofft habe, dachte er. *Er schwenkt auf meine Linie ein.*

Seit einiger Zeit schon hatte Teabing vermutet, dass Langdon auf den Schlüssel zum Gral gestoßen war. Es war keineswegs ein Zufall, dass Leigh Teabing in jener Nacht zur Tat geschritten war, in der Langdon und Jacques Saunière zusammentreffen wollten. Beim Abhören der Gespräche des Museumsdirektors war Teabing zu der Überzeugung gelangt, dass Saunières Absicht, sich mit Langdon zu treffen, nur eines bedeuten konnte: *Langdons unveröffentlichtes Manuskript hat einen Nerv der* Prieuré *getroffen.* Teabing war sicher gewesen, dass der Großmeister Langdon dazu bewegen wollte, Stillschweigen zu wahren.

Aber die Wahrheit war schon lange genug verschwiegen worden.

Silas' Anschlag hatte zwei Ziele erreicht. Zum einen hatte er verhindert, dass Saunière mit Langdon zusammengetroffen war, zum anderen hatte er dafür gesorgt, dass Langdon in Paris greifbar blieb, falls Teabing ohne seine Hilfe mit dem Schlussstein nicht fertig wurde.

Das für Saunière tödliche Treffen mit Silas zu arrangieren war fast schon zu einfach gewesen. Teabing hatte nur auf der Klaviatur der schlimmsten Ängste Saunières zu spielen brauchen. Am gestrigen Nachmittag hatte er Silas den Auftrag erteilt, den Museumsdirektor anzurufen. Silas hatte Saunière am Telefon einen Priester in Gewissensnöten vorgespielt. »Monsieur Saunière, verzeihen Sie meine Ungeduld, aber ich muss Sie sofort sprechen. Ich habe soeben einem Mann die Beichte abgenommen, der sich dazu bekannt hat, Ihre Angehörigen ermordet zu haben. Gegen das Beichtgeheimnis zu verstoßen ist normalerweise undenkbar für mich, aber in diesem Fall werde ich mich darüber hinwegsetzen ... «

Saunière hatte erschrocken, zugleich aber vorsichtig reagiert. »Meine Angehörigen sind bei einem Verkehrsunfall ums Leben gekommen. Der Bericht der Polizei war eindeutig.«

»Ganz recht, Ihre Angehörigen sind mit dem Wagen verunglückt. Doch der Mann hat mir anvertraut, dass er den Wagen von einer Brücke in den Fluss gedrängt hat.«

Saunière war verstummt.

»Monsieur Saunière, ich hätte mich niemals mit Ihnen in Verbindung gesetzt, hätte dieser Mann nicht eine Bemerkung gemacht, die mich nun um *Ihre* Sicherheit fürchten lässt.« Der Anrufer zögerte. »Auch Ihre Enkelin Sophie ist in Gefahr.«

Die Erwähnung Sophies hatte wie ein Zündfunke gewirkt. Saunière hatte Silas aufgefordert, unverzüglich zu ihm zu kommen, zum sichersten Ort, den der Museumsdirektor kannte – sein Büro im Louvre. Dann hatte er Sophie angerufen, um sie zu warnen. Die Verabredung mit Langdon war vergessen ...

Während Teabing nun Langdon auf der anderen Seite des Saales beobachtete, hatte er das Gefühl, erfolgreich einen Keil zwischen Langdon und Sophie getrieben zu haben. Sophie gefiel sich in ihrer trotzigen Haltung, doch Langdon schien sich nach wie vor zu bemühen, das Passwort zu knacken.

Er hat begriffen, wie wichtig es ist, den Gral zu finden und aus seinem Gefängnis zu befreien.

»Für *Sie* wird er das Kryptex nicht öffnen«, sagte Sophie, als hätte sie Teabings Gedanken gelesen. »Selbst wenn er es könnte.«

Teabing richtete den Blick auf Sophie. Er war inzwischen sicher, dass er die Waffe benutzen musste. Sosehr ihm dieser Gedanke missfiel, wusste er doch, dass er keine Sekunde zögern würde, wenn es so weit war. *Du hast ihr jede Chance gelassen, sich auf die richtige Seite zu schlagen. Und der Gral ist bedeutender als wir alle.*

In diesem Moment wandte Langdon sich vom Fenster ab. »Das Grabmal ...«, sagte er unvermittelt, und in seinen Augen glomm ein schwacher Hoffnungsfunke. »Ich glaube, ich weiß jetzt, an welcher Stelle an Newtons Grab ich nachsehen muss, um das Passwort zu finden.«

Teabings Herz setzte einen Schlag aus. »Wo? Sagen Sie es mir!«

»Nein, Robert!«, rief Sophie. Ihre Stimme überschlug sich beinahe vor Entsetzen. »Wollen Sie ihm etwa helfen? Das kann nicht sein!«

Langdon kam mit entschlossenen Schritten näher, das Kryptex in der rechten Hand. Sein Blick wurde hart. »Zuerst müssen Sie Sophie gehen lassen«, sagte er zu Teabing.

Teabings Optimismus geriet ins Wanken. »Robert, wir stehen ganz dicht vor der Lösung eines der größten Rätsel der Menschheit! Lassen Sie jetzt die Spielchen.«

»Das ist kein Spielchen. Lassen Sie Sophie laufen. Dann werde ich mit Ihnen zu Newtons Grabmal gehen, und wir öffnen gemeinsam das Kryptex.«

»Ich gehe nicht. Niemals!«, stieß Sophie zornig hervor. Ihre Augen hatten sich zu Schlitzen verengt. »Das Kryptex wurde von meinem Großvater an *mich* übergeben. Es steht Ihnen nicht zu, es zu öffnen!«

Langdon blickte Sophie an. In seinen Augen spiegelte sich Angst. »Sophie, Sie sind in Gefahr! Ich versuche doch nur, Ihnen zu helfen!«

»Indem Sie das Geheimnis ans Licht zerren, zu dessen Schutz mein Großvater sein Leben gelassen hat? Robert, Saunière hat Ihnen vertraut. *Ich* habe Ihnen vertraut!«

Panik kroch in Langdons Blick. Teabing musste unwillkürlich lächeln. Langdons klägliches Bemühen um Ritterlichkeit war geradezu komisch. *Da ist dieser Mann im Begriff, eines der größten Rätsel der Menschheitsgeschichte zu lösen, und ihm fällt nichts Besseres ein, als sich mit einer dummen Ziege zu streiten, die längst bewiesen hat, dass sie der Gralssuche nicht würdig ist.*

»Bitte, Sophie«, flehte Langdon, »Sie müssen weg von hier!«

Sie schüttelte den Kopf. »Wenn ich gehen soll, müssen Sie mir das Kryptex mitgeben – oder es vernichten.«

»Was?«

»Robert, meinem Großvater wäre es lieber gewesen, sein Geheimnis für immer untergehen zu sehen, als es in den Händen seines Mörders zu wissen.« Ihre Augen schimmerten feucht, doch ihr Blick blieb fest. Sie sah Teabing an. »Erschießen Sie mich! Aber ich werde das Vermächtnis meines Großvaters niemals in Ihre schmutzigen Hände geben!«

Teabing legte auf Sophie an.

»Nein!«, rief Langdon und hielt das Kryptex hoch über den harten Steinfußboden. »Nehmen Sie die Waffe weg, Leigh, oder ich lasse es fallen.«

Teabing lachte auf. »Damit konnten Sie Rémy beeindrucken, aber mich nicht. Ich kenne Sie besser. Nun mal ehrlich, Robert. Sie behaupten zu wissen, an welcher Stelle des Grabmals Sie nachschauen müssen?«

»Ja.« Doch das unmerkliche Flackern in Langdons Blick war Teabing nicht entgangen. Langdon log. Es war ein verzweifelter Täuschungsversuch, um Sophie zu retten. Teabing empfand nur noch tiefe Verachtung für diesen Mann. *Du bist ein einsamer Ritter inmitten von Kleingeistern. Dann musst du das Passwort eben allein knacken.*

Langdon und Sophie waren für Teabing nur noch ein Klotz am Bein; eine Bedrohung für ihn und den Gral. Die beiden zu beseitigen, besonders Robert Langdon, war zwar eine unangenehme Aufgabe, doch Teabing würde sie erledigen. Es blieb nur noch die knifflige Aufgabe, Langdon dazu zu bewegen, das Kryptex abzusetzen, damit Teabing dieses Possenspiel ohne Risiko zu Ende bringen konnte.

Teabing senkte die Waffe. »Als Zeichen meines Vertrauens«, sagte er. »Und jetzt stellen Sie bitte das Kryptex hin. Wir müssen vernünftig miteinander reden.«

Langdon wusste, dass sein Täuschungsversuch gescheitert war.

Er sah die Entschlossenheit auf Teabings Gesicht. Der Moment der Wahrheit war gekommen. Sobald er das Kryptex auf den Boden stellte, würde Teabing ihn und Sophie töten…

Doch Langdon hatte seinen Entschluss schon vor ein paar Minuten gefasst, als er aus dem Fenster in den College Garden hinausgeschaut hatte.

Denn dort hatte er die Wahrheit gesehen. Direkt vor seinen Augen. Ganz unvermittelt. Er wusste nicht, woher die Erleuchtung plötzlich gekommen war, doch es war keine Sinnestäuschung gewesen.

Der Gral hat sich eine würdige Seele gesucht.

Er würde Sophie beschützen.

Er würde den Gral beschützen.

Doch nun stand er vor Teabing wie ein demütiger Untertan vor seinem Herrscher und beugte sich vor, um das Kryptex langsam auf dem Steinboden abzusetzen. Nur noch ein paar Zentimeter ...

»Ja, Robert«, flüsterte Teabing und richtete den Revolver auf ihn, »stellen Sie es brav hin.«

»Tut mir Leid, Leigh.«

In einer einzigen fließenden Bewegung richtete Langdon sich plötzlich auf und schleuderte das Kryptex mit weit ausholendem Schwung nach oben in die Gewölbekuppel des Kapitelhauses.

Mit ohrenbetäubendem Krachen löste sich der Schuss aus dem Medusa-Revolver. Teabing hatte nicht einmal den Druck seines Fingers am Abzug gespürt. Langdon hechtete instinktiv zur Seite, als das Geschoss dicht neben seinen Füßen auf den Boden schlug und mit hohlem Jaulen als Querschläger vom Stein abprallte. Ein Teil von Teabings Innerm wollte abermals feuern, ein anderer Teil jedoch war viel, viel stärker und zwang ihn, den Blick nach oben ins Gewölbe zu richten.

Der Schlussstein!

Die Zeit gerann zu einem Albtraum, der in Zeitlupe ablief. Teabings Welt schrumpfte auf das Kryptex, das durch die Luft zu schweben schien. Er verfolgte seine Bahn bis zum höchsten Punkt der Kurve, wo es einen winzigen Augenblick in der Luft stillzustehen schien, um dann herabzustürzen, dem Steinboden entgegen, wobei es sich um sich selbst drehte. Jeden Moment würde es aufschlagen und zerplatzen... und mit ihm alle Hoffnungen und Träume Sir Leigh Teabings.

Es darf nicht auf den Boden prallen!

Teabing ließ die Waffe fallen und warf sich nach vorn. Klappernd fielen die Krücken zu Boden. Die Arme und Hände nach vorn gerichtet, schnappte er das Kryptex aus der Luft, geriet jedoch ins Straucheln und schlug schwer zu Boden. Das Kryptex prallte auf den Steinboden. Ein Splittern, das durch Mark und Bein ging, war zu vernehmen.

Teabing stockte der Atem. Mit vorgestreckten Armen auf dem kalten Steinboden liegend, starrte er beschwörend auf den Marmorzylinder und hoffte wider alle Vernunft, die Glasphiole im Innern möge nicht zersprungen sein.

Essiggeruch breitete sich aus. Teabing fühlte eine kühle Flüssigkeit über seine Finger laufen. Eisiges Entsetzen überfiel ihn. *NEIN!* Teabing sah förmlich, wie der Papyrus im Innern des Kryptex vom Essig zu Brei verwandelt wurde.

Langdon, du verdammter Narr, was hast du getan? Das Geheimnis des Grals ist für immer verloren!

Teabing brach in unkontrolliertes Schluchzen aus. Der Gral war dahin, alles war zerstört. Er versuchte, das Kryptex auseinander zu zwängen, um wenigstens noch einen letzten Blick auf den in Auflösung begriffenen Wegweiser zu erhaschen. Er zerrte an den Enden des Steinzylinders. Zu seinem maßlosen Erstaunen glitt er widerstandslos auseinander.

Nach Luft schnappend, spähte Teabing hinein. Bis auf ein paar feuchte Glasscherben war der Zylinder leer. Kein Papyrus, der sich in Essig auflöste...

Teabing drehte sich auf den Rücken und blickte zu Langdon hinauf. Sophie war an seine Seite getreten, den Revolver auf Teabing gerichtet.

Die fassungslosen Blicke Teabings richteten sich wieder auf das Kryptex. Jetzt erst sah er, dass die Einstellscheiben nicht mehr willkürlich gegeneinander verdreht waren, sondern dass zwischen den Markierungen ein Wort mit fünf Buchstaben stand.

»Der Apfel, von dem Eva verbotenerweise gegessen hat«, sagte Langdon kühl, »was ihr den Zorn Gottes eintrug. Die Erbsünde. Das Symbol für den Untergang des göttlich Weiblichen.«

Teabing traf die Erkenntnis mit schmerzlicher Klarheit. Die Kugel, die man auf Newtons Grabmal vergeblich suchte, konnte nichts anderes sein als der rosige Apfel mit dem prallen Kerngehäuse, der Newton unter einem Apfelbaum auf den Kopf gefallen war und der ihm die Inspiration zu seinem Lebenswerk geliefert hatte.

Seines Werkes Frucht! Das rosige Fleisch mit dem samenschweren Leib!

»Robert!«, stieß Teabing überwältigt hervor, »Sie haben es geschafft, den Schlussstein zu öffnen! Aber wo haben Sie den Wegweiser?«

Langdon griff in die Brusttasche seines Tweedjacketts und zog vorsichtig ein dünnes, offensichtlich uraltes Papyrusröllchen hervor. Nur ein paar Armeslängen von Teabing entfernt rollte er es behutsam auseinander und betrachtete es eingehend. Nach einer Weile glitt ein wissendes Lächeln über seine Züge.

Er weiß es! Teabing war so begierig, an Langdons Wissen teilzuhaben, dass er am ganzen Leib zitterte. Die Erfüllung seines Lebenstraums war zum Greifen nahe. »Nun sagen Sie schon«, flüsterte er. »Bitte, Robert, ich flehe Sie an … sagen Sie mir, was da steht. Noch ist es nicht zu spät.«

Draußen auf dem Gang zum Kapitelhaus näherten sich rasche, schwere Schritte. Seelenruhig rollte Langdon den Papyrus zusammen und steckte ihn zurück in die Tasche.

»Nein!«, rief Teabing schrill und versuchte vergeblich, auf die Beine zu kommen.

Die Tür flog auf. Bezu Fache stürmte in die große Halle, gefolgt von einer Gruppe britischer Polizisten. Faches Blick huschte in die Runde. Als er Teabing hilflos auf dem Boden liegen sah, von Sophie in Schach gehalten, steckte er aufatmend die Waffe ins Holster zurück.

»Agentin Neveu«, wandte er sich dann ungewohnt leise an Sophie, »ich bin erleichtert, Sie und Monsieur Langdon wohlauf zu sehen. Aber Sie hätten meine Anweisung befolgen sollen, sich der Polizei zu stellen.«

Die britischen Polizisten verhafteten Teabing und legten ihm Handschellen an.

Sophie blickte Fache verwundert an. »Wie haben Sie uns aufgespürt?«

Der Capitaine deutete auf Teabing. »Er hat den Fehler gemacht, mit seinem Ausweis herumzufuchteln, um unkontrolliert in diese Kirche zu kommen. Die Wachleute haben im Polizeifunk gehört, dass nach ihm gefahndet wird.«

Teabing gebärdete sich wie ein Wahnsinniger. »Suchen Sie in Langdons Tasche!«, rief er. »Der Wegweiser zum Heiligen Gral! Er ist in Langdons Tasche!« Doch keiner der Beamten reagierte auf diese offenkundig verrückten Äußerungen. Teabing richtete den Blick auf Langdon. »Verraten Sie mir, wo er versteckt ist, Robert. *Bitte!*«, flehte er.

»Den Gral wird nur finden, wer dessen würdig ist«, sagte Langdon. »Ihre eigenen Worte, Sir Leigh.«

102. KAPITEL

Kensington Gardens lagen im Dunst, als Silas in eine Mulde taumelte, die vor Blicken geschützt war. Erschöpft, mit wild pochendem Herzen, kniete er auf dem Rasen nieder. Warm spürte er das Blut aus der Schusswunde unter seinem Rippenbogen sickern, doch er achtete nicht darauf.

Im Dunst des Nebels sah es hier wie im Himmel aus, und es war so friedlich, so still.

Silas hob die blutigen Hände zum Gebet. Das Prasseln des Regens auf Schultern und Rücken wurde stärker; die Tropfen liebkosten seine Finger und wuschen sie sauber. Silas spürte, wie sein Körper Stück für Stück in Nebel zerfloss.

Du bist ein Gespenst.

Ein Windstoß trug den feuchten, erdigen Geruch neuen Lebens zu ihm. Silas betete voller Inbrunst um Vergebung, um Gnade und vor allem darum, dass Gott seinen Mentor, Bischof Aringarosa, nicht vor der Zeit abberufen möge.

Es gibt noch so viel für ihn zu tun.

Die Nebelschwaden umwogten den gewaltigen Körper des Albinos. Silas fühlte sich seltsam leicht. Er war sicher, die Schwaden würden ihn davontragen. Er schloss die Augen und sprach ein letztes Gebet.

Aus dem Nebel flüsterte ihm Manuel Aringarosas Stimme etwas zu.

Gott ist voll der Güte und voll der Gnade …

Silas' Qual verebbte. Er wusste, dass der Bischof die Wahrheit gesprochen hatte.

103. KAPITEL

Am Spätnachmittag brach die Sonne durch den grauen Londoner Regenhimmel. Bezu Fache hatte erschöpft das Verhörzimmer verlassen und ein Taxi herbeigewunken. Sir Leigh Teabing hatte lautstark seine Unschuld beteuert und wirres Zeug vom Heiligen Gral, uralten Geheimdokumenten und einer geheimnisvollen Bruderschaft gefaselt. Fache hatte sich des Eindrucks nicht erwehren können, dass der gerissene Teabing schon daran arbeitete, seinen Anwälten den Weg für ein Plädoyer auf Unzurechnungsfähigkeit zu ebnen.

Von wegen unzurechnungsfähig, dachte Fache. Teabing hatte mit schier unfassbarer Gründlichkeit dafür gesorgt, dass er die Hände in Unschuld waschen konnte – jedenfalls in den kritischen, entscheidenden Punkten. Er hatte den Vatikan und Opus Dei für seine Zwecke eingespannt, die sich beide als völlig unschuldig erwiesen hatten. Die Dreckarbeit hatten unwissentlich ein fanatischer Mönch und ein verzweifelter Bischof für ihn erledigt. Der cleverste Schachzug war, dass Teabing seinen Horchposten an einem Ort eingerichtet hatte, der für einen Behinderten wie ihn praktisch unzugänglich war. Das Abhören hatte denn auch sein Butler Rémy durchgeführt – der Einzige, der in Teabings Machenschaften eingeweiht war –, und Rémy war inzwischen praktischerweise das beklagenswerte Opfer eines allergischen Schocks geworden.

Das ist wohl kaum die Handschrift eines Mannes, der nicht bei Verstand ist, dachte Fache.

Auch Collets Informationen aus Château Villette ließen erahnen, dass sogar Fache sich von Teabings Durchtriebenheit noch eine Scheibe abschneiden konnte. Um seine Abhörgeräte in den macht- und prestigeträchtigsten Büros und Dienststellen von Paris zu platzieren, hatte Teabing sich am Trojanischen Pferd der alten Griechen ein Beispiel genommen. Einige Zielpersonen hatten von Teabing erlesene – und sorgfältig verwanzte – Kunstwerke geschenkt bekommen, andere hatten ahnungslos auf Auktionen Stücke ersteigert, die Teabing präpariert und im Angebot platziert hatte. Saunière hatte eine Einladung zum Dinner erhalten, bei der Teabing sich ihm als Sponsor für einen neuen Da-Vinci-Flügel im Louvre angeboten hatte. Auf der Einladung hatte sich ein harmlos wirkendes Postskriptum befunden, worin Teabing seine Bewunderung für das Modell eines Ritters zum Ausdruck brachte. Teabing schrieb weiter, ihm sei zu Ohren gekommen, dass Saunière selbst dieses Modell gebaut habe. Ob er, Teabing, den verehrten Herrn Direktor bitten dürfe, das Modell zum Dinner mitzubringen?

Saunière war darauf eingegangen und hatte den Ritter gerade lange genug aus den Augen gelassen, um Rémy die Installation einer kleinen, unauffälligen Zusatzfunktion zu gestatten.

Fache lehnte sich auf der Rückbank des Taxis zurück und schloss die Augen.

Bevor du nach Paris zurückkehrst, musst du noch eine letzte Sache erledigen.

Die Sonne schien in den Aufwachraum des St. Mary's Hospitals.

»Sie haben uns alle sehr beeindruckt«, sagte die Krankenschwester und lächelte den Patienten an. »Es grenzt an ein Wunder.«

Bischof Aringarosa lächelte matt zurück. »Ich bin nun mal ein Glückskind.«

Als die Schwester das Krankenzimmer verlassen hatte und der Bischof allein war, schwand sein Lächeln, und er dachte betrübt an Silas, dessen Leiche man in einem Park gefunden hatte.

Vergib mir, mein Sohn.

Aringarosa hatte großen Wert darauf gelegt, Silas in seinen

phantastischen Plan einzubeziehen. Gestern Nacht jedoch hatte Capitaine Fache ihn telefonisch aufgespürt und über seine Verbindung zu einer Nonne befragt, die in Paris, in der Kirche Saint-Sulpice, ermordet aufgefunden worden war. Aringarosa hatte erkannt, dass die Ereignisse eine schreckliche Wendung genommen hatten. Als er dann noch von den vier anderen Morden erfuhr, war aus seinem Erschrecken nacktes Entsetzen geworden. *Silas, was hast du getan?* Der Lehrer hatte Silas von der Leine gelassen – und Aringarosa konnte mit seinem Schützling keine Verbindung aufnehmen. *Der Lehrer hat Silas missbraucht.*

Um den schrecklichen Geschehnissen, die Aringarosa mit in Gang gesetzt hatte, ein Ende zu machen, sah der Bischof nur noch eine Möglichkeit: Er musste vor Fache ein umfassendes Geständnis ablegen und sich gemeinsam mit ihm auf Silas' Spur setzen, um zu verhindern, dass dieser sich vom Lehrer ein weiteres Mal zum Mord missbrauchen ließ.

Aringarosa war todmüde. Er schloss die Augen und lauschte dem Fernsehbericht über die Verhaftung des prominenten britischen Adligen Sir Leigh Teabing. *Der Lehrer ... vor aller Augen bloßgestellt.* Teabing hatte von den Plänen des Vatikans, die Trennung von Opus Dei zu vollziehen, Wind bekommen und Aringarosa zum idealen Bauern in seinem Schachspiel auserkoren.

Wer wäre geeigneter, dem Gral blindlings hinterherzuhecheln als ein Mann, der nichts mehr zu verlieren hat? Einer wie du! Versprach der Gral nicht jedem, der ihn besaß, unermessliche Macht?

Mit falschem französischen Akzent, einem nicht minder falschen frommen Herzen und einem vorgetäuschten Interesse an dem, was er am wenigsten brauchte – Geld –, hatte Leigh Teabing seine Identität raffiniert zu verschleiern gewusst. Aringarosa war viel zu sehr auf den Heiligen Gral versessen gewesen, um Verdacht zu schöpfen. Am Wert des Grals gemessen, war der geforderte Preis von zwanzig Millionen Euro eine Kleinigkeit – und die Zahlung der Abfindung des Vatikans an Opus Dei wäre gerade recht gekommen, um den Handel zu finanzieren. *Der Blinde sieht, was er sehen möchte.* Der Gipfel von Teabings Dreistigkeit hatte darin bestanden, die Zahlung in Form von Inhaberobligationen der Vatikanbank zu verlangen. Falls etwas schief ging, würde die Spur nach Rom weisen.

»Ich bin erfreut, Sie auf dem Weg der Besserung zu sehen, Exzellenz.«

Aringarosa erkannte sofort die Stimme, die ihn von der Tür her ansprach. Als er die Augen aufschlug, blickte er in ein ernstes Gesicht mit markanten Zügen. Das schwarze Haar des Mannes war straff nach hinten gekämmt, und sein dunkler Anzug spannte sich über seinem breiten Kreuz und dem Stiernacken. »Capitaine Fache«, sagte Aringarosa erfreut. Das Mitgefühl und die Besorgtheit, die der Capitaine in der vergangenen Nacht für Aringarosas Lage aufgebracht hatte, hatten den Bischof erkennen lassen, dass Fache ein viel sanfterer Mann war, als sein barsches Auftreten vermuten ließ.

Der Capitaine trat ins Zimmer und stellte einen schweren schwarzen Diplomatenkoffer auf dem Stuhl am Krankenbett ab. »Ich nehme an, der gehört Ihnen.«

Aringarosa streifte den Koffer mit einem Blick und sah beschämt zur Seite. »Ja… vielen Dank…« Er zögerte. Seine Finger strichen nervös über das weiche Bettzeug. »Capitaine«, sagte er schließlich, »ich habe lange nachgedacht. Darf ich Sie um einen Gefallen bitten?«

»Aber natürlich.«

»Die Hinterbliebenen der Opfer, die Silas in Paris…« Er verstummte und schluckte schwer. »Ich weiß natürlich, dass ich mit Geld nichts gutmachen kann, aber ich möchte Sie dennoch bitten, den Inhalt dieses Koffers unter den Familien der Ermordeten aufzuteilen.«

Faches dunkle Augen musterten Aringarosa längere Zeit. »Eine noble Geste, Exzellenz. Ich werde dafür sorgen, dass Ihrem Wunsch entsprochen wird.«

Bleierne Stille senkte sich über die beiden Männer.

Im Fernsehen war ein schlossartiger Landsitz zu sehen. Ein hagerer französischer Polizeibeamter, der Fache gut bekannt war, stand vor dem Eingangstor und gab Interviews. Fache wandte sich dem Bildschirm zu.

»Leutnant Collet«, sagte eine Reporterin der BBC soeben, »letzte Nacht hat Ihr Capitaine zwei unschuldige Menschen des Mordes bezichtigt. Ihre Behörde muss sich von Robert Langdon und Sophie Neveu zur Rechenschaft ziehen lassen. Wird das Capitaine Fache den Job kosten?«

Collet lächelte die Reporterin ein wenig abgespannt, aber gleichmütig an. »Ich kann Ihnen versichern, dass Capitaine Fache sehr selten Fehler macht. Ich hatte bislang noch nicht die Gelegenheit, über diese Angelegenheit mit ihm zu sprechen, aber da ich seine Arbeitsweise kenne, darf man wohl davon ausgehen, dass die Fahndung nach Agentin Neveu und Mr Langdon ein Täuschungsmanöver war, um den wahren Mörder aus der Reserve zu locken.«

Die Reporter wechselten überraschte Blicke.

»Zurzeit kann ich noch nicht sagen«, fuhr Collet fort, »ob Mr Langdon und Agentin Neveu in das Spiel eingeweiht waren. Capitaine Fache zieht es üblicherweise vor, bestimmte Schachzüge für sich zu behalten. Allerdings kann ich Ihnen hier und jetzt die Festnahme des wahren Täters durch Capitaine Fache bekannt geben. Mr Langdon und Agentin Neveu befinden sich in Sicherheit und sind wohlauf.«

Als Fache sich wieder Aringarosa zuwandte, spielte ein feines Lächeln um seine Lippen. »Ein guter Mann, dieser Collet.«

Einige Augenblicke vergingen. Fache strich sich mit der Hand über das an die Kopfhaut geklatschte pomadisierte Haar und blickte Aringarosa an. »Exzellenz, bevor ich nach Paris zurückkehre, muss ich noch eine letzte Angelegenheit mit Ihnen klären. Es geht um den Flug nach London, den Sie so spontan unternommen haben. Sie haben den Piloten durch Bestechung veranlasst, den Kurs zu ändern – womit Sie eine ganze Reihe international gültiger Regeln verletzt haben.«

»Ich … ich war völlig verzweifelt«, erwiderte Aringarosa kleinlaut.

»Sicher, sicher. Der Pilot übrigens auch, als meine Leute ihn verhört haben.« Fache griff in die Tasche und holte einen Amethystring mit einer Einlegearbeit hervor, die Mitra und Krummstab zeigte.

Tränen traten Aringarosa in die Augen. Er nahm den Ring entgegen und steckte ihn an den Finger. »Sie waren sehr gut zu mir.« Er ergriff Faches Hand und drückte sie. »Ich danke Ihnen.«

Fache ließ die Geste äußerlich unbewegt über sich ergehen. Er wandte sich ab, trat ans Fenster und blickte geistesabwesend hinaus über die Dächer der Stadt. Als er sich wieder umwandte, wirkte er unsicher. »Exzellenz, wohin führt Sie der Weg von hier?«

Bei Aringarosas Aufbruch am Vorabend in Castel Gandolfo hatte man ihm diese Frage schon einmal gestellt. »Mein zukünftiger Weg dürfte so ungewiss sein wie der Ihre, Capitaine Fache.«

»Ja, mag sein.« Fache zögerte. »Aber ich werde wohl bald in den Ruhestand gehen.«

Aringarosa lächelte. »Ein wenig Glauben kann Wunder bewirken, Capitaine. Nur ein ganz klein wenig.«

104. KAPITEL

Rosslyn Chapel – oft auch als die »Kathedrale der Codes« bezeichnet –, erhebt sich knapp zwölf Kilometer südlich von Edinburgh an der Stelle eines alten Mithrastempels. Die von Nachfahren der Tempelritter im Jahr 1446 erbaute Kapelle ist mit einer verwirrenden Fülle von Symbolen aus christlichen, jüdischen, ägyptischen und heidnischen Überlieferungen und aus dem Repertoire der dem Freimaurertum vorangehenden Bauhütten versehen.

Die geographischen Koordinaten der Kapelle stimmen genau mit dem durch Glastonbury verlaufenden Nord-Süd-Meridian überein. Diese longitudinale Rosenlinie wird der Überlieferung zufolge als Markierung von König Artus Insel Avalon betrachtet und gilt als zentrale Bezugsachse der heiligen Geometrie Britanniens. Die heilige Rosenlinie hat Rosslyn – früher schrieb man es Roslin – den Namen gegeben.

Der gedrungene Bau der Kapelle warf lange abendliche Schatten, als Robert Langdon und Sophie Neveu mit ihrem Mietwagen auf den grasbewachsenen Parkplatz am Fuß des Steilhangs vor der Kapelle fuhren. Der kurze Flug von London nach Edinburgh war erholsam gewesen, auch wenn sie in gespannter Erwartung des Kommenden beide keinen Schlaf gefunden hatten. Beim Blick hinauf zu dem Bauwerk, das sich scharf und markant gegen den Abendhimmel abzeichnete, kam Langdon sich vor wie Alice im Wunderland, nachdem sie kopfüber in das Kaninchenloch gefallen war. *Das kann nur ein Traum sein.* Doch Jacques Saunières letzte Botschaft hätte eindeutiger nicht sein können. Wieder ein Vierzeiler.

> *The Holy Grail 'neath ancient Roslin waits.*
> *The blade and chalice guarding o'er Her Gates.*
> *Adorned in masters' loving art, She lies.*
> *She rests at last beneath the starry skies.*[12]

Langdon hatte erwartet, dass Saunières »Wegweiser« zum Gral eine Art Landkarte sein würde – vielleicht eine Kartenskizze mit einem Kreuz an der entsprechenden Stelle –, aber auch das letzte Geheimnis der *Prieuré* war ihnen in der gleichen Form kundgetan worden, in der Saunière die ganze Zeit zu ihnen gesprochen hatte: als scheinbar harmloser Vers. Vier Zeilen, die zweifellos auf diesen konkreten Ort hindeuteten. Abgesehen von der Nennung des Ortsnamens verwiesen die Verszeilen auf einige der berühmten architektonischen Merkmale der Kapelle.

Doch ungeachtet ihrer Klarheit hatte Saunières letzte Enthüllung bei Langdon kein Aha-Erlebnis, sondern gewisse Vorbehalte ausgelöst. Rosslyn Chapel war ihm als Lösung viel zu offensichtlich. Um dieses steinerne Bauwerk woben sich seit Jahrhunderten geflüsterte Legenden, die hier den Heiligen Gral verborgen wissen wollten. In jüngster Zeit war aus dem Flüstern ein lauter Ruf geworden, nachdem Untersuchungen mit gesteinsdurchdringendem Radar (GPR) Hinweise auf eine erstaunliche Besonderheit *unter* der Kapelle ergeben hatten, eine geräumige Kammer im Untergrund des Bauwerks. Nicht nur, dass die Ausmaße des Tiefengewölbes die der Kapelle in den Schatten stellten, es schien auch weder Ein- noch Ausgang zu haben. Archäologen stellten beim Rosslyn Trust, der zuständigen Verwaltungsstelle, den Antrag, einen Stollen durch das Deckgestein zur geheimnisvollen Kammer treiben

---

[12] Unter Alt-Roslin der Gral verharrt.
Winkel und Kelch das Grab bewahrt.
Es ist von des Meisters Kunst geschmückt.
Und unters Sternenzelt endlich gerückt.

zu dürfen. Der Trust hatte jedoch Ausgrabungen jeglicher Art auf dem heiligen Gelände ausdrücklich untersagt – was die Spekulationen natürlich erst recht anheizte. Was hatte der Rosslyn Trust zu verbergen?

Rosslyn war zum Wallfahrtsort für Geheimnissucher geworden. Manche behaupteten, das starke lokale Erdmagnetfeld habe sie angezogen, das unerklärlicherweise genau an dieser Stelle aus dem Untergrund drängt; andere kamen, um den Steilhang nach dem Zugang zur geheimnisvollen unterirdischen Kammer abzusuchen. Die meisten aber gaben freimütig zu, gekommen zu sein, um die mysteriöse Aura des Grals auf sich einwirken zu lassen.

Langdon war noch nie in Rosslyn gewesen, war aber jedes Mal erheitert, wenn es hieß, die Kapelle sei die derzeitige Heimat des Heiligen Grals. Zugegeben, vor sehr langer Zeit mochte es so gewesen sein, aber bestimmt nicht bis auf den heutigen Tag. Dafür war Rosslyn in den vergangenen Jahrzehnten viel zu sehr ins Rampenlicht geraten. Außerdem war es nur eine Frage der Zeit, bis doch jemand in die geheime Kammer eindringen würde.

Die Gralsforscher waren sich einig, dass Rosslyn nur ein Köder war, eine der vielen falschen Spuren, die die *Prieuré de Sion* so meisterhaft zu legen verstand. Heute Abend allerdings war Langdons vorgefasste Meinung doch ins Wanken geraten, nachdem der Schlussstein der *Prieuré* so eindeutig auf diesen Ort verwiesen hatte.

Eine verwirrende Frage hatte ihn den ganzen Tag schon beschäftigt: Warum hatte Saunière sich solche Mühe gemacht, Sophie und ihn an einen so offensichtlichen Ort zu führen? Es schien nur eine logische Antwort darauf zu geben.

Mit Rosslyn hat es irgendeine Bewandtnis, die wir noch nicht kennen.

»Robert?« Sophie war schon aus dem Wagen gestiegen und drehte sich nach ihm um. »Kommen Sie mit?« Sie hatte das Rosenholzkästchen in den Händen. Nachdem Capitaine Fache es ihr übergeben hatte, hatte Sophie wieder den Originalzustand mit den beiden ineinander steckenden Kryptexen hergestellt. Der Papyrus mit dem Vers war sicher in die Höhlung im Innern eingeschlossen – natürlich ohne die Essigphiole.

Der lange Kiesweg hinauf zur Kapelle führte Sophie und Langdon an seinem Ende an der berühmten Westfassade des Gebäudes vorbei. Unvorbereitete Besucher hielten diese merkwürdig vorspringende Mauer vielfach für einen unvollendeten Teil der Kapelle, doch wie Langdon sich erinnerte, war die Wahrheit noch weitaus spannender.

Die westliche Mauer des Tempels Salomons.

Die Nachfahren der Tempelritter hatten Rosslyn Chapel als genaues architektonisches Abbild von Salomons Tempel in Jerusalem entworfen – samt der Westmauer, dem engen rechteckigen Sakralraum und der unterirdischen Kammer mit dem Allerheiligsten, aus der die neun ursprünglichen Tempelritter ihren unermesslichen Schatz geborgen hatten. Langdon musste eingestehen, dass die Vorstellung, die Nachfahren der Templer hätten eine Gralsgruft mit Anklängen an den ursprünglichen Aufbewahrungsort des Heiligen Grals erbaut, eine gewisse Logik enthielt.

Das Portal von Rosslyn Chapel war schmuckloser, als Langdon erwartet hatte. In zwei eisernen Angeln hing eine Holztür mit einem schlichten Schild aus Eichenholz und der Inschrift:

ROSLIN

Langdon erklärte Sophie die altertümliche Schreibweise, die sich vom Rosenlinien-Meridian herleitete, auf dem die Kapelle stand – beziehungsweise, wie die Gralshistoriker es interpretierten, von der »Rosenlinie« als der uralten Ahnenreihe Maria Magdalenas.

Die Besuchszeit der Kapelle war fast zu Ende. Beim Öffnen der Tür schlug Langdon ein Schwall warmer Luft entgegen, als hätte das alte Gemäuer am Ende eines langen Tages einen müden Seufzer ausgestoßen. Die Gewölbebögen am Eingang waren reichhaltig in Fünfpässe aufgelöst.

Rosen. Der Schoß der Göttin.

Als Langdon mit Sophie das Innere betrat, wurde sein staunender Blick in den berühmten Sakralraum gezogen. Er kannte zwar die Berichte, doch die unglaublich aufwändigen Steinmetzarbeiten von Rosslyn mit eigenen Augen zu sehen war eine Erfahrung ganz eigener Art.

Ein Paradies für einen Symbolkundler, hatte einer seiner Kollegen gesagt.

Jede freie Fläche im Innern der Kapelle war über und über mit aus dem Stein gehauenen Symbolen bedeckt – christliche Kreuze, jüdische Sterne, in die spätere Freimaurerei übernommene Zeichen der Baugilden, Templerkreuze, Füllhörner, Pyramiden, astrologische Zeichen, Pflanzenmotive, Gemüsepflanzen, Pentagramme und Rosen. Die Tempelritter waren Meister der Steinmetzkunst gewesen und hatten überall in Europa ihre Kirchen errichtet, doch Rosslyn Chapel galt als das sublimste Werk der Stein gewordenen Liebe und Verehrung. Die meisterhaften Steinmetze hatten keinen Stein unbearbeitet gelassen. Rosslyn Chapel war ein Schrein für jeden Glauben … für jede Heilsüberlieferung … und vor allem für die Verehrung der Natur und der Göttin.

Abgesehen von ein paar Besuchern, die bei der letzten Führung des Tages den Erläuterungen eines jungen Mannes lauschten, war der Kirchenraum leer. Der Fremdenführer ließ die Besucher im Gänsemarsch eine wohl bekannte Route auf dem Boden der Kirche abschreiten – einen imaginären Pfad, der sechs der wichtigsten Punkte im Innenraum auf geraden Linien miteinander verband. Generationen von Besuchern waren über diese Verbindungslinien geschritten, und ihr Schuhwerk hatte dabei ein riesiges Symbol in den Fußboden gewetzt.

Der Davidstern, dachte Langdon. *An dieser Stelle beileibe kein Zufall.* Das auch als »Siegel Salomons« bekannte Hexagramm war vor Urzeiten das Symbol der sternkundigen Priester gewesen und später von den Königen der Israeliten übernommen worden – von David und Salomon.

Der Fremdenführer hatte Langdon und Sophie hereinkommen sehen. Obwohl es eigentlich schon Zeit zum Schließen war, hatte er sie freundlich lächelnd aufgefordert, sich in Ruhe umzusehen.

Langdon nickte ihm dankend zu und wollte tiefer in den Kirchenraum hinein; Sophie jedoch blieb wie angewurzelt am Eingang stehen.

»Was ist?«, fragte Langdon.

»Ich ... glaube, hier bin ich schon mal gewesen«, sagte Sophie verwundert.

»Aber Sie haben doch gesagt, Sie hätten noch nie von Rosslyn gehört.«

»Habe ich auch nicht ...« Sophie ließ den Blick durch den Innenraum schweifen. »Mein Großvater muss mich hergebracht haben, als ich noch sehr klein war. Ich weiß nicht, es kommt mir alles so vertraut vor.« Sie sah sich ausgiebig um. »Ja«, sagte sie schließlich und deutete ans andere Ende des Sakralraums. »Diese beiden Säulen ... ich habe sie schon einmal gesehen.«

Am anderen Ende des Innenraums, wo sich in Kirchen normalerweise der Altar befindet, erhoben sich zwei kunstvoll gearbeitete Säulen. Die weißen, filigranen Verzierungen glühten in den letzten Strahlen der durchs Westfenster scheinenden Abendsonne blutrot auf. Die Säulen bildeten ein merkwürdig aufeinander abgestimmtes Paar. In die linke waren schlichte senkrechte Kannelierungen eingemeißelt, während die rechte von üppigen Blumengirlanden umwunden war.

Sophie ging zu den Säulen hinüber. Langdon folgte ihr. Als Sophie die Säulen erreichte, schüttelte sie den Kopf, als könne sie es nicht glauben. »Ja, ganz sicher. Ich habe die Säulen schon einmal gesehen.«

»Das bezweifle ich nicht«, meinte Langdon, »aber es müssen nicht *diese* beiden gewesen sein.«

Sophie blickte ihn an. »Wie meinen Sie das?«

»Diese Säulen sind das meist kopierte Stück Architektur der Geschichte. Es gibt Kopien auf der ganzen Welt.«

»Kopien von Rosslyn?«, wunderte sich Sophie.

»Nein. Erinnern Sie sich, dass ich anfangs gesagt habe, Rosslyn sei eine Kopie vom Tempel Salomons? Diese beiden Säulen sind exakte Repliken jener beiden Säulen, die vor dem salomonischen Tempel gestanden haben.« Er deutete auf die Säule zur Linken. »Diese heißt Booz – oder die Säule der Steinmetz-Meister. Die andere heißt Jachin – die Säule der Lehrlinge. Praktisch jeder Freimaurertempel der Welt hat zwei solche Säulen.«

Langdon hatte zuvor schon die starken historischen Verbindungen zwischen dem Templerorden und dem modernen Freimaurertum erklärt, dessen Grade – Lehrling, Geselle und Meister – bis auf die Frühzeit des Templerordens zurückgehen. Die beiden letzten Verszeilen von Sophies Großvater enthielten eine direkte Anspielung auf die Steinmetzmeister, die die Kapelle von Rosslyn so kunstvoll und reichhaltig ausgeschmückt hatten. Sie erwähnten auch die mit eingemeißelten Sternen und Planeten geschmückte Langhausdecke.

»Ich bin noch nie in einem Freimaurertempel gewesen«, sagte Sophie, in die Betrachtung der Säulen versunken. »Ich bin mir fast sicher, dass es *diese* Säulen gewesen sind.« Sie wandte sich um und ließ den Blick durch die Kapelle schweifen, als wäre sie auf der Suche nach etwas, an dem sie ihre Erinnerungen festmachen konnte.

Die Besuchergruppe rüstete zum Gehen. Der Fremdenführer, ein gut aussehender junger Mann Ende zwanzig mit strohblondem Haar und ausgeprägtem schottischen Akzent, kam freundlich lächelnd zu Sophie und Robert. »Gleich muss ich für heute Schluss machen. Kann ich Ihnen vielleicht noch etwas zeigen?«

Wie wär's mit dem Heiligen Gral?, dachte Langdon.

»Den Code!«, platzte Sophie in plötzlicher Eingebung heraus. »Hier ist irgendwo ein Code!«

Der Fremdenführer musterte Sophie erstaunt. »Ja, das stimmt, Ma'am.«

»Er ist irgendwo an der Decke«, sagte Sophie und wandte sich nach rechts. »Irgendwo da drüben rechts oben.«

Der junge Mann lächelte. »Das ist nicht Ihr erster Besuch in Rosslyn, Ma'am, wie ich sehe.«

Der Code, dachte Langdon. An diese Legende hatte er gar nicht mehr gedacht. Eines der vielen Geheimnisse von Rosslyn war ein steinernes Gewölbe, von dessen Decke Hunderte von Steinblöcken ragten – auf eine Weise, dass sie eine eigenartig vielgestaltige Fläche bildeten. In jeden dieser Blöcke war ohne erkennbares System ein Symbol eingemeißelt, woraus eine Matrix unauslotbarer Kombinationsmöglichkeiten entstand. Manche meinten, der Zugang zu dem unterirdischen Gewölbe sei hier verschlüsselt niedergelegt, während andere darin die wahre Grallegende erblicken zu können glaubten. Wie dem auch sei – schon seit Jahrhunderten bissen die Kryptographen sich an der Entzifferung dieses Codes die Zähne aus. Der Rosslyn Trust hatte auf die Entdeckung der geheimen Bedeutung eine hohe Belohnung ausgesetzt, doch der Code ist bis zum heutigen Tag ein Geheimnis geblieben.

»Es wäre mir ein Vergnügen, wenn ich Ihnen zeigen darf, wo …«

Die Stimme des Fremdenführers klang für Sophie wie aus weiter Ferne.

Mein erster Code, dachte sie, als sie sich wie in Trance auf das Gewölbe mit den rätselhaften Steinen zubewegte, nachdem sie Langdon die Rosenholzschatulle in die Hand gedrückt hatte. Die Gralssuche, die *Prieuré de Sion* und all die anderen Geheimnisse des vergangenen Tages fielen von ihr ab. Die Vergangenheit stürmte wieder auf sie ein, als sie nun unter die Gewölbedecke mit den Code-Steinen trat und die Symbole über ihrem Kopf betrachtete. Die Erinnerung an ihren ersten Besuch hier ging unvermutet mit einer seltsamen Traurigkeit einher …

Es war ungefähr ein Jahr nach dem Tod ihrer Angehörigen. Sie war ein kleines Mädchen gewesen. Der Großvater hatte sie für ein paar Ferientage nach Schottland mitgenommen. Vor der Rückreise nach Paris waren sie nach Rosslyn gefahren, um sich die Kapelle anzusehen. Es war spät, und die Kapelle war eigentlich schon für Besucher geschlossen, doch sie befanden sich immer noch in dem Gebäude.

»*Grand-Père*, ich möchte nach Hause«, hatte Sophie gequengelt. Sie war müde.

»Gleich, Liebling, gleich.« Die Stimme des Großvaters klang wehmütig. »Ich muss hier noch eine letze Sache erledigen. Wie wär's, wenn du draußen im Auto auf mich wartest?«

»Musst du noch mal so was machen, das nur Erwachsene verstehen?«

Saunière nickte. »Es dauert nicht lange, ich versprech's dir.«

»Darf ich noch einmal zu dem Code im Gewölbe? Das hat Spaß gemacht.«

»Ich weiß nicht ... Ich muss nach draußen, und da müsste ich dich allein hier lassen. Hast du denn keine Angst hier drin, wenn ich nicht bei dir bin?«

»Nein«, hatte sie geantwortet. »Es ist ja nicht mal dunkel.«

Großvater hatte gelächelt und Sophie zu dem Gewölbe geführt, das er ihr zuvor schon gezeigt hatte.

Sophie hatte sich mit dem Rücken auf den Steinboden gelegt und das durcheinander gebrachte Puzzle an der Decke betrachtet. »Bis du zurückkommst, habe ich den Code geknackt.«

»Dann ist das ja ein Wettlauf.« Der Großvater hatte sich zu Sophie hinuntergebeugt und sie auf die Stirn geküsst. »Ich bin gleich nebenan«, hatte er auf dem Weg zum Seitenausgang gesagt. »Ich lass die Tür auf. Du brauchst nur zu rufen, wenn du mich brauchst.« Damit war er ins sanfte Licht des Abends entschwunden.

Sophie hatte eine Zeit lang dagelegen und zu dem Code hinaufgeblickt, bis ihr die Lider schwer wurden. Nach ein paar Minuten verschwammen die Symbole, um dann ganz zu verschwinden.

Als Sophie wach wurde, war ihr kalt.

»Grand-Père?«

Keine Antwort. Sie stand auf und klopfte sich das Kleidchen sauber. Die Seitentür stand immer noch offen. Draußen wurde es allmählich dunkel. Sie ging hinaus und sah den Großvater auf der Veranda eines Hauses aus Bruchsteinen direkt unterhalb der Kapelle stehen. Er unterhielt sich mit einer Frau im Innern des Hauses, die hinter den Gardinen in der offenen oberen Türhälfte kaum zu erkennen war.

»Grand-Père!«, hatte Sophie gerufen.

Der Großvater hatte sich zu ihr umgedreht und sie winkend um einen Augenblick Geduld gebeten. Dann hatte er sehr bedächtig noch ein paar Worte zu der Frau hinter den Türgardinen gesagt und ihr eine Kusshand zugeworfen. Als er zu Sophie zurückkam, standen ihm Tränen in den Augen.

»Du weinst ja!«

Er hatte sie auf den Arm genommen und an sich gedrückt. »Ach, Sophie, du und ich haben dieses Jahr so oft Lebewohl sagen müssen. Es ist nicht immer leicht.«

Sophie hatte an den Autounfall gedacht und daran, wie sie von ihrer Mutter, ihrem Vater, der Großmutter und dem kleinen Bruder hatte Abschied nehmen müssen. »Hast du schon wieder jemand Lebewohl sagen müssen?«

»Ja. Einer Freundin, die ich sehr lieb hatte.« Großvaters Stimme hatte beinahe versagt. »Ich fürchte, ich werde sie lange Zeit nicht wiedersehen.«

Langdon war bei dem jungen Fremdenführer geblieben. Beim Anblick der Wände von Rosslyn Chapel wuchs seine Besorgnis. Er und Sophie waren wohl wieder mal in einer Sackgasse gelandet. Sophie war zu dem Gewölbe mit dem Code gegangen und hatte ihm den Rosenholzkasten in die Hand gedrückt, der einen Wegweiser zum Gral enthielt, der offenbar keine Hilfe war. Saunières Vers hatte eindeutig auf Rosslyn hingewiesen, aber nun, da sie hergekommen waren, wusste Langdon nichts mehr damit anzufangen. Der Vierzeiler sprach von einem »Winkel« und einem »Kelch«, die Langdon aber nirgends entdecken konnte.

> *Unter Alt-Roslin der Gral verharrt.*
> *Winkel und Kelch das Grab bewahrt.*

Wieder konnte Langdon sich des Gefühls nicht erwehren, dass dieses Geheimnis Facetten aufwies, die noch gar nicht erkennbar geworden waren.

Der Blick des Fremdenführers hatte sich auf das Rosenholzkästchen gerichtet. »Ich möchte mich nicht aufdrängen«, sagte er, »aber könnten Sie mir sagen, woher Sie das Kästchen haben?«

Langdon lachte leise und erschöpft. »Das ist eine sehr, sehr lange Geschichte.«

Der junge Mann zögerte. Sein Blick streifte abermals das Kästchen. »Merkwürdig. Meine Großmutter hat genau so eine Schmuckschatulle aus dem gleichen polierten Rosenholz und mit der eingelegten Rose. Sogar die Scharniere sehen gleich aus.«

Für Langdon war klar, dass der junge Mann sich irren musste. Wenn jemals ein Kästchen ein Einzelstück gewesen war, dann dieses – der von Hand maßgefertigte Futteralkasten für den Schlussstein der *Prieuré*.

»Ihr Kästchen mag dem hier ähneln, aber...«

Das dumpfe Geräusch, als die Seitentür zugeschlagen wurde, zog die Aufmerksamkeit Langdons und des jungen Mannes auf sich. Sophie war ohne ein Wort hinausgegangen und schlenderte die Böschung hinunter zu einem nahen Haus aus Bruchsteinen. Langdon sah ihr nach. *Wo will sie hin?* Sophie hatte sich eigenartig verhalten, seit sie die Kapelle betreten hatten. »Wissen Sie, was für ein Haus das ist?«, erkundigte er sich bei dem Fremdenführer.

Der junge Mann schien selbst erstaunt darüber, dass Sophie dort hinunterging. »Ja«, sagte er, »das ist das Pfarrhaus. Die Verwalterin der Kapelle wohnt dort. Sie ist übrigens auch die Vorsitzende des Rosslyn Trust – und meine Großmutter.«

»Ihre Großmutter leitet den Rosslyn Trust?«

Der Fremdenführer nickte. »Ich wohne mit ihr dort unten im Pfarrhaus und helfe ihr, die Kapelle in Ordnung zu halten. Nebenbei arbeite ich als Fremdenführer.« Er zuckte die Achseln. »Ich habe dort immer schon gewohnt. Meine Großmutter hat mich in dem Haus großgezogen.«

Langdon war wegen Sophie ein wenig besorgt. Er machte sich auf den Weg zur Seitentür der Kapelle, um ihr zu folgen. Auf halbem Weg blieb er abrupt stehen. Eine Bemerkung des jungen Mannes hatte ihn stutzig werden lassen.

Meine Großmutter hat mich großgezogen.

Langdons Blick schweifte durch die halb offene Tür die Böschung hinunter zu Sophie, dann zurück zu dem Rosenholzkästchen in seiner Hand. *Nein, das ist unmöglich…* Langsam drehte er sich zu dem jungen Mann um. »Sie sagten, Ihre Großmutter habe auch so ein Kästchen?«

»Genau das gleiche.«

»Wo hat sie es her?«

»Mein Großvater hat es für sie gemacht. Er ist gestorben, als ich noch ein Baby war, aber meine Großmutter spricht heute noch von ihm. Sie sagt, er sei ein handwerkliches Genie gewesen. Er hat alle möglichen Sachen gebaut.«

In Langdons Hirn nahm ein scheinbar absurder Zusammenhang verschwommen Gestalt an. »Sie sagen, Ihre Großmutter habe Sie großgezogen«, sagte er zögernd. »Darf ich fragen, was mit Ihren Eltern geschehen ist?«

Der junge Mann blickte Langdon überrascht an. »Sie sind gestorben, als ich noch sehr klein war.« Er zögerte. »Übrigens am gleichen Tag wie mein Großvater.«

Langdons Herz begann heftig zu pochen. »Bei einem Verkehrsunfall?«

Der junge Mann fuhr zusammen. Seine grünen Augen blickten Langdon fragend und misstrauisch an. »Ja. Bei dem Unfall kam meine ganze Familie ums Leben. Meine Eltern, mein Großvater und…«

»…und Ihre Schwester«, ergänzte Langdon.

Das Bruchsteinhaus draußen auf der Böschung sah genau so aus, wie Sophie es in Erinnerung hatte. Die Nacht brach allmählich herein. Das Haus verbreitete eine warme und einladende Atmosphäre. Der Duft von frisch gebackenem Brot wehte durch die offene obere Hälfte der Tür, und hinter den Fenstern schimmerte goldenes Licht. Als sie näher kam, hörte Sophie jemand im Haus leise weinen.

Durch die Türgardinen konnte sie im Hausflur eine ältere Frau erkennen. Sie stand mit dem Rücken zur Tür und weinte bitterlich. Sie hatte langes silbernes Haar von auffälliger Fülle, das in

Sophie eine unerwartete Erinnerung wachrüttelte. Auf unerklärliche Weise fühlte sie sich zu der Frau hingezogen. Sie trat auf die Stufen der Veranda. Die Frau hielt das gerahmte Foto eines Mannes in den Händen. Ihre Fingerspitzen glitten liebkosend über das Gesicht des Porträtierten.

Sophie kannte das Gesicht nur zu gut.

Großvater.

Unter Sophies Füßen knarrte eine Diele. Die Frau drehte sich langsam um. Der Blick ihrer trauernden Augen erfasste Sophie. Sophie wollte davonlaufen, war aber wie gelähmt. Die Frau legte das Foto beiseite und kam langsam zur Tür, den Blick unverwandt auf Sophie gerichtet. Eine Ewigkeit schien zu vergehen, während die beiden Frauen einander durch das feine Gewebe der Türgardinen ansahen. Dann, wie eine langsam anschwellende Meereswoge, wechselte das Mienenspiel der Frau von Unsicherheit und Unglaube zu Hoffnung, um jäh einen Ausdruck überwältigender Freude anzunehmen.

Sie stieß den unteren Türschlag auf, stürzte mit ausgestreckten Armen heraus und barg das Gesicht der entgeisterten Sophie in ihren weichen Händen. »Oh, mein liebes Kind... lass dich anschauen!«

Sophie kannte die Frau nicht und wusste dennoch genau, wer sie war. Sie versuchte, etwas zu sagen, bekam aber kaum Luft.

»Sophie!«, schluchzte die Frau und küsste sie auf die Stirn.

»Aber *Grand-père* hat doch gesagt, dass du...«, stieß Sophie mit erstickter Stimme hervor.

»Ich weiß.« Die Frau legte behutsam die Hände auf Sophies Schultern und betrachtete sie mit zärtlichen Blicken. »Dein Großvater und ich waren gezwungen, die Welt zu beschwindeln. Es hat mir unendlich Leid getan, aber es musste sein. Zu deiner Sicherheit, Prinzessin.«

Der Kosename beschwor vor Sophie das Bild des Großvaters herauf, der sie so viele Jahre lang Prinzessin genannt hatte. Seine Stimme schien im alten Gemäuer von Rosslyn widerzuhallen, bis hinunter in die Höhlungen des unbekannten Gewölbes.

Die alte Frau schlang die Arme um Sophie. Freudentränen strömten ihr übers Gesicht. »Dein Großvater hat verzweifelt versucht, dich in alles einzuweihen, aber euer Verhältnis ist ja leider so schwierig geworden. Ich muss dir sehr vieles erklären.« Sie küsste Sophie noch einmal auf die Stirn. »Aber jetzt Schluss mit den Geheimnissen, Prinzessin. Es ist an der Zeit, dass du die Wahrheit über deine Familie erfährst.«

Als der junge Fremdenführer den Rasen heruntergerannt kam, saßen Sophie und ihre Großmutter eng umschlungen auf der Verandatreppe. Die Tränen strömten.

In den Augen des jungen Mannes schimmerte ungläubige Hoffnung. »Sophie?«

Sophie nickte tränenblind und stand auf. Das Gesicht des jungen Burschen war ihr noch immer unvertraut, doch als sie einander in die Arme fielen, spürte sie die Macht des Blutes – des gemeinsamen Blutes, das in ihren Adern strömte, wie sie jetzt wusste.

Als Robert Langdon sich zu ihnen gesellte, konnte Sophie nicht glauben, dass sie sich gestern noch allein auf der Welt gefühlt hatte. Jetzt, an diesem fremden Ort und in der Gesellschaft von drei Menschen, die sie kaum kannte, fühlte sie sich endlich zu Hause.

105. KAPITEL

Dunkelheit hatte sich über Rosslyn gesenkt.

Robert Langdon stand auf der Veranda des Bruchsteinhauses und freute sich über das fröhliche Lachen der Wiedersehensfreude, das hinter ihm aus der offenen Tür drang. Er hielt einen Becher mit starkem brasilianischen Kaffee in der Hand, der seine zunehmende Mattigkeit zwar ein wenig vertreiben konnte, doch er spürte, dass diese Belebung nur vorübergehend war. Er war erschöpft bis auf die Knochen.

»Sie sind uns heimlich entwischt«, sagte eine Stimme hinter ihm.

Er drehte sich um. Sophies Großmutter war nach draußen gekommen. Ihr Haar schimmerte silbern in der Nacht. Sie hieß Marie Chauvel – seit nunmehr achtundzwanzig Jahren.

Langdon lächelte sie müde an. »Ich wollte Sie bei Ihren Gesprächen über Familienangelegenheiten nicht stören.« Durch das Fenster konnte er Sophie sehen, die sich angeregt mit ihrem Bruder unterhielt.

Marie trat zu ihm. »Mr Langdon, ich habe mich entsetzlich um Sophie gesorgt, nachdem ich von dem Mord an Jacques erfahren hatte. Noch nie war ich so erleichtert wie heute Abend, als ich Sophie in der Tür stehen sah. Ich weiß gar nicht, wie ich Ihnen danken soll.«

Langdon war um eine Antwort verlegen. Er hatte angeboten, sich zurückzuziehen, damit Sophie und ihre Großmutter ungestört miteinander sprechen konnten, doch Marie hatte ihn gebeten, zu bleiben und zuzuhören. *Mein Mann hat Ihnen offenkundig vertraut, Mr Langdon. Weshalb sollte ich es nicht tun?*

Also war Langdon geblieben und hatte staunend zugehört, wie Marie die Geschichte von Sophies verstorbenen Eltern erzählte, die beide merowingischer Abstammung gewesen waren – und somit direkte Nachfahren von Maria Magdalena und Jesus Christus. Aus Gründen des Selbstschutzes hatten Sophies Eltern – wie schon deren Vorfahren – die ursprünglichen Familiennamen Plantard und Saint-Clair geändert. Als Abkömmlinge des Königsgeschlechts standen ihre Kinder unter dem besonderen Schutz der *Prieuré de Sion*. Als Sophies Eltern bei einem Verkehrsunfall mit ungeklärter Ursache ums Leben gekommen waren, fürchtete die *Prieuré*, die Identität des Königsgeschlechts könnte aufgedeckt sein.

»Als dein Großvater und ich den Anruf bekamen, dass man den Wagen deiner Eltern im Fluss gefunden hat«, erzählte Marie mit erstickter Stimme, »mussten wir uns rasch zu einer schweren Entscheidung durchringen.« Sie tupfte sich die Tränen ab. »In dieser Nacht sollten eigentlich wir alle sechs – also auch wir Großeltern und ihr zwei Kinder – in dem Auto sitzen. Zum Glück haben wir es uns im letzten Moment anders überlegt, und eure Eltern sind allein gefahren. Als uns die Nachricht von dem Unfall erreichte, hatten Jacques und ich keine Möglichkeit festzustellen, was wirklich geschehen war … ob es überhaupt ein Unfall gewesen ist.« Marie sah Sophie und ihren Bruder an. »Wir wussten nur, dass wir unsere Enkelkinder schützen mussten, und haben getan, was wir für geboten hielten. Jacques hat der Polizei mitgeteilt, dass dein Bruder und ich ebenfalls im Wagen gesessen hätten … unsere Leichen seien offenbar vom Fluss fortgeschwemmt worden. Dann hat die *Prieuré* dafür gesorgt, dass dein Bruder und ich untertauchen konnten. Jacques aber stand im Licht der Öffentlichkeit und konnte sich diesen Luxus nicht leisten. Da schien es nur logisch, dass Sophie als die Ältere in Paris blieb, um unter den Fittichen von Jacques und der *Prieuré* aufzuwachsen und zur Schule zu gehen.« Marie begann zu flüstern. »Die Familie auseinander zu reißen war das Schlimmste, was wir uns je abverlangen mussten. Jacques und ich konnten uns nur sehr selten sehen, und das auch nur in aller Heimlichkeit und unter dem Schutz der *Prieuré*. Es gibt bestimmte Zeremonien, von denen die *Prieuré* niemals lassen wird.«

Langdon hatte gespürt, dass die Geschichte tiefer gehen würde – in Dimensionen, die nicht für seine Ohren bestimmt waren –, und hatte sich nach draußen begeben. Während er jetzt zu den Fialen von Rosslyn Chapel hinaufsah, erfasste ihn tiefes Unbehagen über das ungelöste Geheimnis von Rosslyn.

Liegt der Gral wirklich hier in Rosslyn? Und wenn ja, wo sind der Winkel und der Kelch aus Saunières Gedicht?

»Darf ich Ihnen das abnehmen?«, sagte Marie.

»O ja, danke.« Langdon hielt ihr den leeren Kaffeebecher hin. Sie blickte ihn seltsam an. »Ich habe Ihre andere Hand gemeint, Mr Langdon.«

Als Langdon an sich hinunterschaute, merkte er, dass er in der Linken den Papyrus hielt. »Oh, entschuldigen Sie, natürlich.«

Erheitert nahm Marie den Papyrus an sich. »Ich kenne in Paris einen Mann, der bestimmt sehnsüchtig auf die Rückkehr des Rosenholzkästchens wartet – André Vernet. Er ist ein guter Freund von Jacques. Jacques hat ihm rückhaltlos vertraut. André würde alles tun, um Jacques' Bitte gerecht zu werden, diesen Kasten zu hüten.«

Und sei es, dir eine Kugel in den Leib zu jagen, dachte Langdon. Er behielt für sich, dass er dem armen Kerl vermutlich die Nase gebrochen hatte. Bei der Erwähnung von Paris fielen ihm die drei Seneschalle ein, die am gleichen Abend wie Saunière ermordet worden waren. »Was geschieht jetzt mit der *Prieuré*? Wie geht es mit der Bruderschaft weiter?«

»Das Räderwerk hat sich bereits in Bewegung gesetzt, Mr Langdon. Die Bruderschaft hat Jahrhunderte überdauert, sie wird auch diesen Schlag überstehen. Man findet immer Leute, die für die obersten Ränge geeignet sind und die einen Neuaufbau zustande bringen.«

Langdon hatte schon den ganzen Abend vermutet, dass Sophies Großmutter in engster Beziehung zur *Prieuré* stand. Schließlich hatte die Bruderschaft von jeher auch Frauen aufgenommen und sogar vier Großmeisterinnen gehabt. Die Seneschalle waren traditionsgemäß Männer – die Wächter –, doch die Frauen wurden in der *Prieuré* hoch geachtet und konnten von jedem Rang in die führenden Ämter aufsteigen.

Langdon dachte an Teabing und Westminster Abbey. Es schien eine Ewigkeit her zu sein. »Hat die Kirche auf Ihren Mann Druck ausgeübt, damit er am Ende der Zeit die Dokumente nicht veröffentlicht?«

»Um Himmels willen, nein! Das Ende der Zeit ist eine Phantasterei verrückter Fanatiker. In der Doktrin der *Prieuré* ist mit keinem Wort ein Zeitpunkt für die Enthüllung des Grals festgelegt. Ganz im Gegenteil war die *Prieuré* stets der Meinung, dass er gar nicht enthüllt werden soll.«

»Niemals?« Langdon war sprachlos.

»Das Geheimnis des Grals, sein Rätsel und die Mythen, die sich um ihn ranken, dienen unseren Zielen besser, als seine Enthüllung es je könnte. Der Reiz des Grals liegt in seiner Unfassbarkeit.« Marie Chauvel schaute zur Kapelle hinauf. »Für manche ist der Gral ein Kelch, der ewiges Leben verspricht. Für andere bedeutet er die Suche nach verlorenen Dokumenten und nach einem Geheimnis der Geschichte. Und für die meisten ist der Gral lediglich eine faszinierende Idee, wie ich vermute… ein wundervoller, phantastischer, aber unerreichbarer Schatz, der uns sogar in der heutigen modernen, chaotischen Welt noch zu inspirieren vermag.«

»Aber wenn die Sangreal-Dokumente im Verborgenen bleiben, wird die Geschichte von Maria Magdalena niemals ans Tageslicht kommen«, wandte Langdon ein.

»Tatsächlich? Schauen Sie sich um! In der bildenden Kunst, in der Musik und der Literatur wird ihre Geschichte erzählt – heute mehr denn je! Das Pendel schlägt wieder zur anderen Seite aus. Wir merken allmählich, wie bedenklich die Gegenwart ist… und wie zerstörerisch der Weg, den wir eingeschlagen haben. Wir spüren immer deutlicher, dass es notwendig ist, das göttlich Weibliche wieder in sein Recht einzusetzen.« Sie hielt kurz inne. »Sie sagten, dass Sie ein Buch über die Symbole des göttlich Weiblichen schreiben, nicht wahr?«

»Das stimmt.«

Marie lächelte. »Schreiben Sie es fertig, Mr Langdon. Singen Sie das Lied der Göttin. Die Welt verlangt nach modernen Minnesängern.«

Langdon spürte sehr wohl das Verpflichtende von Maries Worten. Er schwieg. Die Mondsichel stieg aus der Weite des bewaldeten Horizonts.

Ein schülerhaftes Verlangen überkam ihn, Rosslyn Chapel das Geheimnis zu entreißen. *Du kannst doch Marie jetzt nicht ausfragen. Das ist nicht der richtige Zeitpunkt.* Sein Blick streifte den Papyrus in Maries Hand und richtete sich dann wieder auf die Kapelle.

»Nur zu, fragen Sie schon, Mr Langdon«, sagte Marie belustigt. »Das Recht haben Sie sich redlich verdient.«

Langdon spürte, dass er rot wurde.

»Sie wollen sicher wissen, ob der Gral hier in Rosslyn liegt.«

»Können Sie es mir verraten?«

Marie seufzte in gespielter Verzweiflung. »Wie kommt es nur, dass Männer den Gral einfach nicht in Ruhe lassen können?« Sie lachte. Die Unterhaltung machte ihr offensichtlich Spaß. »Sie scheinen zu glauben, dass er hier ist. Warum?«

Langdon deutete auf den Papyrus in Maries Hand. »In diesem Vers Ihres Mannes ist ausdrücklich von Rosslyn die Rede. Er erwähnt allerdings auch ›Winkel‹ und ›Kelch‹, die über den Gral wachen. Aber ich habe diese Symbole dort oben nicht entdecken können.«

»Der Winkel und der Kelch?«, sagte Marie. »Aber wie sehen die denn aus?«

Langdon hatte das Gefühl, dass sie sich über ihn lustig machte, doch er beschrieb die Symbole.

Sie schaute ihn an, als könne sie sich nur mit Mühe daran erinnern. »Ach ja, richtig. Der Winkel steht für alles Männliche. Malt man ihn nicht so?« Sie zeichnete mit dem Zeigefinger eine Figur in ihren Handteller:

»Ja«, sagte Langdon. Marie hatte die weniger gebräuchliche Form des »geschlossenen« Winkels gezeichnet.

»Und das Weibliche wird durch die umgekehrte Form symbolisiert, den Kelch.« Wieder zeichnete sie.

»Richtig«, sagte Langdon.

»Und Sie sagen, dass unter den Hunderten von Symbolen, die wir hier oben haben, diese beiden Zeichen fehlen?«

»Ich habe sie jedenfalls nirgendwo gesehen.«

»Und wenn ich sie Ihnen nun zeige, können Sie dann wieder ruhig schlafen?«

Bevor Langdon antworten konnte, war Marie Chauvel schon von der Veranda heruntergestiegen und ging den Weg hinauf zur Kapelle. Langdon folgte ihr. In der Kapelle angekommen, schaltete Marie das Licht ein und deutete in der Mitte des Sakralraums auf den Boden. »Bitte sehr, Mr Langdon. Der Winkel und der Kelch.«

Langdon starrte auf den abgetretenen Steinfußboden. »Aber da ist doch gar nicht ...«

Marie seufzte und ging über den Pfad zwischen den Sehenswürdigkeiten, den Langdon zuvor die Touristen hatte abschreiten sehen. Jetzt nahm er zwar das riesige Symbol wahr, konnte aber immer noch nichts damit anfangen.

»Das ist der David...« Er verstummte und schlug sich vor die Stirn.

Winkel und Kelch.

Einfach übereinander gelegt.

Der Davidstern ... das Symbol der vollkommenen Einheit des Männ-

lichen und Weiblichen ... das Siegel Salomons ... die Kennzeichnung des
Allerheiligsten, in dem man die männliche und die weibliche Gottheit
wähnte, Jahwe und Schekinah.

Langdon brauchte eine ganze Weile, bis er seine Sprachlosigkeit
überwunden hatte. »Dann weist der Vers also doch nach Rosslyn.«

Marie lächelte ihn an. »Offensichtlich.«

Langdon lief es eiskalt über den Rücken. »Also liegt der Gral
in dem Gewölbe unter unseren Füßen?«

»Nur im Geiste.« Marie lachte. »Eine der ältesten Bestimmun-
gen der *Prieuré* bestand darin, den Gral eines Tages in sein Heimatland Frankreich zurückzubringen, wo er für immer ruhen soll.
Jahrhundertelang war der Gral aus Sicherheitsgründen kreuz und
quer durch aller Herren Länder transportiert worden – ein höchst
unwürdiger Zustand. Als Jacques Großmeister der *Prieuré* wurde,
stand er insbesondere vor der Aufgabe, die Würde des Grals wie-
derherzustellen – was konkret bedeutete, den Gral nach Frankreich
zu holen und ihm eine königliche Ruhestatt zu bereiten.«

»Und das ist ihm gelungen?«

Marie wurde sehr ernst. »Mr Langdon, in Anbetracht dessen,
was Sie heute Abend für mich getan haben, möchte ich Ihnen als
Kuratorin des Rosslyn Trust versichern, dass der Gral sich nicht
mehr hier befindet.«

Langdon beschloss, ein wenig nachzubohren. »Aber der Schlussstein soll doch eigentlich auf den Ort hinweisen, an dem der Gral
heute versteckt ist. Warum weist er dann auf Rosslyn?«

»Vielleicht haben Sie die Bedeutung des Verses nicht richtig
erfasst.«

»Aber eindeutiger geht es doch gar nicht! Wir stehen über
einem unterirdischen Gewölbe, das mit Winkel und Kelch markiert ist, befinden uns unter einer als Sternenzelt gestalteten Decke, umgeben von der Kunst meisterlicher Steinmetze. Alles weist
auf Rosslyn hin!«

»Dann lassen Sie mich einmal den geheimnisvollen Vers ansehen.« Marie rollte den Papyrus auseinander und las laut und
bedächtig vor.

Unter Alt-Roslin der Gral verharrt.
Winkel und Kelch das Grab bewahrt.
Es ist von des Meisters Kunst geschmückt.
Und unters Sternenzelt endlich gerückt.

Als sie geendet hatte, blieb sie einige Sekunden lang stumm. Dann glitt ein wissendes Lächeln über ihre Lippen. »Ah, Jacques!«

Langdon sah sie erwartungsvoll an. »Sie haben das verstanden?«

»Mr Langdon, wie Sie selbst soeben anhand des Davidsterns auf dem Kapellenboden erlebt haben, kann man auch einfache Dinge auf vielfältige Weise deuten.«

Langdon bemühte sich, ihr zu folgen. Jede Äußerung Jacques Saunières schien einen Doppelsinn zu haben. Er kam einfach nicht weiter.

Marie wirkte plötzlich sehr müde. Sie unterdrückte ein Gähnen. »Ich werde Ihnen jetzt etwas anvertrauen, Mr Langdon. Ich bin zwar nie offiziell in den Aufbewahrungsort des Grals eingeweiht gewesen, aber ich war mit einem Menschen verheiratet, der großes Wissen, umfassende Kenntnisse und machtvolle Befugnisse besaß ... und meine weibliche Intuition wollen wir auch nicht vergessen.« Langdon wollte etwas einwerfen, doch Marie fuhr fort: »Es tut mir Leid für Sie, dass Sie nach all Ihren Anstrengungen ohne eine konkrete Antwort von Rosslyn fortgehen müssen. Aber mein Gefühl sagt mir, dass Sie finden werden, wonach Sie suchen. Eines Tages werden Ihnen die Augen aufgehen.« Sie lächelte ihn an. »Und ich bin überzeugt, dann werden Sie sich als Mensch erweisen, der ein Geheimnis für sich behalten kann.«

Sie hörten, wie jemand sich näherte; dann kam Sophie zur Tür herein. »Ihr beide wart auf einmal verschwunden.«

»Ich wollte mich ohnehin gerade auf den Weg machen«, sagte Sophies Großmutter und ging zu ihrer Enkelin an die Tür. »Gute Nacht, Prinzessin.« Sie küsste Sophie auf die Stirn. »Sieh zu, dass Mr Langdon nicht zu spät ins Bett kommt.«

Marie Chauvel ging zu dem Bruchsteinhaus hinunter. Sophie und Langdon schauten ihr nach. Als Sophie den Blick wieder auf

Langdon richtete, schwammen ihre Augen in Tränen. »Mit diesem Ende habe ich nun wirklich nicht gerechnet.«

Dann wären wir schon zwei, dachte Langdon. Er sah, dass Sophie mit ihrer Kraft am Ende war. Was heute Abend an Neuem auf sie eingestürmt war, hatte ihr Leben von Grund auf verändert. »Wie fühlen Sie sich? Sie mussten heute eine Menge verdauen.«

Sophie lächelte versonnen. »Ich habe jetzt eine Familie. Damit werde ich mich als Erstes auseinander setzen. Bis ich mich daran gewöhnt habe, wer wir sind und woher wir kommen, wird wohl noch einige Zeit vergehen.«

Langdon schwieg.

»Werden Sie morgen schon abreisen?«, wollte Sophie wissen. »Bleiben Sie noch ein paar Tage, ja?«

Langdon seufzte. Nichts hätte er lieber getan. »Sophie, Sie müssen jetzt erst einmal eine Zeit lang bei Ihrer Familie bleiben. Ich fahre morgen nach Paris zurück.«

Sophie wusste, dass es die richtige Entscheidung war; trotzdem wirkte sie ein wenig enttäuscht. Längere Zeit sprachen beide kein Wort. Schließlich ergriff Sophie Langdons Hand und führte ihn aus der Kapelle. Sie gingen zu einer kleinen Erhebung. Im diffusen Licht der Mondsichel, die durch die abziehenden Wolken schien, breitete sich die schottische Landschaft vor ihnen aus. Schweigend standen sie beieinander und hielten sich an den Händen. Die Erschöpfung forderte allmählich ihren Tribut.

Die Sterne erschienen am Himmelszelt. Im Westen glänzte ein strahlender Lichtpunkt. Langdon lächelte, als er ihn bemerkte. Die Venus. Die antike Göttin ließ ihr goldenes Licht auf sie scheinen.

Der Abend wurde kühl. Eine frische Brise wehte aus den Lowlands herauf. Nach einer Weile blickte Langdon zu Sophie hinüber. Sie hatte die Augen geschlossen. Um ihre Lippen spielte ein zufriedenes Lächeln. Langdon spürte, wie auch seine Lider allmählich schwer wurden. Zögernd drückte er ihre Hand. »Sophie?«

Sie schlug die Augen auf und lächelte ihn schläfrig an. Das sanfte Mondlicht machte ihr Gesicht noch schöner.

Es stimmte Langdon plötzlich traurig, dass er ohne sie nach Paris zurückmusste. »Wenn Sie morgen aufstehen, bin ich wahrscheinlich schon fort.« Er stockte. Der Kloß im Hals wurde immer größer. »Entschuldigen Sie, ich bin nicht so gut im ...«

Sophie legte ihm sanft die Hand an die Schläfe, beugte sich zu ihm herüber und küsste ihn auf die Wange. »Wann sehe ich dich wieder?«

Langdon verlor sich in Sophies Augen. Seine Gedanken überschlugen sich. Wusste sie, wie sehr er auf diese Frage gewartet hatte? »Nächsten Monat halte ich auf einer Tagung in Florenz einen Vortrag. Ich bin eine ganze Woche dort und habe nicht allzu viel zu tun.«

»Ist das eine Einladung?«

»Wir hätten allen erdenklichen Luxus. Ich habe eine Suite im Brunelleschi.«

Sophie lächelte ihn schelmisch an. »Sie scheinen sich ja ganz schön Hoffnungen zu machen, Mr Langdon.«

Langdon hätte sich ohrfeigen können. Wie hatte er sich nun wieder ausgedrückt! »Ich meine ...«

»Robert, es wäre wunderbar, wenn wir uns in Florenz treffen könnten! Aber nur unter einer Bedingung.« Sophie wurde ernst. »Keine Museen, keine Kirchen, keine Grabmäler, keine Kunstwerke, keine Reliquien.«

»In Florenz? Eine ganze Woche? Etwas anderes kann man dort doch kaum machen.«

Sophie beugte sich wieder zu ihm herüber. Diesmal küsste sie ihn auf den Mund. Ihre Körper berührten sich, zögernd zuerst, dann leidenschaftlich. Als Sophie sich von Langdon löste, lag ein verheißungsvolles Leuchten in ihren Augen.

»Wirklich?«

»Ja«, sagte Langdon. »Wirklich.«

EPILOG

Robert Langdon fuhr aus dem Schlaf. Er hatte geträumt. Auf dem Bademantel neben seinem Bett befand sich ein Monogramm. HOTEL RITZ, PARIS. Schwaches Licht drang durch die heruntergelassenen Jalousien. *Ist es Morgen oder Abend?*

Langdon fühlte sich entspannt und ausgeruht. Er hatte die letzten beiden Tage praktisch durchgeschlafen. Langsam setzte er sich auf. Allmählich dämmerte ihm, was ihn geweckt hatte ... ein völlig aberwitziger Gedanke. Seit Tagen hatte er versucht, einen Wust widersprüchlicher Informationen zu verarbeiten, aber plötzlich ließ ihn ein Gedanke nicht mehr los, der ihm bisher noch nicht gekommen war.

Ist das vorstellbar?

Er blieb eine Weile regungslos sitzen. Schließlich stand er auf und ging unter die Dusche, stellte den kräftigen Punktstrahl ein und ließ sich die Schultern massieren. Der Gedanke ließ ihm keine Ruhe.

Unsinn!

Zwanzig Minuten später trat Langdon aus dem Hotel hinaus auf den Place Vendôme. Es wurde gerade dunkel. Die durchgeschlafenen Tage und Nächte hatten sein Zeitgefühl durcheinander gebracht, doch sein Verstand war ungewöhnlich wach und klar. Er bog in die Rue des Petits Champs ein, wandte sich dann nach Süden in die Rue de Richelieu. Vom Garten des Palais Royal wehte der schwere süße Duft des blühenden Jasmins zu ihm herüber.

Er ging in südliche Richtung weiter, bis er sah, wonach er Ausschau gehalten hatte – die berühmten weitläufigen Arkaden aus glänzendem schwarzen Marmor. Langdon betrat den Arkadengang und richtete den Blick auf den Boden zu seinen Füßen. Binnen Sekunden hatte er gefunden, was er suchte – die in den Boden eingelassenen Bronzemedaillons. Sie markierten eine vollkommen gerade Linie. In jede der Bronzescheiben, die ungefähr zehn Zentimeter im Durchmesser maßen, waren die Buchstaben N und S eingraviert.

Nord und Süd.

Langdon blickte nach Süden. Sein Auge verlängerte die von den Medaillons gebildete Linie. Er setzte sich wieder in Bewegung und hielt im Gehen nach dem nächsten Medaillon Ausschau. Nachdem er die Ecke der Comédie Française links hatte liegen lassen, sah er wieder ein Medaillon zu seinen Füßen.

Ja!

Vor Jahren hatte Langdon erfahren, dass in Paris hundertfünfunddreißig dieser in Straßen, Trottoirs und Höfe eingebetteten Bronzemarkierungen eine exakte Nord-Süd-Achse quer durch die Stadt bilden. Langdon war diese Linie einmal abgeschritten, von Sacré-Coeur weit im Norden der Seine bis hinunter zum alten Observatorium von Paris, wo zu sehen war, was es mit dieser Linie auf sich hatte.

Der erste Nullmeridian der Welt.

Die alte Rosenlinie von Paris.

Als Langdon die Rue de Rivoli überquerte, wusste er sein Ziel zum Greifen nahe.

Unter Alt-Roslin der Gral verharrt.

Die Erkenntnis stürzte förmlich auf Langdon ein. Saunières altertümliche Schreibweise von Rosslyn … *Roslin* … der Winkel und der Kelch … der von des Meisters Kunst geschmückte Ort …

Wollte Saunière deshalb mit dir sprechen? Bist du über die Wahrheit gestolpert, ohne es zu wissen?

Langdon rannte los. Die Rosenlinie unter seinen Füßen leitete, zog ihn förmlich seinem Ziel entgegen. Als er die lange, unterirdische Passage Richelieu betrat, stellten sich ihm vor Anspannung die Nackenhaare auf. Am Ende dieses Tunnels stand das geheimnisvollste Monument von Paris, in den Achtzigerjahren von François Mitterand, der »Sphinx«, persönlich geplant und in Auftrag gegeben, von einem Mann, der sich Gerüchten zufolge in geheimen Zirkeln bewegt hatte und dessen Vermächtnis an Paris eine Örtlichkeit war, die Langdon erst wenige Tage zuvor aufgesucht hatte.

In einem anderen Leben.

Langdon stürmte aus der Passage auf den vertrauten Innenhof. Atemlos blieb er stehen. Ungläubig blieb sein Blick an jenem Bauwerk haften, das in der Dunkelheit halb links von ihm schimmerte.

Die Pyramide des Louvre.

Doch Langdons Bewunderung galt ihr nur für einen Moment. Sein eigentliches Interesse richtete sich auf das, was zu seiner Rechten lag. Er wandte sich ab, strebte wieder dem unsichtbaren Pfad der alten Rosenlinie zu. Sein Weg führte ihn aus dem Innenhof hinaus zum Carrousel du Louvre, der riesigen runden Rasenscheibe mit ihrem säuberlich gestutzten Heckenrand – der ehemaligen Feierstätte des der Natur gewidmeten Pariser Frühlingsfestes, dem Fruchtbarkeitsritual zu Ehren der Göttin.

Mit dem Gefühl, in eine andere Welt einzutreten, stieg Langdon über die Hecke und betrat die Rasenfläche dahinter. Der heilige Grund barg jetzt eines der ungewöhnlichsten Monumente der Stadt. Wie ein klaffender kristallener Abgrund ragte in seinem Zentrum die große, auf die Spitze gestellte gläserne Pyramide nach unten, die Langdon schon vor ein paar Tagen aus der Ferne gesehen hatte, als er Fache durch das unterirdische Foyer gefolgt war.

La Pyramide Inversée.

Zitternd, mit vibrierenden Nerven trat Langdon an die Kante der abschüssigen Fensterflächen und schaute hinab in den in bernsteinfarbenem Licht glühenden unterirdischen Eingangskomplex. Seine Aufmerksamkeit galt weniger der gewaltigen, auf den Kopf gestellten Pyramide, als dem, was sich unten unmittelbar unter ihrer Spitze befand. Dort, auf dem Boden des tief gelegenen Foyers, war eine bescheidene Struktur zu sehen ... eine Struktur, die Langdon in seinem Manuskript erwähnt hatte.

Langdon spürte, wie ihn der Kitzel der unvorstellbaren Möglichkeiten bis in die letzte Faser seines Körpers ergriff. Er hob den Blick zum Louvre. Die riesigen Flügel des Museumsgebäudes umschlossen ihn, Flure über Flure, angefüllt mit den kostbarsten Meisterwerken der Welt.

Da Vinci ... Botticelli ...

Es ist von des Meisters Kunst geschmückt.

Vor Ehrfurcht schaudernd und zugleich von der Wissbegier des geborenen Forschers erfüllt, blickte Langdon wieder durch das Glas zu der schlichten Struktur hinunter.

Da unten musst du hin.

Er lief über die runde Rasenfläche zurück und hinüber zu der hoch aufragenden Eingangspyramide des Louvre. Die letzten Besucher des Tages tröpfelten heraus.

Langdon warf sich gegen die Drehtür und eilte die geschwungene Treppe hinunter auf die Sohle der großen Pyramide. Er spürte die Luft kühler werden. Unten angekommen, betrat er den langen Gang, der unter dem Innenhof des Louvre hinüber zur *Pyramide Inversée* führte.

Der Gang weitete sich an seinem Ende zu einem großen Raum. Unmittelbar vor Langdon ragte spiegelnd die auf der Spitze stehende Pyramide herab – eine atemberaubende, v-förmige Glasstruktur.

Der Kelch.

Langdons Blick glitt an den Kanten entlang nach unten bis zur knapp zwei Meter über dem Boden schwebenden Spitze. Genau darunter erhob sich die kleine Struktur.

Eine Miniaturpyramide, gerade einmal neunzig Zentimeter hoch. Die einzige kleinere Struktur im gesamten riesigen Komplex.

Langdon hatte in seinem Manuskript bei der Erörterung der umfangreichen, im Louvre zusammengetragenen Sammlungen von Fruchtbarkeitsgöttinnen und anderen weibliche Gottheiten auch eine Bemerkung über diese bescheidene Pyramide gemacht. *»Die kleine Pyramide durchstößt den Boden wie die Spitze eines Eisbergs – wie der Schlussstein einer pyramidenförmigen geheimen Gruft, die sich darunter verbirgt.«*

Die Spitzen der beiden Pyramiden wiesen in perfekter Ausrichtung aufeinander. In der sanften Beleuchtung des verlassenen Mezzanins schienen sie einander fast zu berühren.

Oben der Kelch. Unten der Winkel.

Winkel und Kelch das Grab bewahrt.

Langdon hörte von ferne Marie Chauvels Worte. *Eines Tages werden Ihnen die Augen aufgehen.*

Von den Werken der Meister umgeben, die zudem die Werke des ermordeten Großmeisters waren, stand er unter der alten Rosenlinie. *Konnte Saunière einen besseren Ort finden, um am Grab des Grals Wache zu halten?* Langdon spürte, dass er endlich den Sinn von Saunières letztem Vierzeiler begriffen hatte. Er hob die Augen und schaute durchs Oberlicht. Ein grandioser Sternenhimmel spannte sich über das nächtliche Firmament.

… unters Sternenzelt endlich gerückt!

Wie das Murmeln von Geistern aus der Dunkelheit vernahm Langdon das Echo längst verhallter Worte. *Die Suche nach dem Heiligen Gral ist die Wallfahrt zu den Gebeinen Maria Magdalenas. Es ist die Sehnsucht, zu Füßen der Verleugneten auf die Knie zu sinken und zu beten.*

Ehrfürchtig kniete Robert Langdon nieder.

Den Bruchteil einer Sekunde glaubte er eine weibliche Stimme zu hören … das Flüstern uralter Weisheit, das aus den Tiefen von Mutter Erde zu ihm drang.

LONDON

0   0,5   1 km

Piccadilly
Circus

Trafalgar

Guar

St. James's Park

Westminster
Abbey

INTERVIEW MIT DAN BROWN

Eine Frage, die viele Fans von Robert Langdon beschäftigt: Worum geht es in Ihrem nächsten Roman?

Zurzeit schreibe ich an einem neuen Robert-Langdon-Thriller, einer thematischen Fortsetzung von SAKRILEG, in dem Langdon zum ersten Mal in ein geheimnisvolles Geschehen auf heimischem amerikanischem Boden verwickelt wird. Der neue Roman beschäftigt sich mit der verborgenen Geschichte unserer amerikanischen Bundeshauptstadt.

Wie steht es um den Wahrheitsgehalt von SAKRILEG?

SAKRILEG ist ein Roman und daher ein fiktives Werk. Während die Charaktere in diesem Buch und ihre Handlungen offensichtlich nicht real sind, existieren die in diesem Roman beschriebenen Kunstwerke, die Architektur, die erwähnten Dokumente und geheimen Rituale, beispielsweise Leonardo da Vincis Gemälde, die gnostischen Schriften, die heilige Hochzeit, sehr wohl. Diese realen Elemente werden von fiktiven Charakteren interpretiert und debattiert. Ich glaube zwar, dass einige der Theorien, die von ihnen diskutiert werden, möglicherweise nicht von der Hand zu weisen sind, doch jeder Leser muss die Standpunkte dieser Charaktere selbst erkunden und zu seiner eigenen Interpretation gelangen. Meine Hoffnung beim Schreiben dieses Romans war, dass die Geschichte als Katalysator für die Leser fungieren und sie motivieren würde, über die wichtigen Themen von Glauben, Religion und Geschichte zu diskutieren.

Aber behauptet nicht die Fakten-Seite des Romans, dass jedes einzelne Wort in diesem Werk eine historische Tatsache ist?

Wenn Sie diese Seite lesen, dann werden Sie sehen, dass dort steht, die Dokumente, Rituale, Organisationen, Kunstwerke und Architektur im Roman würden tatsächlich existieren. Die Fakten-Seite macht keinerlei Aussage über irgendeine der alten Theorien, die von den fiktiven Charakteren diskutiert werden. Diese Ideen zu interpretieren überlasse ich dem Leser.

Ist das Buch antichristlich?

Nein. Dieses Buch ist nicht anti-irgendwas. Es ist ein Roman. Ich habe diese Geschichte in dem Bemühen geschrieben, gewisse Aspekte der christlichen Geschichte zu erkunden, die mich interessieren. Die große Mehrheit gläubiger Christen versteht diese Tatsache und betrachtet SAKRILEG als eine unterhaltsame Geschichte, die spirituelle Diskussionen und Debatten fördert. Nichtsdestotrotz hat eine kleine, lautstarke Gruppe von Individuen die Geschichte als gefährlich, gotteslästerlich und antichristlich dargestellt. Ich bedaure zwar, dass ich diesen Individuen zu nahe getreten bin, doch ich sollte nicht verschweigen, dass ich ständig von Priestern, Nonnen und Geistlichen kontaktiert werde, die mir danken, dass ich diesen Roman geschrieben habe. Viele Kirchenvertreter feiern SAKRILEG, weil es neues Interesse an wichtigen Themen des Glaubens und der Religionsgeschichte geweckt hat. Man darf nicht vergessen, dass ein Leser nicht mit jedem Wort in meinem Roman übereinstimmen muss, um das Buch als positiven Katalysator für Introspektion und die Erforschung unseres Glaubens zu benutzen.

Was halten Sie von geistlichen Gelehrten, die versuchen, SAKRI-LEG zu widerlegen?

Der Dialog ist wunderbar! Diese Autoren und ich sind offensichtlich unterschiedlicher Meinung, doch die sich daraus ergebende Debatte ist eine entschieden positive, mächtige Kraft. Je heftiger wir diese Themen debattieren, desto klarer wird unser Verständnis der eigenen Spiritualität. Kontroversen und Dialog sind gesund für die Religion als Ganzes. Die Religion hat nur einen wirklichen Feind – Apathie –, und eine leidenschaftliche Debatte ist ein superbes Gegenmittel.

Teile von SAKRILEG beschreiben die Aktivitäten der Religionsgemeinschaft Opus Dei. Wie denkt Opus Dei über Ihren Roman?

Ich habe hart daran gearbeitet, eine faire und ausgewogene Darstellung von Opus Dei zu erreichen. Trotzdem ist nicht auszuschließen, dass es Menschen gibt, die sich durch dieses Porträt beleidigt fühlen. Opus Dei ist eine entschieden positive Kraft im Leben zahlreicher Leute, doch für andere war die Verbindung zu Opus Dei eine grundlegend negative Erfahrung. Meine Darstellung in SAKRILEG basiert auf zahlreichen Büchern, die von Opus Dei veröffentlicht wurden, sowie auf meinen eigenen persönlichen Interviews mit gegenwärtigen und früheren Mitgliedern.

Ein Teil der in diesem Roman dargestellten Geschichte steht im Widerspruch zu dem, was ich in der Schule gelernt habe. Was soll ich glauben?

Seit Anbeginn der Geschichtsschreibung wurde die Geschichte stets von den »Siegern« niedergeschrieben (denjenigen Gesellschaften und Glaubenssystemen, die überlebt oder erobert haben). Trotz einer offensichtlichen Parteilichkeit dieser Methode messen wir die historische Genauigkeit eines gegebenen Konzepts immer noch daran, wie gut es mit unseren existierenden historischen Aufzeichnungen konform geht. Zahlreiche Historiker denken heutzutage – genau wie ich –, dass wir, bevor wir die historische Genauigkeit eines gegebenen Konzepts abschätzen, uns zuerst selbst eine sehr viel tiefer gehende Frage stellen sollten: Wie historisch akkurat ist die Geschichte eigentlich?

Sind Sie Christ?

Ja. Es ist interessant: Wenn man drei Leute fragt, was es bedeutet, Christ zu sein, erhält man drei verschiedene Antworten. Einige denken, getauft zu sein reiche aus. Andere glauben, man müsse die Bibel als absolute historische Wahrheit akzeptieren. Und wieder andere meinen, dass alle, die Christus nicht als ihren persönlichen Retter betrachten, dazu verdammt sind, in der Hölle zu schmoren. Glaube ist ein Kontinuum, und wir alle werden irgendwann einmal auf die eine oder andere Weise damit konfrontiert. Indem wir versuchen, den Glauben zu klassifizieren, enden wir damit, über Semantik zu streiten bis zu einem Punkt, wo wir das Offensichtliche ganz und gar aus den Augen verlieren – dass wir alle versuchen, die großen Geheimnisse des Lebens zu entschlüsseln und dass jeder einzelne von uns seinem eigenen Weg zur Erleuchtung folgt. Ich betrachte mich als Student vieler Religionen. Je mehr ich lerne, desto mehr Fragen habe ich. Für mich ist die spirituelle Suche ein lebenslanger, niemals endender Prozess.

Das Thema dieses Romans könnte als kontrovers betrachtet werden. Haben Sie Angst vor den Auswirkungen?

Ich könnte mir keinen Grund dafür vorstellen. Die Ideen in diesem Roman sind seit Jahrhunderten bekannt; es sind nicht meine eigenen. Zugegeben, es mag das erste Mal sein, dass diese Ideen im

Kontext eines populären Thrillers niedergeschrieben wurden, doch die Informationen sind alles andere als neu. Meine Hoffnung für SAKRILEG war – über die reine Unterhaltungsebene hinaus –, dass das Buch dem Leser die Tür öffnen möge, um mit eigenen Nachforschungen anzufangen, und das Interesse an Themen des Glaubens neu zu entfachen.

Was empfinden Albinos wegen Ihres Charakters Silas?

Einige Leser mit Albinismus waren wegen der Darstellung dieses Charakters besorgt. Ich bin sehr sensibel, was ihre Besorgnis angeht. Es ist wichtig, nicht zu vergessen, dass Silas' Aussehen nichts mit seiner gewalttätigen Natur zu tun hat – die Grausamkeit anderer hat ihn zur Gewalt getrieben –, es ist nichts, was seiner Physiologie von Geburt an innewohnt. Die große Mehrheit der Kritiker und Leser (selbst einige mit Albinismus) finden, dass Silas der sympathischste Charakter des ganzen Romans ist. Ich glaube fest, dass das Romanporträt des Silas einfühlsam schildert, wie schwierig Albinismus sein kann – insbesondere für junge Menschen –, und wie grausam eine Gesellschaft diejenigen unter uns ausgrenzen kann, die anders aussehen.

Hat jemand aus einer der großen organisierten Religionsgemeinschaften öffentlich Ihren Roman unterstützt?

In der Tat, viele Menschen aus organisierten Religionsgemeinschaften haben sich gemeldet und diesen Roman unterstützt, und natürlich gibt es genauso viele, die ihm kontrovers gegenüberstehen. Die Opposition kommt in der Regel von den orthodoxesten christlichen Denkern, die glauben, die Vorstellung eines »verheirateten Jesus Christus« würde seine Heiligkeit unterminieren. Ich stimme dieser Interpretation zwar nicht zu, doch das ist unerheblich, weil der Dialog an sich eine positive und ermunternde Kraft für jeden

Beteiligten darstellt. Plötzlich debattieren unzählige Leute leidenschaftlich über wichtige philosophische Themen, und ungeachtet der persönlichen Schlüsse, die jeder einzelne von uns zieht, kann diese Debatte nur helfen, unser Verständnis des eigenen Glaubens zu vertiefen. Viele der positiven Reaktionen seitens organisierter Religionsgemeinschaften erhalte ich von Nonnen (die mir in ihren Briefen danken, weil ich darauf hingewiesen habe, dass sie ihr gesamtes Leben der Kirche gewidmet haben und dass sie dennoch für »unfähig« erachtet werden, den Altardienst zu versehen.) Ich habe von Hunderten begeisterter Priester gehört. Viele von ihnen sind mit einigen Ideen in meinem Roman nicht einverstanden, doch es freut sie, dass ihre Gemeindemitglieder plötzlich eifrig mit ihnen über Religion diskutieren wollen. Father John Sewell von der St. John's Episcopal Church in Memphis hat erst kürzlich gegenüber der Presse verlautbaren lassen: »Dieser Roman ist keine Bedrohung. Er ist eine Gelegenheit. Wir sind aufgerufen, uns kreativ mit der Kultur zu beschäftigen, und das ist es, was ich tun möchte. Ich denke, Dan Brown hat mir einen Gefallen erwiesen. Er hat mir eine Möglichkeit gegeben, über Dinge zu sprechen, die wichtig sind.«

Hat Sie der Erfolg des Buches überrascht?

Und wie! Ich habe sehr hart an diesem Roman gearbeitet, und ich habe sicherlich erwartet, dass die Leser ihn genießen würden, doch ich hätte niemals damit gerechnet, dass so viele Menschen ihn so sehr lieben würden. Ich habe im Grunde genommen eine Gruppe fiktiver Charaktere erschaffen und sie mit Ideen konfrontiert, die ich persönlich faszinierend finde. Offensichtlich ist es so, dass diese Ideen für eine große Zahl von Menschen die gleiche Faszination ausüben.

Dieser Roman ist für Frauen sehr ermutigend. Können Sie etwas dazu sagen?

Vor zweitausend Jahren lebten wir in einer Welt der Götter und Göttinnen. Heutzutage leben wir in einer Welt, in der es nur noch Götter gibt. Die Frauen in den meisten Kulturen sind ihrer spirituellen Kraft beraubt worden. Der Roman berührt die Frage, wieso und warum diese Verschiebung stattgefunden hat ... und welche Lektionen wir daraus für unsere Zukunft lernen können.

In Werbetexten zu Ihrem Roman wird oft von der »größten Verschwörung der letzten zweitausend Jahre« gesprochen. Was ist das für eine Verschwörung?

Dieses Geheimnis zu enthüllen würde die Leser jeglichen Vergnügens berauben, doch ich möchte so viel sagen, dass es mit einer der berühmtesten Geschichten aller Zeiten zu tun hat ... einer Legende, die uns allen vertraut ist. Gerüchte über diese Verschwörung kursieren seit Jahrhunderten in zahllosen Sprachen, einschließlich der Sprache der Kunst, Musik und Literatur. Einige der dramatischsten Hinweise finden sich in den Gemälden von Leonardo da Vinci, die überzufließen scheinen vor rätselhaftem Symbolismus, Anomalien und Codes. Kunsthistoriker sind sich einig, dass da Vincis Gemälde verborgene Bedeutungsebenen enthalten, die weit unter die Oberfläche der Farbe reichen. Zahlreiche Gelehrte glauben, dass sich in da Vincis Arbeiten bewusste Hinweise auf ein großes Geheimnis finden ... ein Mysterium, das bis zum heutigen Tag durch eine geheime Bruderschaft gehütet wird, der auch da Vinci selbst angehört hat.

Woher stammt die Idee für SAKRILEG?

Diese spezielle Geschichte hat immer wieder an meine Tür geklopft, bis ich schließlich geantwortet habe. Das erste Mal habe ich während meines Studiums der Kunstgeschichte an der Universität von Sevilla von den Geheimnissen in da Vincis Werken erfahren. Jahre später, während meiner Recherchen für *ILLUMINATI*, bin ich dem da-Vinci-Rätsel erneut begegnet. Ich besuchte den Louvre, wo ich die Originale einiger der berühmtesten Werke da Vincis betrachten und mit einem Kunsthistoriker diskutieren konnte, der mir zu einem besseren Verständnis des Geheimnisses hinter den überraschenden Anomalien der Gemälde verhalf. Von da an war ich gefesselt. Ich habe ein Jahr mit Recherchen zugebracht, bevor ich *SAKRILEG* geschrieben habe.

Wie sind Sie an all die Insider-Informationen für dieses Buch gekommen?

Die meisten Informationen sind nicht so entlegen, wie es vielleicht scheinen mag. Das Geheimnis, das in meinem Roman beschrieben wird, ist seit Jahrhunderten aufgezeichnet, und es gibt Tausende von Quellen, aus denen man mehr erfahren kann. Darüber hinaus war ich überrascht, wie begierig Historiker ihre Sachkenntnis mit mir geteilt haben. Eine Akademikerin berichtete mir, dass ihre Begeisterung für *SAKRILEG* zum Teil auf ihrer Hoffnung beruhe, dass »dieses uralte Rätsel« einem breiteren Publikum zugänglich gemacht würde.

Sie scheinen eine Vorliebe für geheime Gesellschaften zu haben. Was können Sie dazu sagen?

Mein Interesse an Geheimgesellschaften ist das Produkt zahlreicher Erfahrungen. Sicherlich tragen meine Recherchen bezüglich Organisationen wie NSA, Vatikan, NRO und Opus Dei dazu bei, meine Faszination aufrecht zu erhalten. Auf einer tieferen Ebene jedoch rührt mein Interesse daher, dass ich in Neuengland aufgewachsen bin, umgeben von den geheimen Clubs der Ivy-League-

Universitäten, der Freimaurerlogen unserer Gründerväter und den verborgenen Korridoren früher Regierungsmacht.

Würden Sie sich selbst als Verschwörungstheoretiker betrachten?

Kaum. Tatsächlich bin ich das genaue Gegenteil – eher ein Skeptiker. Ich erkenne absolut keine Wahrheit in den Geschichten über außerirdische Besucher, Kornkreise, das Bermuda-Dreieck oder viele andere »Geheimnisse«, die unsere Pop-Kultur durchdringen. Das Geheimnis hinter SAKRILEG war jedoch zu gut dokumentiert und zu bedeutsam, um es zu ignorieren.

(Übersetzung des Interviews: Axel Merz)

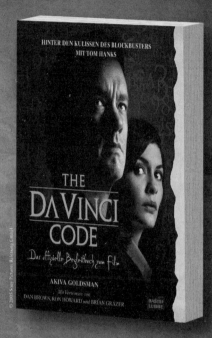

*Sensationelle Enthüllungen über die Frau
an Jesu Seite!*

Laurence Gardener
HÜTERIN DES
HEILIGEN GRAL
Maria Magdalena - die Frau Jesu
*Aus dem Englischen von Ursula
Pesch und Norbert Juraschitz*
Sachbuch
480 Seiten
ISBN-13: 978-3-404-64215-1
ISBN-10: 3-404-64215-5

Maria Magdalena ist eine der frühen Unterstützerinnen des jungen Christentums, Prostituierte und Heilige, Ehefrau Jesu und Hüterin des Heiligen Gral. Damit steht sie – entgegen offizieller Kirchenlehre – nicht nur im Zentrum des Christentums, sondern begründet auch eine geheime Tradition abendländischer Geschichte, die durch Rom immer wieder geleugnet wird. Der englische Bestseller-Autor Laurence Gardner verfolgt in seinem Buch die verschlungenen Wege zurück zu jener Frau an Jesu Seite, die bis heute großen Einfluss auf die Geschicke unserer Welt hat. Gleichzeitig liefert er neue Erkenntnisse, die Dan Brown noch nicht kannte …

Bastei Lübbe Taschenbuch

Eine mysteriöse schottische Sekte,
ein berühmter Schriftsteller – und ein
jahrhundertealtes Geheimnis

Michael Peinkofer
DIE BRUDERSCHAFT
DER RUNEN
Historischer Roman
672 Seiten
ISBN 3-404-15249-2

Als ein Mitarbeiter des Schriftstellers Sir Walter Scott unter mysteriösen Umständen stirbt, ist dies der Auftakt zu einer höchst beunruhigenden Reihe von Ereignissen. Sir Walter stellt Nachforschungen an und stößt auf eine Mauer des Schweigens. Was verheimlicht der königliche Inspector, der eigens aus London geschickt wurde? Was für ein jahrhundertealtes Geheimnis hüten die Mönche von Kelso? Und was hat es mit der ominösen Schwertrune auf sich, auf die Sir Walter und sein Neffe Quentin bei ihren Ermittlungen stoßen? Ein Schicksal, dessen Ursprung Jahrhunderte zurückreicht, nimmt seinen Lauf ...

Bastei Lübbe Taschenbuch

»Spannender als die letzten fünfzig Seiten sind nur die ersten vierhundert.«

THE NEW YORK TIMES

Erscheinungstermin:
September 2006

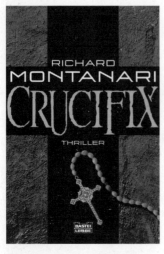

Richard Montanari
CRUCIFIX
Thriller
528 Seiten
ISBN-13: 978-3-404-15554-5
ISBN -10: 3-404-15554-8

Die Bevölkerung von Philadelphia wird mit Verbrechen konfrontiert, die alles bisher Dagewesene in den Schatten stellen: Ein eiskalter Mörder hat es auf katholische Mädchen abgesehen und lehnt sich bei seinen Tötungsritualen an die Passion Christi an. Für die Kriminalbeamten Kevin Byrne und Jessica Balzano beginnt ein Wettlauf gegen die Zeit, denn das Osterfest steht kurz bevor, und für diesen Termin hat sich der Killer die Krönung seiner mörderischen Aktivitäten vorbehalten ...

Bastei Lübbe Taschenbuch

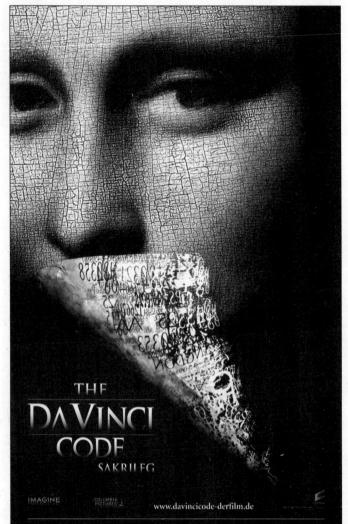

THE
DAVINCI
CODE
SAKRILEG

DIE VERFILMUNG DES ROMANS SEHEN SIE
AB DEM 18. MAI 2006 IM KINO!